JN088523

ヴェネチア・ビエンナーレと日本

JAPAN AT THE VENICE BIENNALE
1952–2022

企画 **国際交流基金**

ヴェネチア・ビエンナーレと日本

JAPAN AT THE VENICE BIENNALE
1952–2022

平凡社

序

世界各地において、200を超えるビエンナーレやトリエンナーレが現在開催中とされますが、ヴェネチア・ビエンナーレは、今もなお特別な存在であり続けています。1895年に始まった歴史の最も古いこの国際美術展は、19世紀の万国博覧会の手法に通ずる国単位による参加方式を採り、賞制度を残します。参加国は近年約90カ国を数え、壮大な規模で世界の最新アートを集約的に提示して毎回注目度は高く、国際的評価へ直結する場となっています。そして何よりもヴェネチアという古くて美しい都市の魅力が、ビエンナーレを強力に後押ししていることは言うまでもありません。

日本は戦後復興期の1952年、ヴェネチア・ビエンナーレに初めて公式参加すると、1956年には自前のパヴィリオンとしての日本館を開設しました。その後も代々の美術家や関係者は、並々ならぬ力を傾注し、この国際展と向き合い、参加を重ねてきました。日本参加の窓口は、国際交流基金およびその前身・国際文化振興会が継続して務め、日本代表作家の作品展示を通して、日本の現代美術を海外に発信し続けています。

本書は、日本のヴェネチア・ビエンナーレ公式参加70周年、並びに国際交流基金設立50周年を機に、刊行の運びとなりました。国際展のあり様さえ十分に把握のないまま画壇の重鎮を送り込んだ1952年展から、ダムタイプが個展を行なう2022年展までの70年を国際的な文脈のなかでたどることにより、日本現代美術史の一端を見つめようとする試みです。歴史のスパンからすれば、70年はほんのわずかな時間に過ぎませんが、この間に美術表現は多様な展開をみせ、また展覧会の在り方も大きく変化しました。そこで、本書はよりアクチャアルな最新回から始め、過去70年を遡る逆編年体の形式でまとめられています。また、日本館において作品を発表した日本代表作家に限らず、ビエンナーレ当局の主催による企画展や外国パヴィリオンに招かれた作家にも着目し、ビエンナーレの舞台に立った約180名の日本の作家とその作品を紹介します。

構成は各回の日本館展示を中心に、展示風景写真と出品作品図版、作家解説、当事者のコメントに加え、国内外の展評を可能な限り掲載しました。また、国際展を巡る日本の国内体制や日本館の建設、ビエンナーレの歴史、アペルトなどの注目すべき事項をコラムとして扱い、横軸として加えることによって、ビエンナーレと日本参加の実相を立体的に浮かび上がらせようと努めました。さらに作家解説を本編に据えることで、現代美術家の人名事典として活用されることも視野に入れています。

国際的な美術の動向を2年に一度輪切りにして見せるヴェネチア・ビエンナーレは、今後も世界の注目を惹きつけていくことでしょう。オンラインの時代となっても、リアルな美術交流の場の必要性は高まりこそすれ、減じることはないと思われます。日本は、より積極的にこの国際展に参画し、日本の現実に根ざす現代美術を都度世界に問うと同時に、新しい芸術の創造に向けて、多数の参加者とともに広範な対話と交流を重ねていくことが望まれます。過去70年の日本参加の歴史が詰まった本書が、そのためのひとつのガイドブックとして、あるいは次代のアートの向かうべき方向を考え、未来を展望するための資料として、広く活用されていくことを願ってやみません。

国際交流基金

ヴェネチア 衛星写真による 右下がジャルディーニ

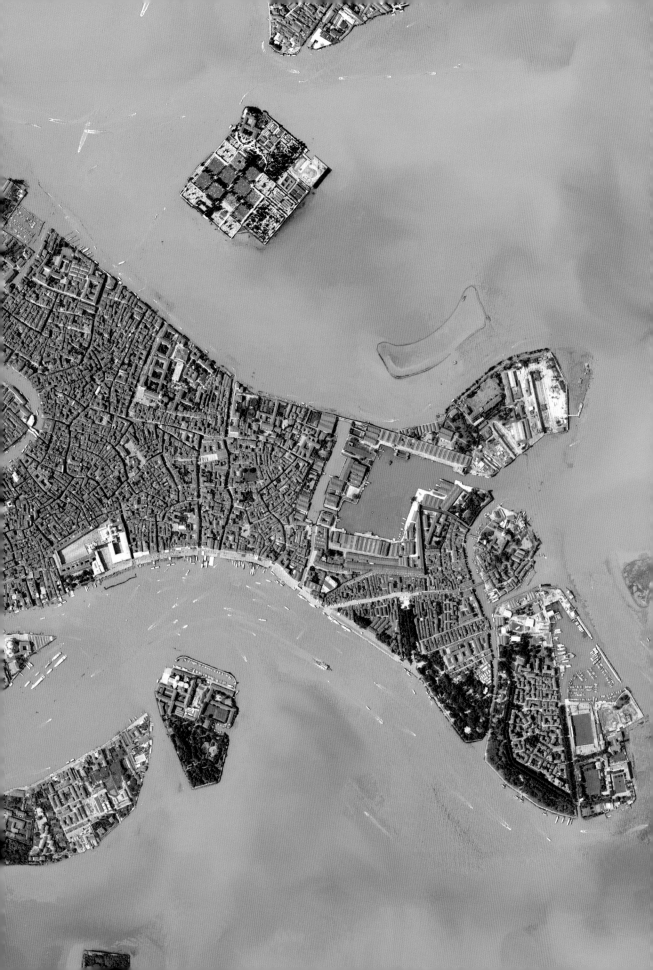

ヴェネチア・ビエンナーレにおける日本現代美術 | 建畠 哲

50年代から60年代

ヴェネチア・ビエンナーレの特色は規模の壮大さもさることながら、なんといっても1895年創設という三つの世紀にまたがった歴史を有していることであろう。国別参加方式も国際展としては例外的なもので、第1回展には15カ国が参加している。1907年（第7回）にベルギーが自前のパヴィリオンを建設して以降は、欧米各国が会場の公園（ジャルディーニ・ディ・カステロ）に相次いでパヴィリオンを構えるようになり、しばしばオリンピックになぞらえられるような、各国が展示と賞を競い合うという独特の雰囲気が生じてきた。近年は欧米以外の参加国も増加し、90カ国ほどを数えるに至っている。

　日本の公式参加は1952年（26回展）で、前年にサンフランシスコ講和条約を締結しているとはいえ、まだ戦後の混乱期を脱しきれていない時期に、いちはやく参加したことには驚かされる。もっとも日本人アーティストの作品が出品されたのはこれが初めてではなく、すでに1897年の2回展にビエンナーレ総裁からの出品要請を受け、日本美術協会の会員の日本画、彫刻、工芸（川端玉章、高村光雲、宮川香山ら）が展示されていた。その後も1928年の16回展のエコール・ド・パリの特別陳列にはパリ在住の藤田嗣治の作品3点が出品されるなど、ビエンナーレ当局側の企画による日本人作家の展示がなかったわけではない。（以下、本稿での近年以外の事実関係の記述は主として国際交流基金と毎日新聞社が1995年に刊行した『ヴェネチア・ビエンナーレ─日本参加の40年』に依拠していることをお断りしておく。）

　さて1952年のビエンナーレの日本の代表（コミッショナー）は梅原龍三郎で、日本画からは横山大観、小林古径ら、洋画からは安井曾太郎、梅原ら11名の作品が選ばれ、会場として提供された中央館の一室に展示された。しかし他国がひとりないし少人数に絞り、もっぱら個々のアーティストを押し出す方法を取っていたのに対し、国としての公式参加の経験がなかった日本は画壇の総花的な紹介になり、ほとんど反響を呼ぶことなく終わってしまったようである。

　1954年のビエンナーレは国際文化振興会（外務省が管轄する財団法人で国際交流基金の前身）が窓口になり、前回の反省もあってアーティストは坂本繁二郎と岡本太郎のふたりの洋画家に絞られた（代表は土方定一）。フランスでの長い留学経験を有しながらも日本のアーティストとしての文化的アイデンティティをもつ新旧両世代の代表を選ぶという方針自体はリーズナブルなものではあったと思われるが、中央館に間借りするという場所の制約はいかんともしがたく、また予算も限られていて、期待されたほどの成果を上げるには至らなかった。是非とも自前のパヴィリオンをもつべきだという美術界やジャーナリズムの声に押され、ビエンナーレ当局からも無償で敷地を提供するという申し出があって、翌年ようやく外務省も腰を上げ、ブリヂストン取締役社長の石橋正二郎からの建設資金の寄付を受けて、56年の開幕に間に合うように突貫工事で日本館（設計は吉阪隆正）を完成させたのである。

　日本館はル・コルビュジエに師事したモダニズムの建築家、吉阪の代表作のひとつと目されており、現地でもすぐれたパヴィリオンとして注目を浴びた（もっとも構造的には展示するのが難しく、今日に至るまでの歴代のコミッショナーを大いに苦労させてきたのも事実なのだが）。この回に出品したアーティストのひとり、棟方志功が版画でグランプリを受賞したことも大きな話題になり、公式参加3回目にして、日本はなんとかヴェネチア・ビエンナーレにおける地歩を固めえたのである。

　以後、日本館のアーティストたちは58年には岡田謙三、62年には菅井汲、64年には堂本尚郎、66年には池田満寿夫、68年には高松次郎と次々に受賞をかさねていく。また日本在住作家ばかりではなくパリの浜口陽三、佐藤敬、今井俊満、堂本尚郎、菅井汲、ミラノの豊福知徳、ニューヨークの川端実、池田満寿夫など海外在住アーティストたちが多く選ばれていることも、この時期の著しい特色である。

　日本館に関しては発表の拠点をえたことによる順調な歩みであったが、目をビエンナーレ全体に向ければ、純粋なアートのイベントであるべき会場が、あたかも国策のようにして賞を競い合う政治的な場と化していること

への疑問が生じつつあった。大国同士の駆け引きやオープニングの期間に催される幾つものパーティーの虚飾の宴のような華やかさに違和感を覚える美術関係者も少なくはなかったのである。

　たとえば1955年にスタートし、5年に1回開催されるドイツ・カッセル市のドクメンタは、大規模な国際現代美術展としてヴェネチアに匹敵する存在と見なされているが、そこでは毎回指名されるひとりの芸術監督が自らテーマを決め、全てのアーティストを選考するという方法が取られている。国別参加ではなく、賞制度もなく、また社交的なパーティーが開かれることもない。ヴェネチアに比べてドクメンタの方が、アートのイベントとしてはより先鋭であり純粋でもあるのではないか。ヴェネチアは結局のところは欧米主要国の思惑に支配されているのではないか。そうした反発の声がしだいに高まってきたのだ。

　1968年の34回展の日本館コミッショナーは針生一郎であったが、針生によれば、パリの5月革命の余波もあって、このビエンナーレを「商業主義と大国主義の祭典」と呼ぶ美術家と学生のボイコット運動が起き、それに対してビエンナーレ当局は開幕前から会場に警察隊を常駐させたという。賞の審査会も開催が遅れ、先に記した高松次郎などの受賞が発表されたのは会期末になってからであった。こうした危機的な事態を打開するために、70年の35回展では賞制度自体が廃止され、86年の42回展で復活されるまで賞のないビエンナーレが続くことになった。しかしそれは政治的な思惑を排除すると同時に、ヴェネチアならではの求心力を欠いた、盛り上がりのない展覧会をもたらすことになったともいわなければなるまい。

70年代から90年代

さて1972年に国際交流基金が設立され、国際文化振興会の後を受けて日本館の運営を引き受けることで、ビエンナーレに取り組む体制はより安定したものとなった。学識経験者による国際美術協議会がコミッショナーを選出し、出品アーティストの選定と展示を委ねるが、前回の経験を次の回にも生かすために原則として2回続けてコミッショナーを務めるという方法は、70年の35回から93年の45回まで維持されている。

　1976年の37回展のコミッショナーの中原佑介は写真家の篠山紀信の〈家〉と題されたシリーズを出品したが（展示構成は磯崎新による）、これは事実上、日本館としては初めての個展となった。中原は38回展（78年）には榎倉康二と菅木志雄を、39回展（80年）のコミッショナー、岡田隆彦は榎倉康二、小清水漸、若林奮を選定している。70年の35回展が関根伸夫と荒川修作であったことを合わせて考えれば、総じて70年代にはヨーロッパで注目されつつあったもの派やニューヨークで活躍していたアーティストといった、国際的な評価を念頭に置いた方針が取られていたといってよい。

　日本館の展示は毎回、関心を集めはしたものの、必ずしも出品アーティストへの評価を海外で定着させることにはつながらなかった。80年代以降もそうだが、人数を絞ったとはいえ、3名から2名という複数名の出品で、個展の開催を中心にした主要国のパヴィリオンに比してアーティストの存在感をアピールする力が分散されてしまったことは否めまい。それでも1982年の40回展はコミッショナーのたにあらた、出品者の彦坂尚嘉、北山善夫、川俣正はいずれも戦後生まれというこれまでにない人選で、とりわけ川俣の日本館の外側を大量の木材で覆ったインスタレーションは注目を浴び、その後の海外での活躍につながったことは特筆されてよいだろう。84年以降は国際交流基金のスタッフがアシスタント・コミッショナーに就き、現地での対応の強化が図られるようにもなった。

　一方、ビエンナーレ当局は賞の廃止後も1974年の回の中止を余儀なくされ、廃止すら云々されるような混乱状態から脱するために、76年の37回展には「環境」という総合テーマを設定し（中原が篠山の〈家〉のシリーズを出品したのもそれを受けた判断であった）、その後も回ごとにテーマが掲げられた。しかし自前のパヴィリオンを有し経費も負担する参加国の多くはテーマを重んじることはなく、ビエンナーレとしての求心力の低下は否めない時期が続いたのである。

　もっともビエンナーレ当局は手をこまねいていたわけではなく、再活性化をはかるべく、国別パヴィリオン以外の新機軸を打ち出すようになった。1980年にメイン会場のジャルディーニとは別に、長大な工場の廃屋アルセナーレの活用を始め、またアペルトと称される若手アーティストたちを紹介する部門をスタートさせたのである。

アペルトは、先端的な美術の状況に詳しい委員たちの合議で出品者を選考するもので、回を追うごとに重視され、日本に関しても88年には委員を務めた南條史生の推薦で石原友明、遠藤利克、西川勝人、宮島達男、森村泰昌の5名が選ばれて、国際舞台で活躍するきっかけを摑んだのである。

　その他にも中央館や市内の宮殿などで独自の企画展が開催されるようになり、しだいに往時の勢いを取り戻し始めていたビエンナーレだが、1986年の42回展からは新たな段階を迎えることになった。長らく廃止されていた賞制度が復活し、是非はともかく参加各国の方針に再び国策的な傾向が強まってきたのである。

　この回と1988年の43回展の日本館のコミッショナーは神奈川県立近代美術館の酒井忠康であったが、それまでの美術評論家ではなく、キャリアのある美術館キュレーターの起用は、出品者の人選（42回展は若林奮と眞板雅文）に加えて、会場での展示作業やカタログ編集にも力を注ぐという方針によるものであろう。43回展のアーティストは戸谷成雄、植松奎二、舟越桂であったが、木を素材にしたそれぞれの斬新な造形を木彫の伝統である精神的な「聖なるもの」の延長線上に位置づけ、現代美術における日本的なアイデンティティを鮮明に示した展示は多くの反響を呼び、賞は逸したものの、日本館としては従来にない存在感をしめしえたといえよう。先に記したアペルトも含めて日本のアーティストに作品購入や画廊での個展の話が舞い込むというのも、これまでには見られなかったことであった。またビエンナーレ当局が企画して開催した野外彫刻展にはミラノ在住の長澤英俊が出品していた。

　1990年の44回展と93年の45回展の日本館のコミッショナーは筆者（建畠）であった。44回展の遠藤利克と村岡三郎は共に重厚な観念性を有した大作を出品し、ひとつの展覧会としての緊張感を漂わす会場となった。またアペルトには松井智恵と二人組のコンプレッソ・プラスティコが招待され、ジュデッカ島の会場で開催された当局主催のフルクサスの回顧展にはこの運動に加わった日本のアーティスト、靉嘔、オノ・ヨーコ、久保田成子、小杉武久、塩見允枝子、刀根康尚らが参加していた。またオープニングでは日本では初めての公式パーティーを開き、多くの美術関係者を集めたことも記しておこう。

　45回展では、筆者は日本館は何としても個展にすべきだと考えて、関係者を説得し、草間彌生を選考した。実のところ、草間はすでに1966年の33回展に、ルーチョ・フォンタナの援助で制作した1500個のミラーボールを中央館前の広場に並べるという《ナルシスの庭》をゲリラ的に出品していたのだが、今回は日本からの公式参加である。60年代のニューヨーク時代の作品に重点を置いた回顧展で、この作家が国際的に脚光を浴びる契機になったものと自負している。ちなみに日本館に選ばれた女性アーティストとしては31回展（62年）の江見絹子以来の二人目であった。

　またビエンナーレ当局と国際交流基金の共催で具体美術協会のリーダーであった画家、吉原治良の回顧展と初期具体の野外展の再現展、アメリカ在住の久保田成子のビデオアート展、オノ・ヨーコの個展、イタリア館のアーティストとしては長澤英俊が取り上げられ、アペルトには柳幸典（スウォッチ賞受賞）、椿昇、中原浩大が招待され、別会場で同時に開催された「トランスアクションズ」展に太郎千恵藏、森村泰昌、横尾忠則が出品するなど、異例なまでに日本関係の展示が目立ったビエンナーレであった。

2000年代以降

ところでヴェネチア・ビエンナーレの参加の仕方は各国のパヴィリオンによって異なっており、イギリスのようにブリティッシュ・カウンシルがコミッショナーの役割を担っている国もあれば、コンペでコミッショナーやアーティストを選定している国もある。日本でもいろいろ議論がなされていたが、ヴェネチア・ビエンナーレ発足100周年に当たる1995年の46回展では特別な取り組みとして、国際交流基金は国際美術協議会にコミッショナー選定を委ねるのではなく、キュレーターや美術評論家から出品アーティストを含めた展示プランを募るという指名コンペ方式を採用した。対象が展覧会の企画であるからには、たしかにコミッショナーとプランをワンセットにして選ぶのは妥当な方法のひとつではある。コンペで選ばれたのは、伊東順二のプランであった。内容は崔在銀、日比野克彦、千住博、河口洋一郎の4名によるグループ展で、薄暗くしたギャラリー（床には水が張られている）の幽玄な空間（会場構成は隈研吾）で滝の絵を展示した千住博は名誉賞を受賞している。

その後1997年の47回展から、2005年の51回展までは、再びコミッショナーを合議により選出する方式に戻されたが、その間の特色としてまず挙げられるのはコミッショナーや出品アーティストの半数近くを女性が占めていることであろう。それまでの日本館では女性アーティストの出品は計2名、コミッショナーに関しては皆無であったことを思えば、著しい変化といわなければなるまい。

ビデオ作品と写真が多く出品され、またメディア・アートも含めて展示空間全体を使った大規模なインスタレーションが見られるようになったことも目立った特色である。こうした傾向は他のパヴィリオンにもいえることで、とりわけビデオ作品が激増し、一時期はビエンナーレ自体が映像展の様相を呈するほどであった。

回を追ってその経緯を概観しておこう。1997年の47回展（コミッショナー・南條史生）は内藤礼、99年の48回展（コミッショナー・塩田純一）は宮島達男の個展が開催された。双方ともギャラリーを密室化したインスタレーションで、後者は闇のなかに無数のデジタル・カウンターの数字が点滅し、前者は柔らかな光に満ちたテントの中にかそけきオブジェが点在するという、一種神秘的でもあれば瞑想的でもある空間を出現させていた。

2001年の49回展（コミッショナー・逢坂恵理子）は「ファースト＆スロウ」（出品作家は藤本由紀夫、畠山直哉、中村政人）、03年の50回展（コミッショナー・長谷川祐子）は「ヘテロトピアス」（出品作家は曽根裕、小谷元彦）と、ともに現代文化をテーマに掲げた展覧会で、現代文化を批評的に捉え直す企画自体は注目に値するにしても、複数名の出品が他館に比べて個別の作家の印象を弱めていたことは否めまい。

2005年の51回展からは、取り上げる作家は原則として個展もしくは1グループとするという基準が設けられることになったのは、そうした議論を踏まえてのことであっただろう。05年（コミッショナー・笠原美智子）は、石内都の個展が開催され、自身の母が身に着けていた衣類や遺品などを写した写真が展示された。石内は学園闘争の嵐が吹き荒れていた1969年に結成された美術家共闘会議（略称・美共闘。多摩美術大学の学生を中心とする）のメンバーであった。美共闘は70年代には政治闘争から矛先を美術の制度自体にも向け、もの派を批判するなどラディカルな運動を展開したが、日本館には石内をはじめ、彦坂尚嘉（82年）、堀浩哉（84年）、また美術のビエンナーレと交互に開かれる建築ビエンナーレ（国際建築展）では宮本隆司（96年）とかつての闘争の中心的なメンバーが、年を経てではあるにせよ、"日本を代表するアーティスト"として次々と起用されることになったのは興味深い事実である。

2007年の52回展からは、1995年以来の指名コンペ方式が再び採用され、コミッショナー／キュレーター候補者が作家を含む企画案を提出し、展示内容を主体に選考される方式となった。以降、2019年の58回展までは下記のような企画が続くことになる。

2007年	(52回)	コミッショナー	港千尋	出品アーティスト	岡部昌生
2009年	(53回)	コミッショナー	南嶌宏	出品アーティスト	やなぎみわ
2011年	(54回)	コミッショナー	植松由佳	出品アーティスト	束芋
2013年	(55回)	キュレーター	蔵屋美香	出品アーティスト	田中功起
2015年	(56回)	キュレーター	中野仁詞	出品アーティスト	塩田千春
2017年	(57回)	キュレーター	鷲田めるろ	出品アーティスト	岩崎貴宏
2019年	(58回)	キュレーター	服部浩之	出品アーティスト	下道基行、安野太郎、石倉敏明、熊作文徳

（ちなみに2013年より肩書がコミッショナーからキュレーターになったのは、国際交流基金が実質的にコミッショナーの立場であることを明らかにしたからである。）

もちろんここにひとつの傾向があるわけではない。むしろ写真、ビデオ、アニメ、あるいはアーカイブ的な要素をもった展示（田中功起）など、現代美術の展開の多様さが示されているというべきかもしれないが、あえて俯瞰するならば岡部昌生の原爆被災地の駅の縁石をフロッタージュしたシリーズ、塩田千春の無数の古い鍵を吊るしたインスタレーションなどは、個人や都市の記憶を未完の過去として捉え直そうとしている点で共通しており、そのことが逆にさまざまな危機が渦巻く今という時代ならではのアクチュアリティーを感じさせる展示となっていたように思われる。

さて国際展を巡る状況は、1995年に韓国で光州ビエンナーレが創始されたことを契機に日本でも2000年に越後妻有アートトリエンナーレ、2001年に横浜トリエンナーレ、2010年にあいちトリエンナーレがスタートし、ア

ジア各国やアフリカ、中近東でも数多くの国際展が競い合うように開催されるようになった。欧米が主導してきた現代美術の世界に、マルチカルチュラリズムの波が押し寄せ、ヴェネチアでも回を追ってアルセナーレや市内各所に非西洋諸国のテンポラリーなパヴィリオンが増える傾向にある。

　国際展の多くはドクメンタと同様に芸術監督を起用するものであるが、国別参加方式を取るヴェネチアでも、そうした状況を意識してか、ビエンナーレの総合キュレーターの役割を徐々に拡大し、毎回総合テーマを掲げ（各国がそれを重んじるかどうかはともかくとして）、中央館やアルセナーレと称される広大な会場（かつてアペルトが開催されていた場所もその一部である）を同キュレーターが企画する展示に当てるなど、規模的な拡大も推し進めてきた。参加国の数も増え続け、ヴェネチア・ビエンナーレは国際展としてのステータスと注目度を取り戻しつつあるといえるだろう。

　最後に記しておけば、日本館は次回の59回展（新型コロナウイルス禍で一年順延され、現時点では2022年春からの予定）の開催に当たっては、キュレーターではなくアーティストを国際展事業委員会が直接選考する方法に改め、1984年に結成され国際的な活動を展開してきたアーティスト集団、ダムタイプが選ばれた。デジタル技術とリアルなパフォーマンスとを接合させた先鋭な作品がどのように紹介されるのかが注目されよう。

（文中敬称は略し、肩書は当時のものである。）

目次

執筆　伊東正伸 (I)、池上ちかこ (C)、中村麗 (U)、三上豊 (Y)、オノ・ヨーコの解説は山村みどりの協力を得た。
　　　イニシャルがないものは各年編集担当者による。

編集担当年　池上＝2019-1995年　中村＝2022年、1993-82年、1960-54年　三上＝1980-62年、1952年

凡例・本書は、『ヴェネチア・ビエンナーレ—日本参加の40年』(国際交流基金・毎日新聞社 編著 1995)を参考にし、
　　　1995年から2022年までの日本参加実績を加え、企画展参加作家や日本館以外の会場に出展した作家も
　　　収録した。
　　・各年の構成は、「全体概要」「日本館概要」「コミッショナーのコメント」「コミッショナーの紹介」「参加作家解説」
　　　「出品作品について」「報告・展示評」「企画展などの作家解説」からなり、「コミッショナーのコメント」と
　　　「報告・展示評」は抜粋である。
　　・海外作家のカタカナ表記は慣例に倣ったものがある。例 イサム・ノグチ、ブランクーシ
　　・生地の都府県の表記は略した。
　　・文中、《　》は作品、〈　〉はシリーズ、「　」は引用部、展覧会名、グループ名、『　』は書誌、映画を示す。
　　　〔　〕は編者による補記。

1 1985年 第1回ヴェネチア・ビエンナーレ展示館外観　2 1972年 企画展「ヴェネチアのための4つの都市計画展」　3 1970年 企画展「実験芸術への提案」
4 1956年 日本館展示風景　5 1968年 警官導入に抗議し、作品を裏返しての展示　6 1972年 日本館ピロティでの田中信太郎の展示
7 1986年 日本館前で展示作業中の眞板雅文（左）　8 1988年 日本館の植松奎二《倒置―垂直の場》の展示

9 1995年 100周年記念の看板　10 2007年 ジャルディーニのメインの通り　11 1995年 ジャルディーニ前の運河に国旗が並ぶ
12 1993年 オープニング風景　13 2017年 「IE」でアルセナーレを航行するTHE PLAY　14 2015年 石田徹也の展示風景
15 1993年 アペルトでの柳幸典（壁面）と椿昇（床）の展示　16 2019年 日本館ピロティに「宇宙の卵」のバルーンが見える

2022

2021年に予定されていたが、Covid-19パンデミックのため1年延期され、2022年に開催となった。200人をこえる作家が参加し、そのうち180人以上が国際美術展に初参加、さらにビエンナーレの歴史のなかでも最も多くの女性やトランスジェンダーの作家が含まれている。カメルーン、ナミビア、ネパール、オマーン、ウガンダおよび、カザフスタン、キルギスタン、ウズベキスタンの中央アジア3国が初参加。総合キュレーターは、ニューヨークを拠点に活動しているイタリアのセシリア・アレマーニ。テーマは「ザ・ミルク・オブ・ドリーム」で、イギリスで生まれ、メキシコで活動した画家、彫刻家であり小説家のシュルレアリスト、レオノーラ・キャリントンが子どものために書いた絵本の題名から取られている。「この本に描かれている魔法の世界では、想像力を駆使してたえず新しい人生を思い描くことができる。誰もが変身して他の物や人になることができるのだ。」とアレマーニは語っている。このテーマに基づいて本展はさらに、「身体とその変容の表現」「個人とテクノロジーの関係」「身体と地球のつながり」という3つのテーマに焦点を当てる。直接的なパンデミックに関する展示はないが、必然的に激動の時代をうかがわせるものとなった。ポスターには、それぞれの作家の作品を想起させるイメージと、アレマーニが「身体への入口の扉」として定義した「目」が象徴的に描かれている。企画展に日本からは、ルポルタージュ絵画で知られる池田龍雄、パリを中心に活躍した工藤哲巳（1976年の企画展にも出品）、ニューヨークを拠点に自ら制作したインスタレーション空間で即興的なパフォーマンスを行なう笹本晃、ワイヤー彫刻で知られる日系アメリカ人の彫刻家・ルース・アサワ、陶芸彫刻家・高江洲敏子らの作品が出品された。

第59回
4月23日———11月27日　80カ国が参加

日本館

国際展事業委員会（257ページ参照）により、アーティスト・コレクティブのダムタイプが出品作家に選出された。これまで、日本館はコミッショナーを指名して作家選考を一任するか、あるいは指名コンペティションにより作家の人選を含む企画案を選定してきたが、この回は、過去の日本館コミッショナー／キュレーター経験者、並びに歴代の国際展事業委員より推薦を受けた候補作家のなかから、委員会が直接作家を選考する方法を採った。なお、キュレーターはダムタイプの意向により指名されていない。

ダムタイプ

ダムタイプというグループ名は「口のきけない」、「愚かな」といった意味をもつ「ダム」と「タイプ」を組み合わせた造語。京都市立芸術大学の学生を中心に京都で、ビジュアル・アート、音楽、ビデオ、ダンス、デザイン、プログラミングなど多様なバックグラウンドをもつ作家の集まりとして結成される。リーダーを擁立しないでメンバーもプロジェクトごとに流動的、ヒエラルキーをもたない協働をモットーとし、美術、演劇、ダンスといった特定の領域に留まらず、つねに境界から逸脱するマルチメディア・アーティストグループとして活動を続けている。1984年、結成時に大学で初演した《睡眠の計画》は、その都度内容を再構築しながら、パフォーマンスや展覧会といった様々な形式で展開。人間とテクノロジーをめぐる物語《Pleasure Life》（1988年）は、ニューヨーク、ミュンスター、ロンドンなどでも上演。その後活動の場は世界に広がる。《pH》（1990年初演）は巨大なコピー機に閉じ込められた世界を事実／虚像、緊張／弛緩などといった二項対立の図式にそって描いている。《S/N》（1992年初演）は、ジェンダー、セクシャリティといった問題に真正面から向かい合い、センセーションを巻き起こした。この作品を「闘争」であると位置づけたメンバーの古橋悌二（1960-95）は、初演から3年後にHIV感染による敗血症で急逝。97年、古橋が死の直前に「生と死の境界について」書き残したメモに基づいて制作された《OR》が上演さ

展示風景　2022

れた（ル・マネージュ国立舞台、モブージュ他）。他に代表作として、高谷史郎（1963-）がアーティスティック・ディレクションと映像、池田亮司（1966-）が音楽を担当した《memorandum》（1999年初演）、《Voyage》（2002年初演）などがある。2014年、東京都現代美術館で展示されたビデオ・インスタレーション《MEMORANDUM OR VOYAGE》は、17年ポンピドゥー・センターに収蔵された。大規模な個展「DUMB TYPE | ACTIONS＋REFLECTIONS」が18年にポンピドゥー・センター・メッス、19年に東京都現代美術館で開催された。20年、Covid-19感染拡大防止のために上演が中止された18年ぶりの新作パフォーマンス《2020》の映像が配信される。22年ヴェネチア・ビエンナーレに参加。

《2022》部分

出品作品について

展示室の中心から北・東・南・西の方角に置かれた4台の高速で回転する鏡にレーザーを反射させて、周囲の壁に文字を投影。1850年代の地理の教科書から引用されたテキストが、シンプルで普遍的な問いを投げかける。「What is the Earth?」「What is the shape of the Earth?」「What is a Continent?」「What is an Ocean?」「When you look at the rising Sun, what Ocean is before you?」…回転する超指向性スピーカーからテキストを朗読する音声が流れ、音のビームとなって室内を移動し不意に鑑賞者の耳元に届く。

　インターネット／ソーシャル・メディアの進化・発展や、世界的に感染が拡大した新型ウイルスにより大きく変化した、人々のコミュニケーションの方法や世界を知覚する方法について、あるいは「Post Truth」「Liminal Spaces」について。

　周囲を取り囲む言説群と対比的に、部屋の中央の空所は、どこでもない場所であり、どこでもある場所である。

ダムタイプ
2022年3月

2019

第58回

5月11日──11月24日　90ヵ国が参加

総合キュレーターにはロンドン、ヘイワード・ギャラリーの館長ラルフ・ルゴフが就任し、総合テーマ「May You Live in Interesting Time (数奇な時代を生きられますように)」を掲げた。この言葉はイギリスの古くからある言い回しで、「Interesting (数奇)」には不確実・混迷の意味も含まれ、ルゴフはそのような時代にあってもアートは生きるための手がかりになりうるというメッセージを込めた。同題の企画展に選ばれた79組は全て現存作家で、そのうち半数以上が40歳以下であった。日本からは池田亮司、片山真理、久門剛史 (アピチャッポン・ウィーラセタクンとの共作) が選出された。この回は例年とは異なり、同じ作家がジャルディーニの中央館とアルセナーレの両方の会場に展示するという構成が取られ、それぞれで異なる側面を見せた。

国別展示では、リトアニア館がパヴィリオン賞 (金獅子賞) を受賞した。アルセナーレ地区にある建物内にビーチを再現し、思い思いに海水浴を楽しむ演者たちが環境破壊問題などについて語り、歌う、オペラ仕立てのパフォーマンスを上演した。

金獅子賞は、作家賞をアーサー・ジェイファ (アメリカ) が受賞。功労賞はジミー・ダーハム (アメリカ) に贈られた。また今回は女性作家の参加数がビエンナーレ史上初めて半数を超えた。若手作家対象の銀獅子賞はハリス・エパミノンダ (キプロス) が受賞し、テレサ・マルゴレス (メキシコ) とオトボング・ンカンガ (ナイジェリア) が特別表彰を受けるなど、女性作家の活躍が評価された年であった。

日本館

キュレーターは服部浩之。指名コンペにより、下道基行、安野太郎、石倉敏明、能作文徳を出品作家とする服部の企画提案が採用された。美術家、作曲家、人類学者、建築家という異なる分野の4名が協働し、映像、音楽、テキストなどによる展覧会「Cosmo-Eggs | 宇宙の卵」を行なった。なお、本展は2020年に開館したアーティゾン美術館 (東京) において、帰国展が開催された。

私たちがどのような場所で、どのように生きることができるのかを思考し、人間と非人間が共存するエコロジーを想像するためのプラットフォームを築く試みである。そして、異質な表現の混交と共存を模索する芸術実践からなる展覧会を、共存のエコロジーについて思考を巡らす場へとひらきたいと考えている。

日本列島は自然災害の多発地帯で、2011年の東日本大震災では大津波による原発の大破という、近代化の歪みを経験した。21世紀に入り、人間活動の爆発的な増大がもた

らす新たな地質時代「人新世」の到来に関する議論は活性化しているが、依然としてグローバルな企業活動に象徴される資本主義が地球を覆っている。このなかで、地球という惑星の薄皮程度の地表面に暮らす人間が、地球環境に甚大な影響を与えていることを、いかに考えるべきだろうか。

本プロジェクトは、美術家・下道基行が沖縄の宮古列島や八重山諸島で出会い、数年来撮影を重ねてきた《津波石》を起点とする。「津波石」とは、津波によって海底から地上へと動かされた巨石である。人々の生活のすぐ傍にありながら、植物が繁茂したり、渡り鳥のコロニーになったり、そのものが人間と非人間が共存するエコロジーのプラットフォームと言える。

作曲家・安野太郎の、人間の呼吸不在でリコーダーを自動演奏させる《ゾンビ音楽》は、鳥のさえずりのようにも聞こえる音楽である。これを発展させた《COMPOSITION FOR COSMO-EGGS "Singing Bird Generator"》は、日本館のピロティから展示室まで突き抜ける巨大なバルーンが、リコー

展示風景 《COMPOSITION FOR COSMO-EGGS "Singing Bird Generator"》の一部を成す巨大なバルーンやリコーダーと《津波石》の映像

ダーへ空気を供給する肺の機能を果たすことで、生成される。その音楽は、《津波石》の映像とともに会場空間を満たす。

　「宇宙の卵」というタイトルは、世界各地に伝わる卵生神話に由来する。石も卵も、球体という循環や周期を比喩的に表す形状をもち、卵の脆さは生成と破壊の両義的な関係を示している。神話研究を専門とする人類学者・石倉敏明は、沖縄や台湾を中心にアジア各地に伝わる津波神話を参照し、人間と非人間の関係を再考する新たな神話を創作した。（略）

　「津波石」が共生・共存のエコロジーそのものであるように、異なった能力をもつ表現者による異質な創作物は、異質なまま重なりあう。本展は、このような、単純な共鳴や共振にはとどまらない生成変化を続ける場をひらく「協働」を通じて、本質的な共生・共存のエコロジーを問うものである。

► 服部浩之「協働の共振や不協和の折り重なりから、共存のエコロジーを問う」
日本館カタログ

キュレーター

服部浩之 ────────

Hattori Hiroyuki｜1978-

愛知に生まれる。2006年早稲田大学大学院修了（建築学）。09年まで秋吉台国際芸術村、16年まで青森公立大学国際芸術センター青森でキュレーターとしてアーティスト・イン・レジデンス事業を中心に、展覧会やアートプロジェクト、教育普及活動の企画運営に従事する。共同企画に「MEDIA/ART KITCHEN」（インドネシア他、2013年）、十和田奥入瀬芸術祭（同年）、あいちトリエンナーレ（2016年）、アッセンブリッジ・ナゴヤ（2016-20年）、「ESCAPE from the SEA」（マレーシア、2017年）、「近くへの遠回り」（キューバ、2018年）など。21年より東京芸術大学大学院准教授。

下 道 基 行 ——————— Shitamichi Motoyuki | 1978-

岡山に生まれる。2001年武蔵野美術大学造形学部油絵学科卒業。03年東京綜合写真専門学校研究科中退。日常のなかに存在する異質なものや、時を経て新たな意味をもつものなどに着目し、リサーチを重ね、写真や映像、文章、書籍などで発表している。代表作に、日本各地に残る軍事施設跡を訪ね、写真に収めた〈戦争のかたち〉(2001-05年)、日本の植民地時代の遺構のひとつである韓国や台湾などの鳥居の現状を伝える〈torii〉(2006-12年)などのシリーズがある。光州ビエンナーレ (2012年、2018年)、あいちトリエンナーレ (2013年) など国際展へ参加。黒部市美術館 (2016年)、大原美術館・有隣荘 (2019年) にて個展を開催。19年、Tokyo Contemporary Art Awardを受賞。

安 野 太 郎 ——————— Yasuno Taro | 1979-

東京に生まれる。2002年東京音楽大学作曲専攻卒業。04年情報科学芸術大学院大学 (IAMAS) 修了。作曲とメディアアートを学び、アーティストとのコラボレーションも多数行なう。作品に、声と映像のための音楽作品〈音楽映画〉シリーズ (2007-10年) や、検索エンジンでヒットした楽譜をピアニストが初見で次々と演奏してゆくコンサート《サーチエンジン》(2008年)、自動演奏機械による《ゾンビ音楽》などがある。

石 倉 敏 明 ——————— Ishikura Toshiaki | 1974-

東京に生まれる。2010年中央大学大学院総合政策研究科博士後期課程単位取得後退学。神話や宗教の観点から研究を進め、山伏の修行を積むなど、土地そのものに深く入り込む人類学者として活動。これまで写真家・田附勝 (『野生めぐり』共著、2015年) や美術家・鴻池朋子らと協働制作・制作協力を行なうなど、人類学と現代アートを結ぶ活動を展開。

能 作 文 徳 ——————— Nousaku Fuminori | 1982-

富山に生まれる。2012年東京工業大学大学院建築学専攻修了。建築設計の他、美術作品、空間インスタレーションも手がける。16年、ヴェネチア・ビエンナーレ国際建築展では日本館展示に能作アーキテクツ (能作文徳、能作淳作) として参加。著書に『野生のエディフィス』(2021年) など。

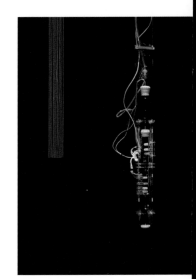

出品作品について

展覧会のタイトルは「Cosmo-Eggs｜宇宙の卵」。空間構成や什器・装置設計を能作文徳が担当。展示室には下道基行の映像作品《津波石》を映し出すプロジェクターとスクリーンを一体化した装置が4つ配置され、スクリーン脇の空間には下道が津波石の位置や情報を記した海図などが展示された。その中央には、安野太郎による会場に響き渡る音楽作品《COMPOSITION FOR COSMO-EGGS "Singing Bird Generator"》の一部を成すオレンジ色の巨大なバルーンが置かれている。このビニール製のバルーンは床に開いた穴を通して階下のピロティから続いている。バルーンに観客が座ると、バルーンと透明チューブでつながるリコーダーへと送られる空気の量が変化し、音楽が変容する。そして周囲の壁には石倉敏明による創作神話《宇宙の卵》が刻まれた。

展示風景

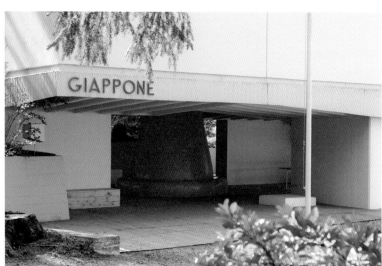

左：《COMPOSITION FOR COSMO-EGGS "Singing Bird Generator"》のリコーダーと創作神話《宇宙の卵》　右：日本館ピロティ。バルーンの一部が見える

木村尚貴

アート 混迷の時代の指針に
印象深い日本勢

日本勢は受賞を逃したが、注目度は高かった。国別で日本館は創世神話から着想した「Cosmo-Eggs│宇宙の卵」を開催。秋田公立美術大院准教授の服部浩之（40）が企画し、美術家の下道基行（40）、作曲家の安野太郎（39）、人類学者の石倉敏明（44）、建築家の能作文徳（36）の4人が共同制作し、海外メディアが必見のパビリオンの一つに挙げた。

　津波で流された巨石の映像を4面のディスプレーに投影し、渡り鳥のさえずりのようなリコーダーの自動演奏を響かせた。会場中央に卵の黄身のようなバルーンを膨らませ、創作した創世神話を壁に刻んだ。「複数の神話が共存する世界観を示したかった」と服部。

　他国のパビリオンで、選ばれた作家たちの関連性が弱い展示が散見される中、人類とそれ以外の生命との共生の形や地球との関係性を考えさせる日本館の展示の一体感は出色だった。
　　　　　　　　　▶『朝日新聞』2019年5月21日夕刊

三輪晴美

観客に問う自然との共生
空気や音たゆたう日本館の空間

展示室中央に大きなバルーン。耳に入る音は自動演奏のリコーダーだ。部屋の4面にスクリーンが設置され、地震で地表に運ばれた巨大な「津波石」が静かに場を支配する。

　人類が直面する自然環境、ひいては地球の危機。未来をどこに求めればいいのか。地球誕生時の数々の「卵生神話」、そして「津波石」を起点に人と自然の共生を探る作品だ。黄身のようなオレンジ色のバルーンが人の圧力で空気を送り、リコーダーが鳥の歌を奏でる。その響きは笙にも似て、観客は東洋とも西洋とも、太古とも未来ともつかない空間に身を置き、思い思いに作品を体験する。

　「異なる分野の4人の作家とキュレーターが対話を重ねることで、互いに複雑に影響し合う展覧会が実現した。共存という問題を考える上で重要なプロセスでした」と服部は話す。印象的だったのは、父親が幼い息子に向かい、映像とテキストを見ながら津波石について熱心に話す姿だ。答えはすぐに出なくても、作品を媒介にして、問いは受け継がれる。
　　　　　　　　　▶『毎日新聞』2019年9月9日夕刊

レアン・エリオット・ヤング

ヴェネチア再び

次に足を止めたのは、日本館の「Cosmo-Eggs│宇宙の卵」だ。キュレーターは服部浩之。美術家・下道基行、作曲家・安野太郎、人類学者・石倉敏明、建築家・能作文徳という専門分野が異なる4名のアーティストの作品を展示している。大理石の床に横たわるのは、オレンジ色のドーナツ型バルーン。目が回りそうな空間で視覚的にも一息つける場所だ。腰掛ける（自分は横たわったのだが）と、管が視界に入る。座ると（その管を通して空気を送り）音楽が流れる仕組みになっているのだ。この自分自身の身体と世界の物理作用の間に起こる絶妙な相互作用が、最近は滅多に経験できない一瞬に感じられた。「私たちがどのような場所で、どのように生きることができるのかを思考し、人間と人間でないものが共存するエコロジーを考察するためのプラットフォームを築く」ことがこのプロジェクトの狙いだそうだ。
　　　　▶オフィス・マガジン（ウェブ版）2019年5月29日

アンナ・スーター

ヴェネチア・ビエンナーレ2019
トップ・テン・パヴィリオン

今年の日本の出展作品は面白いと同時に心震わすものになっている。美術家、作曲家、人類学者、建築家が協働した今回のインスタレーションは、目まぐるしく変化する世界の中、私たちがどのような場所で、どのように生きることができるのかを思考する試みだ。起点となったコンセプトは《津波石》。地震などの自然災害の発生後に海底から陸へ打ち上げられた巨石だ。この石を出発点に、人間と自然界が「共存するエコロジー」を考察している。鳥のさえずりを思わせる音楽が、展示空間の天井から吊り下げられたリコーダーから流れる。リコーダーを吹く「肺」となるのは、建物中央に横たわる巨大なオレンジ色のバルーンだ。来館者はこのバルーンの上でくつろげるようになっており、それにより楽器に空気を送るのだ。
　　　　▶アップカミング（ウェブ版）2019年5月20日

企画展「May You Live in Interesting Time（数奇な時代を生きられますように）」

総合キュレーターのラルフ・ルゴフによる企画。混迷の時代にアートが生き方の指針になりうるというメッセージが込められている。79組の招待作家は、ジャルディーニの中央館とアルセナーレの両会場において異なる作品を展示することを求められた。

池 田 亮 司

Ikeda Ryoji | 1966 –

岐阜に生まれる。パリと京都を拠点に活動。視覚メディアとサウンドメディアの領域を行き来する電子音楽作曲家にしてビジュアル・アーティスト。音そのものがもつ本質的な特性とその視覚化を、数学的精度と美学の両面から追求している。1990年より音楽活動を開始。94年より作曲家としてアーティスト集団ダムタイプに関わる。95年以降は、光と音によるライブ・パフォーマンスやサウンド・インスタレーションを国内外で精力的に行ない、高い評価を得る。またカールステン・ニコライとの共同プロジェクト「cyclo.」（2000年–）の他、杉本博司、振付家のウィリアム・フォーサイスらとコラボレーションを展開。東京都現代美術館（2009年）、パリのポンピドゥー・センター（ジャポニスム2018、2018年）で個展を開催。

出品作品について

《data-verse 1》は、ミクロから人間のレベルへ、さらにマクロへと向かう過程を表現したオーディオビジュアル・インスタレーション。池田は独自のアルゴリズムを制作し、コードによって音と映像をつくった。観客は視覚と聴覚の両面から作品と対峙しながら、現代人の日常にあふれる膨大なデータの世界へと導かれてゆく。音響、視覚、素材、物理現象、数学的概念といった様々な要素を組み合わせた作品は、池田が人間の感覚とデジタル技術の限界に挑みながら探求する「極限」、そして「無限」の世界を表現している。池田は中央館においては、廊下を四方から強烈な白色LEDライトで照らすインスタレーション《spectra III》（2008/2019年）を展示した。

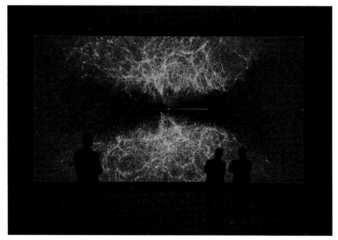

アルセナーレの展示風景　data-verse 1　2019

片山真理

Katayama Mari | 1987–

埼玉に生まれ、群馬で育つ。先天性脛骨欠損症のため、両足が不自由かつ左手が2本指で生まれた。9歳で両足を切断し義足となる。高校在学中、手縫いのオブジェを自身の体に装着した姿を撮影しSNS上で発表。2005年、その延長線上でつくった作品を群馬青年ビエンナーレに応募し奨励賞を受賞。10年に群馬県立女子大学美学美術史学科を卒業し、12年、東京芸術大学大学院修了。装飾を施した義足を用いたセルフポートレートを主軸に、近年は住まいに程近い足尾銅山を取材した作品を制作。19年に初の作品集『GIFT』を出版。20年、同写真集とヴェネチアでの展示を対象に木村伊兵衛写真賞受賞。

Shell 2016

出品作品について

《Shell》は、蝶が描かれた義足や、片山自身を模した等身大のオブジェに囲まれたセルフポートレート。オブジェは手縫いで、ビーズや貝殻などで装飾が施されている。会場には実物のオブジェやコラージュの箱なども展示された。アルセナーレでは《Shell》をはじめ自室で撮影した作品群を、ジャルディーニでは屋外で撮影した作品を展示。両会場合わせて12点の写真作品を出品。

久門剛史

Hisakado Tsuyoshi | 1981–

京都に生まれる。2007年京都市立芸術大学大学院彫刻専攻修了。人の営みを構成する根源的な感性や唯一性／永遠性に関心を寄せ、音や光、プログラミング、彫刻、絵画、大規模なインスタレーションなど多様な手法でコンセプチュアルな作品を発表している。それらの作品は鑑賞者の記憶や想像を共振させ、視覚や聴覚を研ぎ澄ますように促す。15年に日産アートアワードでオーディエンス賞、16年にVOCA賞を受賞。またチェルフィッチュ『部屋に流れる時間の旅』（2016年）の舞台美術と音を手がけ、京都国際舞台芸術祭で初の大型劇場作品『らせんの練習』（2019年）を発表するなど、活動の幅を広げている。20年には豊田市美術館で国内初の大規模個展を開催。主な参加国際展に、あいちトリエンナーレ（2016年）、ハワイ・トリエンナーレ（2022年）がある。

シンクロニシティ 2018
森美術館での展示風景

出品作品について

《シンクロニシティ》は、タイの映像作家アピチャッポン・ウィーラセタクンと久門剛史による映像インスタレーションで、アルセナーレに展示された。森美術館の「MAMプロジェクト025：アピチャッポン・ウィーラセタクン＋久門剛史」（2018年）のため、久門がタイのチェンマイにあるアピチャッポンのスタジオに長期滞在し、当時アピチャッポンが準備していた南米のコロンビアを舞台にした映画《メモリア》の脚本を構想段階から共有するなど、お互いの作品や制作手法を参照し、応答し合うという対話的なプロセスを経て生まれた実験的な作品であった。同映画の題材でもあった深層心理学や脳神経学を参照しながら、《シンクロニシティ》は、個人の記憶と、社会や国家などの集合的な記憶の対比が詩的なインスタレーションに落とし込まれている。映像を投射する壁に穴を開け、その後ろに電球を置いて洞窟のような雰囲気をつくり上げることで双方の記憶の対比を際立たせた。

都市 ヴェネチア

アドリア海の最深部に位置するヴェネチアは、文字通り水の都である。干潟に無数の丸太の杭を海底に達するまで打ち込み、海に浮かぶように都市が築かれている。「ヴェネチアの街を逆さまにすると森ができる」と言われる所以である。大小170以上の島々からなり、本島は中央を全長3キロの大運河が流れ、縦横に150を超える小さな運河がはりめぐらされている。ゴンドラはさすがに今や観光客向けであるが、車社会とは無縁で、人々はもっぱら船で移動する。中世の街並みが色濃く残る、世界有数の観光都市である。

その歴史は古く、7世紀末にヴェネチア共和国が成立したとされ、1797年にナポレオンに侵略されるまでの約1000年にわたって海洋型都市国家として栄えた。都市の中心、サン・マルコ大聖堂やサン・マルコ広場の名前は、聖マルコを守護聖人として仰いだことに由来し、同共和国の国旗には、聖マルコを象徴する聖書を持った有翼の金のライオン（金獅子）が表わされる。サン・マルコ広場の大運河に面して建つ東側円柱上にも、獅子像が周囲を睥睨するかのように設置されていて、都市のシンボルとなっている。

貿易で栄えたヴェネチアは、ルネサンスの中心地フィレンツェとは異なる様式の絵画を生み、ティツィアーノやティントレット、ヴェロネーゼなどの画家に代表されるヴェネチア派を形成した。18世紀には地元の画家カナレットが克明にヴェネチアの街を描き、雄大な都市景観画のジャンルを築いた。その後も、ターナーやモネをはじめ古今東西の芸術家がヴェネチアに魅了され、数多くの名作を残している。

こうした文化の厚み、偉大な美術の伝統に連なる形で、この古くて美しい街は約120年以上前からビエンナーレをホストし、新しい美術の動向を世界へ向けて発信し続けている。2年に一度世界の美術関係者の熱視線が注がれるビエンナーレのメイン会場は、大運河を抜けてリド島へ向かう途上に位置するジャルディーニ（カステロ公園）にある。この公園だけは、水中にではなく地上に木々がうっそうと茂っている。(1)

水没するサン・マルコ広場

ヴェネチアの夕景

2017

第57回
5月13日──11月26日　86ヵ国が参加

総合キュレーターにパリ、ポンピドゥー・センターのキュレーターであるクリスティーヌ・マセル（フランス）が就任し、総合テーマに「VIVA ARTE VIVA（アート万歳）」を掲げた。同タイトルの企画展がジャルディーニの中央館とアルセナーレの2会場を舞台に行なわれ、120組の作家が参加した。日本からはTHE PLAY、菅木志雄、松谷武判、島袋道浩、田中功起が選出された。マセルは「アーティストとともに、アーティストによる、アーティストのための展示」と銘打ち、不安と混乱が渦巻く世界の中にあってアートやアーティストの果たす役割を強調。全体を9つの章に分け、中央館の「アーティストと本」の章では本をテーマにした作品の他、作家の仕事のやり方や、ワークショップの様子を伝える展示などが行なわれた。続く「喜びと恐怖」では感情をテーマにした作品が並ぶ。アルセナーレでの展示は、「共有」に始まり「地球」「伝統」「シャーマン」「ディオニュソス」「色彩」と続き「時間と無限」の章で終わる構成となった。

　一方国別展示では、出入り自由な架空のパスポートを発行する小屋を設け難民問題を扱ったチュニジア館をはじめ、社会への不安を代弁した展示が目立った。ドイツ館はアンネ・イムホフ率いるグループが5時間にわたるパフォーマンス《ファウスト》を行ない、金獅子賞パヴィリオン賞を受賞した。ガラスの床で重層構造にした館内を移動するパフォーマーたちの動きは暴力、抵抗といった言葉を連想させた。その他の金獅子賞は、厚手の布地を用いたカラフルな彫刻を出品したフランツ・エアハルト・ヴァルター（ドイツ）が作家賞を受賞。功労賞は、フェミニズム・アートの先駆けとして知られるキャロリー・シュニーマン（アメリカ）に贈られた。

日本館カタログ

日本館

キュレーターは鷲田めるろ。指名コンペにより、岩崎貴宏を出品作家とする鷲田の企画提案が採用された。「海」をキーワードにヴェネチアと日本をユーモアを交えてつなぎつつ、日本が抱える諸問題を伝える個展「逆さにすれば、森」を行なった。

作品のモチーフは、厳島神社や、瀬戸内の海沿いにつくら

れた化学工場、海上のオイルリグなど、新旧含めた日本の海沿いの建造物である。新作である《リフレクション・モデル（テセウスの舟）》は、海面に反射する神社をモチーフとしたものだが、反射像が揺らぎ無くつくられているために、静止した一瞬を捉えた、非現実的な時空間を感じさせる。厳島神社は外力を受けたときに、意図的に一部壊れるようにつくることによって、外力を受け流し、建物の重要な部分を守るようにできている。作家はこのことに着目し、台風で壊れた様子を作品にした。受け流すという方法に日本的な自然との向き合い方が示されている。

　本展では、原子力や資源開発などのエネルギー問題、戦後の経済の高度成長を支えながらも公害を引き起こした化学工場など、広島や瀬戸内海、そして、日本の中の周縁的な地域が共通して抱える問題に目を向けた作品を通じて、異なる視点からの日本像を示す。展覧会タイトルの「逆さにすれば、森」はヴェネチアの小説家ティツィアーノ・スカルパがヴェネチアについて書いた文章から取ったもので、ヴェネチアがラグーンに打たれた無数の木の杭の上につくられているこ

展示風景

とを詩的に示す言葉である。岩崎の作品群は、広島や日本の歴史と今日の状況に向き合いながら、スカルパがヴェネチアの路上で想像力の翼を広げたごとく、視点を変えることの大切さと喜びを示している。

▶鷲田めるろ「岩崎貴宏 逆さにすれば、森」国際交流基金ウェブサイト

キュレーター

鷲田めるろ————————

Washida Meruro | 1973-

京都に生まれる。哲学者の父、鷲田清一により、メルロ=ポンティにちなんで命名される。弟は演出家の安達もじり。小学校3年から2年間父の留学に伴い、ドイツに暮らし、美術館に親しむ。油絵を描いていた父の影響もあり美術に興味をもち、東京大学で西洋美術史を学ぶ。同大学院美術史学専攻博士課程中退。1999年より学芸員として金沢21世紀美術館の立ち上げから関わり、レアンドロ・エルリッヒ《スイミング・プール》などコミッションワークを主に担当。「金沢アートプラッ

トホーム2008」など美術館外での市民参加型アートプロジェクトも多く企画。2009年、ゲント現代美術館との学芸員交流事業で半年間ベルギーに滞在。19年、あいちトリエンナーレのキュレーターを務める。20年、十和田市現代美術館館長に就任。主な展覧会企画として、「妹島和世+西沢立衛／SANAA」(2005年)、「イェッペ・ハイン：360°」(2011年)、「3.11以後の建築」(2014年)、「起点としての80年代」(以上、金沢21世紀美術館、2018年)がある。主な論文に「アートプロジェクトの政治学『参加』とファシズム」(川口幸也編『展示の政治学』2009年)、主な著書に、『キュレーターズノート 二〇〇七-二〇二〇』(2020年)。(U)

岩崎貴宏 Iwasaki Takahiro | 1975 –

広島で生まれ育ち、現在も広島を拠点に作家活動を続ける。2003年広島市立大学大学院芸術学研究科博士後期課程修了。大学ではデザインを専攻していたが、クライアントのいるデザインに対する興味が薄れ、美術家を目指す。2000年頃から歴史的建造物をモチーフとした〈リフレクション・モデル〉シリーズをつくり始める。05年エジンバラ・カレッジ・オブ・

アート大学院修了。歯ブラシの毛、シャープペンシルの芯など身の回りにある素材を使った繊細な立体作品を制作。さらにそれらを用いてミニチュアの風景のように見せるインスタレーションを展開する。11年のヨコハマトリエンナーレには、東日本大震災直後に計画停電で停止した横浜の大観覧車を自身の髪の毛で制作した作品を発表し、話題を呼んだ。岩崎

アウト・オブ・ディスオーダー（山と海）2017　床下から顔を出して見た風景

の制作の根底には、広島という特別な都市の存在がある。日常のものを使用するのも、原爆によって一瞬に変形させられてしまった日用品からの影響が大きい。09年、リヨン・ビエンナーレに出品。15年、ニューヨークのアジアソサエティおよび黒部市美術館と小山市立車屋美術館で個展。17年にヴェネチア・ビエンナーレ、19年にあいちトリエンナーレへ出品。

出品作品について

「逆さにすれば、森」のタイトルのもと、7点の立体作品が展示された。《アウト・オブ・ディスオーダー（山と海）》は、日本館の展示室の床中央に開けられた穴を利用した作品で、観客は作品を階上の展示室からは穴を見下ろすように、あるいはピロティ側に設けられた階段を上って見上げるように展示室を眺めることができる。穴の周りにはシーツやタオル、衣類が洗濯物の山のように積み上げられ、見立ての手法が取り入れられている。展示室側からは、山々が連なる自然の景観が、そしてピロティ側からは、それらの布から引き抜いた糸でつくられた鉄塔が林立し、日本の地方によく見られる海沿いの工業地帯の体を成していることがわかる。岩崎はここで、見下ろす（陸側から見る）／見上げる（海側から見る）という異なる視点による複眼的な空間体験を試みた。

《アウト・オブ・ディスオーダー（逆さにすれば、森）》は、日本館の床のワックスがけに使っていたデッキブラシの毛の部分を、ヴェネチアの土台となっている木の杭に見立てた作品。ブラシの上にのせられた雑巾の上には、その糸を固めてつくったヴェネチアのサンタ・マリア・デッラ・サルーテ教会が建つ。

《アウト・オブ・ディスオーダー（海洋モデル）》は、日本の海底油田から石油を掘削するオイルリグを、石油からできたゴミを使って表現した作品。《テクトニック・モデル（フロー）》は、ヴェネチアで見つけた中古テーブルの上に、本を不安定に積み上げた作品。本の栞をほどいてつくったクレーンが添えられることによって、本が工事中の建物のように見える。本は地震や科学技術、エネルギー問題に関わる内容のものが選ばれている。

また会場には、日本の歴史ある建造物をモチーフに檜を用いて制作した〈リフレクション・モデル〉の3点の作品が、宙に浮いているかのように展示された。いずれも、建造物の地上の実像と水面に反射する虚像が一体化することで、作品に存在しない水面が表現されている。《リフレクション・モデル（テセウスの船）》は、広島の厳島神社が台風で壊れた様子を表わした新作である。タイトル「テセウスの船」は、ある物体の全ての要素が置き換えられたとき、同一性を保つことができるのかというパラドックスに由来する。《リフレクション・モデル（ラピスラズリ）》は、山口市にある瑠璃光寺の五重塔がモチーフとなっている。他に、平面作品6点が展示された。

上：アウト・オブ・ディスオーダー
（海洋モデル）2017
中：テクトニック・モデル
（フロー）2017
下：展示風景
アウト・オブ・ディスオーダー
（山と海）2017

アウト・オブ・ディスオーダー（逆さにすれば、森）2017

丸山ひかり
国家を 自然を 問い直す

日本館は岩崎貴宏（42）の「逆さにすれば、森」展を、金沢21世紀美術館の鷲田めるろキュレーターの企画で開催。台風で一部が壊れた厳島神社をモチーフに精巧な模型のようにつくった作品など、7点で構成した。

　工芸的な技術の巧みさに驚くが、本のしおりひもから糸をほどいて作った極小のクレーンの作品では、本は地震や原発、科学技術に関する内容のものが多く、展示全体にも、自然と人間との関わり方を問い直すテーマがある。岩崎は、「意味のレイヤーをすごく意識している」と語る。

▶『朝日新聞』2017年5月30日夕刊

小川敦生
鮮烈な風景 思考促す

古着などの布が床にぐちゃぐちゃと重ねて円形に敷かれている。やがて、床下から人の頭が出てきた。十数秒ほど、周囲をぐるりと観察した後、穴の中に姿を消した。少し待っていると、別の人の頭が出てきて同じことを繰り返した。同展で日本館に出展している岩崎貴宏の作品「アウト・オブ・ディスオーダー（マウンテンズ・アンド・シー）」である。

　金沢21世紀美術館の鷲田めるろがキュレーターを務めた岩崎の作品は、86カ国が参加した今年の展示の中でも特に異彩を放っていた。実は、床下から首を出していたのは来場客だ。穴のすぐそばにはガスタンクや鉄塔、観覧車などを模した樹脂製の小さな模型が立ち、近代的な風景を成している。床下から覗いた人は、その風景を至近距離で眺めることになる。

　外の待ち列に並んで床下から頭を出してみると、館内で上から眺めるのとはまったく異なる鮮烈な風景が、すさまじいスケールで目に飛び込んできた。「日本館の床に元から開いていた穴を使ってできることを考えた」と岩崎は言う。その結果、視点を変えることの重要性がありありと分かる作品になったのだ。

▶『日本経済新聞』2017年6月5日夕刊

企画展「VIVA ARTE VIVA（アート万歳）」

総合キュレーターのクリスティーヌ・マセルによる企画で、不安と混乱が渦巻く世界の中にあってアートやアーティストの果たす役割を強調。ジャルディーニの中央館とアルセナーレに、120作家の作品が展示された。

THE PLAY（プレイ）

1967-

関西を中心に50年以上にわたって活動するグループ。参加したメンバーは100人を超えるが、2010年代まで活動するのは、池水慶一、小林槇一、鈴木芳伸、二井清治、三喜徹雄の5人。1968年、樹脂製の巨大な卵を太平洋で漂流させる《VOYAGE: Happening in An Egg》を発表。翌年には発泡スチロール製の矢印型の筏で宇治川から淀川を下る《現代美術の流れ》、70年には12頭の羊を連れて8日間かけて京都から大阪に旅をする《羊飼い》。72年には家を載せた筏で暮らしながら川を下ったり、吊り橋を架けたりしている。なかでも77年から10年間10回にわたった《雷》は、毎年京都市東南部の鷲峰山（じゅうぶさん）山頂に、調達した丸太400本で三角錐の塔を組み上げ、導雷針を設置し落雷を待つ行為。ついに落雷はなく終了したが、10年という時間をかけたグループの柔軟な自然への取り組みは、現代美術の行為の表現のなかでも傑出している。作家たちはもちろんのこと、時に観客を巻き込みながら日常や自然との関係を問うてきた。2000年代に入ると、ソウルやパリ、ニューヨークの展覧会への招待が続く。作品は形に残らないため、新聞や記録集を作成、膨大な資料自体が記録作品となっている。2016年、国立国際美術館で活動記録を踏まえた展覧会が開催された。

出品作品について

屋外会場では《Arsenale Zig Zag》が行なわれた。メンバーが2017年5月9日、《IE: THE PLAY HAVE A HOUSE》に乗り込みアルセナーレ海域を一周した。6畳一間の家をベニヤ板と発泡スチロールで制作、1972年当時は木津川から淀川を下ったが、ヴェネチアでもこれを再現。航行終了後、《IE》は陸上に展示され、内部で今回の《Arsenale Zig Zag》と1972年の《IE: THE PLAY HAVE A HOUSE》のビデオを上映した。(Y)

上下：Arsenale Zig Zag　2017

菅 木 志 雄

197ページ参照

出品作品について

《状況律》は、1971年に宇部の第4回現代日本彫刻展で発表された。池の上に浮かぶプラスチックのボードは20メートルほどの長さをもち、石が10個載せられていた。ヴェネチアではボードを木に替え、アルセナーレの一角にあるドック跡地の水上に設置された。本作を、作品として認識する観客はどれほどいたか。あえて他人の手や視線が安易に届かない場所に設置することで、作品のさりげなさを見せていた。

状況律　1971/2017

松 谷 武 判

Matsutani Takesada | 1937-

大阪に生まれる。14歳のとき結核を患い8年間入退院を繰り返す。1954年大阪市立工芸高校日本画科に入学するも病のため中退。日本画の団体展に出品する。元永定正と出会い、60年、具体美術協会展に出品（以後72年の解散まで参加）。63年の個展（大阪・グタイピナコテカ）では工業用ボンドによるレリーフを展示、動くオブジェなどを手がける。66年にフランス政府留学生選抜第1回毎日美術コンクールでグランプリを受賞。半年間のフランス留学を果たし、以後パリを拠点にして活動。版画家のS.W.ヘイターの版画工房で学び、72年ヴェネチア・ビエンナーレの企画展「今日の版画」に出品。版画制作のなかから鉛筆の黒を見出し、77年頃より画面を黒鉛で描き潰す作品が始まる。それは時に長さ10メートルにおよび、松谷のトレードマークとなった。さらに墨汁やボンドとの連携も立ち上げ、「流れ」「流動」「波動」という時の経過を思わせるタイトルに結実する。国内では芦屋市立美術博物館（1999年）、西宮市大谷記念美術館（2000年、2015年）、神奈川県立近代美術館（2010年）で個展。13年、グッゲンハイム美術館での具体展に参加。19年にパリのポンピドゥー・センターで個展を開催。(Y)

出品作品について

《Venice Stream》は、天井から吊るされた墨汁が滴り落ちることにより像が記される絵画と、長さ20メートル、幅4メートルの巨大なキャンバスを6Bの鉛筆で描き潰したドローイングによるインスタレーション。ドローイングの上方にはボンドを素材にしたレリーフが取り付けられている。袋から滴り落ちる墨汁は連続する今という時間を表わし、ドローイングには過去という時間の集積が込められている。

　《A Circle for Venice》は、既存の樹木を取り込んだ屋外インスタレーション。長さ13メートル、幅4メートルの布の中程に穴を開け、その周囲に筆の代わりに幅の広い段ボールを使って墨汁で一気に円が描かれている。アルセナーレの歴史ある庭（ジャルディーノ・デッラ・ヴェルジーニ）にそびえ立つプラタナスの大樹の生命を尊重し、あたかも布から樹が生えているかのように設置された。ゴツゴツして硬い樹木と真っ白で柔らかい布との対比が際立つ。

アルセナーレ屋内での展示風景
Venice Stream 2016-2017

アルセナーレ屋外での展示風景
A Circle for Venice 2017

島 袋 道 浩

Shimabuku Michihiro | 1969-

兵庫に生まれる。1992年サンフランシスコ美術大学卒業。2004年よりベルリンを拠点に活動を続け、16年に沖縄に居を移す。作品には、震災後の壊れた屋根などに「人間性回復のチャンス」という看板を掲げる《人間性回復のチャンス》（1995年、2011年）、トマトを北斗七星の形に配置する《トマト七星》（2003年）、生きている亀を展示する《カメ先生》（2011-14年）などがあり、いずれもユーモラスで想像力に富んでいる。またドイツの学生に、意味のわからないまま日本語の歌を歌ってもらう《わけのわからないものをどうやってひきうけるか？》（2006/2008）など、世界中を旅しながら、その土地の人々とのコミュニケーションを通したプロジェクトを展開。ヴェネチア・ビエンナーレ（2003年、2017年）、サンパウロ・ビエンナーレ（2006年）、あいちトリエンナーレ（2010年）、ヨコハマトリエンナーレ（2011年）、ハバナ・ビエンナーレ（2015年）、リヨン・ビエンナーレ（2017年）などの国際展に多

数参加。19年のリボーン・アート・フェスティバル（宮城）ではキュレーターも務める。近年の主な個展に金沢21世紀美術館（2013年）、クンストハーレ・ベルン（スイス、2014年）、モナコ新国立美術館（2021年）などがある。

出品作品について

「《テキサスのニホンザル》は、1972年に京都からアメリカ、テキサスの砂漠地帯に移住させられたニホンザルのグループを2016年に訪ねるところから始まった。数日間のテキサス滞在中、「サルたちは京都の雪の降る山を覚えているだろうか？」という疑問がふと浮かび、細かい氷を使い小さな山をサルたちの集まる場所につくる。そしてサルたちがやって来た。ヴェネチアではその模様を20分のビデオに収めたものとサボテンの鉢、テキストと一緒にインスタレーション作品として展示した」（島袋）。

　他に《海と花》（2013年）、《携帯電話を石器と交換する》（2014年）、《MacBook Airを研いでみる》（2015年）など彫刻やビデオによる計6点がアルセナーレに展示された。

展示風景　テキサスのニホンザル　2016

田 中 功 起

44ページ参照

出品作品について

《Of Walking in Unknown》は、自宅のある京都市内から福井県の大飯原発まで歩いた記録映像。時折立ち止まり、路上に落ちている物を拾う姿も映し出される。事故のあった福島ではなく自分から最も近い原発までの距離を身体で確かめる行為は、世界中のどこでも起こりうることを観客に喚起させる。アルセナーレの会場には、拾った物の一部も展示された。

展示風景　Of Walking in Unknown　2017

ヴェネチア・ビエンナーレの歴史 (1895-1945)

イタリア統一から約30年を経た1895年、ビエンナーレは、ウンベルト1世国王夫妻臨席のもと開幕した。統一国家への国民的意識を高める様々なイベントが各地で催される中、ヴェネチア市長がカフェ・フローリアンに集う美術家や美術愛好者たちと温めてきた構想が、2年に一度の美術展という形で結実した。

　作家は招待制を基本とし、国際性を重視して外国人作家にも門戸を開き、新しい美術の紹介を目指すとともに、作品の売買も奨励された（1972年までセールス部門が設けられていた）。ヴェネチアでは得難い緑豊かなジャルディーニ（カステロ公園）に新設された展示館を会場に、第1回展は285作家が参加。その半数を超える156人が外国作家だった。草創期は、観客数・作品数ともに右肩上がりで伸び（1895年：約22万4000人・516点、1897年展：約26万5000人・892点、1899年展：約30万9000人・1134点）、展示館が手狭となると、参加国によるパヴィリオンの建設が始まる。1907年のベルギー館をはじめ、1914年のロシア館までに7カ国のパヴィリオンが揃った。外国パヴィリオンの誕生は、ビエンナーレの基本的枠組みを決定づけ、国別参加と企画展というヴェネチア独特の2本立ての構成は、実にこの時から始まっている。

　第一次大戦による中断を経て、1920年展から再開されると、アカデミズム系の作品に代わって、フランスのポスト印象派がしだいに受け入れられていく。

　しかし、再び戦争の影が忍び寄る。1928年、ビエンナーレはヴェネチア市のコントロールを外れ、ファシスト政権下による新体制へと移行し、国内外における有効な宣伝ツールとして利用されていく。1930年展では、ナショナリズムの高揚のなか、25以上の賞が設けられ、それらがすべてイタリア作家に贈られ、イタリアの栄光が喧伝された。また1938年展から大賞（グランプリ）授与の賞制度が整えられた。政府からの支援が増え、観光誘致の思惑もあってビエンナーレは拡大路線へ進み、音楽、映画、演劇の各部門が最初のフェスティバルを相次いで開催した。他方、各国パヴィリオンは当局と距離をおき、独自の展観をそれぞれ行なった。しかし1942年展を最後に、再び中断を余儀なくされる。第二次大戦が苛烈を極めていた。(I)

1895年（第1回）の展示館外観

1895年（第1回）の展示風景

2015

第56回
5月9日──11月22日　89ヵ国が参加

総合キュレーターには、これまでに2002年のドクメンタなど多くの国際展を手がけたナイジェリア出身のオクイ・エンヴェゾが就任した。「すべての世界の未来」をテーマにした企画展を、ジャルディーニの中央館とアルセナーレを会場に展開。迫害の歴史や紛争、人権、環境破壊など現代社会の諸問題を追及する作品が中心となった。ハンス・ハーケやブルース・ナウマンといった重鎮から初参加の若手まで、53カ国から136人を超える作家が参加。日本からは石田徹也が選出された。中央館には大きなステージが設けられ、パネルディスカッション、パフォーマンス、映像作品の上映などが行なわれた。また総合キュレーターが初のアフリカ出身とあって、アフリカの作家が20名近く参加したことも特色のひとつとなった。

　国別展示に目を向けても政治色の強さにおいては、企画展に引けを取らないほどであった。アメリカ館のジョーン・ジョナスは、環境問題に焦点を当てた映像インスタレーションを展開。金獅子賞パヴィリオン賞を受賞したアルメニアは、ヴェネチア本島から程近い同国ゆかりの小島に建つ修道院を会場に、国内外で活動する18作家によるアルメニア人のアイデンティティを問う作品を展示した。他の金獅子賞は、未来の自分に対し、来観者と誓約書を交わす参加型作品などを発表したエイドリアン・パイパー（アメリカ）が作家賞を、エル・アナツイ（ガーナ／ナイジェリア）が功労賞を、それぞれ受賞した。また、キュレーターのスザンヌ・ゲッツ（アメリカ）に特別賞が贈られた。

日本館

キュレーターは中野仁詞。指名コンペにより、塩田千春を出品作家とする中野の企画提案が採用された。過去を生きた先人たちの記憶を、未来の子どもたちに託すというコンセプトのもと、日本館の展示室とピロティの二つの空間を用いて《掌の鍵》と題するダイナミックなインスタレーションを展開した。

このヴェネチア・ビエンナーレという国際的な舞台に乗る日本館から、私はわれわれの心に素直にストレートに語りかけ、訴えかけることに賭ける塩田千春の新作インスタレーション《掌の鍵》を発信する。

　塩田千春は、近年自らが経験した大切な人の死に導かれて、「死」と「生」という、普遍的でありながらも個々人が個別的に経験するしかないわれわれの宿命から目を背けず、それらを浄化、昇華して美術という共通言語に置き換え作品化する。塩田の作品から時にわれわれは、「死」や不確かなものの存在が予想される「未知の世界」に必ず潜んでいる「闇」を感じる。東日本大震災からまもない現在、ヴェネチア・ビエンナーレのような大規模な国際展に世界各国から訪れる鑑賞者は、日本館の展示に、物質的にも精神的にも深い「傷」を負った日本の姿を重ね合わせ、作品の「闇」の部分に過剰に反応してしまうということもありうるだろう。しかし、塩田の作品は、その「闇」の奥底に、希望、精神的な明るさともいえる力強い「光」を宿している。その光は、日本のみならず今日の不安定な世界情勢のなかで人々が感じる多くの不安をも包み込むものとなるだろう。

▶中野仁詞「塩田千春《掌の鍵》─The Key in the Hand─」
国際交流基金ウェブサイト

展示風景

キュレーター

中野仁詞 ————

Nakano Hitoshi｜1968-

神奈川に生まれる。慶應義塾大学大学院美学美術史学専攻前期博士課程修了。そごう美術館（横浜）から1999年、神奈川芸術文化財団に移り、演劇部門を経て、神奈川県立音楽堂では「音楽詩劇 生田川物語 能「求塚」にもとづく」（2004年）、「巨匠たちのミューズ アルマ・マーラーとウィーン世紀末の芸術家たち」（2006年）他を企画。その後神奈川県民ホール・ギャラリーで現代美術展を担当となり、2007年、首都圏としては初の大規模な個展「塩田千春 沈黙から」を企画。同展はアート・コンプレックスというコンセプトのもとに、閉場後に音楽、ダンス、言語表現などのパフォーマンスを行ない、美術作品を舞台美術に変えることで作品の二面性を見せた。他の主な企画として、神奈川県民ホール・ギャラリーでは、「デザインの港。浅葉克己。」（2009年、2010年）、「日常／場違い」（2009年）、「泉太郎 こねる」（2010年）、「生誕100年ジョン・ケージ せめぎあう時間と空間」（2011年）、「さわひらき Whirl」（2012年）、「八木良太 サイエンス／フィクション」（2015年）、「大山エンリコイサム 夜光雲」（2020年）ほか。KAAT神奈川芸術劇場では、「日常／オフレコ」（2014年）、「詩情の森－語り語られる空間＆オープンシアター」（2017年）、「塩田千春展 鍵のかかった部屋」（2016年）、「小金沢健人 裸の劇場」（2018年）、「冨安由真 漂泊する幻影」（2021年）、「志村信裕 游動」（2021年）、「鬼頭健吾 Lins」（2022年）、「アトリウム映像プロジェクト」（2015年-）他。17年のヨコハマトリエンナーレではキュレーターを務めた。（u）

塩田千春 ————————————— Shiota Chiharu | 1972–

大阪に生まれる。1996年に京都精華大学美術学部洋画専攻を卒業。在学中は彫刻家の村岡三郎にも師事する。卒業後、ドイツに活動の拠点を定める。ハンブルク美術大学に入学。その後ブラウンシュバイク美術大学に在籍。マリーナ・アブラモヴィッチに師事し、身体を使ったパフォーマンスを試みる。99年にベルリンに移り住み、ベルリン芸術大学でレベッカ・ホルンに師事。生と死という人間の根源的な問題に向き合い、「生きることとは何か」「存在とは何か」を探究しながら、その場所やものに宿る記憶といった「不在のなかの存在」を、インスタレーションを中心に立体、写真、映像などによって表現。絡まった毛糸、ベッド、廃棄された窓枠、中古のスーツケース、履き古された靴などを用いた大掛かりなインスタレーションで世界的に知られる存在となる。ヨーロッパを中心に発表を始めた塩田は、2001年横浜トリエンナーレに出品した、泥で汚れた長さ13メートルのドレスに水を流し続ける作品《皮膚からの記憶》によって、日本でのデビューを飾る。15年、ヴェネチア・ビエンナーレ日本代表。翌年にはシドニー・ビエンナーレに出品する他、世界各地で精力的に作品を発表し続けている。日本での主な個展に、神奈川県民ホール・ギャラリー（2007年）、国立国際美術館（2008年）、丸亀市猪熊弦一郎現代美術館（2012年）、高知県立美術館（2013年）。19年には森美術館においてこれまでの集大成となる大規模個展「魂がふるえる」を開催し、話題を呼んだ。常設作品にインスタレーション《水の記憶》（十和田市現代美術館、2021年）がある。

出品作品について

展示空間を埋め尽くす赤い糸。複雑に編み込まれた糸の先にはおびただしい数の鍵が結び付けられている。そして床には2艘の舟が置かれている。

　このインスタレーションの最大の特徴は、世界中から集められた18万個の鍵である（当初は5万個を予定していたが、各地の美術館に設置された回収ボックスや鍵会社から購入したもの、合鍵作製業者などの協力などによって、3倍を超える鍵が集まった）。鍵は様々な意味をもち合わせている。部屋を開ける時も閉ざす時も必要で、それを人に預ければ信頼の証ともなる。鍵を失えば路頭に迷い、「鍵を握る」といえば解決の重要な糸口をもつことになる。

　塩田は「大切なもの」「先人たちの記憶」の象徴である鍵を、子どもの掌に託した。それは同時に未来を託すということでもある。鍵は、子どもの掌のメタファーである舟へと降り注ぐ（18万個の鍵のうち、5万個は天井から吊るされ、13万個は床や舟の中に置かれた）。そして鍵を乗せた舟は、未来へ向かって進んでゆく。

　さらに降り注ぐ鍵のイメージは、階下のピロティへと続く。設

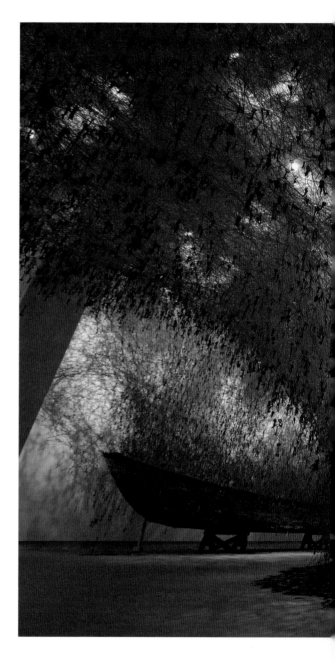

置された壁面には、ビデオ・インスタレーション《どうやってこの世にやってきたの？》の4面の映像が映し出された。日本とドイツの幼稚園を巡り、たくさんの子どもに生まれる前後についてインタビューしたものである。企画者の中野は「ここで子どもたちが語る記憶は、本人のアイデンティティなのか？それとも、先人たちが子どもたちを通じて伝えようとしている記憶の伝搬なのか？」という問いを、この展示に込めたと語る。

展示風景 掌の鍵

掌の鍵　2015　部分

どうやってこの世にやってきたの？　2012/2015　ビデオスティル

永田晶子
時代と対峙する美術家

日本館は美術家、塩田千春さん（43）が「掌の鍵」と題したインスタレーションを出展。世界中から集まった大量の古い鍵を赤い糸に結んであやとりのように張りめぐらし、床には2隻の木造船を置いた。ピロティーには誕生時の記憶を話す幼児たちの映像を展示。キュレーターは神奈川芸術文化財団学芸員の中野仁詞さんが務めた。

　無数の赤い線と人間の記憶を内包する鍵、古びた船が一体化した空間は、華やかでありながら悲しげな風情が漂う。「未来の鍵を握っているのは私たちというメッセージを込めた」と塩田さん。各国パヴィリオンが並ぶジャルディーニ（公園）会場で指折りの人気を集めたが、惜しくも受賞は逃した。

▶『毎日新聞』2015年6月1日夕刊

ジャルディーニで注目すべき国別展示7選

日本館に展示される塩田千春作品。その内容はビエンナーレの内覧会のずっと前に発表されていたので、皆どんなものかは分かっていた。だが、館内で耳にした反応から察するに、前もって知っていたことで作品のインパクトがそがれることはなかったようだ。

　塩田が集めた幾千もの鍵を深紅の糸で天井から吊るしたインスタレーション《掌の鍵》。糸は絡まりあいながらパヴィリオンの展示室全体に広がり、空間をうまく活用している。2艘の木舟が、それらを丸ごと飲み込まんとするばかりの鍵の渦を受け止める。インスタレーションの中、舟の周りを歩くと、まるで紅色がどくんどくんと脈打って鮮やかさを増し、他のあらゆる光を吸い取り見る者を包み込んでいくようだ。

　作者本人が集めたという鍵は、秘密、守護、記憶を意味し、舟は天井から降り注ぐ記憶の洪水を受け止めようとする両掌を象徴する。建物の階下では、鍵を見つめながら覚えている一番古い記憶を語る幼い子供たちの映像作品が展示されている。

　この作品は視覚的に訴えるインパクトが強いが、その比較的「分かりやすい」、見た目も塩田がつくり出した静かで非常に瞑想的な雰囲気を損なってはいない。万人受けする作品でありながら、しっかりと知性に訴えかける軸があるという、同じ作品のなかにはなかなか同時にお目にかかれない二つの特性を備えた作品だ。

▶『アート・ニュースペーパー』（ウェブ版）2015年5月4日

"First look at the pavilions: seven national presentations of note in the Giardini", theartnewspaper.com, 5 May 2015, ⓒThe Art Newspaper.

ニーナ・アザレロ
塩田千春が紡ぐ、鍵と糸の迷宮

2015年のヴェネチア・ビエンナーレの日本館を訪れると、まず目に飛び込んでくるのは展示空間いっぱいを立体的に埋めつくす真っ赤な糸。訪れる者を鮮やかな糸の迷路へと絡めとってゆく。日本人作家塩田千春による《掌の鍵》だ。びっしりと張り巡らされた糸に5万個以上もの鍵が吊るされている。

　まるで蜘蛛の巣のように紡がれた糸の集合体が、見る者の頭上で複雑に、かつ緻密に絡み合い、波打っている。鍵のカーテンの合間から見えるのは、空間の中央に置かれた2艘の古びた舟。空間全体に広がる絡み合う鍵と糸の網を受け止めている。

　このインスタレーションは、世界中から集めたおびただしい数の鍵を使って、記憶とは何かを問いかけている。「鍵は暮らしのなかで大切な人や空間を守る見慣れた、とても大事なものですが、鍵には未知の世界への扉を開けるイメージもあります」と塩田は説明する。

　「それを念頭に、一般の方から集めた、長年使いこまれて積み重なった様々な想いや記憶がこもった鍵をこの新作に使おうと思ったのです。制作しながら、鍵を提供していただいた方々の記憶がまず私自身の記憶と重なってゆくのですが、この重なった記憶が世界中からビエンナーレを見に来てくださった皆さんの記憶と交わり、新しい形でお互いの気持ちを伝えあい、より良く理解するきっかけになると思います」。

▶『デザインブーム』（ウェブ版）2015年5月6日

企画展「すべての世界の未来」

総合キュレーターのオクイ・エンヴェゾによる企画。紛争、人権、環境破壊など現代社会の諸問題を追及する作品に焦点が当てられた。136人を超える作家の作品が、ジャルディーニの中央館とアルセナーレに展示された。

石 田 徹 也

Ishida Tetsuya｜1973-2005

静岡に生まれる。1996年武蔵野美術大学造形学部視覚伝達デザイン学科卒業。デザイン会社への就職を希望するが採用されず、画家としての道を選ぶ。在学中の95年に第6回グラフィックアート「ひとつぼ展」でグランプリを獲得し、翌年個展の機会を得る。97年、JACA日本ビジュアル・アート展グランプリ、98年にはキリンコンテンポラリー・アワード奨励賞を相次いで受賞。現代日本に生きる人々の孤独や不安を独自のスタイルであぶり出す絵画で一躍脚光を浴びる。しかし華々しい受賞歴とは程遠く、アルバイトをしながら絵に打ち込む地味な生活を送る。夜の工事現場など過酷な仕事ばかりを選び、その経験を作品に反映させていった。2005年、踏切事故により31歳で逝去。描いた作品は約180点におよぶ。翌年都内数カ所で追悼展が開かれ、遺作集が刊行された。同年一連の動きがNHK「新日曜美術館」で紹介され、大きな反響を呼ぶ。13年より回顧展が足利市立美術館他を巡回。15年、それまでは海外で発表する機会は極めて限られていたが、ヴェネチア・ビエンナーレ企画展へ招待出品されたのを機に世界的に注目を集め、19年にはマドリードの国立ソフィア王妃芸術センターで大規模個展が開催された。

出品作品について

《兵士》は、初期の作品である。ビルの谷間に腰を下ろすスーツ姿の青年は、まるで塹壕に身を潜める兵士のようだ。脚に巻かれた包帯が痛々しい。この時期の石田の作品には、企業戦士として働くサラリーマンの姿がしばしば登場する。現代社会がつくり上げた枠組みからの脱出を望みながらもそれが叶えられない。この青年は、石田の分身であり、鑑賞者である私たちの姿とも重なる。

《めばえ》は、高等学校の教室を舞台とした作品。生徒たちが授業を受けているが、よく見ると、そこに顕微鏡と融合してしまった顕微鏡人間が2体紛れ込んでいることがわかる。整然と並べられた机、同じ顔をした生徒たちといった「連続」の間に置かれた顕微鏡人間。その光景には、当然のように違和感を覚える。しかし、整然とした列の中に置かれているので、その存在をつい認めてしまいそうになる。石田はこのように画中に連続性をつくり上げることで、画一化されたものに対する嫌悪感と親近感を表現した。

他に《トヨタ自動車イプサム》（1996年）、《クラゲの夢》（1997年）、《回収》（1998年）、《起床》（1999年）の計6点の絵画が中央館に展示された。

兵士 1996

めばえ 1998頃

ヴェネチア・ビエンナーレの歴史（1946−2022）

1948年にビエンナーレは再開された。自由で開かれた国際展が改めて志向され、ピカソの個展のほか、シャガール、クレー、ブラック、デ・キリコ、モランディ、シーレ、ヘンリー・ムーアなどが紹介された。また、ニューヨークのペギー・グッゲンハイムのコレクションがまとまって展示され、そのコレクションは展覧会後もヴェネチアにとどまり、のちのペギー・グッゲンハイム美術館の礎となる。戦後の現代美術がアメリカ中心に回っていくこと、そしてビエンナーレにおけるアメリカのプレゼンス拡大を予見させる象徴的な事例となった。

　戦後のビエンナーレは、より前衛的な現代美術の紹介に舵を切る。アンフォルメルや抽象表現主義を経て、1964年展においてポップ・アートの紹介が行なわれると、アメリカの作家ラウシェンバーグが大賞を受賞した。アメリカは、軍用機を使った作品輸送や、旧総領事館に作品を展示するなど賞を狙った攻勢をかけ、賞の争奪戦が参加国間でエスカレートしている現実を露呈させた。

　1968年、ビエンナーレは学生運動の攻撃の的となる。商業主義に堕したブルジョア芸術と糾弾され、一部の美術家も加わったデモはジャルディーニにまで及んだ。これを機にビエンナーレは、1938年のファシスト政権時代に設けられた賞制度を撤廃（1986年展より復活）、組織改編など数々の改革にも乗り出すが、1974年展は中止された。100年の歴史の中で、戦争以外の理由による初の中止となった。この頃にはすでに新たな国際美術展が各地で行なわれており、強固なコンセプトに基づくドイツ・カッセル市のドクメンタや、若手作家が躍動するパリ青年ビエンナーレに比して、国別参加方式と企画展の二部構成をとるヴェネチアは、抜本的な変革を加えにくく、世界の檜舞台としての権威と栄光は崩れつつあった。

　しかし、新たな風が吹き込まれる。1980年、若手作家を対象にアペルト（「開かれた」の意）部門が始まった。アペルトは新人作家の登竜門として、注目を集めていく。また、中世以来の造船所の跡であるアルセナーレのコルデリエを会場に国際建築展も発足した。天井高12メートル超、奥行317メートルの巨大な柱廊空間は、この後の美術展でも利用され、ビエンナーレの拡張が始まる。

　1995年、創設100周年記念展は、当時パリのピカソ美術館長であったジャン・クレールに託された。非イタリア人の総合キュレーター就任は史上初だった。ビエンナーレの一世紀を回顧しようと試みたクレールの企画は、美術の最先端を見せてきたビエンナーレにあっては、やや保守的であり過ぎたかもしれない。とはいえ、その後も新しい動向を示していくビエンナーレの方向性は揺らぐことはない。肥大化するコマーシャル・ギャラリーの影響など諸々の問題を抱えつつも、ヴェネチアは世界で最も注目度が高く、華やかで、影響力のある現代美術の国際展としての地位を確固たるものとしている。2019年展は、90カ国が参加、約59万3000人を動員、3日間のオープニングだけで約2万4000人のプレスや関係者が世界各地から集った。なお、2021年に予定されていた第59回展は、COVID-19パンデミックにより開催が1年延期された。[1]

2013

第55回
6月1日──11月24日　88カ国が参加

総合キュレーターにはマッシミリアーノ・ジオーニ (イタリア) が就任。ヴェネチア・ビエンナーレ史上最年少 (当時39歳) という点でも注目された。総合テーマに「エンサイクロペディック・パレス (百科全書的宮殿)」を掲げ、同タイトルの企画展をジャルディーニの中央館とアルセナーレの2会場を舞台に展開、38の国と地域から150を超える作家の作品が集められた。タイトルはマリノ・アウリティが1955年頃に発案した、あらゆる人知を集めた架空の博物館計画「世界のエンサイクロペディック・パレス」に由来し、その模型が再現されアルセナーレに展示された。美術家であるか否かの境界を取り払い、すべての作品を平等に扱うことで、相互の関係性や作品を生み出すイメージの根源を考えさせる目論見だ。出品作は多彩で、なかでもアウトサイダー・アートや、写真・映像によるドキュメンタリー作品が多く出品された。日本からは大竹伸朗、澤田真一、吉行耕平が選出された。

　一方国別展示では、向かい合って建つフランス館とドイツ館が互いのパヴィリオンを交換するという新たな試みがなされた。アンゴラが金獅子賞パヴィリオン賞を受賞したことも話題を呼んだ。田中功起の個展を行なった日本館は特別表彰を受賞。リトアニアとキプロスも、合同で作品を展示し同賞を受賞した。またジョージア館に、日本出身の荒川医が参加した。各館とも受賞に至るキーワードは「協働」であり、この概念は他のいくつかのパヴィリオンにも共通し、この回のビエンナーレを特色づけた。

　作家賞はティノ・セーガル (イギリス／ドイツ)、功労賞はマリア・ラスニック (オーストリア) とマリサ・メルツ (イタリア) に贈られた。

日本館

キュレーターは蔵屋美香。この年より、コミッショナーからキュレーターに名称変更された。指名コンペにより、田中功起を出品作家とする蔵屋の企画提案が採用され、個展「抽象的に話すこと──不確かなものの共有とコレクティヴ・アクト」を開催。展示には、前年 (2012年) の国際建築展 (伊東豊雄コミッショナー) で日本館に使用した東日本大震災の被災地から持ち込まれた丸太や角材の一部を再利用。震災後の日本から何を発するかという部分で、問題意識を共有していた。

かつてない規模の東北大震災を経験した日本は、世界に向けてどのようなメッセージあるいは問いを発するべきでしょうか。第55回ヴェネチア・ビエンナーレ国際美術展において、日本館は、いかなる形の表現を取るのであれ、なにかしらの方法論によって、それが具体的なアプローチをとるにせよ、抽象的な思考をうながすものであるにせよ、震災以後の日本の状況を反映したものが展開されるべきだと思っています。

　今回のプランでは、展覧会以前から継続して行われている複数のプロジェクトたち、「不安定なタスク」と呼ばれる集団行為、特殊な状況下での人びとの共同作業のプロセス映像、それらの記録の集積としての展覧会、プロセスに言及するテキストとカタログ、そうした構成要素すべてを同列に扱い、「他者の経験を自分のものとして引き受けることはいかにして可能か」あるいは「出来事の経験はいかにして共有もしくは分有されるのか」というテーマに取り組みます。

　アーティストである田中もキュレーターである蔵屋も、停電や放射線被害など、間接的なかたちで震災を経験しています。一方、近親者や家財を失った人びとや、原発事故により生活圏から離れざるを得なかった人びととの直接的な経験がそこには対峙され、ぼくらは当事者と傍観者の間で引き裂かれているように感じています。しかし、日本国外からすれば日本人すべてが被災者として理解され、東京と福島の距離関係さえも定かではない人びとも多くいます。そうした中で、それぞれの経験に差を付けることに意味があるのでしょうか。ぼくたちは、それぞれの個人として、この世界をばらばらの仕方で享受し、解釈し、理解しようとしています。

　さまざまな大小、濃淡で大きな出来事を経験した人びとと、あ

展示風景

るいはその出来事から遠く離れた国や地域に住む人びと、または時間を隔てた後代の人びとと、ぼくらはそうした空間的、時間的な距離の中に無数に配置された点です。いままでプロジェクトが行われたそれぞれの場所とこの展覧会、そして今後さらに継続されるプロジェクトたちは、いわば無数の点であるぼくたちが交差し、滞留しうる受け皿として設計されています。

さまざまな階層へと複数化された経験、そうした共有しえない経験の層を束ねることで、なんとか物事／出来事／世界を理解するための可能性を探ることはできないでしょうか。具体的な事象を少し抽象的に語り直すことで、物事への理解を助けることはできないでしょうか。

出来事への理解と経験共有のためのささやかなプラットフォーム、一時的な展覧会という契機を越えて、それらは構想され、作られたものです。

► 蔵屋美香＋田中功起「「abstract speaking-sharing uncertainty and collective acts」のためのステートメント」国際交流基金ウェブサイト

キュレーター

蔵屋美香 ───────

Kuraya Mika｜1966–

千葉に生まれる。1988年女子美術大学芸術学部絵画学科洋画専攻卒業。92年千葉大学大学院教育学研究科修了。修士論文は明治初期の洋画について。93年より東京国立近代美術館に勤務し、主任研究員、美術課長、同館企画課長を歴任。主な企画展に「ぬぐ絵画：日本のヌード1880–1945」(2011年)、「高松次郎ミステリーズ」(2014年)、「没後40年 熊谷守一 生きるよろこび」(2017年)、「窓展：窓をめぐるアートと建築の旅」(2019年)など。2020年より横浜美術館館長に就任、横浜トリエンナーレ組織委員会副委員長も務める。著書に『もっと知りたい 岸田劉生』(2019年)がある。画力にも定評があり、コロナ禍においては横浜美術館所蔵のピカソの絵とアマビエを対比したユーモラスなイラストをSNSで配信し注目を集めた。

田 中 功 起

上：展示風景
下：日本館外観　imaginary distance（or the distance from FUKUSHIMA）　2013
「GIAPPONE」の文字の横に「9478.57km」のネオンサイン
右：ピロティの展示風景　ペインティング・トゥ・ザ・パブリック（オープン・エアー）2012

栃木に生まれる。2000年東京造形大学美術科絵画専攻卒業。在学中にウィーン芸術アカデミーに短期留学する。05年東京芸術大学大学院修了。09年、文化庁新進芸術家海外研修制度によりロサンゼルスに留学。以降16年まで同地を拠点に活動。2000年前後はボールやバケツなどの日用品が、まるで意志をもつかのように動くループ構造のビデオ作品で注目された。ロサンゼルスに移ってからは、モノ自体で成立していた世界から、モノに対する人の働きかけへ、さらには人と人との関係性へと関心を移してゆく。「協働」というテーマを映像、写真、インスタレーション、テキストなど多様な媒体を用いて展開。パリのパレ・ド・トーキョー（2007年）をはじめ、海外での発表多数。15年、ドイツ銀行のアーティスト・オブ・ザ・イヤーに選出される。13年、ヴェネチア・ビエンナーレ日本代表。17年には同ビエンナーレの企画展に参加。光州ビエンナーレ（2008年）、ヨコハマトリエンナーレ（2011年）、ミュンスター彫刻プロジェクト（2017年）、あいちトリエンナーレ（2019年）、サンパウロ・ビエンナーレ（2021年）などの国際展に出品。16年、水戸芸術館で国内初の大規模個展を開催。著書に『質問する（その1）』（共著、2013年）、『必然的にばらばらなものが生まれてくる』（2014年）、『リフレクティヴ・ノート（選集）』（2021年）などがある。

出品作品について

「抽象的に話すこと―不確かなものの共有とコレクティヴ・アクト」のタイトルのもと、日本館は、映像作品のモニターや写真作品、テキストが書かれた壁、積み上げられた段ボールや木材、映像に登場する枕や懐中電灯、本、陶器などがランダムに配置され、あたかも何かの作業の途中であるかのようなインスタレーションを行なった。展示に使われた丸太や角材は、前年開催の国際建築展の際に、東日本大震災の被災地である陸前高田から持ち込まれたものが部分的に再利用されている。会場の映像や写真は、田中が様々な方法を用いて人と人との関係性について制作してきた9つのプロジェクトで構成。プロジェクトには二つの系統があり、ひとつ

目は、9人の美容師でひとりの髪を切る、5人のピアニストが1台のピアノを弾く、5人の陶芸家がひとつの陶器をつくる、5人の詩人が一編の詩を書く、といった特定のグループにタスクを課し、その協働作業の様子を映像に収めたもの。二つ目は、懐中電灯を振りながら夜の街を歩く、非常食を食べながら名前について話すなど、田中が「コレクティブ・アクト（集団的行為）」と呼ぶ、まだ固まり切らないアイデアに基づいて誰かと何かを行ない、それを写真やテキストに記録したもの。例えばひとつ目に属する作品《9人の美容師でひとりの髪を切る（2度目の試み）》（2010年）は、震災以前に撮影されたものだが、震災後に見ると映像のなかの「協働作業」の意味合いが違って感じられる。また《振る舞いとしてのステートメント

上：振る舞いとしてのステートメント
（あるいは無意識のプロテスト） 2013
下：映像作品《ひとつの陶器を五人の陶
芸家が作る（沈黙による試み）》（2013）
に登場する陶器

（あるいは無意識のプロテスト）》（2013年）は、お気に入りの本を片手にビルの非常階段を上り下りする50人余りの人々が捉えられている。ただ階段を上り下りする行為は、震災以後は避難や節電のデモンストレーションのように見えてくる。このように田中の設定したタスクや行為は、鑑賞者それぞれの経験によって、その受けとめ方に変化をもたらすこととなる。またピロティには《ペインティング・トゥ・ザ・パブリック（オープン・エアー）》（2012年）の巨大な写真が設置された。さらに日本館のファサードにある「GIAPPONE」の文字の横に、福島第一原子力発電所から日本館までの距離を示す「9478.57km」のネオンサインが付け足された。なお、出品した映像作品は会期中、インターネットで公開された。

展示風景　左に映像作品《ひとつの陶器を五人の陶芸家が作る（沈黙による試み）》が見える

大西若人

遠回りの先　理解と共振
震災じっくり表現／展示手法問い直す

美術の枠の外も重視した全体企画に対し、日本館は知的な現代美術の手法を使いながらも、従来のあり方に疑問を呈した。

祝祭的で美術市場とも連動しがちなビエンナーレに対し田中は、じっくり読み込む映像作品を選択。一方でベネチアまで来られない人のために、作品をウェブサイトでも公開した。さらに美術展と建築展を交互に開催し、毎年展示を入れ替える方法も疑問視し、昨年の建築展で使った壁や丸太の柱を再利用した。

最高賞だった昨年の日本館も、被災者の集会施設を建築家と住民が共同でつくる過程を多数の模型で示した。いわば2年越しの「共同作業」の試み。遠回りをした先に、人々の理解と特別表彰が待っていた。

震災の年の夏、「企業や政治家への信頼感がなくなった今」「支配的ではない意見に耳を傾けてきた」表現者たちの態度が意味を持つ、と語った田中。授賞式後には、「これが、世界各地の天災や戦争後の新しい社会を作るときの希望になればうれしい」と語った。
　　　　　　　　　　　►『朝日新聞』2013年6月4日

井上晋治

深い読み込み　求める展示
「心打つ省察」日本館が初の顕彰

総じて知的なその雰囲気に、結果的に日本館は合致していた。田中さんの作品「抽象的に話すこと」は、映像や写真などで9件のプロジェクトを見せる。映像では、9人の美容師が1人の髪を切る、5人が1台のピアノを弾き作曲する、5人が一つの詩を作る――など、世代も背景も違う人々が一つの目標に取り組む。

ありふれた素材や映像を使い、日常の異なる見方を提示してきた田中さんは、今回、東日本大震災後の状況を踏まえて展示を構成した。確かな未来が見えず、葛藤や協調を経ながら人々が共同作業をせざるを得ない状況を「抽象的に」翻訳し、映像にした形だ。

自身、拠点を置く米国で震災を知ったことから「災害や戦争を経験していない生活者も、誰かと共同作業をする時に、繰り返し経験を共有できる」可能性に注目したという。さらに映像作品は会場以外でもじっくり見られるよう、インターネットでも公開している。

他方で、展示の間仕切りや台座には、昨年のベネチア建築展で、震災をテーマに日本館が金獅子賞を受賞した際の丸太や壁材などを再利用した。そこには、派手な造形物が閉幕後には廃棄物と化す国際展の現状への批判も潜ませている。

視覚的な強さよりも、深く読み込むことを求める展示。近年の日本館よりも概念的に映ったが、今回は全体の傾向として、「視覚に訴える大型作品が減り、日常性の中に普遍的な概念を探る作品が目立つ」との声が聞かれた。37歳の田中さんを含めて、30～40代の作家も目立ち、近年、再評価が続いていた概念的な作法が若い世代の間で深化していることを印象づけた。（略）

国として正式参加した52年以来、初の顕彰となった日本館。展示企画者（キュレーター）の東京国立近代美術館美術課長、蔵屋美香さんは、「抽象的な」展示について、「抽象の本来の意味は本質の抽出。その凝縮からいろいろなことが見える」と語った。その企図が確かに受け止められたことは、「心を打つ省察」との審査評が物語っていた。
　　　　　　　　　　►『読売新聞』2013年6月12日より抜粋

企画展「エンサイクロペディック・パレス」

企画は、総合キュレーターのマッシミリアーノ・ジオーニ。美術家であるか否かの境界を取り払い、作品を生み出すイメージの根源に焦点が当てられた。ジャルディーニの中央館とアルセナーレに、150人を超える作家の作品が展示された。

大 竹 伸 朗

Ohtake Shinro | 1955 –

東京に生まれる。1974年武蔵野美術大学に入学するが、一週間で休学し北海道の牧場で働く。また77年から78年にかけてイギリスに渡りアーティストのラッセル・ミルズやデイヴィッド・ホックニーと親交を結ぶ。帰国後大学に復学し80年に卒業。82年に初個展（東京・ギャルリー・ワタリ）。ポップなキャラクターをモチーフとした奔放なタッチの絵画が話題となり、日本のニュー・ペインティングの旗手として脚光を浴びる。印刷物を切り抜いたコラージュや写真を加工したフォト・ドローイングの他、看板・ネオン・廃船などによるインスタレーションを展開。さらには文学や音楽といったジャンルにも活動の幅を広げる。2006年、東京都現代美術館で大規模個展を開催。09年、香川県直島に実際に入浴できる美術施設《直島銭湯「I ♡ 湯」》を手がける。ドクメンタ（2012年）、ヨコハマトリエンナーレ（2014年）などの国際展に出展。愛媛県宇和島を拠点に活動。

出品作品について

大型本に雑誌の切り抜き、絵葉書、チケット、レシートなどが雑多に貼り込まれ、時には彩色も施される〈スクラップ・ブック〉。厚みを増したそれらの本の数々はオブジェと化し、特有の存在感を放つ。制作は、ロンドン滞在中にスタートした。引っ越しが多く、持ち運びに便利だったことが第一の理由だった。自分自身の立ち位置が定まらず、とりあえず過ごした一日の終わりに手元にあった印刷物を貼ってゆく作業の繰り返しで、そこには作品制作といった意識は全くなかったという。以降もつくり続けられ、77年から2012年までの66冊が中央館に展示された。作品は蛍光灯で照らされたガラスケースに収められた。

スクラップ・ブック #1-66　1977-2012　中央館での展示風景（2点とも）

澤 田 真 一

Sawada Shinichi | 1982 –

滋賀に生まれる。地元の養護学校を卒業後、知的障害者施設の栗東なかよし作業所に通い始める。2001年に作業所の運営団体が登り窯と作業小屋を建てたことを機に陶芸の制作を本格的に始める。自閉症で、言葉をほとんど発しない澤田は、並外れた集中力で手の動きを止めることなく一気に作品を仕上げてゆく。2000年代中頃より日本のアール・ブリュットを代表する作家として、海外から注目されるようになる。08年スイスの美術館アール・ブリュット・コレクションでの「ジャポン」展に出品し、同館にも収蔵された。10年にパリ市立アール・サン・ピエール美術館での「アール・ブリュット・ジャポネ」展、18年にはパリのロスチャイルド館でのジャポニスム2018「深みへ——日本の美意識を求めて」展に出品。

出品作品について

テラコッタでできた表面が無数の突起に覆われた人間、動物、爬虫類、あるいはそれらのどれにも属さない不思議な生き物たち。総合キュレーターのジオーニは「想像上の動物」を探すなかで澤田の存在を知ったという。新作12点を含む25点（いずれも《無題》）を出品。作品はカーブした専用の展示ケースに並べられ、アルセナーレの一室に展示された。

無題　制作年不詳

吉 行 耕 平

Yoshiyuki Kohei | 1946 – 2022

広島に生まれる。1970年代初頭に写真家を目指して上京。72年、夜の公園でカップルが愛を育むシーンをとらえた写真が『週刊新潮』に掲載され、話題となる。74年から77年までイギリスの通信社の東京支社にカメラマンとして勤務。80年、初の写真集『ドキュメント　公園』を出版。その前年には初個展「公園」を駒井画廊（東京）で開催した。来場者が懐中電灯を片手に暗い会場内で等身大に引き伸ばされた作品を見るという展示を行なった。2000年代中頃より「公園」をとらえた作品が、日本の70年代を反映したユニークな写真表現として海外からの評価が高まる。2007年には写真集『The Park』がニューヨークでの個展に際し出版されると、さらに注目が集まり、同題の個展が欧米各地で相次いで開催された。09年に個展「沼」を開催。

Untitled　1971

出品作品について

吉行は1971年から73年にかけて、東京の夜の公園で性行為をするカップルや、それを覗く人たちを赤外線フィルムを用いて撮り続けた。上京して間もない吉行は「週刊誌などでその存在は知っていたが、昼間は子供たちが駆け回って遊んでいる公園で、夜は全く違った世界が展開されていることを、その時初めてこの目で確かめた」と振り返る。当時は興味本位に受け取られたが、写真家荒木経惟だけは「これは写真である」と高く評価した。近年、再評価が高まり、イギリスの写真家マーティン・パーをはじめ多くの人々から賞賛を得ている。総合キュレーターのジオーニは「彼の表現していることはまさに見ることの快楽、眼の欲望です」と、その選出理由を語った。「公園」をとらえた《Untitled》（1971-73,79年）の写真16点がアルセナーレの会場に展示された。

ジョージア館「カミカゼ・ロッジア」展

荒 川 医

Arakawa Ei | 1977–

バクネリ・アーカイブ 2013 パフォーマンスの様子 荒川医、ゲラ・バタシュリ、サージ・チェレプニン

福島に生まれる。1998年よりニューヨークを拠点に活動を開始。2004年
ニューヨークのスクール・オブ・ヴィジュアル・アーツ卒業。06年にバード・カ
レッジでMFA（美術学修士）を取得。現代美術家や美術史家をはじめとする様々
な人々との共同制作によるパフォーマンスや、観客を即興的に巻き込むパフォー
マンス、さらに近年はLEDスクリーンを用いたミュージカル形式のインスタレー
ションなどを各地で発表している。ニューヨーク近代美術館やテート・モダンなど
の美術館の他、横浜トリエンナーレ（2008年、向井麻里との共作）、ホイットニー・ビ
エンナーレ（2014年）、光州ビエンナーレ（2014年）、ベルリン・ビエンナーレ（2016
年）、ミュンスター彫刻プロジェクト（2017年）など主要な国際展に参加。近年は舞
台をヨーロッパ、アジアにも広げている。19年よりロサンゼルス在住。

出品作品について

2013年が初参加で、常設パヴィリオンをもたないジョージアは、アルセナーレ付
近の倉庫の上にDIY風のパヴィリオンを建てた。ジョージアではソ連崩壊後の
90年代に「カミカゼ・ロッジア」なる規制を無視した増築が流行ったが、死亡事
故も少なくなかったという。その不安定な建築からインスパイアされたパヴィリオ
ン内で、荒川と作家ゲラ・パタシュリ（ジョージア）、作曲家サージ・チェレプニン（ア
メリカ）は《バクネリ・アーカイブ》を共作した。ジョージアで見つけた日本の廃車
から取りはずしたカーラジオを使って、パタシュリの父で大工だった、故アレック
ス・バクネリが書いたソ連崩壊前後の詩を発信したり、建物を振動させて音を
出すパフォーマンスなどを行なった。会期後もキュレーターを中心として常設の
ジョージア・パヴィリオンとして再利用を交渉したが、現在では撤去されている。

森　万　里　子

107ページ参照

オペラ『マダム・バタフライ』の舞台

出品作品について

ヴェネチア・ビエンナーレとフェニーチェ劇場の共同企画により上演されたオペラ『マダム・バタフライ（蝶々夫人）』の舞台美術と衣装デザインを手がけた。舞台美術は「メビウスの輪」をモチーフにした8メートルに及ぶ長さの立体がオペラの3幕に合わせて色や形状を変えてゆく。第1幕では空中に吊ってあったものが、第2幕では降りてきて、繭状のシェルターのように見える形で設置。それはさながらメビウスのお堂ともいえ、輪廻転生という仏教的思想を強調。また登場人物は、この惑星の領域を超えたところに存在している、異世界の住人を思わせる衣装を身に纏っていた。本公演の舞台と衣装のデザインのために、森万里子は自身の作品のうち《ニルヴァーナ》と《Wave UFO》の2点からイメージを引用。前者は1997年、後者は2005年のヴェネチア・ビエンナーレに展示された。

2011

総合キュレーターには美術史家・編集者のビーチェ・クーリガー（スイス）が就任した。総合テーマに「イルミネーションズ（ILLUMInations）」を掲げ、ジャルディーニの中央館とアルセナーレの2会場を舞台に企画展を行なった。「イルミネーションズ」には「照明」「啓蒙」に加え、「国家（nations）」の意味も含まれており、国別展示を旨とする当ビエンナーレの存在を意識したものと読み取れる。83作家が参加。中央館の入口正面の部屋には、16世紀ヴェネチア派の巨匠ティントレットの宗教画3点が展示され、話題となった。展覧会はこの「光の画家」を中心に据え、ジャンニ・コロンボの闇に光線を走らせる作品、ジェームズ・タレルの光の部屋など、歴史や現象としての光を扱った作品が多く取り上げられた。

　金獅子賞は、様々な映画に出てくる時計のショットをつなぎ合わせた24時間におよぶ映像作品《ザ・クロック》（2010年）を出品したクリスチャン・マークレー（アメリカ）が作家賞を獲得した。パヴィリオン賞は、前年に他界したクリストフ・シュリンゲンズィーフによる、館内を教会に模したインスタレーションを行なったドイツ館に贈られた。功労賞は、エレーヌ・スターテヴァント（アメリカ）とフランツ・ヴェスト（オーストリア）が受賞した。

日本館

コミッショナーは、植松由佳。指名コンペにより、束芋を出品作家とする植松の企画提案が採用された。日本館の建物全体をひとつの巨大な作品と捉え、床の開口部を通して展示室とピロティがつながる日本館のユニークな構造を生かした映像インスタレーションによる個展「てれこスープ」を行なった。

束芋は日本館を現代日本社会のメタファーとして構築する。それはパヴィリオンという空間の身体化が果たされる時でもある。吉阪隆正により設計された日本館は、天井と床の中央に穴があり、雨風が建物の中に入る構造として建設された。日本人のもつ自然観の本質を呈示することで、日本を表現したと考えられている。中国の古典「荘子」の出典による「井の中の蛙大海を知らず」ということわざがある。またこれに続く文章として、「されど空の高さを知る」という一文が日本で付加されたとも言われている。「井戸の中の蛙が住む世界は本当に狭いのか？」。床に開く穴を井戸に見立てた束芋による問いかけは、館内を井戸に、ピロティー部分を井戸から見える空にどこか昭和の匂いすらするその独特なアニメーションの映像イ

ンスタレーションによって展開される。イメージの連続性は、現代日本という井が想像以上の広がりを持つことを認識させ、その外界である空が下方に向けて果てしない深さ／高さにもつながるという反重力的な展開により、内と外の関係性にゆらぎを生じさせ、鑑賞者を自由に解き放つ。内側に存在すると捉えていた世界が、いつのまにか外の世界に存在していることに気づき、やがては外界／他者との往還を果たす。

　束芋により名付けられたタイトルは望遠鏡の筒のように入れ子式的という形容詞的な意味をもつtelescope（テレスコープ）の言葉遊びとも言える。「てれこ」とは、日本語で物事が逆転すること、あべこべのという意味で、「スープ」には生命体が発生する液体のイメージが強調されている。これまでも束芋

展示風景

の作品において水は重要な役割を果たしてきた。束芋により多義的かつ流動的な世界が呈示されることで、クラインの壺のようにあらゆるものに存在する境界や表裏の認識はあいまいなものとなり、我々の価値観は揺さぶられる。

▶植松由佳「束芋：てれこスープ」日本館カタログ

コミッショナー

植松由佳

Uematsu Yuka｜1967–

香川に生まれる。1989年神戸女学院大学文学部卒業。93年より丸亀市猪熊弦一郎現代美術館に勤務し、2008年10月より国立国際美術館主任研究員に就任。同年バングラデシュ・ビエンナーレで日本コミッショナーを務める。16年、「ヴォルフガング・ティルマンス Your Body is Yours」展の企画と構成が評価され、西洋美術振興財団賞学術賞を受賞。主な企画展に「ヤン・ファーブル」（2001年）、「マリーナ・アブラモヴィッチ The Star」（2004年）、「マルレーネ・デュマス ブロークン・ホワイト」（2007年）、「ピピロッティ・リスト：ゆうゆう」（2008年）、「やなぎみわ 婆々娘々！」（2009年）、「束芋：断面の世代」（2010年）、「アンリ・サラ」（2011年）、「夢か、現か、幻か」（2013年）、「森村泰昌：自画像の美術史 「私」と「わたし」が出会うとき」（2016年）などがある。

束　芋

兵庫に生まれる。本名は田端綾子。束芋というアーティスト名は、学生時代のあだ名に由来する。1999年京都造形芸術大学（現・京都芸術大学）芸術学部情報デザイン科卒業。同年卒業制作としてつくったアニメーションによる映像インスタレーション《にっぽんの台所》がキリンコンテンポラリー・アワードで最優秀作品賞を受賞し、一躍脚光を浴びる。以降、浮世絵風のレトロな色彩と独特な筆致によって、日本の現代社会や自身の内面を独自の感性であぶり出すアニメーションを制作している。2001年の横浜トリエンナーレでは《にっぽんの通勤快速》を発表。映像に囲まれた観客は実際の電車に乗っているような感覚を味わう。こうした空間構成も、制作の重要な要素となっている。サンパウロ・ビエンナーレ（2002年）、シドニー・ビエンナーレ（2006年）に出品。ヴェネチア・ビエンナーレでは、07年に企画展に、さらに11年には日本代表として参加。また13年に舞踊家・森下真樹と共同演出した映像芝居《錆からでた実》を上演し日本ダンスフォーラム賞を受賞。20年には米国ツアーを行なうなど、表現の幅を広げている。一方18年には初の銅版画を、さらに翌年には初の油彩画を発表。原美術館（2006年）、横浜美術館（2009年）、シアトル美術館（アメリカ、2016年）などで大規模個展を開催している。

出品作品について

映像インスタレーション《てれこスープ》を出品。展示室の壁面には湾曲したスクリーンが設置され、上方から下方へとアニメーション映像が流れる。スクリーンの両端に設置された鏡によって映像が無限に増幅される。来館者は万華鏡のような空間で、自分の立ち位置がわからなくなる。その状況は現代社会のなかの自身の姿と重なる。映し出されるのは、束芋特有の筆致によって描かれた町並み、指、髪、昆虫の羽、薔薇などのモチーフである。

　一方で、展示室の中央にある井戸に見立てた穴を覗き込むと、そこには下方に向けて深く高い空が果てしなく広がる。狭くて小さい井戸でも、深く掘ろうという気持ちさえあれば、その先には広い世界が広がっているのではないか。作品にはこのようなメッセージが込められている。さらに建物下のピロティは、展示室から続く井戸の底に見立てられており、その壁面には水の気泡や空に浮かぶ雲などのアニメーションが投影された。

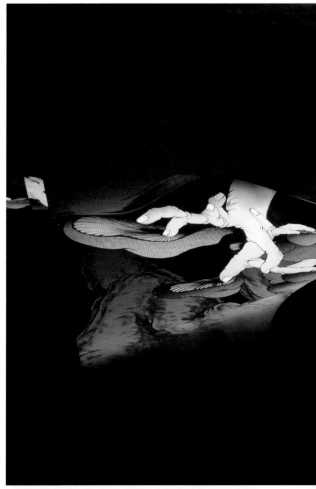

上・右下：てれこスープ　2011

ピロティの展示風景　てれこスープ

前田恭二

日本館「井戸」の底から世界へ

壁面から足元に入り込むような湾曲スクリーンを3面設置し、館内を鏡面仕立てにした上で、手描きのアニメーションを映し出す。水辺の街、虫の羽、絡まった指が幹をなす松……出没するモチーフは鏡の中で連鎖し、見る者を奇妙な幻惑感に包み込む。

展示のタイトルは「てれこスープ」。テレスコープ＝望遠鏡のもじりで、「てれこ」はあべこべのこと。実際、水面下に雲が現れたりする。日本館は床面中央に穴がある建築だが、今回は筒状の円柱で床下まで貫き、その内側と外側にも映像を投影する。

日本の社会風俗を題材にデビューした束芋は近年、皮膚感覚や記憶の底を探る作風を強めていた。今回はさらに純化を進めた感がある。「もともと体の中にあった感覚ですが、枝葉から遡り、過去の作品を作らなければ見えてこなかった幹の部分を表現した」と、手ごたえを語った。

► 『読売新聞』2011年6月17日より抜粋

大西若人

日本館、光と闇 乱反射

浮世絵調の筆致、色合いで、日本の裏町の様子や脳みそ、水面から突き出る指や花の不穏な映像が次々と現れ、湾曲したスクリーンと鏡を張り巡らせた日本館内で乱反射する。

鑑賞者から「ファンタスティック！」という声が上がる。束芋の個展「てれこスープ」は光と闇の迷宮のような印象で、高い人気を得た。彼女を起用したコミッショナーの植松由佳・国立国際美術館主任研究員が「最高の舞台で大満足の展示」と胸を張れば、本人も「いいものができた」と言い切った。

限られた時間の中で浮かんだのが、自分の姿として考えていた「井の中の蛙大海を知らず」だった。床に穴のあく日本館の構造がヒントとなり、西洋文化や美術状況に通じていない自身を重ねて、これまでの自作を検証する作品に、と思い定めた。日本の現状ともどこか重なる。

アトピー性皮膚炎に悩み、肌をかきむしって流れる血を見てきた。一方で、社会を冷静に見つめる目も。映像は、そんな自分自身といえる。内面性の完結を目指して使った鏡面の効果で、位置を変えると見え方も変わる複雑さも備わった。

床の穴を生かし、展示中央には井戸を模した造形をほどこ

し、のぞき込むと底に空が広がる仕掛けも加えた。「テレスコープ（望遠鏡）」のように小さな穴からでも深く掘り下げれば、「てれこ（あべこべ）」に広い世界とつながるはずという考えに基づく。

賞レースでは、西洋の普遍的な価値が重視された感があったが、作家の姿勢を貫いた日本館は、「一人の人間の中に、これだけ広い世界がある」という普遍性は示しえたといえる。

► 『朝日新聞』2011年6月22日夕刊

リチャード・ドーメント

各国パヴィリオンのパラレルワールド

他の記者達は日本館が良かったと教えてくれた。日本館の展示は若手作家の束芋による、手描きのアニメーション映像を鏡張りの展示空間に映し出したインスタレーション作品だ。北斎とディズニーの中間のようなセンスで、魔法使いの弟子のように魔法を操って、打ち寄せる波や咲き誇る花々で展示室を埋めつくし、足元や頭上に、無限の空間が広がっていた。

そう聞くと頭が混乱しそうな印象だが、確かにそうだった。目が見ているものの理解に頭が追いつかず、一カ所にただ立ちすくんでしまった。どこまでが本物の壁と床で、どこからが映像を映し出した鏡張りのそれなのか、感触でしか分からなかったが、それに一体どんな意味があったのか。そんなことなど関係ないほど素晴らしかった。　　► 『テレグラフ』2011年6月6日

ジャルディーニの各国パヴィリオン

ヴェネチア・ビエンナーレのユニークさは、ジャルディーニ（カステロ公園）に散在する各国パヴィリオンの存在であり、その限界もパヴィリオンに起因すると言えないだろうか。当初は展示館（現在の中央館）を唯一の会場に、イタリアおよび海外の作品を一堂に展示していた。しかし、回を重ね会場が手狭となると、国際性を強化する狙いもあり、ビエンナーレ当局は同敷地内に外国パヴィリオンの建設を奨励する。その結果、1907年のベルギーに始まり、ハンガリー、バイエルン（後のドイツ）、イギリス（いずれも1909年）、フランス（1912年）、アメリカ（1930年）などが自国パヴィリオンを建設。戦後もスイス（1952年）、日本（1956年）、と続き、1995年に韓国が加わって、中央館を含む30のパヴィリオンが出揃った。敷地の関係から、これ以上の新規パヴィリオン建設は不可能とされる。

　ホフマン、リートフェルト、アアルト、スカルパらの設計したパヴィリオンも並ぶジャルディーニは、さながら野外建築博物館の趣であり、ビエンナーレに大きな付加価値を与える。民俗風から古典風、国際スタイルまで様式も時代もまちまちであり、各々が展示会場としての存在を越え、それ自体が各国の展示物としてアイデンティティを主張しているかのようにさえ見える。

　各国がパヴィリオンをもち、その展示を競う手法は19世紀の博覧会の伝統を踏襲しているが、こうした国別参加方式を採っている国際展は、ヴェネチアだけである。ボーダレスを標榜する現代美術の展覧会に、国という枠組みはいかにもそぐわない。展示内容は参加国任せとなり、ビエンナーレ全体としての統一的テーマを示すことも困難である。さらにパヴィリオンをもてる国ともたざる国に二分してしまう現実。1999年展において、タイの作家リクリット・ティラヴァニャは、アメリカ館前の空き地に畳2畳分ぐらいの木の台座に旗を立てただけの作品《タイ・パヴィリオン》を展示し、パヴィリオンを巡る不平等な現状を痛烈に批判してみせた。

　それでもビエンナーレが広範な支持を失わないのは、並行して行なわれる企画展の存在と、もうひとつの主会場であるアルセナーレとの補完関係の妙であり、さらにはグローバルな時代にあって、各パヴィリオンにおけるローカルな地平からの発信が、むしろ新鮮に響いているからではないか。(1)

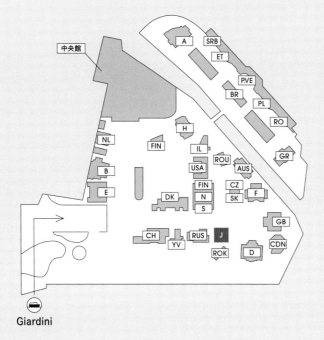

ジャルディーニ
各国パヴィリオン配置図

AUS	オーストラリア	FIN	フィンランド
A	オーストリア	N	ノルウェー
B	ベルギー	S	スウェーデン
BR	ブラジル	PL	ポーランド
CDN	カナダ	CZ	チェコ
DK	デンマーク	SK	スロバキア
ET	エジプト	ROK	韓国
FIN	フィンランド	RO	ルーマニア
	（アアルト）	RUS	ロシア
F	フランス	SRB	セルビア
D	ドイツ	E	スペイン
J	日本	USA	米国
GB	英国	CH	スイス
GR	ギリシャ	H	ハンガリー
IL	イスラエル	ROU	ウルグアイ
NL	オランダ	YV	ベネズエラ
P.VE	ヴェネチア		

中央館

Giardini

2009

第53回

6月7日——11月22日　77カ国が参加

総合キュレーターにはダニエル・バーンバウム（スウェーデン出身、ドイツで活動）が就任した。テーマに「世界を制作する」を掲げ、同タイトルの企画展をジャルディーニの中央館とアルセナーレの2会場で行なった。タイトルはアメリカの哲学者ネルソン・グッドマンの著書『世界制作の方法』に由来する。制作のプロセスに焦点を当て、作品そのものがひとつの世界像をつくり出していることを指し示そうとするもの。総勢90人を超える出品作家のうち、日本からは「具体」のメンバーとオノ・ヨーコが選出された。

　国別展示に目を転じると、アメリカ館ではブルース・ナウマンが、手や頭部の彫刻、ネオンサインなどでこれまでの制作を回顧した他、市内の二つの大学で新作を発表し、金獅子賞パヴィリオン賞を射止めた。またイギリス館ではスティーヴ・マックィーンによる冬場の休館期のビエンナーレ会場を撮影した映像《ジャルディーニ》が展示され、注目を集めた。作家賞は、修復を終えた中央館のカフェのデザインを手がけ、その空間自体を作品としたトビアス・レーベルガー（ドイツ）が受賞。また功労賞はオノ・ヨーコとジョン・バルデッサリ（アメリカ）に贈られた。

　一方、主会場の外では、ビエンナーレ開幕に合わせて開館したプンタ・デラ・ドガーナが大きな話題を呼んだ。フランスの実業家でコレクターのフランソワ・ピノーが、建築家安藤忠雄に改修を依頼し、旧税関倉庫を現代美術館に再生した。同じくピノーが安藤に改修を委ね、2006年に再スタートを切った美術館パラッツォ・グラッシとの合同で開催した現代美術のコレクション展には、村上隆や杉本博司の作品も展示された。

日本館カタログ

日本館

コミッショナーは南嶌宏。指名コンペにより、やなぎみわを出品作家とする南嶌の企画提案が採用された。「Windswept Women: 老少女劇団」と題されたインスタレーションである。日本館は黒いテントで覆われ、館内には老若の肉体を併せもつ女性たちの巨大な肖像写真が展示された。

吉阪隆正設計による日本館が黒い皮膜のようなテント、「死」の流動性、移動性を表すテンポラリーな時間の空間と化し、やがてやなぎの作品のお馴染みの登場人物である老少女たちが、マレビトのように、ここヴェネチアにやってくる。しかし、彼女たちはここでそれがそれまでひた隠しにしていたかのような、等身大としての巨大な姿を回復し、鑑賞者である私たちの小さな「生」を覆い尽くす。彼女たちが棲み込む、巨大な額縁に納められた写真は、そのまま「死」の等身大の形象にほかならない。小さきもののはずの老少女たちの内なる「死」が、その等身大を思い出すときに起こる世界の転位。その転位の覚醒の瞬間に姿を消し、再びのさすらいを始める劇場を、やなぎはヴェネチアに組み上げようとするのだ。

　私たちは老少女たちの旅団に誘われるかのように、ヴェネチアの「過去」、「現在」、そして「未来」を旅する記憶の粒子となって、今度は旅団の一員として、さすらいの旅を始めることになる。

展示風景

　老少女とは年老いた少女ではなく、死なない「生」の力のことである。

　やなぎみわの「Windswept Women: 老少女劇団」は、「死」の粒子となって生き抜く勇気を語る、きわめて今日的な、そして視覚的な寓話劇として、その姿を現すことだろう。

　►南嶌宏「Windswept Women: 老少女劇団」国際交流基金ウェブサイト

コミッショナー

南嶌　宏 ———————

Minamishima Hiroshi ｜ 1957–2016

長野に生まれる。本名は南島宏。筑波大学芸術専門学群芸術学専攻卒業後、インド放浪を経て、いわき市立美術館に勤務。1987年、広島市現代美術館に移り、90年に退職後、拠点を東京に移しインディペンデント・キュレーターとして活動する。93年、カルティエ現代美術財団奨学生としてパリへ留学、その間に東欧全域を訪問する。2000年から熊本市現代美術館の運営に参画し学芸課長兼副館長、館長を歴任。企画展を通してハンセン病への社会的偏見に対する活動や、生人形や見世物文化の価値の再発見に取り組んだ。08年同館を退任し、女子美術大学教授に就任。同年、第1回プラハ国際芸術トリエンナーレで国際キュレーターを務める。また現代いけばなを美術の一分野ととらえた評論でも知られる。16年1月、脳梗塞のため急逝。翌年に約20年間の論考を収録した『最後の場所　現代美術、真に歓喜に値するもの』（2017年）が刊行された。

やなぎみわ

2009

左：Windswept Women III　2009　右：Windswept Women V　2009

神戸に生まれる。1991年京都市立芸術大学大学院美術研究科修了。大学では染織を専攻。93年、京都で初個展を開く。商業空間にマネキンのようにたたずむ案内嬢たちの様子を撮影した写真シリーズ〈エレベーター・ガール〉(1994-98年)で国内外から高い評価を得る。その後、若い女性に「50年後の理想の自分」をイメージしてもらい、それを視覚化した〈マイ・グランドマザーズ〉(1999年-)、童話に登場する老婆を少女が演じる〈フェアリーテール〉(2004-06年)など、現代社会に生きる女性の存在や意識に根ざしたシリーズを展開。2009年のヴェネチア・ビエンナーレに参加。同年、東京都写真美術館、国立国際美術館でも個展を開催。10年からは、かねてより関心のあった演劇プロジェクトを始動。大正期の日本の新興美術などを題材にした『1924』三部作 (2011-12年)を美術館と劇場で上演。14年のヨコハマトリエンナーレでは、中上健次の『日輪の翼』を舞台化するための移動舞台車 (ステージトレーラー)を発表し、16年からは野外劇として日本各地を巡った。また「日本神話と桃」をテーマに福島の果樹園で取り組んできた写真シリーズ〈女神と男神が桃の木の下

で別れる〉を、19年の大規模個展「神話機械」(高松市美術館他)で初公開した。

出品作品について

新作インスタレーション《Windswept Women: 老少女劇団》は、まず日本館を黒いテントで覆い、モダニズム建築の痕跡を消し去ることから始まった。それは女性だけの旅の一座の「移動する家＝テント」を意味する。展示室には高さ4メートルもある大きなフレームが5つ配され、見る者を圧倒する。これらのフレームは記憶の結晶のような家族写真を入れるフォトスタンドを巨大化したもので、縁にはモチーフとして「三柑の実」(ざくろと桃、橘の実。東洋で女性を守護するシンボルとされる)があしらわれている。フォトスタンドには風にさらされながらもしっかりと大地に立ち、乳房をゆすって激しく踊る女性の肖像写真が収められている。よく見ると、若い女性の乳房はしおれ、老いた女性の乳房ははち切れんばかりである。彼女たちはグロテスクでたくましく、そしてどこか神々しくもある。5点はいずれも最新シリーズ〈Windswept Women〉(2009年)から選び抜かれ

展示風景　右手に黒テント

た。「老いと若さ」「生と死」「日常と祝祭」といったテーマは、これまでのシリーズ〈マイ・グランドマザーズ〉〈フェアリーテール〉などと共通する。会場奥の一角には小さな黒いテントが入れ子のように吊られ、内部では老少女たちが歌い踊る様子をとらえた映像作品《The Old Girls' Troupe》(2009年) が映し出された。

The Old Girls' Troupe　2009　ビデオスティル

日本館を覆い隠す黒テント

前田恭二

黒テント日本館 エネルギー噴出

日本館は黒いテントで覆われた異様な姿を見せた。出品作家はやなぎみわ。「WINDSWEPT WOMEN 老少女劇団」と題する新作で臨んだ。

巨大なモノクロ写真が計5点。それぞれ女性が大地に立ちはだかり、奇妙にもダミーの乳房を振り回しながら激しく踊り、楽器を鳴らす。一角には小さな黒テントが設けられ、のぞき込むと彼女たちが放浪し、時として巨大写真のように踊る映像が流れている。迫力は十分で、破壊と創造をつかさどるシバ神、あるいは古代的な大地母神のあてどない彷徨を連想させた。

やなぎは1990年代にデビューした。その写真・映像に登場してきたのは少女や老いた女性など。「生む」ということに縛られない女性のファンタジーを表現してきた感があった。それが豊穣や破壊のエネルギーを噴出させるような女性像を提示し、その行方を問いかけている。ベネチアという舞台で新境地へ進み得た力量に目をみはった。

ただし「世界の制作」をテーマとする企画展とは呼応するようでいて、その穏健な雰囲気からは遠く、むしろ異物のような印象が強かった。日本館を統括するコミッショナー南嶌宏氏は「ある世界を作れば、影も生まれる。そこへのまなざしこそが大切なのではないか」と語り、やなぎ作品の意義を強調していた。　►『読売新聞』2009年6月19日より抜粋

西田健作

変化進むアートの祭典 発想や会場も枠外へ

ジャルディーニ地区にある日本館は、女子美術大の南嶌宏教授をコミッショナーに、やなぎみわの「Windswept Women―老少女劇団」を開いた。日本館全体を黒いテントで覆い、室内には4メートルもの写真5点や映像作品を配置した。

写真では、原始人のような姿の5人の女性が向かい風に立ち向かう。よく見ると若い女性の胸はしおれ、老女の胸は巨乳だ。女神のようでもコメディアンのようでもある。

「彼女たちの姿が人生をサバイバルするための一つの励ましになれば」とやなぎ。受賞はしなかったが、工夫を凝らした展示で世界に真っ向勝負を挑んだ力作だった。
　►『朝日新聞』2009年6月27日

2009

企画展「世界を制作する」

企画は、総合キュレーターのダニエル・バーンバウム。制作のプロセスを重んじ、作品そのものがひとつの世界をつくり上げていることを示唆する展覧会。ジャルディーニの中央館とアルセナーレに、90人を超える作家が出品。日本からは、「具体」のメンバーとオノ・ヨーコが参加。

出品作品について

日本からは、1993年の「東方への道」展で大きく取り上げられた具体メンバー（吉田稔郎、鷲見康雄を除く）が再び出品した。日本やゼログループの財団から集められた作品を通して、65年にアムステルダムのステデリック美術館で開催されたヌル国際展の再構成を試みる展示となった。同展は、60年頃から活動したオランダの作家ヘンク・ペーテルスをリーダーとする「ヌル」のグループやドイツのオットー・ピーネらの「ゼロ」グループによる3回目の国際展であり、そこに具体が招待され、50年代の作品が紹介されていた。本企画展では、復元の復元になっているが、「具体」の作品が時代を超えてリアリティーをもつことを強く印象づけるものとなった。

65年展に参加し、アムステルダムを訪れた吉原治良の報告（「風変わりな作品群」『毎日新聞 大阪版』1965年5月27日夕刊）が当時の様子を伝えている。

「展覧会の性質からいって、われわれ具体の初期にやった、野外展などの絵以外の作品活動に驚いて招待してきたわけだが、そのあるものは現地で作らないわけにはいかないので、とりあえず、助手に二男の通雄を連れてやってきた。金山明の大きなバルーンは持参したが、嶋本昭三の足で感じる作品という梯子のような作品二点、村上三郎の例の箱と紙の衝立を破る作品、田中敦子の風に揺れる布など全部こちらで指図して作ってもらったり、材料を買ったりした。元永の水の袋をつる作品、金山の百二十メートルを要する足あとの作品も、通雄と二人でオランダの美術学生に手伝わせて、こちらで作った。通雄はこのほか色テープの作品と大きな砂の山の中に二十個の電灯が光る作品をつくり、私のものは三枚の白いカンバスだけで『どうか描いて下さい』という作品である。そのいずれもが一九五六年の作品であるわけだが、年代のずれは不思議に感じられない」（Y）

《砂の中の光》を制作中の吉原通雄（ステデリック美術館、1965年）写真展示

2007

第 5 2 回
6月10日——11月21日　76カ国が参加

総合キュレーターには、ビエンナーレ史上初のアメリカ人であるロバート・ストー（元ニューヨーク近代美術館キュレーター）が就任。「感覚で考え、心で感じる」をテーマに掲げ、ジャルディーニの中央館とアルセナーレの2会場で企画展を行なった。110組が参加、日本からは加藤泉、束芋、藤本由紀夫、森弘治、米田知子が選出された。中央館では、絵画を中心にジグマー・ポルケやゲルハルト・リヒターら大御所からショーン・グラッドウェル（オーストラリア）ら若手までの作品が展示された。アルセナーレでは、テロや戦争など国際情勢をテーマとした作品が多く展示された。そのなかでもレオン・フェラーリ（アルゼンチン）の米軍戦闘機にキリストが磔になった作品《西洋キリスト教文明》は、1965年の制作だが「9・11」を想起させ注目を集めた。他にも金属のボトルキャップなどを再利用した巨大タペストリーを展示したエル・アナツイ（ガーナ／ナイジェリア）をはじめアフリカの作家の進出が目立った。

国別展示では、フランス館のソフィ・カル、ドイツ館のイザ・ゲンツケン、イギリス館のトレイシー・エミンといった女性作家の活躍が際立った。

金獅子賞は、前述のレオン・フェラーリが作家賞を受賞した他、40歳以下の作家に対する賞はエミリー・ジャシール（パレスチナ）に贈られた。パヴィリオン賞はアンドレアス・フォガラシが個展を行なったハンガリー館が受賞。この回は、賞の発表が開幕時ではなく10月となった。その理由は「審査員に全ての展示を十分に見てもらうため」また「会期後半に盛り上がる場面を設けるため」とされる。ただし功労賞のみ6月の開幕時に発表され、写真家マリック・シディベ（マリ）が受賞。

これまでジャルディーニの中央館の一部に常に組み込まれていたイタリア館は、アルセナーレに移った。

日本館

コミッショナーは港千尋。指名コンペにより、岡部昌生を出品作家とする港の企画提案が採用された。フロッタージュという表現を通して、「ヒロシマ」の悲劇を伝える個展「私たちの過去に、未来はあるのか」を行なった。

「時」との関係において、わたしたちの時代はひとつの矛盾に直面している。科学技術の発展によって人間は、その過去をより詳しく知り、より正確に複製し、復元し保存することが可能になった。その一方、急激なグローバリゼーションや人口急増にともなう社会の高速化と都市化によって、あるいは公害や地域紛争によって、過去はかつてない規模で消滅の危機を迎えている。同じひとつの文明が、過去を発見すると同時に、それを消そうとしている。後期資本主義社会における情報化は、記憶と物質の両面において重大な変化をもたらしており、現代人は自らの過去をどのように未来の世代へと手渡す

べきかという問いを突きつけられていると言えよう。

この展覧会は、美術家岡部昌生のライフワークであるフロッタージュ作品を中心に、人間の過去が未来へと受け継がれる可能性と条件について、美術の側から問おうとする試みである。フロッタージュの対象である宇品は、かつて広島の軍港であった。その駅は、日清戦争以降太平洋戦争終結まで、おびただしい量の物資と人間がアジアへ運ばれた場所であると同時に、原爆の被災地でもある。岡部昌生は9年間にわたって、このプラットホームの縁石を擦りつづけ、総数4000点におよぶ記録を残した。いまは高速道路の建設によって消えてしまった遺構であるが、美術家は紙と鉛筆というエレメンタルな記述の方法をつかい、過去を擦りとったのである。

その場所がアジアにおける日本の現在地点を考え直すうえで重要であることは、言うを待たない。日本各地で市民とともに数多くのワークショップを行い、展覧会だけでなく、擦りとられた痕跡をアエログラムという「手紙」の形式によって各地から発信してきた作家の活動は、モノの表面を擦りながら、そこ

ワークショップ　ヴェネチア市内　左から3人目が岡部

に思わぬ表情を見出す楽しさを素直に伝えている。そこには過去とどう向きあうか探している現代の人間にとって、何らかのヒントがあるようにも思われる。戦後60年を経てあらたな紛争の危機のなかにある今日の世界において、ひとつの芸術表現が、「過去の分有」と「未来へ向けた対話」のための、社会的活動になるかもしれない。

　ヴェネチアという、かつて諸文化が出会い交流をしてきた歴史の土地で、本展覧会は、そうした文明論的な意味をも内包しながら、建設的な対話に貢献することを願っている。

　▶港千尋「私たちの過去に、未来はあるのか」国際交流基金ウェブサイト

コミッショナー

港　千尋

Minato Chihiro｜1960-

神奈川に生まれる。1984年早稲田大学政治経済学部政治学科卒業。在学中の82年にガセイ南米研修基金を受け、南米各国を移動しながら写真を始める。85年よりパリを拠点に写真家、著述家として活動。89年に起きた東欧の革命の取材をきっかけに、群衆とイメージについて考察するなかで、写真とテキストを組み合わせた独自のスタイルを確立する。以後、映像、記憶などをテーマに制作・著述・発表を続ける。帰国後の95年より多摩美術大学で教鞭をとる。2006年に写真展「市民の色」で伊奈信男賞受賞。16年、あいちトリエンナーレの芸術監督を務める。著書に『群衆論』(1991年)、『考える皮膚』(1993年)、『洞窟へ』(2001年)、『ヴォイドへの旅』(2012年)など多数。1997年に『記憶』でサントリー学芸賞、2019年に『風景論』で日本写真協会賞 学芸賞を受賞。

岡 部 昌 生 Okabe Masao | 1942-

展示風景　壁を埋め尽くすフロッタージュと床に配置された被爆石

上：フロッタージュ作品　2003
下：植物標本　2004

北海道に生まれ、道内在住。1965年北海道学芸大学（現・北海道教育大学）卒業。70年代中頃までは、安保闘争やベトナム戦争といった時代背景をテーマにした油彩画や版画を手がける。77年に住居前の路上に紙を広げ鉛筆を走らせたことをきっかけに、フロッタージュの制作を開始する。以後フロッタージュの技法を用いて国内外の各地で制作を行なっている。79年、パリに半年滞在し建物の壁や路面の凹凸を擦りとった169点に及ぶ〈都市の皮膚〉シリーズを手がける。やがて岡部の関心は、擦りとるときの手の動作（ストローク）や、対象となる場所の記録のみならず、その場の記憶を掘り起こすことに向かってゆく。80年代後半からは、広島の原爆の痕跡を作品化するプロジェクトを始動。また88年のヌーサ美術館（オーストラリア）での個展以降は、市民とのコラボレーションやワークショップを積極的に行なっている。96年にはパリのマレー地区でユダヤ人がナチスに拉致された史実を刻んだ銘板を擦りとった〈N'OUBLIEZ PAS（忘れない）〉シリーズを制作。同時期よりパリ、広島、光州、根室などの都市からアエログラム（航空書簡）で世界の知人に郵送・往還するプロジェクトを始める。2007年ヴェネチア・ビエンナーレに参加。16年、あいちトリエンナーレに出品。

ワークショップ
展示の被爆石を擦りとる

出品作品について

「私たちの過去に、未来はあるのか」と題された日本館の展示の中心となるのは、床から天井まで壁全体を埋め尽くすフロッタージュの作品群である。岡部が9年間にわたって広島市の旧宇品駅のプラットホームの縁石を擦りとったもので、総数4000点のうちの1152点が額装され、それぞれがグリッド状の構造の中にはめ込まれた。高さ5メートル、総延長82メートルの壁面にはフロッタージュの他に、そのネガフィルムを挟み込んだライトボックス、旧宇品駅に生えていた雑草の植物標本なども含まれる。会場の中央には広島の被爆石が空間を分断するかのように直線状に配置された。さらに、アムステルダムやバルセロナなど各地の都市に住む市民によって、自発的につくられ作家のもとに送られたフロッタージュのアエログラムがアーカイブとして展示された。また会期中には、会場や市内数カ所で大学生や社会人、小学生などを対象にしたワークショップが行なわれた。これら一連のワークショップは、フロッタージュという行為を多くの人たちと体験するなかから、記憶の未来が生まれるのではないかという問いでもあった。

ヴェネチアの広場の古井戸の表面を擦りとる岡部

菅原教夫
戦争の記憶 喚起

日本代表として出品した岡部昌生氏の作品も戦争の記憶を喚起した。日清戦争以来、軍港として栄えた広島・宇品は、同時に被爆の痕跡を残す、加害・被害の矛盾を抱える土地である。岡部氏は旧国鉄宇品駅のプラットホームの地肌をこすりだした膨大な量の作品を展示。ベネチアまで被爆石も運び、入場者に体験制作してもらった。

宇品は高速道路ができ、都市化の波に洗われている。岡部氏の作品「わたしたちの過去に、未来はあるのか」からは戦争の記憶を失うまいとする意志が伝わる。確かにグローバル化などが進む社会にもまれているうち、いつしか大切な記憶が風化し、忘れ去られることが危惧される。

紛争だらけの世界のなかで戦後続いた「平和」は、日本が誇れるかけがえのない価値だ。今年の論壇の収穫とされた篠田英朗・広島大学平和科学研究センター准教授の論文「平和とは生き続けることである」(『RATIO』3号)は「平和構築とは、矛盾と苦しみに満ちたものだ。だがそれが何だろう。平和という理念は、美しく、深く、精緻であるから、称賛されるのではない。それは単に生きるために、必要だから、求められるのである」と、平和の意味を味わい深く説いた。

「平和」は昨日今日に実現できるお題目ではない。その維持には地道で粘り強い取り組みが必要だ。岡部氏は今回の制作に9年をかけた。(略)戦争の記憶は時間をかけて若い世代に引き継いでいかなくてはならない。

▶『読売新聞』2007年12月29日より抜粋

エンニオ・ポーチャード
韓国の骸骨、オーストラリアのミニマリズム、
フランスのカルによる裸の言葉、
そして広島の悲劇の廃墟

記憶力というものはしばしば、生の記憶よりもむしろ、その時感じた印象の方がより強く残るものである。2007年のビエンナーレに関していえば、死すらも逃れたいという皮肉をこめた作品はほとんど見受けられず、死をもたらす物をテーマに取りあげた重要作品がいくつかあったという印象が残るだろう。(略)

そして本質的に、そして悲劇的に完璧であるのは、「私たちの過去に、未来はあるのか。The Dark Face of the Light」と名付けられた日本館の岡部昌生である。原爆で破壊された広島の駅から切り取られた16の石の連なりが展示され、その1152枚のフロッタージュが壁を覆う。解釈も、論ずる必要も、描写する必要もない。そこにある作品がすべてを語るのである。作家の手が、素材の求めるままに応ずるのである。

(翻訳:杉本絵理子)　　▶『イル・ガゼッティーノ』2007年6月9日

企画展「感覚で考え、心で感じる」

企画は、総合キュレーターのロバート・ストー。知覚に訴えることで思考を引き出す芸術表現に焦点が当てられた。ジャルディーニの中央館とアルセナーレに、110組が出品した。

加 藤 泉

Kato Izumi｜1969–

島根に生まれる。1992年武蔵野美術大学造形学部油絵学科卒業。90年代半ばから藍画廊（東京）などで発表を始める。初期の頃より一貫して「人間」をモチーフに描き続ける。極端に両目の間隔があいた顔立ちは、無垢な幼児を思わせると同時に、何を考えているかわからない人間の不気味さをも感じさせる。2000年代に入るとカラフルな色彩の木彫も手がけ、身体の一部から植物が生えたり、四つ脚だったりと、その自由闊達さはとどまるところを知らない。さらに近年はソフトビニール素材を用いた立体作品や版画にも取り組む。07年ヴェネチア・ビエンナーレ参加を機に評価が高まり、アメリカ、ドイツ、フランス、メキシコ、中国など海外での発表も多くなる。日本での主な個展に彫刻の森美術館（2010年）、鹿児島県霧島アートの森（2012年）など。19年にはハラミュージアム・アークと原美術館の2会場で大規模な個展を開催、初期からの絵画作品の他、木彫に石や布など様々な素材を取り込んだダイナミックなインスタレーションを展開し、話題を呼んだ。

出品作品について

「人間」をモチーフに2005年から07年にかけて描かれた《Untitled》の油彩、パステルなどによる作品12点が中央館に展示された。

上下：展示風景

藤 本 由 紀 夫

90ページ参照

出品作品について

3点の「音」にまつわる作品をアルセナーレに展示した。

《EARS WITH CHAIR》は、鑑賞者が椅子に座り、スタンドに支えられた2本のパイプに両耳を当てると、それまで聞こえていた音が一変する作品。周囲の音がパイプを通ることにより、パイプ自身の固有の振動数で「唸り」が生ずる。その唸りはまるで音楽のように聞こえる。

《DELETE（THE BEATLES）》は、「削って除く」という行為をアナログレコード盤を使って試みた作品。DELETEは日本語で「削除」と訳される。コンピュータのDELETEキーは頻繁に使う機能で、キーの一押しで一瞬にしてテキストも画像も音楽も消えてしまう。音が記録されたレコード盤の溝を削ってしまえば、音が消滅することになる。そこで実際に溝を削り平滑になったレコード盤をターンテーブルにかけ針を下ろしてみると微かにビートルズの声が聞こえてきたという。

《RECORD》は、ダイレクトカッティング用のレコード盤の上を金属ブラシが1分間に10回程度の速度で回転し続ける作品。金属ブラシの1本1本の針金が

展示風景
左：EARS WITH CHAIR 1993
右：DELETE（THE BEATLES） 2007
手前：RECORD 2001

徐々にレコード盤に溝を刻んでゆく。と同時にそれらの針金の先端は、刻まれた溝をなぞってゆく。「溝を刻む＝録音／溝をなぞる＝再生」を同時に行なう装置。

束　芋

54ページ参照

出品作品について

《dolefullhouse》は、空っぽのドールハウスに家具をひとつずつ足してゆき、全室のインテリアを完成させるまでの様子をたどる映像インスタレーション。ミニチュアの家とそこに出入りする巨大な手との相互作用により、物の微細さと巨大さの関係を浮き彫りにする。時折手の甲が痒くなり引っかく動作が見受けられる。鑑賞者は目前で展開するシュルレアリスティックなドラマに取り込まれてゆく。作品は中央館に展示された。

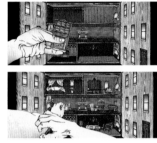

dolefullhouse 2007

米 田 知 子

Yoneda Tomoko｜1965 –

兵庫に生まれる。1991年ロイヤル・カレッジ・オブ・アート（ロンドン）修士過程修了。20世紀の「記憶」と「歴史」をテーマに写真や映像作品を手がける。97年ツァイト・フォト・サロン（東京）で初個展。主な個展に、資生堂ギャラリー（2003年）、原美術館（2008年）、東京都写真美術館（2013年）、パリ日本文化会館（2018年）、マフレ財団（マドリード、2021年）がある。代表的なシリーズに、20世紀以降の知識人の眼鏡をモチーフにした〈見えるものと見えないもののあいだ〉（1998年–）、歴史的事象の現場や土地、静寂な光景の中に隠れる過去をテーマにした〈Scene〉（2000年–）、89年東欧革命後のハンガリーとエストニアを追った〈雪解けのあとに〉（2004年）、阪神淡路大震災後10年について取り組んだ〈震災から10年〉（1995年、2004年）、アルベール・カミュの軌跡を追った〈アルベール・カミュとの対話〉（2017-18年）など。ロンドンを拠点に活動。

出品作品について

〈Scene〉シリーズより6点の写真がアルセナーレに展示された。米田は同シリーズについて「歴史は目に見えるモニュメントや建造物だけに現われるものではな

地雷原―地雷が埋まっている休憩所／
非武装地帯・坡州・韓国 2004

く、その軌跡は無形にも平然と存在する。目立たぬ周縁的なもの、その身近な
負の痕跡から受ける衝撃は大きい。過去を現在に照らしあわせることは再生と
希望への導きとなり、はかない平和への警告にもなるだろう」と語る。

森　弘　治

Mori Hiroharu｜1969-

神奈川に生まれる。1994年渡米、2004年マサチューセッツ工科大学（MIT）大
学院修了。映像作品を中心に現代美術の分野で活動。主なグループ展に
「The Burlesque Contemporains」（ジュ・ド・ポーム国立ギャラリー、パリ、2005年）、「アー
トスコープ2005／2006」（原美術館、2006年）、越後妻有アートトリエンナーレ（2009
年）、「5x5 Castelló 10: International Contemporary Art Prize」（カステジョン
現代美術センター、スペイン、2010年）、恵比寿映像祭（2011年）など。個展に「Hiroharu
Mori is detached from the outside world」（アートスペース、シドニー、2007年）、
「Speech Rehearsals: Students, Housewives, Politicians」（モナッシュ大学美術館、
メルボルン、2010年）など。09年にアーティストによる芸術支援システム「ARTISTS'
GUILD」を共同で設立、東京都現代美術館の「MOTアニュアル2016 キセ
イノセイキ」展（2016年）ではディレクションとキュレーションを主導。16年より1年
間、MITの客員研究員として研究に従事。

出品作品について

《A CAMOUFLAGED QUESTION IN THE AIR》は、カムフラージュ模様の
「？」マークが描かれた特大のバルーンと映像の二つの要素から成る作品。映像
では公共の場で無作為に選ばれた人たちにバルーンを渡し、「空に放つ」また
は「放さずに手に持ったままにする」という選択肢を与え、その様子の記録を
映し出す。英語の「UP IN THE AIR」という表現は、空中に浮かぶという意味
に併せて、曖昧で特定できない状況のことを表わす。カムフラージュされた疑問
符のバルーンが頭上に浮かぶことで、この作品は深刻で緊急の問題に対して、
文字通り、その意味や目的、存在の曖昧さに疑問を投げかけている。本作は
2003年に初めて発表された後、様々なフォーマットで展開している。作品はア
ルセナーレに展示された。

A CAMOUFLAGED QUESTION IN THE AIR
2003/2007　ビデオスティル

展示風景
A CAMOUFLAGED QUESTION IN THE AIR 2003/2007

2005

ヴェネチア・ビエンナーレ史上初めて二人の総合キュレーター制がとられ、さらにいずれもスペインの女性が任命されたことが、この回の大きな特色となった。そのひとりマリア・デ・コラール（元国立ソフィア王妃芸術センター館長）はジャルディーニの中央館を会場に「アートの経験」展を行なった。ここでは、今という時代を表現する42作家（物故者を含む）の作品が展示された。中央館のファサードを政治的なメッセージで埋め尽くしたバーバラ・クルーガー（アメリカ）が金獅子賞功労賞を受賞した。もうひとりのローサ・マルティネス（インディペンデント・キュレーター）は、アルセナーレを舞台に「いつも少し遠くへ」展を行なった。約50作家が選出され、日本からは森万里子が出品。未来志向を意識しながらも、歴史的な視点も取り入れた作品が並んだ。第1室のゲリラ・ガールズ（アメリカ）のフェミニズムのスローガンを掲げた巨大ポスターや、ホアナ・ヴァスコンセロス（ポルトガル）による1万4000本ものタンポンを用いた巨大シャンデリアなど、「女性性」を強調する作品が注目を集めた。日本館を含め、出品作家に女性が多く、受賞者もひとりを除いて全て女性という、女性が話題の中心となったビエンナーレだった。

国別展示では、ギルバート＆ジョージがペア（対）をテーマにした新シリーズを発表したイギリス館が高評価を得た。また中国がアルセナーレにある旧石油貯蔵庫をパヴィリオンとして、初の公式参加を果たした。金獅子賞（パヴィリオン賞）は、アネット・メサジェによる『ピノッキオの冒険』の童話から着想を得た大規模なインスタレーションを展示したフランス館が受賞した。

また企画展出品作家への金獅子賞はトーマス・シュッテ（ドイツ）が、35歳以下の若手作家への金獅子賞はレイナ・ホセ・ガリンド（グアテマラ）にそれぞれ贈られた。

日本館

コミッショナーは笠原美智子。出品作家に石内都が選出され、シリーズ〈mother's〉による「マザーズ 2000-2005─未来の刻印」と題する展覧会を行なった。

石内都の〈mother's〉は、独立した現代日本女性の先駆者とも言うべきひとりの女性の肖像である。このシリーズは自分のアーティストとしての名前を母の名に因んだ彼女が、ひとりの独立した現代女性である「石内都」として、84歳の生を生き抜いたもうひとりの現代女性である「石内都」に捧げたオマージュである。

石内都が母の身体に見ているものは、その皮膚の表面をそのような形状にならしめた、「記憶」なのではないか。それは「歴史」と言いかえてもいいかもしれない。（略）

同様に、石内都が母の遺品に向ける眼差しは、そこにまつわる記憶をひとつとして逃してたまるかという厳しい観察者のそれである。予断を許さず毅然とした決断をもって、死んでしまった母に娘が対峙する。当然のこととしてそこに見えてくるのは、彼女の「母」としての側面ばかりではなく、娘の想像を超えた歴史と経験と思考を重ねた、ひとりの独立した「女」の姿である。（略）

「記憶」をあらわすひとりの女性の肖像は、彼女が歩んできた小さな歴史のなかに、現代日本女性の意識のなかで起こっている大きな変化を如実に反映することになる。石内都は個人的な喪失を描くことで、ひとりの女性の喪失をわたしたちの「喪失」として共有させる。それはしたたかにシビアに現代を生きるわたしたちの記憶に共振し、「記憶」の種をまく。激動の日本の戦後を生き抜き、そしてさまざまな意識の変化に格闘しながら必死で生きたひとりの女性の「記憶」は、未来

展示風景

を生きる多くの女性が共有する「記憶」となるだろう。ひとりの女性の「記憶」が未来の刻印になる。

▶ 笠原美智子「石内都：未来の刻印」日本館カタログ

コミッショナー

笠原美智子 ――――――――

Kasahara Michiko｜1957-

長野に生まれる。1983年明治学院大学社会学部卒業後、アメリカに留学。シラキュース大学、イリノイ大学シカゴ校でアメリカ近現代写真論、ジェンダー論、フォト・ジャーナリズムとともに写真制作を専攻。87年コロンビア大学修士課程修了。89年に東京都写真美術館学芸員、その後東京都現代美術館を経て、東京都写真美術館事業企画課長、18年、石橋財団ブリヂストン美術館（現・アーティゾン美術館）副館長に就任。

主な企画展に「私という未知へ向かって　現代女性セルフ・ポートレイト展」(1991年)、「ジェンダー　記憶の淵から」(1996年)、「ラヴズ・ボディ　生と性を巡る表現」(2010年)、「ダヤニータ・シン　インドの大きな家の美術館」(2017年)など。著書に『ヌードのポリティクス　女性写真家の仕事』(1998年)、『写真、時代に抗するもの』(2002年)、『ジェンダー写真論　1991-2017』(2018年)などがある。

石 内　都

群馬に生まれ、6歳の時に神奈川県横須賀に移り住む。本
名は藤倉陽子。石内都は母の旧姓名。1970年多摩美術大
学デザイン科染織デザイン専攻中退。75年より独学で写真
を始める。77年に思春期を過ごした横須賀の街を撮影した
〈絶唱・横須賀ストーリー〉、翌年には〈Apartment〉のシリー
ズを発表し、注目を集める。79年、同シリーズの写真集と展
覧会で木村伊兵衛写真賞を受賞。81年には〈連夜の街〉を
発表、前述の2作と合わせて初期三部作と呼ばれている。
90年代に入ってからは、石内と同年に生まれた女性の手と
足を写した〈1・9・4・7〉（1990年）、詩人の伊藤比呂美を撮っ
た〈手・足・肉・体〉（1995年）、舞踏家大野一雄の裸体をとら
えた〈1906 to the skin〉（1995年）、傷跡を撮った〈Scars〉
（1999年）など、身体の一部をクローズアップしてゆくスタイル
を確立。2005年ヴェネチア・ビエンナーレに参加。この時の
出品作〈mother's〉に始まる石内と遺品との対話は、広島平
和記念資料館に寄贈されたワンピースや眼鏡など被爆者の
遺品を被写体とする〈ひろしま〉（2007年–）や、メキシコの画家
フリーダ・カーロの遺品を撮影した〈フリーダ〉（2012年）へと続
いてゆく。14年、アジア人女性として初めてハッセルブラッド
国際写真賞を受賞。17年、横浜美術館にて大規模な個展
「肌理と写真」を開催。

出品作品について

シリーズ〈mother's〉は、石内の母の遺品と、亡くなる数年
前に撮られた母親の身体部分のクローズアップ写真で構成
されている。身につけていたシュミーズやガードル、靴、使い
かけの口紅、髪の毛のついた櫛、入れ歯…。それらの遺品
は、石内の手によって正面から丁寧に捉えられ、1画面に1
点、まるでポートレートのように収められている。展示構成に
おいては、1986年以来カーペットやリノリウムに覆われてい
た日本館の人造大理石の床が、20年ぶりに元の状態に戻さ
れた。この床から連続して写真が立ち上がる感じになるよう、
通常より低めの展示が試みられた。見通しのよい空間の壁
に、〈mother's〉の写真作品38点の他、同シリーズの映像版
も投影された。さらに日本館のもうひとつの特徴ともいえる、
展示室の床中央に開けられたピロティに通じる1.75メートル
四方の穴を利用して、そこに大型モニターを設置し、石内の
初期三部作から厳選した静止画を映し出した。

2005

mother's #49　2002

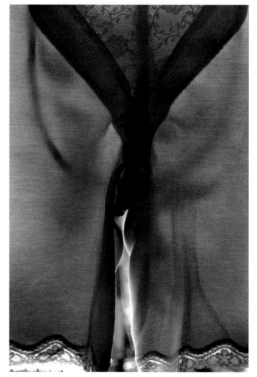

mother's #15　2001

展示風景

 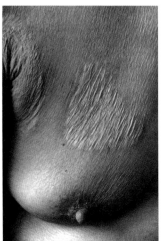 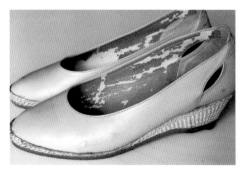

左：mother's #54　2002
中：mother's 25 Mar 1916 #53　2000
右：mother's #52　2003

西田健作
女性による女性の展示

各国ごとの恒久的なパビリオンが立ち並び、歴史を感じさせる主会場のジャルディーニ地区。日本館も、女性による女性の展示だった。コミッショナーの笠原美智子・東京都現代美術館学芸員は「あえて女性作家を選んだ」と、写真家石内都の個展「マザーズ 2000-2005 未来の刻印」を企画した。

母親と確執があった石内が、母の死の数年前にその肉体を、死後にその遺品を写した作品群だ。下着や長じゅばん、口紅、入れ歯など35枚の写真と二つの映像が展示された。建設当時の特徴である床の人造大理石を生かす試みも実現。イタリアの有力紙でも好意的に紹介され、石内は「やり切った」と言った。　　　　　► 『朝日新聞』2005年6月29日

建畠 哲
内省の美印象づける日本館

日本館は写真家の石内都の個展である（コミッショナーは笠原美智子）。写真家が選ばれたのは一九七六年の篠山紀信以来。ベネチアに限らず最近の国際展では写真作品がかなりの比重を占めるようになっているが、それは未来への展望ではなく記憶の中に表現することの意味を捉えようとする時代、いうならば進歩の思想が色あせてしまった時代の反映かもしれない。石内の「Mother's」と題されたシリーズも彼女自身の母親の老いた肌や身につけていたシュミーズ、使いさしの口紅などを撮った、つまり一人の女性のプライベートな生の痕跡へと眼差しを向けた作品だが、その画面には生々しさというよりもイメージの記憶として一つの時代を省察する静かな批評意識が感じられた。　　　　　► 『毎日新聞』2005年7月15日

企画展「いつも少し遠くへ」

総合キュレータのひとり、ローサ・マルティネスの企画。未来志向を意識した約50作家の作品が、アルセナーレに展示された。

森 万里子

107ページ参照

出品作品について

《Wave UFO》のメタリックで巨大なカプセルは、宇宙船を思わせる。内部には一度に3人まで入ることができ、脳波に対応して変化する3D映像が来訪者をコズミックな瞑想の世界へと誘う。

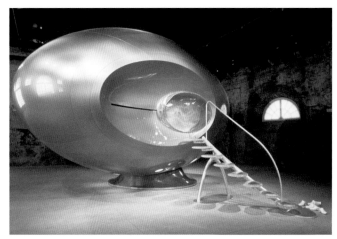

Wave UFO 1999-2003

拡張するビエンナーレ

2019年、ヴェネチア・ビエンナーレに参加した国は、過去最多の90カ国に達した。1995年には50カ国、2005年には70カ国と、その数は開催年ごとに増え続けている。主要会場のジャルディーニには、中央館の他に29カ国の常設パヴィリオンが点在しているが、敷地面積の関係から、1995年の韓国を最後に新設は不可能となった。

長い間、パヴィリオンをもたない国はジャルディーニの中央館の一部を間借りするかたちで作品を展示してきた。しかし、ビエンナーレ発足100周年にあたる1995年、企画展「イタリア写真の百年」などによってそのスペースが占められ、国別展示の会場は確保できなかった。これをきっかけに、それらの国々はジャルディーニを出て、ヴェネチアの街の各所とアルセナーレの一部をパヴィリオンとして展示を行なうこととなった。会場は、市内の宮殿や邸宅、教会、倉庫や体育館、さらには近隣の小島など、街全体に拡散していった。メ

リットは、参加する作家や作品に適した空間をその年ごとに選択できること。デメリットは、迷路のようなヴェネチアの街で、どれほどの人が展示会場にたどり着けるかという点であろう。

各国パヴィリオンの他にも、ビエンナーレ公式関連企画として、様々なイベントが開催される。それに加えて、国やギャラリーなどが単独で展示を行なうなど、この時期のヴェネチアの街は数多くの美術展で満たされる。

さらには、フランスの実業家でコレクターのピノーが運営するパラッツォ・グラッシ（2006年再開館）とプンタ・デラ・ドガーナ（2009年開館）や、プラダ財団のカ・コルネール・デラ・レジーナ（2011年開館）など、個人や企業のコレクションの展示や企画展を開く魅力的なスペースも相次いでオープンし、見逃せない存在となっている。2017年にパラッツォ・グラッシ他で開催されたダミアン・ハーストの個展「難破船アンビリーバブル号の宝物」が大きな話題を呼んだことは記憶に新しい。(C)

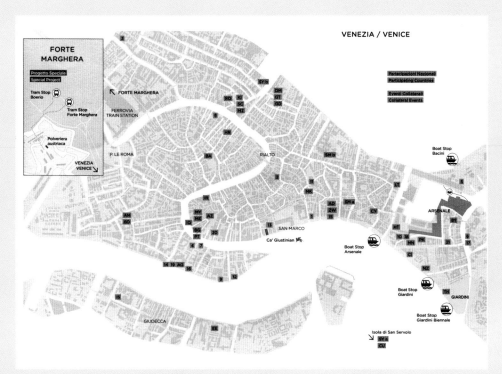

ヴェネチア市内のビエンナーレ関連の展覧会配置図（2019年のリーフレット）
ピンク：各国パヴィリオン　オレンジ：関連イベント　黄：ジャルディーニ　青：アルセナーレ

2003

第50回

6月15日──11月2日　62カ国が参加

総合キュレーターにフランチェスコ・ボナミ（イタリア）が就任し、総合テーマに「夢と衝突──観客の専制」を掲げた。通常であれば同題の企画展が行なわれるところを、ボナミは自身による二つの展覧会（「秘密の行為」「遅延と革命」）に加え、9人のキュレーターたちによる8つの展覧会（「緊急ゾーン」「ユートピア・ステーション」「生存の構造」「日常の変容」など）を開催するという新しい方法でビエンナーレに挑んだ。展覧会のテーマや作家の選択も各々に任せ、展示空間の中で対話や議論が生まれるような、多様性や矛盾をはらんだ構成を試みた。日本からは、アトリエ・ワン、キュピキュピ、小沢剛、オノ・ヨーコ、島袋道浩、高嶺格、土屋信子、横溝静らが参加した。アルセナーレを主会場に行なわれたこれらの企画展とは別に、ボナミは特別展「絵画1964-2003：ラウシェンバーグからムラカミまで」をコレール美術館で開催し、村上隆の作品が展示された。

国別展示では、ルクセンブルクがツェ・スーメイの個展を大運河沿いの建物（カ・デル・ドゥーカ）を会場に開催。壮大な山々を前に作家自身がチェロを奏でる音と映像が融合したインスタレーション作品《エコー》などを展示し、パヴィリオン賞を受賞。ジャルディーニの会場では、スペイン館のサンティアゴ・シエラによる、パヴィリオンの正面入口をブロックで封鎖しスペイン国籍の人だけが裏口から入れるという挑発的な作品、デンマーク館のオラファー・エリアソンによる万華鏡に囲まれたような視覚体験ができるカプセル形の立体作品などが注目された。

金獅子賞（作品賞）は、様々な言語による問いのセンテンスが波形を描いて壁面に投影される映像作品などを展示したペーター・フィッシュリ＆ダヴィッド・ヴァイス（スイス）が受賞した。35歳以下の作家対象の金獅子賞は、音楽とダンスに熱中する若者たちをとらえた映像作品を出品したオリヴァー・ペイン＆ニック・レルフ（イギリス）に贈られた。功労賞はキャロル・ラマ（イタリア）、ミケランジェロ・ピストレット（イタリア）が受賞した。

日本館ドキュメント

日本館

コミッショナーは長谷川祐子。テーマに「ヘテロトピアス」を掲げ、出品作家に曽根裕と小谷元彦を選出。

日本館の展示は曽根裕と小谷元彦の2人がスクエアのスペースを斜めに横断するように分割して展示を行った。

他なる場所、異所を意味するテーマ「ヘテロトピアス」は、フーコーの解釈に依拠している。非存在として夢見られるユートピアとは異なり、現実に存在し、世界に対して抵抗と交渉を行う場という概念に、2人のアーティストはそれぞれの解釈で応えた。（略）

日々の知覚のフレームを脱構築しながら、ひとつながりのスケールの大きな時間を生きるシンセティックな曽根の作品と、分裂をくりかえしながら、一つ一つの感覚を再生、再認識しようとしている小谷の作品は、明らかに、今ここにある「異なる場所」を出現させ、彼らのリアリティを召還させようとする試みとみることができる。そこにはポストメディア的な状況、視

展示風景　曽根裕　ダブル・リバー・アイランド（ワークインプログレス）

覚的なヴィジョンの現前と提案によってできることの限界が見えだした状況に対して、彫刻ができることの一種の抵抗、限界への挑戦といえる。

▶長谷川祐子「ヘテロトピアスの空間」日本館カタログ

コミッショナー

長谷川祐子

Hasegawa Yuko｜1957–

兵庫に生まれる。1979年京都大学法学部卒業。86年東京芸術大学大学院修了。89年より水戸芸術館、93年より世田谷美術館学芸員を経て、99年より金沢21世紀美術館の建設事務局学芸課長として携わり、2004年の開館後は学芸課長、アーティスティック・ディレクターを務めた。06年より東京都現代美術館でチーフキュレーター、16年からは同館参事。21年に金沢21世紀美術館館長に就任。企画展に「デ・ジェンダリズム　回帰する身体」（世田谷美術館、1997年）、「マシュー・バーニー　拘束のドローイング」（金沢21世紀美術館、2005年）、「ダムタイプ　アクション＋リフレクション」（東京都現代美術館、2019年）など。01年、イスタンブール・ビエンナーレでアーティスティック・ディレクターを務めた他、サンパウロ・ビエンナーレ（2010年）、モスクワ・ビエンナーレ（2017年）など多数の国際展のキュレーションを手がける。著書に『キュレーション　知と感性を揺さぶる力』（2013年）、編著に『ジャパノラマ　1970年以降の日本の現代アート』（2021年）などがある。

曽 根 裕

静岡に生まれる。1992年東京芸術大学大学院建築専攻修了。93年、水戸芸術館での初個展「19番目の彼女の足」では、サドル、ハンドルと後輪のみの自転車19台を輪形につなぎ、19人の参加者がいっせいにこぐという実験ワークショップを行なった。95年には知人たちに夜行バスからの夜景をビデオ撮影してもらい、それらを曽根が編集し作品とした《ナイト・バス》を発表。97年のミュンスター彫刻プロジェクトではミュンスター市内で出会った人たちと共に、毎日自分の誕生日を祝うビデオ《バースデイ・パーティ》を展示した。これらの作品はいずれも観客や友人を介在させることで成り立っている。また一方で曽根は90年代半ばに大理石という素材に出合って以来、中国・福建省の崇武でたくさんの石工たちと協働で大理石の彫刻を数多く制作している。横浜トリエンナーレ（2001年）、イスタンブール・ビエンナーレ（同年）、シドニー・ビエンナーレ（2002年）、サンパウロ・ビエンナーレ（同年）に出品。2003年ヴェネチア・ビエンナーレに参加。11年の東京オペラシティアートギャラリーでの個展には、大理石に

よる大型の彫刻を出品、ニューヨークのマンハッタン島全体をとらえた作品や木漏れ日をモチーフにした作品などを展示した。これらの作品は単なる人工と自然との対比にとどまらず、様々な考察を見る者に促す。近年は中国、メキシコ、ベルギー、日本にスタジオを構え、活動を行なっている。

出品作品について

会場に入ってまず見えるのが、曽根による山岳模型のような直径4メートルの彫刻《ダブル・リバー・アイランド》である。ひとつの島を表わし、そこには2本の川が流れ、雪山、砂漠、氷河、草原、洞窟、砂浜、湖、ジャングルなどが混在し、現実にはありえない風景をつくり上げている。その風景は、曽根が旅を通して体験した記憶の積み重ねから生まれたもので、これからも続けられ変化してゆく、つまりワークインプログレス（進行中）の作品なのである。この彫刻の奥には、曽根のスタジオが再現された。

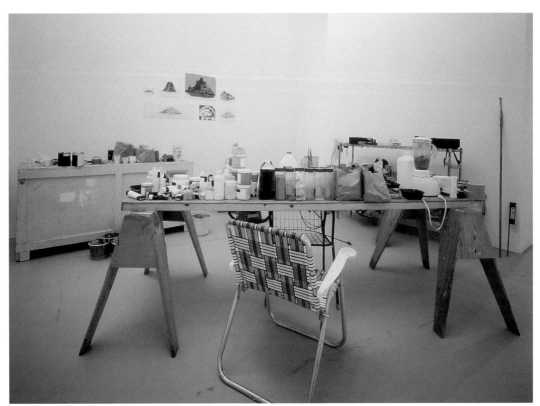

日本館に再現された曽根のスタジオ

小 谷 元 彦 Odani Motohiko | 1972 –

京都に生まれる。1997年東京芸術大学大学院彫刻専攻修了。同年開催の初個展（東京・Pハウス）で注目を集める。出品した《ファントム・リム》は、両手のひらを真っ赤に染めた少女の姿をとらえた写真作品である。ファントム・リムとは幻影痛と呼ばれ、事故や病気などで手足が失われた後でもその部分に痛みを感じる現象を指す。以降、このような目には見えない知覚現象、恐怖の感情、人間の意識や身体の変容などをテーマに制作を続ける。白鳥の剥製、オオカミの毛皮、人間の毛髪といった意表を突く素材を用いた立体作品をはじめ、木彫、樹脂、写真、映像インスタレーションなど、その表現方法は多岐にわたる。しかし、小谷の基本はあくまでも大学で学んだ木彫にある。生まれ育った京都で、仏像に幼い頃から親しんできたこともその一因と言えよう。仏像彫刻や近代彫刻を経て、独自の発展を遂げた日本の「彫刻」というジャンルに対しての考察を常に行なっている。リヨン・ビエンナーレ（2000年）、イスタンブール・ビエンナーレ（2001年）、光州ビエンナーレ（2002年）、そして2003年のヴェネチア・ビエンナーレと、立て続けに国際展に出品。10年に森美術館（他巡回）で大規模な個展「幽体の知覚」を開催。

手前：ソランジェ 2003　奥：スケルトン 2003

上：ベレニス　2003
下：ロンパース　2003

出品作品について

曽根の再現されたスタジオの先には、細長い通路があり、ここからが小谷の展示空間となる。まずは、天井から吊るされた透明の百合の花束《ソランジェ》が目に飛び込んでくる。よく見ると、花弁の先がワイヤーでひっぱられていて、無理やり開かせようとする残酷さが垣間見える。その奥には、鍾乳石のような形状の彫刻《スケルトン》が垂れ下がり、時折ストロボが発光される。スピードと官能性をテーマとした作品である。そして、通路を抜けたスペースには、直径2メートルの球形の彫刻《ベレニス》が置かれている。廃棄された核爆弾をイメージしたという作品からは、近未来の不気味さが漂う。最後の小部屋の床にはモニターが置かれ、映像作品《ロンパース》を上映。木の枝に腰かけて歌う少女は、突然カメレオンのように舌がのびて虫を捕らえたりする。その姿は可愛らしく無邪気だが、グロテスクでもある。

報告・展示評

菅原教夫
日本館に望まれた個展形式

今年の日本館には、「ヘテロトピアス（他なる場所）」をテーマに曽根裕と小谷元彦の二人が出品した。雪山、ジャングル、ビーチなどが同居する自然の中を、けして交わらない二つの川が流れる風景彫刻「ダブル・リバー・アイランド」を出品した曽根。小谷の展示は氷柱めいた彫刻「スケルトン」などがぶらさがる生物の内部ふうな細長い通路を抜けて、原爆の形に想を得たキャラクターふうの彫刻とアニメ作品に至る。（略）

　言えるのは今回の有力館がすべて個展形式だったことを思うと、そう広いわけではない日本館でのグループ展は印象が散漫になりがちなことだ。組み合わせの妙はキュレーターの腕の見せ所ではあるが、こういう場ではやはり作家性をシンプルに押し出した方がいい。

　もっとも二人ともまだ若いから、ビエンナーレへの参加が最終目的ではないはず。「一つの通過地点」という小谷の言葉を頼もしく聞いた。　►『読売新聞』2003年6月25日夕刊より抜粋

建畠哲
頑強な姿勢、静かな映像美学

日本館は曽根裕と小谷元彦の二人展（コミッショナーは長谷川祐子）である。曽根は巨大な山岳模型を制作中の作業場ごと公開したかのような作品を、小谷は天井から吊るしたシャンデリアのようなオブジェや球形のカプセル状の作品、ビデオなどの複合的なインスタレーションを出品しており、個別には注目すべきユニークな内容のものであった。しかし他のパビリオンが個展を開催する中でのグループ展では、やや印象が弱くなってしまうのも事実だ。ベネチアではやはり一人のアーティストを押し出すことを原則とした方がいいのではないか。

►『毎日新聞』2003年7月23日夕刊

企画展「秘密の行為」

企画は、フランチェスコ・ボナミ。創作過程における内に秘めた行為に焦点を当てた展覧会。28作家がアルセナーレに展示した。

土屋信子

Tsuchiya Nobuko

神奈川に生まれる。2000年から01年までロンドン大学ゴールドスミス・カレッジ美術修士課程に学ぶ。廃品となった家具や機械の部品や、羊毛、綿、羽根、樹脂などを組み合わせた立体作品を制作。02年のバーゼル・アートフェアに出品した作品が、総合キュレーターのボナミの関心を引いたことが、翌年のヴェネチア・ビエンナーレ参加へとつながり、本格的なデビューを果たす。またビエンナーレ会期中、ロンドンのアンソニーレイノルズ・ギャラリーでも個展を開く。07年にSCAI THE BATH HOUSE（東京）で、日本での初個展を開催。11年、拠点をロンドンから日本に移す。「クワイエット・アテンションズ 彼女からの出発」（水戸芸術館、2011年）、「六本木クロッシング2019展：つないでみる」（森美術館、2019年）などに出品。

Nike of Samothrace 2003

出品作品について

土屋は、集めてきた廃材などの素材を前にして、それぞれがもつ触感を手で確かめたり、物のかけらからイメージを膨らませながら作品のストーリーを練り上げてゆく。しかし、そのストーリーは明確ではなく、見る者の感性に委ねられる。ヴェネチアでは、ギリシャ彫刻に端を発する《Nike of Samothrace》と、《Table Rabbit》《Your Chair》の3点によるインスタレーションを展開した。

横溝静

Yokomizo Shizuka｜1966–

東京に生まれる。中央大学で哲学を専攻した後、1995年にロンドン大学ゴールドスミス・カレッジ美術修士課程を修了。以後、ロンドンを拠点に活動。写真や映像を用いて、自己と他者の関係性、時間と記憶に関わる作品などを制作。代表作に、眠りについた友人の姿をとらえた〈Sleeping〉（1995-97年）、見知らぬ人を窓越しに撮影した〈Stranger〉（1998-2000年）などの写真シリーズ、自身の家族写真をモチーフにした映像作品《That Day / あの日》（2020年）など。近年の展覧会に、「アーティスト・ファイル2015」（国立新美術館、2015年）、「永遠に、そしてふたたび」展（静岡・IZU PHOTO MUSEUM、2018年）、恵比寿映像祭（東京都写真美術館、同年）、「MAMコレクション011」（森美術館、2019年）などがある。

Forever (and again) 2003
IZU PHOTO MUSEUM（静岡）での展示風景
（2018年）

出品作品について

《Forever (and again)》は、二つのスクリーンを並置した映像インスタレーション。一方には、引退したイギリスの女性のピアニスト4人が自宅でショパンのワルツを演奏する映像が流され、もう一方にはそれぞれが暮らす部屋や庭が定点で映し出される。彼女たちが過ごしてきた様々な「時間」を思い起こさせる。

企画はホウ・ハンルー。近代化が進む都市の現状に焦点を当てた展覧会で、アルセナーレを舞台に展開した。

アトリエ・ワン

Atelier Bow-Wow | 1992 –

塚本由晴 (1965年神奈川生まれ) と貝島桃代 (1969年東京生まれ) によって設立された建築設計事務所。2015年に玉井洋一 (1977年愛知生まれ) がパートナーとして加わった。東京を拠点に建築設計から公共空間デザイン、都市計画まで幅広く手がける。主な作品に、建物を敷地の中央に配することで、住宅密集地にありながら広さを感じさせる《ミニハウス》(1999年)、旗竿敷地に建つ自身の住宅兼オフィス《ハウス&アトリエ・ワン》(2005年) などがある。また都市空間のフィールドワークも積極的に行ない、その成果をまとめた『メイド・イン・トーキョー』(2001年)、『ペット・アーキテクチャー・ガイドブック』(同年) などの書籍を出版。

ペット・アーキテクチャー・ガイドブック・ミュージアム 2003 展示風景

出品作品について

密集した建物の隙間や細分化された土地、道路と線路に切り取られた細長い街区などに建つ、犬小屋以上建物以下の構築物を、塚本らは「ペット・アーキテクチャー」と命名し、それらをガイドブックにまとめた。これをヴェネチアではミュージアムのかたちで提示。《ペット・アーキテクチャー・ガイドブック・ミュージアム》は、天井から吊るされた半透明の布によるパーティションをのれんのようにぐぐり抜けながら鑑賞する作品で、布にはガイドブックから選び出された写真とテキストが転写されている。

小沢　　　剛

Ozawa Tsuyoshi | 1965 –

東京に生まれる。1989年東京芸術大学美術学部絵画科油画専攻卒業。91年同大学院美術研究科壁画専攻修了。大学在学中より自作の地蔵を旅先の風景のなかに置いて写真に収める〈地蔵建立〉シリーズを開始。93年から牛乳箱を利用した世界最小の移動式画廊〈なすび画廊〉を始める。99年には日本の名画を醤油を使って描く〈醤油画資料館〉を制作。2001年より様々な野菜を組み合わせてつくった銃を持つ女性のポートレート写真〈ベジタブル・ウェポン〉を開始。横浜トリエンナーレ (2001年)、光州ビエンナーレ (2002年)、イスタンブール・ビエンナーレ (2003年) などの国際展に参加。13年より歴史上の人物をモデルに、事実とフィクションが混在した物語を作り上げる〈帰って来た〉シリーズに着手。批判性とユーモアが交錯する独自の世界を構築する。森美術館 (2004年)、広島市現代美術館 (2009年)、豊田市美術館 (2012年)、千葉市美術館 (2018年)、弘前れんが倉庫美術館 (2020年) で個展を開催。

イワンのバカハウス 2003
展示風景

出品作品について

家に帰る時間がなく、カプセルホテルに泊まるビジネスマン。片や、時間にゆとりのあるホームレスの住まいであるブルーシートの仮設テント。小沢は、カプセル

ホテルに泊まるホームレスや、路上に暮らしながら会社に通うビジネスマンが増えているという複雑な日本の現状を、カプセルホテルの個室とブルーシートの仮設テントを組み合わせ、インスタレーション《イワンのバカハウス》として展示した。

キュピキュピ

Kyupi Kyupi | 1996-2012

映像と演出を手掛ける石橋義正（1968年京都生まれ）を中心に、京都で結成された映像＆パフォーマンス・ユニット。空間設計と造形を担当する木村真束（1969年奈良生まれ）、ヴィジュアルデザインとアニメーションを担当する江村耕市（1961年大阪生まれ）のメンバーで主に活動。1999年に「身体の夢」展（京都国立近代美術館）をはじめ、国内外の美術館やアートセンターでの映像インスタレーションの展示と、ホールやカフェでの先鋭的な映像を駆使したライブ・パフォーマンスという二つの活動形態を連環させ、アートとエンターテインメントの領域を自在に行き来する。2003年パレ・ド・トーキョー（パリ）で個展、テート・モダン（ロンドン）でライブを開催。10年には丸亀市猪熊弦一郎現代美術館で国内初の大規模な個展「SickeTel キュピキュピと石橋義正」を開催した。

出品作品について

《The Wide Show》は、1998年から2003年に制作されたキュピキュピの映像作品の集大成で、体感的に映像とサウンドを鑑賞することを目的とする6作品から構成されている。もとは3面マルチスクリーンによる大型プロジェクションの映像作品だが、アルセナーレの会場ではシングルチャンネルの映像として展示。

The Wide Show 2003

高 嶺 格

Takamine Tadasu | 1968-

鹿児島に生まれる。1991年京都市立芸術大学工芸科漆工専攻卒業。93年から4年間、「ダムタイプ」のパフォーマーとして活動する。99年岐阜県立国際情報科学芸術アカデミー卒業。作品には、恋人との関係をきっかけに、在日韓国人の差別問題を取り上げた映像インスタレーション《在日の恋人》（2003年）、福島の原発事故による食品の放射能汚染を巡る会話を舞台上で再現するシリーズ〈ジャパン・シンドローム〉（2011-14年）などがあり、現代社会に潜む不条理性を、写真、映像、立体、パフォーマンス、舞台演出などによって表現。釜山ビエンナーレ（2004年）、横浜トリエンナーレ（2005年）、あいちトリエンナーレ（2010年、2019年）に出品。主な個展に「とおくてよくみえない」（横浜美術館他、2011-12年）、「高嶺格のクールジャパン」（水戸芸術館、2012年）がある。

出品作品について

《God Bless America》は、粘土でつくられた巨大な顔が様々に変化しながら、アメリカの第二の国歌ともいわれる「God Bless America（神よ、アメリカを祝福し給え）」を歌うアニメーション作品。早まわしの映像には、この粘土の塊でできた像の顔の変化とともに、周囲で必死に顔をつくり変えている作家とその仲間たちの姿も映っている。本作は、高嶺が2001年の9.11同時多発テロ事件の直後に流されたニューヨークからのニュース映像に違和感を覚え、アメリカの掲げる愛国心に疑問を感じたことから生まれた。

God Bless America 2002

企画展「ユートピア・ステーション」

企画は、モリー・ネズビット、ハンス゠ウルリッヒ・オブリスト、リクリット・ティラヴァニャ。社会的な危機状況のなかにある現代にあって、よりよい未来を目指すことをテーマにした展覧会。アルセナーレや屋外での作品展示、パフォーマンスの他、レクチャー・ホール、バーなど、観客自らが未来について考えるスペースも設けられた。日本からは、オノ・ヨーコ、島袋道浩が出品した。

島 袋 道 浩

31ページ参照

出品作品について

「2002年にオーストリア、チロル地方のシュヴァーツで個展を行なった際、アルプスの山々がかつて海の底だったということを知り、空が海だったころを思いながら村の人たちと一緒に魚の形の凧を揚げたイベント型の作品がベースになっている。ヴェネチアでは、アートが人間の自由な精神や子供のような心にダイレクトにつながっていたころを呼び起こさせられないかと、参加作家たちや観客、地元の人たちと凧揚げパフォーマンスを数回にわたり開催した。アートが国家間の競争や投資の対象になっていたりもする状況に対し、ユーモアをこめながら一石を投じる意図があった」(島袋)。

《空が海だったころ（ヴェネチア）》は現地で撮影後、ビデオに編集されて会場に展示された。

空が海だったころ（ヴェネチア） 2003
ヴェネチアで行なわれた凧揚げパフォーマンスの様子

「ポスター・プロジェクト」

企画展「ユートピア・ステーション」の一環として開催され、約160人の作家がポスターを出品した。ポスターは会期中、ヴェネチアの街の各所に貼られた。日本からは曽根裕、アー・ユー・ミーニング・カンパニー、磯崎新＆アソシエイツ、オノ・ヨーコ、島袋道浩が参加した。ここでは、曽根裕らの共作によるポスターを取り上げる。

曽 根 裕

80ページ参照

出品作品について

《ハッピートレイル》は、曽根裕とヘンリー・クランシー、エリック・アラウェイ、デーモン・マッカーシーとのコラボレーションによるポスター。各々がスキー板を手づくりするところから、雪山を滑るまでを追ったプロジェクトを紹介する展覧会（東京・資生堂ギャラリー、2003年）のために制作された。

ハッピートレイル 2003

特別展「絵画 1964-2003：ラウシェンバーグからムラカミまで」

本展はフランチェスコ・ボナミの企画により、コレール美術館で行なわれた。副題に「ラウシェンバーグからムラカミまで」とあるように、1964年にビエンナーレで大賞を獲得したロバート・ラウシェンバーグを起点として、フランシス・ベーコン、アンディ・ウォーホル、ゲルハルト・リヒターらを経て、村上隆の新作まで、過去40年間に制作された50作家の絵画を、ほぼ制作年代順に展示。ポップ・アートをはじめとする様々なスタイルの絵画が並んだ。

村 上 隆

Murakami Takashi｜1962—

東京に生まれる。1993年東京芸術大学大学院美術研究科博士課程後期課程修了。専攻は日本画。96年、多数のアシスタントによる作品制作の工房「ヒロポンファクトリー」を設立（2001年には有限会社「カイカイキキ」と改名し、ギャラリーの運営やアーティストの育成などにも取り組む）。マンガやアニメーションといった現代日本のオタク文化と、若冲や蕭白ら江戸時代の日本画の作画手法を融合した「スーパーフラット」なる概念を提唱し、以降その代表作家として海外を視野に入れた活動を展開。2000年に同名の展覧会を東京（渋谷パルコギャラリー）で開き、翌年にはロサンゼルス他を巡回。絵画作品と並行して、オタク文化のキャラクターを彷彿とさせる等身大のフィギュアの制作、さらに映画『めめめのくらげ』（2013年公開）の製作なども手がける。10年、ヴェルサイユ宮殿（フランス）で個展開催。12年、カタールのドーハでの個展では幅100メートルにおよぶ大作《五百羅漢図》を発表した。17年にはオスロをはじめ、5つの大規模個展が開催された。

出品作品について

村上は会場の導入部で、ルイ・ヴィトンとのコラボレーション・アニメーションを上映。そして最後の部屋に、六曲一双の屏風を想起させる新作《スーパーフラット ゼリーフィッシュ アイズ》の2点を展示した。

《スーパーフラット ゼリーフィッシュ アイズ 1》（右）、《スーパーフラット ゼリーフィッシュ アイズ 2》（左）と作家本人

2001

ヨーロッパを代表するキュレーターのハラルド・ゼーマン（スイス）が、1999年の前回に引き続き、総合キュレーターに就任。2001年は、テーマではなく総合タイトルとして「人類のプラトー」を掲げた。プラトーとは大地や舞台の意味であるが、この漠然としたタイトルには、出品作品をテーマによって制約したくないという思いが込められている。同題の企画展がジャルディーニの中央館と、前回よりさらに拡張されたアルセナーレを舞台に繰り広げられた。出品作家は120人を数え、ヨーゼフ・ボイスら巨匠と呼ばれる作家から若手まで、多種多様な作品が並んだ。日本からはただひとり折元立身が選出された。

　金獅子賞（作家賞）は、リチャード・セラ（アメリカ）とサイ・トゥオンブリ（アメリカ）が獲得した。国別展示では、グレゴール・シュナイダーが、館内を小部屋や通路に分割し、迷路のように仕立てた作品を発表したドイツ館がパヴィリオン賞を受賞した。全体を通して映像作品の展示が多かったが、なかでもカナダ館のジャネット・カーディフ＆ジョージ・ビュレス・ミラー、フランス館のピエール・ユイグらの映像を使ったインスタレーションが注目を集め、マリサ・メルツ（イタリア）とともに特別賞を受賞した。

日本館

コミッショナーは逢坂恵理子。出品作家に中村政人、畠山直哉、藤本由紀夫が選出され、「ファースト＆スロウ」をテーマに展示を行なった。

21世紀最初のヴェネチア・ビエンナーレにおける日本館の展示テーマは「ファースト＆スロウ」とした。すべてが一方向的に加速する都市のなかで、異なった方向性をさぐる視点の存在を表現する。

　この何年か私たちはいかに早く、効率よく、簡単に生活することができるかに腐心してきた。場所をとわず、どこに行っても同じモノを入手できる便利さは、一方で、地域固有の文化の差異を内部から崩し「画一性」を助長することにもなった。経済の「グローバリゼーション」は、世界各国の都市の姿をも近似化させた。私たちは生活を便利に、そして快適にするために、たゆまぬ研究と技術革新を推し進めてきたはずだが、一方、環境破壊や地球温暖化が地球全体の深刻な問題となっている。

　日本は、欧米の様々な経済的、文化的断片を、まるでブラックホールのように、飲み込み消化して巨大な都市を出現させたが、その姿は、画一的なようで決して欧米の国と同一ではない。モノと情報が氾濫する都市の中で、私たちはもはや一方向性の生き方に甘んじることはできないのだが、そのことを自覚することもたやすくはない。生活のスピードをゆるめ、目先の価値判断や既得権を変えることは容易にできないものだ。「ファースト＆スロウ」をテーマとした展示では、都市の姿を通して、3人の作家による複合的な視点を提示する。

▶逢坂恵理子「ファースト＆スロウ」国際交流基金ウェブサイト

都市の喧噪と静寂といった対照的な要素を単に際立たせるのではなく、上階のギャラリーと、ピロティに仮設した下階のギャラリーを使用して、しかも上下の展示そのものが連結しているような展示、つまり、消費社会が作り出した現在の都市の多様な要素が複合的に絡んでいる状況を、コンセプトと展示手法の双方で顕在化させることを試みた。

▶逢坂恵理子　日本館カタログ

展示風景

コミッショナー

逢坂恵理子

Osaka Eriko | 1950–

東京に生まれる。学習院大学文学部哲学科卒業。1979年より国際交流基金で国際交流事業にかかわった後、ICA名古屋を経て、94年より水戸芸術館現代美術センター主任学芸員、97年から2006年まで同センターで芸術監督を務めた。07年から09年まで森美術館のアーティスティック・ディレクターを務め、09年から20年まで横浜美術館館長、19年より国立新美術館長。また、1999年アジア・パシフィック・トリエンナーレ日本部門コ・キュレーターを務める。2011年の第4回から20年の第7回ヨコハマトリエンナーレにおいて、総合ディレクター、横浜トリエンナーレ組織委員会委員長、コ・ディレクターなどを歴任する。主な企画展として「クリスチャン・ボルタンスキー」(ICA名古屋、1989年)、「ジェームズ・タレル」(水戸芸術館、1995年)、「人間の未来へ　ダークサイドからの逃走」(同、2006年)、「アネット・メサジェ」(森美術館、2008年)、「蔡國強」(横浜美術館、2015年)、「石内都」(同、2017年)がある。(U)

日本館入口

藤本由紀夫

Fujimoto Yukio | 1950−

愛知に生まれる。1975年大阪芸術大学音楽学科音楽工学専攻卒業。70年代より電子音の合成による作品を手がけていたが、80年代に入り日常に潜む様々な音の存在に関心が移り、レディメイドのオブジェをつくり始める。86年、オルゴールを用いた作品をギャラリーで発表したことをきっかけに美術家としての活動を開始する。以降、音の存在や空間の認識、「聞く」ことや「見る」ことの意味を問い直す作品やパフォーマンスを展開。2001年ヴェネチア・ビエンナーレに参加、07年には企画展に参加。同年の国立国際美術館での個展「藤本由紀夫展 ＋／−」では、楽曲と音響再生装置を用いた大がかりな新作を発表した。

また1997年より10年間、西宮市大谷記念美術館で一日だけの展覧会「美術館の遠足」を企画・運営。廊下や倉庫を含めた美術館の様々な空間に作品展示やパフォーマンスを繰り広げた。さらに、音ばかりでなく「文字」や「読む」ことへの考察も行ない、近年では2017年に国立国際美術館の情報コーナーで「アート／メディア　四次元の読書」と題するプロジェクトを開催するなど、活動の幅を広げている。

出品作品について

《Room（Venice）》は、電子キーボードの36の白鍵を9音ずつ4台のキーボードに分割し、会場の4カ所に設置した作品。それぞれのキーボードは9音からなる持続音を奏で、36音の音が常時再生されていて、鑑賞者は会場の位置、移動によりそれぞれの音を体験する。

《Sugar I》は、角砂糖が詰められたガラス瓶がモーターによって、1分間に1回転する作品で、ピロティに展示された。5カ月間の会期中に、回転によって角砂糖は僅かに崩れてゆく。その様子を視覚と聴覚により体験する。角砂糖のカタッと崩れる音と、上階のキーボードの持続音がブレンドされた空間を出現させた。

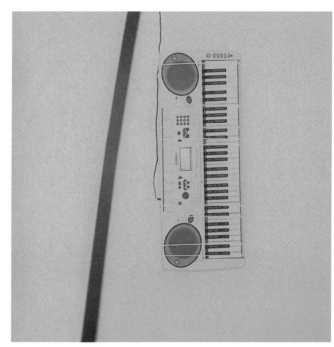

展示風景　Room（Venice）2001

Sugar I　1995

畠 山 直 哉

岩手に生まれる。1984年筑波大学大学院芸術研究科修了。在学中に出会った大辻清司の影響を受け写真に傾倒する。80年代後半から岩手をはじめ日本各地に点在する石灰石採掘場の風景を撮影した〈ライム・ヒルズ〉の制作を開始。97年、同シリーズにセメント工場の写真を加えた写真集『ライム・ワークス』と写真展「都市のマケット」により、木村伊兵衛賞を受賞し、脚光を浴びる。他に石灰石をめぐる作品として石灰石鉱山がダイナマイトで爆破される瞬間をとらえた〈ブラスト〉（1995-99年）がある。一方で、石灰石を原料とするセメントで覆われた都市をテーマに、護岸をコンクリートで固められた都市の川をたどる〈川の連作〉（1993-94年）、〈光のマケット〉（1996-98年）を発表。2000年代に入ってからは、撮影場所を海外にまで広げる。01年ヴェネチア・ビエンナーレに参加。11年、東京都写真美術館で個展を開催。サンフランシスコ近代美術館（2012年）、ミネアポリス美術館（2018年）など海外の美術館での個展も多数。また12年のヴェネチア・ビエンナーレ国際建築展では、伊東豊雄コミッショナーのもと、乾久美子ら3名の建築家とともに日本館展示に参加し、金獅子賞（パヴィリオン賞）を受賞した。

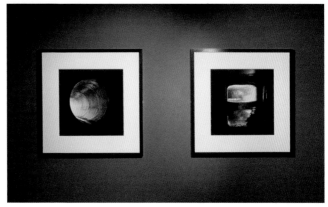

上：展示風景 Untitled 1989-2001　中：Untitled/Osaka 1998-1999
下：ピロティの展示風景 Underground

出品作品について

《Untitled 1989-2001》は、高層ビルの展望台に上り、眼下に広がる都市の風景をとらえたシリーズ。スクラップ・アンド・ビルドが進行する都市の変貌を定点観測。撮りためた70点をグリッド状に展示。

《Untitled/Osaka 1998-1999》は、南海ホークスのホーム・グラウンドだった大阪スタヂアムが住宅展示場に姿を変え、さらに解体されてゆく過程をとらえた2点組の写真を展示。本作は注目を集め、野球場のなかに住宅展示場や駐車場がある光景は信じがたく、合成写真ではないかと、しばしば聞かれたという。

《Underground》は、東京・渋谷の暗渠となっている地下水路を撮影した作品。ピロティの空間は暗く、舞台のように作品にスポットライトが当てられている。普段は見えない場と人間とのつながりを認識させるものとなった。

中 村 政 人 ———————————

QSC+mV/V.V 2001 ®McDonald's Corporation

秋田に生まれる。1989年東京芸術大学大学院修了後、韓国・弘益大学大学院に留学。帰国した92年から本格的に活動を始める。芸大の同級生村上隆との二人展「中村と村上」展（1992年）、「ザ・ギンブラート」（1993年）、「新宿少年アート」（1994年）など、路上でのゲリラ的な展覧会を行なう。一方で「美術と社会」や「美術と教育」との関わりを関係者に問うたインタビュー集を出版する。また韓国の理髪店のサインポールを並べた「トコヤマーク」や、コンビニエンスストアのサインボードを作品化したシリーズ、秋葉原電気街の約1000台のテレビモニターをジャックした「秋葉原TV」など、社会とアートの関係に新しい視点を導くプロジェクトを次々と展開。2001年ヴェネチア・ビエンナーレに参加。その後は、「自分達の場所を自分達でつくる」を目指すオルタナティブなアート活動に力を注ぎ、10年にはアーティスト主導、民設民営のアートセン

ター「アーツ千代田3331」（東京）を立ち上げ、総括ディレクターを務める。旧中学校の校舎を改修したスペースでは、多彩な展覧会やイベント、ワークショップなどが開催されている。15年、同センターにおいて大規模な個展「明るい絶望」を開催。03年より東京芸術大学で後進の指導にあたる。

出品作品について

ハンバーガーショップ、マクドナルドのロゴマークをそのまま拡大した高さ4.4メートルに及ぶ立体が円環状にいくつも並び、空間全体が黄色い光で満たされている。それと対照をなすかのように、壁際の床にはガラス製の小型のMサインがひっそりと林立している。タイトルのQSC+mVは、「品質（Quality）、サービス（Service）、清潔さ（Cleanliness）が結びついて価値（Value）を生む」というマクドナルドの企業理念を引用

菅原教夫
報告ベネチア・ビエンナーレ（下）

目まぐるしい都市生活のなかで、ゆったりした視点を持つことをうながす「ファースト＆スロウ」のテーマは「M」が放つ黄色い光や電子音に浸される瞑想的な空間、そしてそこだけ別な時間が流れる下水の眺めによく実感された。

　美術、写真、音という三つのメディアを巧みにリンクさせ、またメーン会場の壁際に中村の小さな「M」のマークが林立しているあたり、繊細な感性ときちょうめんな作法が際立ち、いろんな意味でやはり日本だなあと思わせる会場だった。

▶『読売新聞』2001年6月20日夕刊より抜粋

ジャンフランコ・マラニエッロ
岐路に立たされた国際美術展

消費の加速とグローバル化した（もしくはグローバル化する）図像の採用が中村政人の作品のなかでは寓意となり、まるでよく知られた「M」の字が世界的な様式のフォームを代表するとでもいうように、マクドナルドのマークを広く、シンプルに繰り返して空間を占める蛍光色のインスタレーションをつくり上げた。それぞれの都市は、急速に変化しつつも互いに似通っていく傾向にある。そのことは畠山直哉の東京を観察する六十か所の記録写真にも見てとれる。藤本由紀夫がいくつかの壁から絶え間なくながしつづける、キーボードによる都市のほとんど止むことのない交通騒音は、たったひとつの音のように聞こえるのだが、実際にはいくつもの音程からなり、日本パヴィリオンに調和を与えている。

▶『美術手帖』2001年9月号

し、さらにアートとしての係数mを加えたもの。世界中のどこにでもあり誰もがわかるロゴマークをアートの文脈に取り入れることによって、その背後にあるグローバル企業の圧倒的な存在など、様々な現実への認識を促す。

総合キュレーターのハラルド・ゼーマンによる企画で、人類の未来を展望しよう
とする展覧会。120人の作家が、ジャルディーニの中央館とアルセナーレに展示
した。

折 元 立 身

Orimoto Tatsumi | 1946−

神奈川に生まれる。1968年渡米。カリフォルニア芸術大学で学んだ後、71年
にニューヨークに移る。ナムジュン・パイクをはじめフルクサスのメンバーと交流
したことから、パフォーマンスに強い興味をもつ。77年に帰国、世界各地を旅
しながら、パフォーマンス、写真などを発表する。91年に顔一面にフランスパン
を付けた異形で公共の場に出没し、現地の人々と交流する〈パン人間〉の路上
パフォーマンスを行なう。コミュニケーションをアートにするという基本的姿勢が
誕生し、以降〈パン人間〉は折元のライフワークとなる。また90年代後半からは、
自身が介護する認知症の母を作品に登場させる〈アート・ママ〉シリーズを開始。
アートと介護を結びつけた作品として注目される。シドニー（1988年）、サンパウロ
（1991年）の各ビエンナーレ、横浜トリエンナーレ（2001年）などの国際展に出品。
2016年に川崎市市民ミュージアムで大規模個展を開催。

出品作品について

《スモール・ママ＋ビッグ・シューズ》は、〈アート・ママ〉シリーズの代表作で、母
から聞いた昔話がきっかけで生まれた。背の低い母は小学校でもいつも最前
列。貧しさで靴を買ってもらえず、履き潰したゴム靴をいつも履いていたという。
折元は母のために、段ボールで靴底を極端に分厚くした大きな靴をつくり、母
にその靴を履かせて、撮影した。アルセナーレの展示会場には、実物の段ボー
ルの靴も展示された。

　さらに折元率いる〈パン人間〉の集団が、ジャルディーニの中央館の前で
「我々はブレッド・マンである」と、折元のステートメントを数回くり返した後、ジャ
ルディーニ内を練り歩いた。

スモール・ママ＋ビッグ・シューズ　1997

アルセナーレの展示風景

中央館前での〈パン人間〉のパフォーマンス

日本館コミッショナー、キュレーター

日本館の出品作家は、誰がどのように決めているのか。初期の回は、美術家と美術評論家が協議のうえ、出品作家を決定していた。作家決定後に指名される日本代表委員の役割はキュレーションではなく、現地へ赴き、国際審査に参加するという限定的なものだった。

　出品作家の選考に作家が関与することを疑問視する向きは当初からあったが、他方では作家側の評論家への不信も根強く、両者による合議制となっていた。1956年展では、日本美術家連盟と美術評論家連盟の代表者がそれぞれ案を持ち寄り、議論百出の末、妥協がはかられ出品作家の決定をみたという。

　こうした事態の改善をはかるため、各国の多くの例にならってコミッショナー制を採用したのは、1960年展からである。コミッショナーを国際美術協議会(注1) において選出し、その者に作家選考は一任されることになった。その結果、コミッショナーが明確な主張のもとで出品作家の選考を行なうことが可能となり、実際には、美術評論家に選考は委ねられていく。作家や作品の選考がひとつの批評的行為である以上、必然的な流れであった。コミッショナーは2期連続して同一人物に委嘱されることになり(1970年展から1993年展まで)、また1984年展より、国際交流基金の担当者がアシスタント・コミッショナーとしてコミッショナーをサポートする体制も整えられた。

　1986年展を境に、日本館コミッショナーは美術評論家からキュレーターが中心となる。インスタレーション的要素の強い出品作品が増えるなか、キュレーターとしての職能がコミッショナーにより強く求められるようになったこと、また日本全国に美術館の設立が進み、美術館学芸員に国際的な人材が揃いつつあった点もその背景にあるだろう。コミッショナーの業務は作家・作品選考にとどまらず、会場構成案の検討、作品の展示監督、テキスト執筆、広報協力などへと拡がっていた。

　2007年展からはコミッショナーの選出方法は、指名コンペティションとなった(2019年展まで)。指名コンペは、95年のビエンナーレ100周年展でも試験的に行なわれた方式で、指名を受けたキュレーターや評論家が、作家や出品作品も含む展示計画を提案し、第1位となった案を日本館展示として採用する方法である。選考プロセスの透明性は高まったが、企画性が重視されるあまり、真に日本を代表すべき作家でありながら、見逃されてきた者はいないのか、立ち止まって考えることも必要となった。そうした問題意識から、2021年展(コロナ禍により2022年に延期)では、国際展事業委員会(注2) は直接作家を選定する方式を採り、日本のアート・コレクティブの先駆けであるダムタイプを出品作家に選んだ。ダムタイプはキュレーターを指名せず、展覧会を自ら企画構成している。

　なおビエンナーレ当局の要請により、2013年展以降、日本館主催者である国際交流基金がコミッショナーを称し、各回の日本館展示を担う美術専門家はキュレーターと称すことで名称が統一された。(I)

(注1) 国際文化振興会 (KBS) および国際交流基金におかれた国際展参加のための委員会 (1957–2003年)。257ページ参照
(注2) 国際交流基金理事長の諮問委員会 (2003年–)。209ページ参照

1999

第48回
6月12日──11月7日　59カ国が参加

総合キュレーターに、ハラルド・ゼーマンが就任し、企画展「ダペルトゥット（すべてに解放された）」を開催した。明確なテーマを設定せず、30代から40代の若い作家に焦点を当て、地域や民族で限定しない自由な展示は、1993年まで行なわれたアペルト部門を想起させ、話題を呼んだ。ジャルディーニの中央館と、今回大幅に拡張されたアルセナーレを舞台に、ユニットを含む102作家が出品（日本作家の選出なし）。絵画作品はほとんど見られず、映像作品の展示が目立った。20世紀最後のビエンナーレは、西洋中心の現代美術への閉塞感を反映してか、これまで以上に中国やアジアに関心が向けられた。特に中国系作家は20人を数え、その代表ともいうべき蔡國強が国際賞を受賞したのは象徴的だった。

パヴィリオン賞は、イタリア館が受賞。ルイーザ・ランブリら5人の女性作家がパヴィリオンの中と外に分散して作品を展示した。金獅子賞（作家賞）は、ルイーズ・ブルジョワ（アメリカ）とブルース・ナウマン（アメリカ）に贈られた。国際賞は他に、シリン・ネシャット（イラン）とダグ・エイケン（アメリカ）が受賞した。

運営面では、国家事業的色彩が極めて強かった運営形式が改められ、公益法人ヴェネチア・ビエンナーレの民営化が図られた。

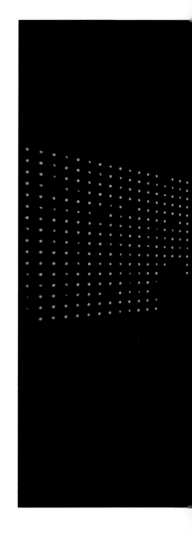

日本館

コミッショナーは塩田純一。出品作家に宮島達男と「時の蘇生・柿の木プロジェクト」が選出された。宮島はデジタル・カウンターを用いた大規模なインスタレーション《メガ・デス》を日本館展示室で行ない、ピロティに展開された「時の蘇生・柿の木プロジェクト」と併せて「死」と「再生」をそれぞれ表徴した。

20世紀の黄昏、いま芸術はどこにあるのか。そして、新たな千年紀の始まりに、芸術はどこへ向かおうとしているのか。

20世紀最後のヴェネチア・ビエンナーレにおいて、日本館の展示はこのことを問おうとするものである。芸術にとっての20世紀の意味。そして、来るべき世紀において芸術はどのようなものであり得るのかということ。宮島達男というひとりの作家の営為のなかに、私たちはこの問いに対するなにがしかの答えを見出せないものかと考えている。（略）

《メガ・デス》が20世紀芸術のある極点を示すものであるとするなら、「時の蘇生・柿の木プロジェクト」は来るべき世紀に向けて新たな芸術のありようを提案しようとするものである。宮島達男というひとりの作家を結節点とする、芸術への全く対照的な二つのアプローチを同時に示すことで、芸術の現在地と進むべき方向はおぼろげながら見えてこないだろうか。芸術はいま社会のなかで、その機能や役割を再措定することが求められている。こうした要請に応えるべく、私たちはヴェネチアで芸術の未来のためにひとつの可能性の種を蒔く。

▶塩田純一「芸術の行方」日本館カタログ

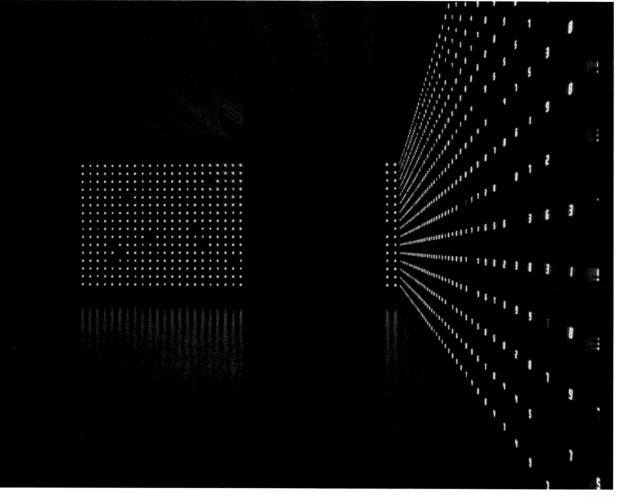

展示風景

コミッショナー

塩田純一 ———————

Shioda Junichi | 1950-

東京に生まれる。1978年東北大学文学部大学院修士課程
美学・美術史学専攻修了。79年より学芸員として栃木県立
美術館、世田谷美術館、東京都現代美術館を経て、東京
都庭園美術館副館長、青森県立美術館美術統括監、新潟
市美術館館長を歴任する。主な展覧会企画として、「デイ
ヴィッド・ナッシュ 樹のいのち 樹のかたち」(栃木県立美術館、
1984年)、「都市と現代美術 廃墟としてのわが家」(世田谷美術
館、1992年)、「東南アジア1997─来るべき美術のために」(東
京都現代美術館他、1997年)、「リアル／ライフ イギリスの新しい美
術」(東京都現代美術館他、1998年)、「ギフト・オブ・ホープ」(東京
都現代美術館、2000年)、「アルフレッド・ウォリス」(東京都庭園美術
館他、2007年)などがある。著書として、『イギリス美術の風景』
(2007年)、『アルフレッド・ウォリス 海を描きつづけた船乗り画
家』(2021年)などがある。(U)

宮 島 達 男

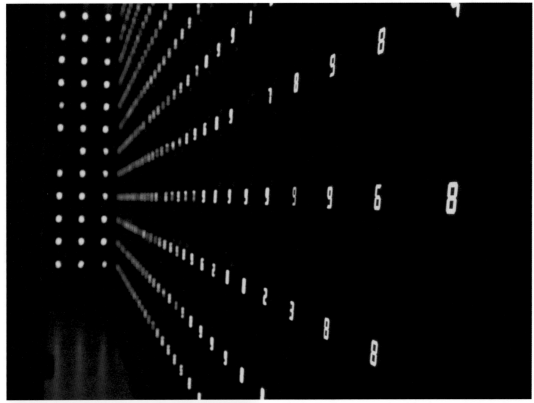

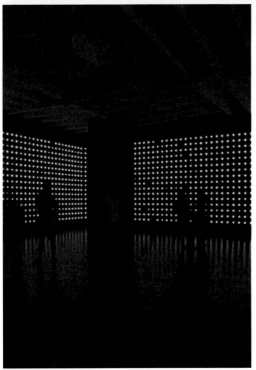

上下：展示風景　メガ・デス

東京に生まれる。1986年東京芸術大学大学院修了。絵画を専攻。在学中より路上パフォーマンスや機械部品を使ったオブジェを制作していたが、87年の個展で3つのコンセプト「それは変化し続ける」「それはあらゆるものと関係を結ぶ」「それは永遠に続く」を表明。この3つを表現するためにいろいろな素材を試すなかでぴったり当てはまったのが、LEDのデジタル・カウンターだった。以降、LEDを新たな生命体としてとらえ、制作を開始する。88年、ヴェネチア・ビエンナーレのアペルト部門にデジタル・カウンターによる《SEA OF TIME》を展示し、世界的に高く評価される。95年のイギリスのグリニッジ訪問を機に、パフォーマンスを再開し、自身や他者の身体を用いた映像作品を発表している。さらに同年から「時の蘇生・柿の木プロジェクト」を開始。以降、アートと社会を結ぶプロジェクトを展開する。99年ヴェネチア・ビエンナーレに参加。2000年代に入り、「Art in You」＝「アートはあなたの中にある」という独自の芸術思想を提唱し、ワークショップなどを通して若い世代へ伝えている。20年に千葉市美術館で大規模個展を開催。《時の海 '98》（1998年）が家プロジェクトとして直島に常設されている。

ピロティの展示風景　時の蘇生・柿の木プロジェクト　手前に柿の苗木（鉢植え）が見える

出品作品について

《メガ・デス》は、展示空間の壁三面に、約2400個におよぶデジタル・カウンターを上下左右等間隔に設置した大規模なインスタレーション。LEDの青い数字は床に反射し、鑑賞者は青い光に包まれる。数字はそれぞれ異なる速度で9から1までカウントダウンした後、光が消える。「命の輝き」を象徴するLEDの光の明滅は、0を表示しないことで生じる闇が「死」を暗示する。さらに鑑賞者がある場所に立つとセンサーが反応し、すべての光が消え、部屋は一瞬にして暗闇に覆われる。20世紀を戦争の世紀と捉えた宮島は、膨大な数のLEDの光が突如として消えることを通じて、「大量の死」に対する恐怖を本作で表現した。

時の蘇生・柿の木プロジェクト

"Revive Time" Kaki Tree Project | 1995–

1945年、長崎で被爆しながらも奇跡的に生き残った一本の柿の木があった。94年、樹木医の海老沼正幸が弱った柿の木を治療し、「被爆柿の木2世」の苗木を生み出すまでに回復させ、その苗木を平和の象徴として長崎を訪れる子どもたちに配っていた。それを知った宮島達男が、「時の蘇生・柿の木プロジェクト」を構想。実行委員会を立ち上げ、96年に第1回の植樹が東京の小学校で行なわれた。「被爆柿の木2世」の苗木を世界中に植樹し、育てることを通して、子どもたちと一緒に「平和」「命の大切さ」「人間の生き方」について考える機会となることを目指す。これまで世界26カ国、320カ所以上（2022年1月現在）で植樹が行なわれている。

出品作品について

ピロティには柿の木プロジェクトの展示室を設けた。活動記録の他、展示されている柿の苗木（鉢植え）に宛てて観客がメッセージを書くコーナーも設けられた。またワークショップや新たな植樹先としての里親の募集も行なわれ、プロジェクトが世界的により広がるきっかけとなった。

観客が柿の苗木に宛ててメッセージを書くコーナー

村田 真
期待に応えた宮島の「メガ・デス」

日本館の宮島達男による「メガ・デス」は、唯一期待に応えてくれた作品かもしれない。青く点滅する無数のLED（発光ダイオード）が、それぞれの速度で9から1までカウントダウンするインスタレーションだが、それだけではない。入場者がある場所に立った途端、すべての光が消えて真っ暗闇になる仕掛けが施されているのだ。これはかなり強烈な体験である。

「ひとりひとりの生命を表すLEDが突然、人為的に遮断される。それがどんなに恐ろしいことかを知ってもらう」のが、この「メガ・デス」つまり「大量死」の意図なのだと、宮島はいう。

だが、日本館にはまだ続きがあった。階下のピロティに一室を設け、宮島の推進する「時の蘇生」柿の木プロジェクトをプレゼンテーションしているのだ。これは長崎で被爆した柿の苗木を世界各地に植樹していくプロジェクト。中央に苗木を置き、そのまわりにメッセージを書くコーナーや苗木の「里親」募集告知などが掲げられている。

LEDによるインスタレーションが20世紀の科学技術、そして戦争を象徴するものなら、この「時の蘇生」は21世紀への平和のメッセージと受け取れる。日本館コミッショナーの塩田純一氏は、「1999年のビエンナーレということを考えて宮島を選んだ。20世紀はなんだったのか、21世紀はどうなっていくのかを、LEDと柿の木で対比的に示したい」と述べている。

ただし、双方のプレゼンテーションがあまりに違いすぎて、つながりが見えにくいのも確か。両者そろいで見せたいという意図はわかるが、欲張りすぎの観がしないでもない。

▶『毎日新聞』1999年7月22日夕刊

菅原教夫
被爆国からメッセージ

館内がカウンターの青い光で浸されているが、隅のゾーンにだれかが入ると、センサーが作動して、場内がとたんに暗転する。それぞれの速度で数字を刻むカウンターは、人ごとに異なる生の時間を表していると読める。それがふとしたはずみで全停止するのは、どこか核の脅威下にある時代を生きる人類の危機を暗示しているように思えてならない。実際「メガ・デス」とは「大量の死」を意味する。

デジタルカウンターは宮島氏のトレードマークであり、今回はそれをかつてない規模に展開した点で、作家の意気込みのほどがうかがえた。

一方、「柿の木プロジェクト」は、被爆地長崎に生え残った柿の苗木を世界各地で育てる参加型のアートで、ベネチアでも里親を募っていた。「メガ・デス」とともに、被爆国からの平和のメッセージと言える制作であり、賞には漏れたものの、今世紀を総括するビエンナーレにふさわしい展示だった。（略）

賞にとらわれず、人生をよく生きるための価値を、作品に探し出せればいいのではないか。宮島氏もおそらくその辺りのことはよく分かっていて、「今回はいい経験になった」と語っていた。

▶『読売新聞』1999年6月30日夕刊より抜粋

ルイーズ・ネリ
今年のビエンナーレの印象は？

日本館はドラマティックな環境をつくり出して、瞑想のための部屋のようでした。「柿の木プロジェクト」は、社会的な視点をワークショップ形式で提示しているのが面白かった。ちょっとボイス的ですが、それもいいでしょう。

▶『美術手帖』1999年9月号

リカルド・バルレッタ
宮島達男

日本館上階（ホール）——そこは世俗の至聖所ともいうべき雰囲気であるが——では、2000年までの残り時間の意義につき熟考することを示唆している。

日本館階下（ピロティ）でも同様のテーマが扱われているが、ここは、自然の救済と原子爆弾による破壊に関するものである。宮島は仏教に通じていることもあるが、絵画や彫刻、オブジェではなく、空間の魅力を提示している。

暗いホールの中では2450個もの青い発光体が点灯され、その一つひとつが点いたり消えたりしながら1から9までの数字を表わし、20世紀末までの残り時間をカウントダウンしている、さながら数学的プラネタリウムの小さな星である。

階下のスペースでは、宮島は1から出発し、際限のない世界へ到達しようとしている。「時の蘇生・柿の木プロジェクト」とともに。長崎に投下された原子爆弾は、廃墟の中に何本かの柿の木の命をかろうじて救った。作家は、世界各地に原爆の影響を受けた柿の木の子孫の苗木を植えてゆく、というプロジェクトを生み出した。日本、スイス、フランス、イギリス、そしてスペインの小学生が苗木を植え、セミナーや講演会を開催した。死は生として蘇る。将来、この平和のメッセージが広く伝えられるであろう。

▶『コリエーレ・デラ・セラ』1999年6月14日

中央館

ヴェネチア・ビエンナーレの主会場であるジャルディー二（カステロ公園）の門をくぐると、まっすぐ伸びた並木道の先に、大きな新古典主義風建物が視界に入る。ここが中央館である。1895年の第1回展では唯一の会場だったが、その後外国パヴィリオンの建設とビエンナーレの拡大にともない、その位置付けは変わり、増改築が繰り返された。名称もプロ・アルテに始まり、展示館、中央館、イタリア館とたびたび変更され、現在は中央館という名前で定着している。外国パヴィリオンが自国作家の紹介を行なうのに対し、中央館は総合キュレーターが自ら掲げたテーマに基づき世界各地から作家を選出し、多様な作品を集約的に提示する。

中央館の変遷をたどるうえで欠かせないのが、ヴェネチア生まれの建築家カルロ・スカルパ（1906-1978年）の果たした役割である。日本建築とフランク・ロイド・ライトを敬愛したというスカルパは、1948年から72年にかけて、ビエンナーレ当局と協働し、過去の建築となりつつあった中央館の再生に取り組む。館内に彫刻庭園を設置した他、中央ホールを二層式にし、展示スペースの拡張をはかった。またファシスト政権時代にファサードに掲げられた "ITALIA" の彫刻文字を取り外し、インスタレーションを行なうことで、その空間の変容にも腐心した。さらに、パウル・クレーの水彩画の展示をはじめ、各回の会場空間構成を担い、様々なサイズの展示室と通路や階段を組み合わせ、中央館内部の空間演出に尽力した。スカルパは、新しい中央館の設計案も示したが、これはルイス・カーンの提案と同様、実現には至らなかった。

中央館は、企画展の会場であるのみならず、自前のパヴィリオンをもたない参加国に館内の一部をあてがい、またホスト国・イタリアの展示もあわせて行なうため、戦後早い段階からスペースは慢性的に不足がちであった。企画展の拡充こそがビエンナーレの発展に不可欠であり、会場の手当てが喫緊の課題となった当局は、ジャルディーニからほど近いアルセナーレを1980年の第1回建築展でオープンさせると、その後、ここをビエンナーレのもうひとつのメイン会場に定めた。アルセナーレは、企画展の会場となるコルデリエという建物だけでも中央館の3倍の面積を擁し、さらに何棟も連なる他の建物も会場化して、イタリアや中国をはじめとする各国パヴィリオンを受け入れている。これによって、スペース問題はひとまず解決し、中央館はアルセナーレのコルデリエとともに、総合キュレーターの企画展専用会場という明確な位置付けが与えられた。

21世紀に入り中央館は、温湿度調整を含む展示環境改善のための改修が行なわれ、その成果は2011年の企画展に象徴的に表われた。入口正面の部屋に、ヴェネチア派の巨匠ティントレットの絵画3点が展示されたのである。現代美術に限らずオールド・マスターズも含め、いかなる時代・タイプの作品や資料であろうと、展覧会に必要であれば制約なしに展示していく方針が示され、そのための設備が整えられた。中央館は約3500平方メートル。ジャルディーニに散在する30のパヴィリオンの中では破格の大きさであり、2019年展では、世界各地から選出された79作家が中央館とアルセナーレの両会場において作品を展示した。日本からは池田亮司、片山真理、久門剛史（アピチャッポン・ウィーラセタクンとの共作）が出品した。(1)

1968年の中央館ファサード　カルロ・スカルパによるインスタレーション

1997

第47回
6月15日──11月9日　58カ国が参加

総合キュレーターには、批評家ジェルマーノ・チェラント（イタリア出身。60年代からアメリカで活動）が、開幕のわずか半年前に就任。中心となる企画展のタイトルを「未来、現在、過去」として、ジャルディーニの中央館とアルセナーレの2会場で展開した。60年代のポップ・アートから現代まで欧米の美術の流れを概観しようとするもので、クレス・オルデンバーグ、ロイ・リキテンスタイン、アンゼルム・キーファー、ジュリアン・シュナーベル、ジェフ・クーンズ、そしてチェラントが命名したアルテ・ポーヴェラの主要作家を加えた66名が選出された。日本からは森万里子が選ばれた。

　一方国別展示に目を向けると、フランス館はファブリス・イベールが館内をテレビ局に仕立て、他国の作家やキュレーターを招き入れて行なったインタビューを放送番組として放映し、パヴィリオン賞を射止めた。金獅子賞（作家賞）はアグネス・マーティン（アメリカ）とエミリオ・ヴェドヴァ（イタリア）に贈られ、国際賞はマリーナ・アブラモヴィッチとゲルハルト・リヒターが受賞した。また北欧館に招待された森万里子は出品作《ニルヴァーナ》によって名誉賞を受賞した。

日本館

コミッショナーは南條史生。出品作家に内藤礼が選出され、インスタレーション《地上にひとつの場所を》を展示した。内藤による「ひとりずつ見せる」鑑賞のスタイルは、一日に展示空間に入れる人数が限られ、パヴィリオン前に行列ができた。

彼女は言う。じっと待ち、そして一人で作品と対話しようとしない観客はこの作品を見る必要はないのです、と。

　そしてまた、彼女が常に作品とともにいなければいけないという条件を考えるとき、この作品は彼女と共に生きているのだということがわかる。この作品はインスタレーションであるが、実は生きる行為そのものでもある。それは美術でありながら、所有不可能な一時的な「現象」である。それゆえにこの作品を見ることのできる人は幸いである。しかしその人の数は少ないだろう。そして、それは人間の出会いと別離と同じように偶然的で、はかなく、ひとつの運命的なできごととして生起するだろう。

　このような独特の性格を持った彼女の作品は、よりソフトでよりエフェメラルで、より感覚的な21世紀のヴィジョンを象徴している。それはまさに重厚長大の産業資本主義によって支えられた20世紀近代主義の終焉と、情報と文化と思想を核にした新たな文明の始まりを象徴している。

　内藤の芸術は日本の伝統を引き継ぎ、それを止揚しつつ、われわれを普遍的精神の高みに導く。その高みにおいては全てが至福の感覚に満たされているだろう。そこでは我々の存在は肯定され、受け入れられ、許されている。それらは未だに様々な不幸と憎しみに彩られている現代の世界において、はなはだ希な瞬間であるといえるだろう。「我々の存在は、様々な問題を引きずりながらも、それでも意味がある」と内藤の作品は言う。

　それは未来を信じることへつながるだろう。それは国境を越

展示風景

え、時代を超えて人間の普遍的希望を信じることでもある。

　そしてわれわれは理解するだろう。美術は今日でも厳然と意味を持って存在し、輝くことができるし、またその輝きは人の魂を慈悲を持って救うことができるのだということを。

▶南條史生「柔らかな未来」日本館カタログ

コミッショナー

南條史生 ─────

Nanjo Fumio | 1949 -

東京に生まれる。1972年慶應義塾大学経済学部、77年文学部哲学科美学美術史学専攻卒業。78年から86年まで国際交流基金勤務。86年から90年までICAナゴヤ・ディレクター、90年から2002年までエヌ・アンド・エー代表取締役。02年より森美術館副館長となり、「クサマトリックス：草間彌生」展（2004年）などを手がける。06年より同館長、19年より同特別顧問。1998年台北ビエンナーレコミッショナー、同年ターナー賞審査委員、2001年横浜トリエンナーレ・アーティスティック・ディレクター、05年ヴェネチア・ビエンナーレ金獅子賞審査委員、06、08年シンガポール・ビエンナーレアーティスティック・ディレクター、17年ホノルル・ビエンナーレ・キュレトリアル・ディレクターなどを歴任する。主な著書に『美術から都市へ インディペンデント・キュレーター15年の軌跡』（1997年）、『疾走するアジア 現代アートの今を見る』（2010年）、『アートを生きる』（2012年）。(U)

内藤　礼 Naito Rei｜1961-

広島に生まれる。1985年武蔵野美術大学造形学部視覚伝達デザイン学科卒業。卒業制作としてつくった箱庭状の立体作品を前にして、「つくり続けていきたい」という思いを強くする。以降、一貫して「地上に存在することは、それ自体、祝福であるのか」をテーマに制作を続けている。91年、佐賀町エキジビット・スペース（東京）で発表したインスタレーション《地上にひとつの場所を》で大きな注目を集める。この時の、鑑賞者がひとりずつ設置された空間の中に入り、作品と対峙するスタイルは、95年、国立国際美術館の個展で発表した《みごとに晴れて訪れるを待て》へと続く。97年ヴェネチア・ビエンナーレに参加。同時期にフランクフルトの修道院でインスタレーションを発表し好評を得る。2006年には愛知県の佐久島で海岸や民家の庭など開放的な空間での展示を行なった。近年では神奈川県立近代美術館 鎌倉（2009年）、東京都庭園美術館（2014年）、水戸芸術館（2018年）、金沢21世紀美術館（2020年）と、美術館での大規模な個展が続いた。それらの個展では、美術館の大小様々な展示室や中庭、通路などの空間全体がひとつの大きな作品となるような構成が試みられた。恒久設置作品に、《このことを》（直島・家プロジェクト・「きんざ」、2001年）、建築家西沢立衛との共同作業による豊島美術館の《母型》（2010年）がある。

出品作品について

《地上にひとつの場所を》は、1991年佐賀町エキジビット・スペース（東京）で発表されたインスタレーション作品で、今回ヴェネチアにおいて忠実な再現が行なわれた。91年の発表以降ニューヨーク、パリ、ウェールズ、名古屋でも展示されてきた。まずは日本館の入口に続く階段を上り、待合室で待機、ひとりずつ展示室に入ることから作品鑑賞は始まる。静寂に満ちた展示室には天井から吊るされた白い布による、楕円形の大きなテントが設置されている。テントに近づき、そのスリットから内部を眺める。床に同じく白い布が敷かれており、その上には竹ひごや細い針金、植物の種や葉、ガラスなどでつくられた小さくて繊細なオブジェの数々が配されている様子が見える。次に、内部に足を踏み入れる。祭壇のようにしつらえた中程まで歩を進め、しばしたたずむ。息を吹きかけただけで壊れそうなオブジェにそっと近づいて細部に目をこらしたり、楕円形の空間の周囲（灯りの並んだ外側）をゆっくりと歩くこともできる。定められた時間が来たら、静かにその場を去る……この一連の動作すべてが作品体験となる。テントの中には監視カメラは設置されていない。「まったく自由に、誰にも見られていないという自由を保証したかった」と内藤は語

地上にひとつの場所を（内部）

展示風景　地上にひとつの場所を

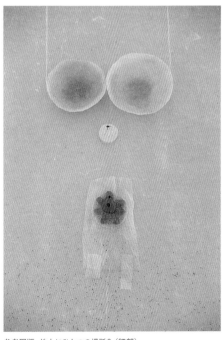

参考図版　地上にひとつの場所を（細部）
佐賀町エキジビット・スペース（1991年）

る。鑑賞者がひとりで作品と向き合うスタイルは、「一人になる
ということは、自分の意識がなんの影響も受けないで作品と
自分との出会いだけをそこで感じ取れるのではないか」という
思いから編み出された。作品は内藤本人が一定の時間ごと
に作品状態の確認を行なうが、ヴェネチアにおいては、作家
が不在の時は中には入れず、テントの外側から内部を鑑賞
するだけに限られた。

1997

菅原教夫

授賞に功労賞的意味合いも

日本館の内藤礼の作品は、三分間に限って一人だけ館内に入れるというシステムのため、館前に行列ができ、多数の展示を忙しく見て回る美術関係者の印象を悪くしたようだ。もっとも、彼女は慌ただしく作品を消費する美術受容のありかたを、その瞑想的なインスタレーション（設置作品）で批判したとも言える。　▶『読売新聞』1997年7月29日夕刊より抜粋

ガブリエッラ・デマルコ

広島からヴェネチアへ、内藤礼の作品

無限に小さいものと無限に大きいものとの関係を、両者をつなげることなく表している。（略）作家は鑑賞者の理解を助けるというよりは、むしろ意図的にあらゆる解釈や確信を不安定にさせるよう試みているかのようである。さらに、鑑賞者は作品に近づく前に何分かの間静寂を保つよう要求される。これは、現代人がよく抱えている雑念でいっぱいになった頭を空っぽにする時間を与えるかのごとくである。作家が以上の事柄を作品を観るために鑑賞者に「強制」する様は、ある種の小さな儀式を思わせる。気が散った状態での鑑賞ではなく、作品とより深く対峙する時間を取り戻すという、作品と鑑賞者との関係を作り上げる東洋の伝統が再び繰り返されるのである。

　内藤礼は、現在、今までになく身近となっているアートとコミュニケーションの問題及びそれに伴いたびたび生じてきた誤解を排除した作品解読に取り組んでいるのである。
　　　　　　　　　　　　　　　▶『ルニタ・ドゥエ』1995年6月11日

パオロ・ヴァゲッジ

オーストリア館の中に名無しの原住民も

強い感動を引き起こすことが少ない企画展および外国館のなかで、例外ともいえるのが内藤礼の作品を展示している日本館である。同館は、ナチュラルな小さい彫刻群と同時に未来的な都市の映像をも喚起する環境を作ると同時に、女性の身体のメタファーでもある瞑想的なものに形を与えた。日本の現在と過去を一緒にした魅惑的なインスタレーションである。
　　　　　　　　　　　　　　　▶『ラ・レプブリカ』1997年6月13日

北欧館（フィンランド、ノルウェー、スウェーデン）
「**Naturally Artificial**（自然に人工的な）」

森万里子はフィンランド、スウェーデン、アメリカなど国籍を異にする5作家のひとりとして招待され、3Dビデオ・インスタレーション《ニルヴァーナ》を展示した。

森　　万　里　子

Mori Mariko｜1967-

東京に生まれる。文化服装学院でファッションを学んだ後、1988年にロンドンに渡る。92年チェルシー・カレッジ・オブ・アート修了。同年ニューヨークに移り住む。94年から95年にかけて作家自身が様々なコスチュームで変装し、日本の都市風景の中に紛れ込む写真作品を制作することで、アニメ、コスプレなど日本のポップ・カルチャーを強く意識したシリーズを展開。秋葉原の電気街やゲームセンターなどを背景にたたずむ近未来的なコスチュームの女の子の姿を、男性たちの欲望の反映として表現した。96年以降は、社会性を離れて宗教的要素を取り入れるようになり、自ら巫女の姿になって登場する映像作品《リンク・オブ・ザ・ムーン（巫女の祈り）》を発表。99年には法隆寺夢殿をモチーフとして援用した体験型インスタレーション《ドリーム・テンプル》をプラダ財団（ミラノ）で発表。2010年にニュートリノの観測データに呼応し発光する《トムナフーリ》を豊島（香川）の山中に設置。作品名は古代ケルトにおける霊魂転生の場に由来する。また翌11年には宮古島七光湾（沖縄）に自然光に反応するパブリックアート《サン・ピラー》を設置するなど、先端技術を取り入れた作品を制作している。ヴェネチアをはじめ、イスタンブール（1997年）、

ニルヴァーナ 1997

シドニー（2000年）、サンパウロ（2002年）など主要なビエンナーレに出品する他、ロンドン、ニューヨークなど海外での個展も数多い。国内では2002年に東京都現代美術館で大規模個展「ピュアランド」を開催。

出品作品について

作品タイトルのニルヴァーナとは「涅槃（ねはん）」の意。作家自身が吉祥天に扮し、空中を飛びながら散華（さんげ）するシーンや、

CGで制作された色とりどりの侍童が雲に乗って自由に飛び回るシーンなどが映し出される。伝統とポップがミックスされた映像は、鑑賞者を過去・現在・未来を往還するかのような感覚へと誘導する。仏教図像学、宗教的な儀式・所作といった日本古来の「伝統」と最先端テクノロジーを組み合わせることによって、特定の場所性や重力からも解放され、個を超えた「普遍性」を表現した。

1997

企画展「未来、現在、過去」

総合キュレーターのジェルマーノ・チェラントによる企画で、1960年代から現在に至る欧米の美術の全容を伝えようとする展覧会。大御所から若手までの66人が選ばれ、ジャルディーニの中央館とアルセナーレに展示された。日本からは森万里子が《Empty Dream》を出品した。

Empty Dream 1995

出品作品について

《Empty Dream》は、現実である今と仮想未来を融合させたかのような、横が約7メートルにおよぶセルフポートレート作品。屋内海水浴場で海水浴を楽しむ人たちに混じって、人魚に扮した作家本人が浜辺に寝そべっている。屋内海水浴場といっても実態は大きな室内プールで、人

工の砂浜とともに、周囲には作り物の海の景色が施されている。人々の多くは人魚に無関心のようだ。あるいは人魚をなんの違和感もなく、ごく自然に受け入れているようにも見える。

　作品は、アルセナーレに展示された。

トランスカルチャー展と未完風景展

ビエンナーレ発足100周年にあたり、国際交流基金は日本館展示に加え、ヴェネチアにおいて日本の現代美術を紹介するもうひとつの展覧会の開催を模索していた。一方、ベネッセコーポレーションは社名変更を機に、作家を支援する国際プロジェクトの構想を進めていた。この両者の意向がうまく重なって結実したのが「トランスカルチャー展」だった。同展は1995年のビエンナーレ公式後援企画として、アカデミアのパラッツオ・ジュスティニアン・ロリンにおいて実施された。

　南條史生とデーナ・フリース゠ハンセンの共同キュレーションのもと、異なる文化やアイデンティティをもつ者同士のコミュニケーションをテーマに据え、ゴードン・ベネット、ジョセフ・グリグリー、村上隆、シリン・ネシャットなど日本を含む世界十数カ国の作家が参加した。国際的なビエンナーレの場で、日本が自らのイニシアチブにより、ミニ国際展的な展覧会を初めて実現させたという意味で画期的であった。アペルトが中止され、保守的との批判が強かったこの年のビエンナーレの中で、若い世代の作家を取り上げた同展は好評を博した。とりわけ、ヴェネチアの運河に中国のジャンク（木帆船）を浮かべた蔡國強のプロジェクトは注目を集め、第1回ベネッセ賞を受賞している。

　日本館展示との相互補完を期して、基金は2013年展にあわせるかたちで、再び関連企画展を開催した。市内のパラツェット・ティトを会場とした未完風景展である。国内外の作家が現代美術、グラフィック、文学、映画、サウンド、パフォーマンスなどの幅広い分野の作品を寄せ、文化におけるアイデンティティとは何かを問いかけた。マリーナ・アブラモヴィッチ、タシタ・ディーン、サイモン・フジワラ、小泉明郎、奥浩哉、寺山修司、米田知子らが参加し、キュレーターは、三宅暁子、ディディエ・フォスティノ、アンジェラ・ヴェッテーゼが務めた。飽和状態にあるビエンナーレにあってなお、田中功起の個展を行なった日本館とともに同展は確かな日本のプレゼンスを印象付けた。[1]

蔡國強　マルコポーロの忘れ物　1995

1995

ヴェネチア・ビエンナーレは発足100周年という記念の回を迎えた。総合キュレーターにはパリのピカソ美術館館長ジャン・クレール（フランス）が就任。ビエンナーレ史上初めてのイタリア人以外からの選出となった。クレールは100周年の特別記念展として「自己性と他者性—身体のかたち1895-1995」を開催、過去100年間の様々な人体表現の歴史を通して、そのなかに内在する自己性と他者性を分析しようと試みた。同展はパラッツォ・グラッシ、コレール美術館、ジャルディーニの中央館（一部）の3会場で開かれた。そのうちメインとなるパラッツォ・グラッシには、年代別、テーマ別に絵画、彫刻、写真など約700点が展示された。充実した内容だったが一部では保守的との声も上がった。またクレールは、新人作家の登竜門として注目されてきたアペルト部門（1980年開設）を取りやめ、議論を呼んだ。

　国別展示を含め、映像作品が多く見られ、アメリカ館のビル・ヴィオラ、スイス館のフィッシュリ＆ヴァイスをはじめ、力作が勢ぞろいした。パヴィリオン賞は、若手3作家の絵画・彫刻を展示したエジプト館が受賞。個人賞としての金獅子賞は、絵画の部でロナルド・B・キタイ（アメリカ）が、彫刻の部でゲイリー・ヒル（アメリカ）がそれぞれ受賞した。また、日本館に出品した千住博に名誉賞が贈られた。新規パヴィリオンとしてジャルディーニに韓国館が設置され、アジアでは1956年の日本館以来となった。

　公式後援企画では南條史生とデーナ・フリース＝ハンセンの共同キュレーションによる「トランスカルチャー」展が行なわれた。その他の企画展では、「アジアナ」展（企画：アキーレ・ボニート・オリヴァ）が開かれ、もの派を中心とした日本と、韓国、中国の作家が紹介された。

日本館カタログ

日本館

100周年記念に対する取り組みとして、日本館は全国各地の美術館キュレーターや美術評論家らから展示内容の提案を募る初の指名コンペを実施し、伊東順二の提案が採用されコミッショナーに就任。作家は河口洋一郎、千住博、崔在銀、日比野克彦の4名。会場構成は隈研吾、グラフィック・デザインは田中一光、照明は海藤春樹がそれぞれ担当した。茶の湯に由来する「数寄の美学」をコンセプトにした展示が行なわれた。華やかな色彩で覆われた日本館に一歩足を踏み入れると、一転して暗闇と静寂に包まれる。「未来」（テクノロジー）、「現代」（社会風俗）、「過去」（伝統）を、水を張った床面に作られた通路に沿って巡るという隈の演出が好評だった。

「数寄」という、まるで夜空の星座のように個別性が損なわれることなく、全体的な関係性を築き上げる方法論を伴った美学をより全体的な状況に適用するために、現在の日本の創造的な分野全体をアートと認識することから作業を始めた。その視点の構造の軸となったのは伝統、デザイン（＋風俗）、そしてテクノロジーの三つである。なぜなら21世紀に向けて形成されつつある私たちの新たな「美」はこの三者の接点の上に

日本館入口 崔在銀のインスタレーションによって覆われた日本館

成立しつつあるからである。また、その構造はおそらく地球上のあらゆる場所において共通な状況としてとらえられるに違いない。そこで、当展覧会においては、この接点をXYZ軸にたとえて各軸の最も先端的で創造的な仕事を立体的に、「数寄的」に総合することで、普遍的な状況の把握とその目指す方向の確認を表現したい、と思っている。

この試みは、いわば、近代主義的な「美術」の領域的な限定への挑戦であり、21世紀以降の「美」の在り方についての私たちのささやかな提案なのである。

►伊東順二「数寄 複方言への試み」日本館カタログ

コミッショナー

伊 東 順 二 ————

Ito Junji | 1953–

長崎に生まれる。早稲田大学仏文科大学院修士課程修了後、仏政府給費留学生としてパリ大学、エコール・ド・ルーブルで学ぶ。フランス政府給費研究員として、1980年にフィレンツェ市庁美術展部門嘱託委員、82年にはフランス現代芸術祭副コミッショナーを務める。81年より『芸術新潮』で連載を開始し、シュナーベルらニューペインティングの作家を最も早い時期に日本に紹介した。83年に帰国後、展覧会や芸術祭の企画監修、プロデュース、都市計画などを行ない、美術評論家、キュレーターとしても活躍。89年にJEXTを設立。2000年、01年の文化庁メディア芸術祭企画展プロデュースをはじめとして、政府機関や企業の文化事業にも携わる。02年、フランス芸術文化勲章シュバリエ受章。04年より07年まで長崎県美術館館長。05年から富山大学教授を経て、13年より東京芸術大学アートイノベーションセンター副センター長、同大学社会連携センター特任教授を務める。15年より同大学COI拠点特任教授、富山市ガラス美術館名誉館長。20–21年、新福岡県立美術館基本計画策定委員会会長。主な著書として、『現在美術』（1985年）、『アートランナー9・79』（1989年）がある。(U)

崔　在　銀 チェ・ジェウン ——————————— Choi Jae-Eun | 1953–

韓国ソウルに生まれる。1976年、いけばなを修得するために
東京に移り住む。前衛芸術の発信地であった草月会館のイ
サム・ノグチ設計による《天国》(1978年)の空間に魅了された
ことから、草月流に入門。第3代家元・勅使河原宏のアシス
タントを務め、植物のもつ「時間性」や空間概念を学ぶ。80
年代より、生命や時間をテーマに制作を始める。86年から
は、和紙の束を各地の地中に埋め、何年か経過してから掘
り起こす「ワールド・アンダーグラウンド・プロジェクト」を行な
う。91年サンパウロ・ビエンナーレに出品、95年ヴェネチア・
ビエンナーレに参加。2001年には、人間のつくり出した「境
界」をテーマにした映画『On The Way』を監督。10年、原
美術館で日本の美術館における初の個展「アショカの森」を
開催。古代インドの故事にインスピレーションを受けた、立体、
写真、映像作品などによるインスタレーションを展開。その後、
16年までベルリンに拠点を移す。19年、崔の発案・構成に
よる「The Nature Rules 自然国家：Dreaming of Earth
Project(大地の夢プロジェクト)」(原美術館)を開催。「朝鮮半島を南
北に隔てる非武装地帯 (DMZ) の豊かな生態系を守り、自然
と人との共生を探る」このプロジェクトに賛同した川俣正、坂
茂ら美術家や建築家の作品も会場に展示された。

出品作品について

《Micro-Macro》は、日本館の外壁とピロティに展開したイン
スタレーション作品。日本館を赤、黄、青、緑、オレンジなど
のカラフルなプラスチックパイプで覆った。プラスチックという
素材は美しさと同時に、地球の環境破壊という問題もはらん
でおり、崔はその二面性に興味をもったという。ヴェネチアの
太陽をいっぱいに浴びて輝く外観とは対照的に、ピロティに
は仮設壁で囲った暗い空間をつくり、「ワールド・アンダーグラ
ウンド・プロジェクト」の一環で、地中に埋めてあった和紙の
一部を培養して誕生した微生物を顕微鏡で撮影した画像が
映し出された。

1995

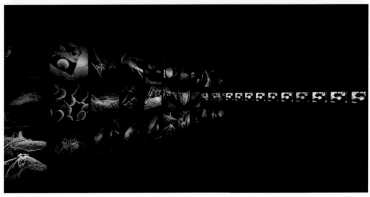

Micro-Macro
上：日本館外観
下：ピロティの展示風景

112

日 比 野 克 彦

Hibino Katsuhiko | 1958 –

岐阜に生まれる。1984年東京芸術大学大学院修了。デザインを専攻。大学在学中の82年に日本グラフィック展で大賞を受賞。翌年にはADC賞最高賞、JACA展グランプリを相次いで受賞し、一躍脚光を浴びる。段ボールというラフな素材を用いて、軽快なタッチで描いた平面や立体作品は、グラフィック・デザイン界に新風を吹き込んだ。またテレビ番組の司会などマスメディアへの登場も多く、現代アートを身近な存在へと導いた。85年シドニー・ビエンナーレに出品、95年ヴェネチア・ビエンナーレに参加。2003年より越後妻有アートトリエンナーレ、10年より瀬戸内国際芸術祭に出品。14年からは世代や国籍などで異なる背景をもった人たちの交流をはかるアートプログラム「TURN」の監修を務める。また地域性を生かしたワークショップなどのアートプロジェクトにも力を注いでいる。平塚市美術館（1994年）、水戸芸術館（2005年）、熊本市現代美術館（2007年）で大規模な個展を開催。07年より東京芸術大学教授。15年より岐阜県美術館館長、21年より熊本市現代美術館館長。

出品作品について

薄暗がりのなか、床一面に水をたたえた光景が広がる。中央に渡された板の通路を挟んで、日比野と千住の作品が対峙する。ビエンナーレに向けての制作を開始してまもない1月17日には阪神淡路大震災が、そして3月20日には地下鉄サリン事件が発生した。それは安全だと思われていた日本が一気に不安に襲われた瞬間であった。日比野はこの期間に、このような大きな出来事から、日常の小さな出来事までをモチーフにして、次々と描いていった。ガスマスクを描いた《NITO》、手をつなぐ二人の後ろ姿を描いた《SHITE》、顔が描きこまれていない赤ん坊がハイハイする様子をとらえた《AURO》の他に、《KIRO》《SUSA》《BEMOUTH》《TUTU》などが出品された。作品のベースとなるのは、つなぎ合わされた約4メートル四方の段ボールである。それらの大画面は、水面上の空間に吊り下げられることで、現代社会のよりどころのない不安感がさらに増幅された。

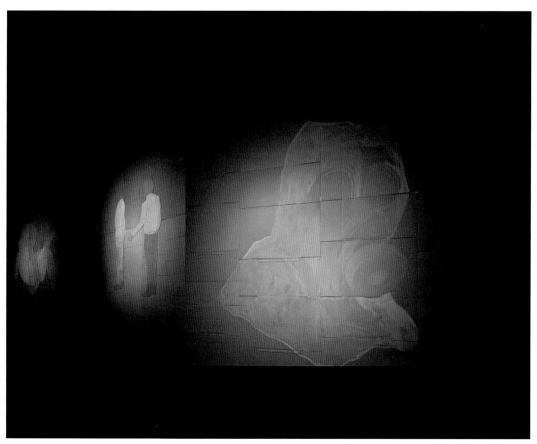

展示風景　手前から、NITO、SHITE、AURO

千 住 博

東京に生まれる。1982年東京芸術大学卒業。日本画を専攻。87年、同大学院後期博士課程単位取得満期退学。在学中を含めた80年代には、生まれ育った都会の風景を記憶をもとに描いていた。その後、桜や樹木など自然をモチーフとした風景画を描く。93年より活動の拠点をニューヨークに移す。同年ハワイのキラウエア火山の溶岩が海に流れ込む様子を捉えた〈フラットウォーター〉シリーズを発表し、好評を博す。ハワイで大自然と向き合ったときに体感した「水」への思いは、やがて「滝」の作品へと続いてゆく。95年ヴェネチア・ビエンナーレに《ザ・フォール》を出品。以降、滝をモチーフにした〈ウォーターフォール〉シリーズを次々と展開し、千住のライフワークとなる。2011年、西沢立衛設計による軽井沢千住博美術館を開館。13年に大徳寺聚光院別院の襖絵を完成させた。20年には高野山金剛峯寺に全長25メートルにお

よぶ障屏画《瀧図》を奉納し、翌年、同作品により日本芸術院賞および恩賜賞を受賞。また羽田空港、JR博多駅やホテルなど公共空間のアートディレクションを数多く手がける。さらにオペラ「KAMIKAZE」「夕鶴」の舞台美術を担当するなど、活動の幅を広げている。

出品作品について

《ザ・フォール》は、縦3.4メートル、横14メートルにおよぶ日本画で、その大画面に展開する滝のダイナミックな表現は、見る者を圧倒する。床に水を張った演出がその効果をさらに高めていた。重力に従って、絵具を画面の上から下へ流すことで生まれた滝のかたちに、エアブラシを使って表情をつけてゆくという独自の技法は、千住の「滝らしい滝を描きたい」という一念から生まれた。

1995

展示風景　ザ・フォール

河口洋一郎

鹿児島県の種子島に生まれる。九州芸術工科大学（現・九州大学）に入学、黎明期であったCGに出合う。78年東京教育大学（現・筑波大学）大学院修了。アートに、自己組織モデルを応用・導入したプログラミング造形に着手。自然界のなかにある「螺旋」に注目し、生き物が成長する過程のアルゴリズム（算法）から導き出した独自の造形理論「グロース・モデル」を確立、世界的に注目を集める。グロース（成長）の名の通りに、細胞が増殖し成長してゆくさまがスクリーンいっぱいに映し出され、宇宙生命体に入り込む感覚・没入感を呼び覚ます。95年ヴェネチア・ビエンナーレに参加。2000年頃より先端技術の応用によるロボティックに反応する凹凸ディスプレイ、巨大なソフト・スカルプチュアの制作、様々な素材での立体造形制作で独創的な自己組織系の世界観を提示。10年、ACMシーグラフよりデジタル・アートの分野における生涯の功績を讃える賞を受賞。13年、紫綬褒章受章。18年、ACM Siggraph Academy（殿堂入り）に選ばれる。8KCG映像、立体作品、舞踏家や音楽家とのコラボレーションによるインタラクティブ映像作品、肉筆画など幅広い表現による作品を発表し続けている。近年では、17年に台湾の台北当代芸術館（MOCA）、18年にフランスのアンギャン＝レ＝バン・アートセンター（CDA）などで個展を開催。12年より霧島アートの森館長。18年より東京大学名誉教授。

出品作品について

《Artificial Life Metropolis: Cell》《Growth: Eggy》《Coacervater》《Mutation》の4点の3DハイヴィジョンによるCG動画作品を応用し、裸眼で立体視できるように特殊加工したレンチキュラーを壁いっぱいに展示した。宇宙空間を思わせる漆黒の闇の空間に奥行きを演出した。

さらに新作となる立体視ハイヴィジョン映像作品《Gigalopolis》を出品。3D眼鏡をかけて見る作品で、鑑賞者は動きと立体感で、宇宙時代の未来都市が体感できる仕組みとなっていた。

Growth : Eggy 1990

Artificial Life Metropolis : Cell 1993

椹木野衣
「あいまい」さの未来

モダニズムに対する内在的批判の視点をもつ欧米のポストモダンではなく、ひとしなみのモダニズムすら欠くがゆえに結果的にポストモダンに見えてしまう日本の「現在」をプレモダン（「SUKI」）に重ね描く態度は、とりあえず明快ではある。ヴェネツィアにふさわしい水を使った構成や凝った照明、最新テクノロジーの導入や3D装置による観賞方法などは、パヴィリオンを一種のアトラクション・スペースに仕立て上げており、人気も上々といったところ。もっとも、こうした日本流ポストモダンの「楽しみ」を可能にしていたのが、よくも悪くも冷戦末期の歴史の宙吊り状態であったことを思い起こせば、現在の日本の「惨状」を知る身にしてみると、やや時期を逸した感を受けてしまう。ただし、一瞬眼を疑うほど変貌を遂げたパヴィリオンの外観（崔在銀）はラディカルといえばラディカルで、「日本館」という帝国主義型威厳を物理的に解体してしまっており、これが本来の意図だったのかいなかはいまでも計りかねるところがあるとはいえ、その無茶苦茶さはむしろ積極的に評価した。

▶『美術手帖』1995年9月号

建畠 哲
モダニズムの衰え反映

日本館については議論の分かれるところであろう。館の内外を使ってジャンルの異なる四人の作家の作品（崔在銀、日比野克彦、千住博、河口洋一郎。コミッショナーは伊東順二）を回遊式のパサージュで結んだもので、「数寄」というテーマがたてられている。私はこのビエンナーレでは基本的には一人の作家を出すべきだと考えているので、まずその点で異論があるが、日本の伝統的な美学を今日的に再生させるという方法自体も、ありうるプランだとしても、具体的な展示ではいま少し説得力を欠くように思う。ただし千住は優秀賞の一人に選ばれたから、あくまでも個人的な見解ということになるが。

▶『日本経済新聞』1995年6月24日

菅原教夫
尊重された非西欧の土着性

千住氏は日本画の画家で、彼の受賞もまた非西欧世界の伝統文化の尊重という観点と無関係ではないだろう。この千住氏のほかに河口洋一郎、日比野克彦、崔在銀氏とを「数寄」の構想でまとめた日本館は、赤、黄、青、白などのプラスチック角材で囲まれたカラフルな外観で目をひく。そのデザインを手がけた崔さんによれば、モンゴロイドという人種にふさわしく、モンゴルの色を使ったという。

　内部は床に水をはり、通路を歩いて、千住、日比野両氏の作品を見ていくという趣向を建築家の隈研吾氏がこらした。千住氏が大きく描いた滝は水面に映り、絵という幻影と現実の水が一体化する。隈氏の空間演出がもっとも効果的に生きたのが千住氏の作品だったと言える。

▶『読売新聞』1995年6月27日夕刊より抜粋

総合キュレーター

ヴェネチア・ビエンナーレが初めて正式に総合テーマを掲げたのは、1972年展のことである。逆に言えば、それまでの約80年はテーマなしの開催であった。各パヴィリオンの展示は、参加国の独自性に任されているため、ビエンナーレの「顔」ともいうべき総合キュレーター(注1)が担うのは、中央館やアルセナーレの展示に限られてしまう。隅々までディレクターのコンセプトに基づき組み上げるドクメンタとは対照的であるが、この緩さと多様さがヴェネチアの魅力であり、またひとつの限界となっている点は否めない。

とはいえ歴代の総合キュレーターは、自らの狙いを非公式に参加国に伝え、歩調を合わせるよう求める動きもしていたようだ。1954年展において代表委員を務めた土方定一は、ヴェネチアに到着後初めて、「当局から、各国に幻想的な、超現実主義的な作家を出品してほしい、という要求」が出されていたことを知ったという(注2)。

1972年以降、総合キュレーターが公式に定めた総合テーマを列挙してみると、「作品か行為か」(1972年)、「芸術と科学」(1986年)、「アートの基本方位」(1993年)、「世界を制作する」(2009年)、「すべての世界の未来」(2015年)などどれも抽象的であり、これだけではいかなる解釈も可能である。各国パヴィリオンは、それぞれのスケジュールに沿って作家選考を行なう以上(日本館の場合、基本的には展覧会開幕の最低1年前)、絞り込んだテーマが後から出されても実際問題としては、対応できない事情もある。また、壮大な規模で実施される国際展に、内容を規定しかねないテーマ設定はそもそもそぐわないのかもしれない。総合キュレーターと各国コミッショナーが集うコミッショナー会議という場はあるものの、各国コミッショナーはほぼ代理出席で、会議は形骸化している。漠然とした全体テーマの裏で、総合キュレーターの問題意識は「裏テーマ」というかたちで、ごく一部の各国コミッショナーに水面下で伝えられる場合もあるようだが、もちろん推測の域を出ない話である。

総合キュレーターの人選は、ビエンナーレ発足後100年経った1995年展において、ようやくイタリア人以外に門戸が開かれた。1世紀の長きにわたって、イタリアのみでこの要職を回していたことに、逆に驚きを禁じ得ない。その後ハラルド・ゼーマン(1999年、2001年)、ダニエル・バーンバウム(2009年)、オクイ・エンヴェゾ(2015年)など、トランスナショナルな国際展に相応しい実力者が総合キュレーターを務め、新たな歴史を刻んでいる。その一方で、マッシミリアーノ・ジオーニ(2013年)、セシリア・アレマニ(2022年)といった次世代を代表するイタリア出身のキュレーターが起用されていることも注目に値する。ビエンナーレがホスト国に与える刺激と影響は計り知れない。2010年の建築展の妹島和世のように、日本のキュレーターがこのポストに就き、世界の現代美術をともに創造する日が来ることを願いたい。(I)

(注1) ビエンナーレ当局は単にcuratorと称しているが、本書では各国館キュレーターと区別するため、総合キュレーターの名称で統一している。

(注2) 土方定一「1954年—世界の美術展」『藝術新潮』1955年1月号

1993

100周年にあたる1995年に次回開催するため、隔年を1年ずらして前回から3年を経て開催された。総合テーマを「アートの基本方位」として、文化のノマディズム（遊牧性）を唱え、異なるコンテキストを横断的に捉えることで、それぞれの文化の共存を提言した。総合キュレーターは、80年代初頭にトランス・アヴァンギャルドの理念を提唱して話題になったイタリアの美術評論家アキーレ・ボニート・オリヴァ。中央館の企画展示はヤニス・クネリス、ダニエル・ビュラン、クリスチャン・ボルタンスキー、ヨーゼフ・ボイス、エンツォ・クッキ、フランチェスコ・クレメンテ、ロバート・モリスなどによる「アートの方位」、ルチャーノ・ファブロ、ファビオ・マウリなどによる「オペラ・イタリア」と今世紀初頭から現在までの写真の歴史を辿る「ペーパー・ウォールズ」。企画展「東方への道」ではヴェネチア館にオノ・ヨーコ、久保田成子らが出品。ジャルディーニでは具体野外美術展が再現され、イスラエル館を使って吉原治良の個展が開かれた。イタリアの代表作家のひとりとして長澤秀俊が出品。他の企画展としては、「エマージェンシー（緊急事態）」をテーマにした「アペルト93」が行なわれ、「身体（ボディ）」や「自己（アイデンティティ）」を表現する作家ダミアン・ハースト、キキ・スミス、マシュー・バーニーなどが選ばれ、日本からは椿昇、中原浩大、柳幸典が出品。デレク・ジャーマン、ピーター・グリーナウェイ、ジョン・ケージをはじめとして、美術、映画、演劇、音楽各分野の作家が参加した「トランスアクションズ」には、日本からは太郎千惠藏、森村泰昌、横尾忠則が出品。日本はかつてないほど多くの作家を送りこんだ。金獅子賞は、絵画からアントニ・タピエス（スペイン）とリチャード・ハミルトン（イギリス）、彫刻からはロバート・ウィルソン（アメリカ）が受賞。パヴィリオン賞は、ハンス・ハーケとナムジュン・パイクの展示を行なったドイツ館が受賞した。

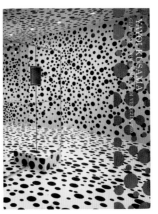

日本館カタログ

日本館

コミッショナーは、90年に続き建畠晢。作家は江見絹子（1962年出品）以来二人目となる女性作家である草間彌生。日本館が個展形式をとったのは篠山紀信（1976年出品）以来2度目で、美術家としては実質上初めてのこととなった。

草間彌生はまぎれもなく日本の現代美術のもっとも注目すべき才能であるにも拘わらず、つねに多くの偏見と誤解に囲まれてきた。異端視されること自体は、あるいは、この法外な個性をもった作家にとっての栄光であったかもしれない。しかしいま彼女の作品を見直すなら、私たちは孤立を強いられていたはずのその軌跡が、第二次大戦後の美術の正系を先駆的に形成してきたという事実を認めないわけにはいかないのだ。今回の草間彌生の個展は、神話的な異端者としての草間像におもねることなく、彼女の達成した作品の質そのものを改めて正当に評価しようとするものである。

　展覧会は最新作に加えて60年前後にニューヨークで制作された作品が出品されるが、これは何も回顧的な意図によるものではない。一貫して心理的、性的オブセッションを背景とし、またセルフ・オブリタレーションという明確なモチベーションをもった作品の特質を明らかにするために、彼女が自らの世

日本館の草間

界を確立した時期の仕事が必要とされたのである。

　タブロー、オブジェ、環境芸術、ハプニングなど、きわめて多岐にわたる草間彌生の作品は、すべて"常同作用からくる反復のもたらす単調さ"に貫かれている。そのオブセッションな方法の典型をなすのは"水玉模様"であり、彼女はあたかも世界を水玉で覆い尽くすかのように、あるいは世界を水玉模様の中に埋没させるかのように、おびただしい数の作品を制作してきたと言ってもよい。(略)

　戦後の前衛としての先駆性。アール・ブリュットとしての病理性。ハプニングなどに対する反映論的な解釈。そしてフォーマリズムやフェミニズムの立場からの再評価―。(略)いかにも多様な視点からの接近を可能にする草間の巨大な個性的世界は、最近作でも何ら弛緩することなく維持されていること、いやむしろ見る者を粛然とさせるスケールへと拡大されていることを、この展覧会は明らかにするはずである。90年代に入っての彼女に現れたある清明な光は、しかし不穏とも神秘的とも言える一種異界のイメージをたたえ、私たちを魅せずにはおかないのだ。(略)

　この展覧会が草間彌生の再評価の一助たりうることを願ってやまない。　►建畠晢「壮麗なるオブセッション」日本館カタログ

コミッショナー

建畠　晢 ———————

Tatehata Akira｜1947-

京都に生まれる。父の建畠覚造、祖父の建畠大夢、兄の建畠朔弥、いずれも彫刻家。読書を好み、小学生の頃から小説家を目指していた。早稲田大学文学部仏文学科在学中に美術にも興味を持ち、文学と芸術のどちらかを選ぶのではない道を模索した。卒業後、『藝術新潮』編集部に勤務。国立国際美術館主任研究官、多摩美術大学教授、国立国際美術館館長、京都市立芸術大学学長を経て、2011年より埼玉県立近代美術館館長。15年より多摩美術大学学長、17年、草間彌生美術館館長に就任。01年横浜トリエンナーレ、10年あいちトリエンナーレの芸術監督を歴任する。13年より全国美術館会議会長。美術評論集に『問いなき回答 オブジェと彫刻』(1998年)、共著に『表象のディスクール』(2000年)など。詩人としては詩集『余白のランナー』(1991年)で歴程新鋭賞、『零度の犬』(2004年)で高見順賞、『死語のレッスン』(2013年)で萩原朔太郎賞を受賞。

草 間 彌 生

長野に生まれる。生家は種苗業を営む旧家で、少女時代、家の周りにある花畑でスケッチするのが日課となっていた。10歳の頃より幻想的な絵画を制作。当時描いた母の肖像にはすでに無数の水玉が溢れている。1945年、全信州美術展覧会に日本画を出品して入選。48年京都市立美術工芸学校（現・京都市立銅駝美術工芸高等学校）に編入し描画の基礎を習得、翌年卒業。技法は日本画から油彩、水彩、パステルなどを混合したものに変化してゆく。52年、松本で初めて個展を開催し、200点を超える作品を展示。女性画家ジョージア・オキーフの画集を見たことがきっかけとなり、57年に渡米。貧困の中で自らの内面と向き合い、単色で網目だけを描いた作品を制作。62年、布に詰め物をした突起物を既製の家具に貼り付けたソフト・スカルプチャー（柔らかい彫刻）を発表。66年、ヴェネチア・ビエンナーレにゲリラ的に参加し、《ナルシスの庭》を発表。1500個のミラーボールを芝生に敷き詰め、着物姿の草間が "Your Narcissism for Sale"（あなたのナルシシズムを売ります）という看板の横でミラーボールを販売するパフォーマンスだった。60年代後半はボディ・ペインティング、ファッション・ショー、反戦運動など多数のハプニングを行なう。73年の帰国後は小説、詩集も多数発表。93年ヴェネチア・ビエンナーレ日本代表。94年より野外彫刻も手がける。98年から99年まで大回顧展（ニューヨーク近代美術館他）が開催される。2004年、東京国立近代美術館などで個展開催。11年より回顧展「YAYOI KUSAMA」が始まり、ポンピドゥー・センター、テート・モダンなどに巡回。16年、文化勲章受章、17年、草間彌生美術館が新宿に開館。21年から22年までテルアビブ美術館他で回顧展開催。

出品作品について

「今回、私の作品を年代をとおして見てもらいたかった。そうすると私の一生がわかるから」と草間は語っている。その言葉の通り、渡米中の1960年に網目を描いた《インフィニティ・ネッツ・イエロー》から、ソフト・スカルプチャーの椅子《アキュミュレーションNo.1》、インスタレーションの代表作《ミラールーム（かぼちゃ）》など、初期から最新作まで全19点を展示。《ミラールーム（かぼちゃ）》は鏡張りの立方体の小窓から中を覗くと、内部も鏡張りになっていて、中にかぼちゃが置かれることで、無限に増殖しているように見える作品。その立方体が配された展示室の天井、壁、床もかぼちゃの黄色で塗られ、無数の黒いドットで覆い尽くされていた。展覧会のオープニングでは、水玉のかぼちゃの衣裳を着けた草間が観客に2000個のミニかぼちゃを配った。

展示風景　ミラールーム（かぼちゃ）

展示風景　左奥：雄薬の愁い　1985　　中央：ピンクボート　1992　　右：ジェネシス　1992-93

1993

左：アキュミュレーション No.1　1962
右上：インフィニティ・ネッツ・イエロー　1960
右下：展示風景　中央：幻の青春をあとにして　1988　奥：最後の晩餐　1981

建畠 哲
現代美術の総力戦の趣
——ベネチア・ビエンナーレを見て

当事者の一人としては客観的な判断はできないが、国際交流基金を中心としたチームの尽力で、所期の意図は十分に実現しえたと考えている。とりわけ水玉模様で埋め尽くされた部屋の中央に鏡の箱を配した「ミラー・ルーム」は、無限の反復という彼女の固有の世界を鮮烈に印象付け、賞は逸したもののビエンナーレの中でも大きな反響を呼んでいたのは確かである。(略)

　プレビューの数日間には世界中の美術関係者が参集し、スノビッシュな社交の雰囲気の中でさまざまな駆け引きが進行する、その光景の華やかさもどこかむなしいものではある。だが美術もまた政治と無縁でありえないからには、私を含め日本側の戦略や交渉力の欠如を考え直すべきであるのかもしれない。草間の評価を国際的に定着させえたと確信はするが、個人的には愛すべき海の都に多少の苦い思いを残す私のベネチア戦記である。　►『朝日新聞』1993年7月8日夕刊

篠田 達美
石の都の逆光の憂うつ　関心を呼ぶ草間彌生 "特集"
——第45回ヴェネチア・ビエンナーレを見て

もっとも印象的だったのは、このドイツ館と、その隣の日本館だった。日本は六〇年代から特異な存在として世界にも知られていた草間彌生ひとりに作家を絞り、彼女の初期から近年にいたる絵画、立体作品で館全体を構成した。生理的で触覚的なオブセッションにいろどられた彼女の作品群は、驚きとともに多くの人々の熱心な関心を引きつけた。それらの作品からは、かつてあった強烈な毒気が薄らいで見えた。カラフルでエネルギッシュ、そして陽気にさえ目に映ったのは意外だった。それにしても、日本のパビリオンはとっくに建て直す時期に来ていて、すでに限界だ。
►『毎日新聞』1993年8月6日夕刊

大島 あんり
第45回ヴェネチア・ビエンナーレ・レポート

草間彌生が展示した日本館はレトロスペクティヴが意図されていたようだが、スペースに対して作品点数が多すぎ、展示効果を減殺していた点が残念であった。奥につくられた鏡の部屋のインスタレーションは素晴らしく、例えば、これと水玉への作家のオブセッションに統一した展示の方が効果的ではなかったかなどとも考えられ、惜しまれた。いずれにせよ初の女性作家単独代表であり、コミッショナーの英断には拍手を送りたい。　►『月刊美術』1993年8月号

ジョアンナ・ピットマン

狂気や天才、まして女性に対して不寛容な日本社会にあっては、草間が正当な評価を受けるまでに長い時間がかかったことはいささかも不思議ではない。(略)日本人作家は自国で評価を高めるためには、まず海外で名声を得なければならない状況に未だにある。　►『タイムズ』1993年6月14日

リチャード・オルデンバーグ
（ニューヨーク近代美術館館長）

草間の作品はオブセッショナルなイメージに満ちあふれていて、実に驚嘆すべきだ。その強烈なメッセージは、各パビリオンの中でも際立っていたと思う。　►『産経新聞』1993年6月27日

キャロル・ルトゥフィ

ジョセフ・コーネルが慈しみ、ジョージア・オキーフが文通を重ね、ドナルド・ジャッドが称賛し、フランク・ステラがその作品を所蔵している草間彌生が遂に正当な評価を得るに至った。日本国内における長い酷評の時代を経て、前衛芸術家草間は、ヴェニス・ビエンナーレ日本初の女性代表であるばかりではなく、日本館で初めての個展開催を認められた。
►『ヘラルド・トリビューン』1993年5月号

ミカエル・キンメルマン
（美術評論家）

(全体に低調なビエンナーレの中で)草間彌生のワイルドなアートにオマージュを捧げた日本館は一服のカフェインのような勢いがある。　►『ニューヨーク・タイムズ』1993年6月27日

企画展 「東方への道」

ヴェネチア館とジャルディーニの各所およびイスラエル館で開催された企画展。
中国の絵画も展示されたが、日本からは「具体」グループとして、金山明、嶋
本昭三、白髪一雄、白髪富士子、鷲見康夫、田中敦子、村上三郎、元永定
正、山崎つる子、吉田稔郎、吉原治良、吉原通雄の12名が出品し、全31点
を出品。《空の下のアヴァンギャルド》のサブ・タイトルの下で、1955年、56年
に開催された「具体野外美術展」がジャルディーニで再現され、さらにイスラエ
ル館では吉原治良の個展が開催された（ビエンナーレ当局と国際交流基金の共催）。企
画には日本側から山脇一夫、河﨑晃一、イタリア側からアダ・ロンバルディ、バ
ルバラ・ベルトッツィが参画した。他にオノ・ヨーコ、久保田成子も参加。カタロ
グの「前衛芸術の国際的な特徴と日本的特質」と題したテキストで、エレミレ・
ゾラは、日本は明治以降西洋文化から大きな影響を受けてきたものの、今なお
宇宙で唯一の不可侵な空間をもっていると述べている。

具　体

GUTAI | 1954-72

具体美術協会は、1954年大阪で吉原治良を中心に結成された前衛美術のグ
ループ。野外展、舞台でのイヴェント、アドバルーンによる空中展覧会などで戦
後の美術シーンをつくった。62年には大阪中之島に展示スペース「グタイピナ
コテカ」を開設し、会員や海外作家の展覧会を開催した。72年吉原の死去の
あと解散するが、海外で高く評価された。90年代以降各地の国際展に招待さ
れることも多く、99年、ジュ・ド・ポーム国立美術館（パリ）、2013年、グッゲンハ
イム美術館（ニューヨーク）などで展覧会が行なわれている。大阪中之島美術館に
多くの作品、資料が収蔵されている。

1993年、イスラエル館の前で。
左より、山崎つる子、吉田稔郎、元永定正、
村上三郎、白髪富士子、白髪一雄、金山明、
嶋本昭三、田中敦子、鷲見康夫、吉原通雄

吉 原 治 良

Yoshihara Jiro | 1905-1972

大阪に生まれる。1928年関西学院高等商業学部（現・関西学院大学）卒業。油彩画を独学し、家業の植物油会社の経営も行ないつつ制作を続ける。同年に個展（大阪朝日会館）。34年、藤田嗣治に勧められ二科展に出品し初入選。38年、二科会内の前衛的な作家たちによる「九室会」結成に参加する。この頃シュルレアリスムに傾倒する。41年から70年まで二科会会員。54年、具体美術協会結成、代表となる。56年に「具体美術宣言」を発表。作家のアクションと素材の物質性を強調する傾向は、ヨーロッパのアンフォルメルに同調、58年、来日した評論家ミシェル・タピエと「新しい絵画世界展」（大阪高島屋他）を開催する。戦後の前衛美術運動のリーダーとして活躍する一方、みずからは62年頃から円を基調とした絵画を展開、代表的なシリーズとなる。71年インド・トリエンナーレでゴールドメダル受賞。没後の73年に個展（神奈川県立近代美術館他）、2005年に生誕100年記念展（東京国立近代美術館他）が開催された。

イスラエル館での特別展示

1955年の実験展作品《室》の再制作

金 山 明

Kanayama Akira | 1924-2006

兵庫に生まれる。大阪市立美術館付設美術研究所に学び、後のパートナーとなる田中敦子と出会う。1953年頃「0会」に参加。55年、具体美術協会に参加（65年退会）。絵画ではタッチやストロークを排したフラットな幾何学的抽象に取り組み、ついには何も描かれていないキャンバスを作品とした。56年の「野外具体美術展」では100メートルほどの長いビニールの上に足跡をつけたり、踏切の警報機を持ち込み実際に音が鳴るようにし、時間や空間に対して作家自身の行為よりも、物や機械を媒介としている点に特徴がある。行為や物質性を問う他の具体メンバーとは異なる方向性をもっていた。またパートナーの田中敦子の制作を支えていた。

1956年の野外美術展作品《足跡》の再制作

嶋 本 昭 三

Shimamoto Shozo | 1928-2013

大阪に生まれる。1947年、吉原治良に師事。50年関西学院大学卒業。54年に具体美術協会会員になり、以後具体の全ての展覧会に出品。「具体」の名称は嶋本の提案によるもので、また機関誌発行の中心的役割を担う。55年、芦屋公園での「真夏の太陽にいどむモダンアート野外実験展」ではトタンに穴を開けた作品を発表。同年の第1回具体美術展（東京・小原会館）では、足跡をつけた紙の上を歩いてもらう作品を発表した。56年、鉄管に絵具球を仕込みガスの爆発で10メートル先のシートに吹き付けた「大砲絵画」を発表、後に絵具を詰めた瓶を投げつける描法に発展する。57年には音響作品を手がける。70年、大阪万博のお祭り広場で「1000人の花嫁」をプロデュース。76年からメールアートを始め、60カ国との交流を続けネットワークを構築する。86年、頭を剃り上げメッセージを書き込み、その写真を諸外国の政治家らに送り、平和へのメッセージの返信を求めるヘッドアートを行なう。94年、日本障害者芸術文化

1956年の野外美術展作品《砲による絵画》の再制作

協会会長に就任する。98年、ロサンゼルス現代美術館などを巡回した「Out of Actions」に出品。これらの作品の多くに壮大なパフォーマンスが行われた。著作に『ぼくはこうして世界の四大アーティストになった』(2001年)などがある。

白 髪 一 雄
Shiraga Kazuo｜1924–2008

兵庫に生まれる。中学時代に美術に興味をもつ。戦中は陸軍通信隊に配属される。1948年復学した京都市立絵画専門学校(現・京都市立芸術大学)を卒業。52年、新制作協会の仲間たちと「0会」を結成。53年頃には抽象絵画に取り組み、54年、吊るした綱につかまり、足につけた絵具で床のキャンバスに描く、フットペインティングを開始、後に白髪の代名詞となる。55年、「0会」のメンバーと具体美術協会に合流する。同年の野外展では斧で切り込みを入れた10本の赤い柱の内部から外を見る作品を、第1回具体美術展(東京・小原会館)では1トンの泥の中を這いずる《泥にいどむ》を出品、いずれも具体を代表する作品と目される。58年のニューヨーク、65年のアムステルダムなど具体の海外展に数多く参加する。71年、比叡山延暦寺で得度し、法名「素道」を授かる。2001年に兵庫県立近代美術館で回顧展。15年にダラス美術館で元永定正との二人展が開催。尼崎市総合文化センターに白髪一雄記念室がある。

上: 1955年の実験展作品《どうぞおはいり下さい》の再制作
下: 1956年の野外美術展作品《○》の再制作
奥に山崎つる子、左に白髪富士子の作品が見える

白 髪 富 士 子
Shiraga Fujiko｜1928–2015

大阪に生まれる。旧姓は植村。大阪府立大手前高等女学校(現・大阪府立大手前高等学校)卒業。1948年に白髪一雄と結婚。52年頃から制作に取り組み、55年に具体美術協会会員になる。同年「真夏の太陽にいどむモダンアート野外実験展」に《白い板》を出品、第1回具体美術展(東京・小原会館)に、和紙のシワや折り込みでテクスチャーを見せる作品を出品する。61年から白髪一雄の制作をアシストすることへ活動をシフトした。

鷲 見 康 夫
Sumi Yasuo｜1925–2015

大阪に生まれる。1950年立命館大学経済学部卒業。54年嶋本昭三の紹介で吉原治良と出会う。同年芦屋市展に入選し、以後入賞を重ねる。教員生活を送りながら活動を進める。55年、「真夏の太陽にいどむモダンアート野外実験展」に参加、同年具体美術協会会員となり、第1回具体美術展(東京・小原会館)に出品、以後毎回出品する。57年、「舞台を使用する具体美術」(大阪・産経会館)では吊るされたビニールに舞台裏側からひしゃくで様々な色の塗料を散布し、観客に塗料がかかるような錯覚を起こさせる行為《オートマニズムによる絵画》を発表。83年、具体・AUの6人展(デュッセルドルフ)、88年、ジャパニーズ(ニューヨーク)などの海外展に参加、92年に伊丹市立生涯学習センター、2001年に伊丹市立美術館で個展開催。

1956年の野外美術展作品《表面》の再制作

田 中 敦 子

Tanaka Atsuko | 1932-2005

大阪に生まれる。1951年京都市立美術大学（現・京都市立芸術大学）を中退し大阪市立美術館付設美術研究所に学び、後のパートナーとなる金山明と出会う。53年頃「0会」に参加。55年、具体美術協会に参加（65年退会）。同年第1回具体美術展（東京・小原会館）で床に2メートル間隔に置いた20個のベルが順に鳴っていく作品を出品。56年の「野外具体美術展」に高さ4メートルの人形7体が並ぶ《舞台服》を、同年第2回具体美術展で電球約90個と管球約100個を組み合わせ明滅する《電気服》を発表。いずれも田中の代表作とされる。一方、電球やコードをモチーフとした絵画作品も発表する。72年個展（東京・南画廊）。98年、岡部あおみ監督の記録映画「田中敦子 もうひとつの具体」完成。2001年回顧展（芦屋市立美術博物館他）、07年、ドクメンタ12に1955年の10メートル四方のピンクの布を地上30センチに張る作品を再制作。2011年よりアイコン・ギャラリー（イギリス）、カステジョン現代美術センター（スペイン）を巡回した回顧展が、12年に東京都現代美術館で開催された。

1956年の野外美術展作品《舞台服》の再制作

村 上 三 郎

Murakami Saburo | 1925-1996

兵庫に生まれる。1943年関西学院大学に入学、在学中に応召し、戦後復学して50年関西学院大学大学院美学科修了。49年、新制作派展に出品（54年まで）。52年白髪一雄らと「0会」を結成。55年具体美術協会会員になる。同年、「真夏の太陽にいどむモダンアート野外実験展」に参加、同年の第1回具体美術展（東京・小原会館）で展示入口に重ねて貼ったハトロン紙を全身で突き破る《入口》を行なう。この頃から児童画教育に携わる。56年の「野外具体美術展」で発表された等身大の布製円筒内部に入り空を見上げる立体は、木枠だけぶらさげ風景を見る「絵画」へ展開する。同年の第2回具体美術展（東京・小原会館）ではハトロン紙の衝立21個を一気に破り抜ける《通過》を行ない、具体の代表的な作例としてあるが、その記録写真からは伝わらない「音」も重要な要素だった。それは70年代「無言」「一言も言わないことが作品」へとつながる。94年、「限界を超えて 1952-1994」（パリ、ポンピドゥー・センター）に出品。96年、2022年に回顧展（芦屋市立美術博物館）。

1956年の野外美術展作品《あらゆる風景》の再制作（手前）

元 永 定 正

Motonaga Sadamasa | 1922-2011

三重に生まれる。1938年三重県上野商業学校（現・県立上野商業高校）卒業。53年、芦屋市展で抽象絵画と出会う。54年、具体美術協会に参加（71年退会）。55年、芦屋公園での「真夏の太陽にいどむモダンアート野外実験展」では、ビニール風呂敷の四隅をロープでしっかり結び、その中には赤い液体が三升入れられ、地上2メートルの高さにぶらさがっている「水」の作品を発表、具体の代表的な作品とされる。57年頃からはエナメル樹脂をたらし込む絵画を制作、活動のジャンルは立体、版画、パフォーマンス、絵本、家具などへ広がってい

1956年の野外美術展作品《水》の再制作

く。作風は曲線を主としたやわらかな感じを持ち味としている。2002年に西宮市大谷記念美術館、09年に三重県立美術館での個展、15年にはダラス美術館で白髪一雄との二人展が開催された。

山崎つる子

Yamazaki Tsuruko | 1925−2019

兵庫に生まれる。1946年、吉原治良の美術講座を聞き師事する。48年小林聖心女子学院英語専修科卒業。この年芦屋市展に出品。54年、具体美術協会に参加。55年、芦屋公園での「真夏の太陽にいどむモダンアート野外実験展」に赤い硬質ビニールで蚊帳状に吊り下げた作品を展示。同年、第1回具体美術展（東京・小原会館）に出品、以後具体展には21回まで参加。61年、「日本の伝統と前衛」展（トリノ）や65年のヌル国際展（アムステルダム市立美術館）をはじめ、国内外の具体グループの展示に参加する。67年に個展（大阪・今橋画廊）。70年の大阪万博美術展では具体グループと野外の共同制作を行なう。具体解散後は、パチンコ台などをモチーフとしたポップな絵画、80年代には犬など動物をモチーフとするようになる。画面には赤色が山崎のトレードマークのようにあり、光の表象ともいえる。

1955年の実験展作品《蚊帳状立体作品》の再制作

吉田稔郎

Yoshida Toshio | 1928−1997

兵庫に生まれる。1954年、具体美術協会に参加。協会展には毎回出品し、また事務局の役割を担い、吉原治良の秘書も務めた。56年の「野外具体美術展」では鏡の破片をはめ込んだ平面に外側の景色が映る作品を発表。作品は絵筆を使わず、板に穴を空けたり焦げ目をつけたり、またスポンジや泡を用いるなどユニークな取り組みが多い。59年「タピエが選ぶ日本人作家」（東京・現代画廊）に出品。62年に個展（大阪・グタイピナコテカ）。70年、大阪万博のフィナーレでの「具体美術まつり」では美術を担当した。76年、大阪府民ギャラリーで個展開催。

1956年の野外美術展作品《杭》の再制作

吉原通雄

Yoshihara Michio | 1933−1996

兵庫に生まれる。吉原治良の次男。1946年頃から油彩に取り組む。54年、具体美術協会に参加（68年まで）。55年関西学院大学卒業、在学中は絵画部に所属した。制作活動と並行し父が経営する吉原製油に87年まで勤める。55年、読売アンデパンダン展に、新聞紙を支持体にした油彩を出品。56年の「野外具体美術展」では、電球を地中に埋めた作品を発表し、以後石や砂をコールタールと混ぜた地面を思わせる作品など、大地や光をモチーフにしていく。63年に個展（大阪・グタイピナコテカ）。65年、アムステルダム市立美術館で開催されたヌル国際展では具体の特別室を構成した。71年、個展（大阪・今橋画廊）。2003年には芦屋市立美術博物館で個展開催。

1955年の実験展作品の再制作

出品作品について

野外展の様子については、参加作家のひとりである嶋本昭三の著作『芸術とは、人を驚かせることである』(1994年) に詳しいので、以下抜粋する。

　「一九五六年のぼく達の画期的な提案は、より効果的に実現した。例えば、山崎つる子はブリキを様々な大きさの菱形に二十個ほど切り取り、鎧状にして松の木から連ねて吊した。この作品は、松の木と一体になって存在しているのである。金山明は白いビニールに足跡を延々と記し、松の木に這わせた。吉原通雄は土に穴を掘って電球を埋めて土の中から光を輝かせた。吉田稔郎は白い杭のようなものを松林の中に百二十個連ねた。田中敦子は十メートル×十メートルのピンクの薄い布を何の細工もせず緑の中に置いて風にはためかせた。鷲見康夫に至っては、金網に模造紙を貼りつけ、その上にペンキを付けた番傘でなぐりつけて描き、雨ざらしにして自然と一体化させた。ビエンナーレは長期間なので、彼の作品には鳥が巣をつくるのではないかと言われていた。

　ぼくは今回六点のアートを出品したが、そのひとつに十メートル×十メートルのビニール布を並木に吊した作品がある。これは大きな風を受けることになるので、下部のほうは固定しなかった。すると、この巨大なビニール布は風が吹く度に木々に絡まり、並木と風で演出された。(略)

　白髪一雄は二メートルほどのアンパン状の塊を出品している。一応アンパンと表現したが、別に何らかの具体的な形を表しているわけではない。泥という物質のもつ質感そのままに盛り上げて、泥という物質そのものを表現したものである。元永定正は色つきの水をチューブに入れてビエンナーレ入口正面の並木に何本も吊した。水の重みで自然に垂れ下がってできた形をそのまま表現しているのであって、チューブと水とで別の何かをつくりあげているわけではない。村上三郎はアスファルト・ルーフィングを大地に置き、たくさんの人達が見守る中で走りながら裂いた」

久 保 田 成 子

Kubota Shigeko｜1937−2015

新潟に生まれる。両親ともに教師で、祖父は南画家。高校時代や東京教育大学芸術学科彫塑専攻在学中には公募展へ出品していた。1960年頃から叔母・邦千谷が主催する舞踊研究所に集う前衛的な芸術家たちの活動が、創作への道標となった。「グループ音楽」、「ハイレッド・センター」の作家やオノ・ヨーコらと知り合い、読売アンデパンダン展への出品や内科画廊で個展(63年)を行なう。64年渡米、ニューヨークでフルクサスのメンバーに加わる。65年、後にパートナーとなるパイクのアイデアによる《ヴァギナ・ペインティング》のパフォーマンスを行なう。70年頃からビデオによる作品制作に取り組み、76年、彫刻とビデオを組み合わせた「ヴィデオ彫刻」を発表。87年、ドクメンタに参加。91年、ニューヨークの映像ミュージアム(MMI)で初回顧展。著書に『私の愛、ナムジュン・パイク』(2013年) がある。2021年、新潟市美術館他を巡回する回顧展が開催される。

展示風景 エデンの園 1993

出品作品について

《エデンの園》、《ビデオ・ドリームスケープ（韓国の墓、ジョギング・レディー、自転車の車輪など）を出品。

13人のキュレーターにより約130名の作家が選出され参加した大規模な展覧会となった。日本人3名はジェフリー・ダイチによって選出され、キキ・スミスら二人のアメリカ人作家とともにアルセナーレに展示された。

椿　昇

Tsubaki Noboru | 1953–

京都に生まれる。京都市立芸術大学美術専攻科修了。1980年代の関西ニューウェーブの作家のひとりとされる。1989–91年、アメリカ7都市を巡回した「アゲインスト・ネイチャー 80年代の日本美術」に参加。椿が名付けた「自然に抗う」といった意味をもつこの展覧会タイトルは、日本が自然に親しみ、自然と融合しているという西欧人のもっている一般的イメージにあえて一石を投じた。2001年の横浜トリエンナーレでは50メートルの巨大な風船《インセクト・ワールド-飛蝗（バッタ）》を室井尚と制作し、ホテルの外壁に設置。一見ポップな作品だが、現代社会の抱える危機的な状況への警告を内包させている。他に、アメリカ同時多発テロ事件をきっかけとして平和の意味を捉え直す、「UN APPLICATION PROJECT」や東日本大震災復興のための「VITAL FOOT PROJECT」など、時勢に応じた様々なプロジェクトを構想する。17年よりAOMORIトリエンナーレディレクター。長年にわたって美術教育にも携わり、京都造形芸術大学（現・京都芸術大学）美術工芸学科の卒業制作展をアートフェア化した。18年よりARTISTS' FAIR KYOTOのディレクターを務め、アートを持続可能社会実現のイノベーションツールと位置付けている。

ゴールデン・ハーモニー　1993

出品作品について

FRPで作られ、着色されたポップな鯉の立体を床に並べた《ゴールデン・ハーモニー》を出品。本来戦闘的ではない鯉が車輪のついた板に乗り、それを引っ張るとじわじわと他の場所に干渉してゆくというプランだったが、ブースごとに仕切られた会場ではそのコンセプトを生かすことは難しかった。椿はこの作品を「ポリティカル・ロボット」と名付け、自由に見えても実は政治的な力に操作されている西洋に対するメタファーとして制作している。

中原浩大

Nakahara Kodai | 1961–

岡山に生まれる。1986年京都市立芸術大学大学院修了。関西ニューウェーブを代表する作家として注目を集め、大理石やブロンズから毛糸の編み物、レゴブロックやプラモデルなどを用いる多種多様な作品により、彫刻の概念を拡張。既成の美少女フィギュアを使用した《ナディア》(1991–92年)は村上隆にも影響を与えた。その後、映像やインスタレーション、パフォーマンスなどに活動の場を広げる。92年、「アノーマリー」展（東京・レントゲン藝術研究所）に参加。95年、阪神、淡路大震災の体験をもとに子どもの緊急の居場所について考えるプロジェクト「カメパオプロジェクト」を設立。96–97年に文化庁派遣在外研修員として

ニューヨークに滞在。主な個展は「中原浩大 Drawings 1986–2012 コーちゃんは、ゴギガ？」（伊丹市立美術館、2012年）、「中原浩大 自己模倣」（岡山県立美術館、2013年）など。16年、釜山ビエンナーレに出品。

出品作品について

ピンク色の鉄製タンク、サーモヒーター、シリコンラバー製人形、写真などで構成された《僕と妻、あるいは将来の子供と一緒にフローティングするためのモジュール》（1993年）の資料展示を行なう。人形は本人から型取られた未来の子どもの姿。つながったタンクは、窓から顔を出して温度調整をした水の中に向かい合って浸かることができる作家の家族専用のもの。本作はあくまでも「家族」という個人的なテーマを扱っていて、そこから一般論を導き出すことはできないと中原は作品のステートメントに書いている。

僕と妻、あるいは将来の子供と一緒にフローティングするためのモジュール　1993

柳　　幸　典

Yanagi Yukinori | 1959–

福岡生まれ。武蔵野美術大学大学院修了後、イエール大学大学院美術学部彫刻科修了。修了展で発表した《ワンダリング・ミッキー》はヴィト・アコンチなどの推薦を受けて優秀賞となる。1986年より、国旗が蟻によって侵食されていく〈ワールドフラッグ・アント・ファーム〉シリーズを発表。本作やウルトラマンとウルトラセブンが万歳をして整列し、日の丸の形を作り出している《バンザイ・コーナー》（1991年）など、政治的、社会的問題に鋭く切り込んでゆく。93年、イエール大学フェローシップ美術学部優秀賞を受賞。以後ニューヨークにスタジオを構え、96年サンパウロ・ビエンナーレ企画展「ユニバーサリス」、97年リヨン・ビエンナーレに参加。2000年のホイットニー・バイアニュアルにニューヨーク在住の海外作家として初めて選ばれる。06年、釜山ビエンナーレに出品。1995年に構想した銅の精錬所跡地を再生する「犬島プロジェクト」は2008年に「犬島精錬所美術館」として完成。主な個展に「ワンダリング・ポジション」（BankART Studio NYK、2016年）。

出品作品について

代表作〈ワールドフラッグ・アント・ファーム〉シリーズを出品。透明なプラスチックの箱の中に、国連に加盟している国々の国旗が着色した砂でつくられ、そこに無数の蟻が飼育されている。それぞれの国旗は独立しているが、その間は透明なチューブで繋がれて、蟻が巣作りのために移動することで、国旗も形を変えてゆく。越境やボーダーレスといった国家間の問題を表現したメッセージ性の強い本作によってスウォッチ賞を受賞。

ワールドフラッグ・アント・ファーム　1990

トランスアクションズ──ペドロ・アルモドヴァル

「トランスアクションズ（横断的行為）」には美術、映画、演劇、音楽各分野の作家が参加。そのなかの「ペドロ・アルモドヴァル」展はクリスチャン・リーが企画し、ジュデッカ島ジッテレ旧穀物倉庫で開催された。映画監督であるペドロ・アルモドヴァルの世界観をテーマにして、32名の作家が選出される。壁と床がポップな蛍光色で塗り分けられ、ブラックライトで照らされることで、全体がひとつのインスタレーションと化した会場内において、森村泰昌と横尾忠則らが作品を展示。太郎千恵藏はサン・マルコ寺院が見渡せる運河沿いに彫刻を展示した。

会場風景

太 郎 千 恵 藏

Taro Chiezo | 1962–

東京生まれ。1981年に渡米、ニューヨーク大学ティッシュ・スクール・オブ・アートで学び、バスキアやクーンズが活躍していたニューヨークのアートシーンで制作活動を始める。91年、アラン・ジョーンズ企画による「見えない身体」展（レンバイア・ギャラリー、ニューヨーク）に出品。また同年、「ホテル48時間」展（オフ・ソーホー・スイート・ホテル、ニューヨーク）で、首から上のない子ども（服）が音を立ててモーターで動き回るロボットを初めて発表する。92年から93年、ジェフリー・ダイチの企画による「ポストヒューマン」展（ヨーロッパ5美術館を巡回）に出品。人間とロボットの相関的な関係に注目し、ロボット彫刻を制作。当時中原浩大、奈良美智、村上隆とともにネオ・ポップの作家のひとりとされた。ニューヨーク、ソーホーのサンドラ・ゲーリング・ギャラリーで個展（1993、96、99年）。アート・トランスペナイン98（テート・ギャラリー・リヴァプール、98年）にて4mの野外彫刻《Super Lambanana》を制作。ブルックリン美術館を含む全米6美術館を巡回した「マイ・リアリティ」展（2001年）に絵画と彫刻を出品。古典絵画を下敷きにしながら、アニメや特撮のモチーフを取り入れた絵画の作品を制作するなかで、90年代半ば頃より、絵画制作を本格的に行なうようになる。現在ベルリン在住。

出品作品について

鮮やかなピンク色に彩られたダチョウと球体がハイブリットになったロボット彫刻《O-7003P》を出品。開催期間中、1964年にナムジュン・パイクと阿部修也の《Robot K-456》がソーホーをリモートコントロールで歩いたパフォーマンスにならい、《O-7003P》もヴェニスの運河沿いをリモートコントロールで歩くパフォーマンスを行なった。

O-7003P 1992

森 村 泰 昌

Morimura Yasumasa | 1951–

大阪に生まれる。高校で美術部に入り、現代美術に興味をもつ。1975年京都市立芸術大学卒業。80年に一時中断していた写真作品の制作を再開。83年、シルクスクリーンによる初の個展を開催。85年、森村自身が扮装してフィンセント・ファン・ゴッホの自画像になりきる写真作品を発表。以降、今日に至るま

で一貫してセルフポートレートをテーマに美術作品や歴史を再構成している。88年にヴェネチア・ビエンナーレ「アペルト88」に出品。89年にレンブラントの《テュルプ博士の解剖学講義》(1632年)をモチーフとして、9つの自画像で構成される《九つの顔》を制作。その頃より写真だけではなくパソコンを駆使して画像加工や合成を行なう。89年、全米を巡回した「アゲインスト・ネーチャー　80年代の日本美術」展に出品。当初はシミュレーショニズムやアプロプリエーション(盗用芸術)との関連で語られた森村の作品だが、セルフポートレートの題材は、美術史上重要とされている作品だけではなく、マリリン・モンローや三島由紀夫などそれぞれの時代を象徴する人物にも及んでいる。近年はアンディ・ウォーホル美術館(2013年)、国立国際美術館(2016年)、プーシキン美術館(2017年)、アーティゾン美術館(2021年)などで個展を開催。2018年、大阪に自身の美術館「M@M(モリムラ@ミュージアム)」を開館した。

出品作品について

バレエ・リュスの作品「牧神の午後」を踊るニジンスキーに扮した《だぶらかしダンサー1》を出品。ぶどうの房と葉で装飾した牛を連想させるまだら模様の衣装の元はレオン・バクストのデザイン。森村のこの作品は、ヴェネチアで客死し、サン・ミケーレ島に眠るバレエ・リュスの主宰者ディアギレフへのオマージュだと想像を巡らすこともできる。

だぶらかし ダンサー1　1988

横 尾 忠 則

Yokoo Tadanori | 1936-

兵庫に成瀬忠則として生まれる。1939年に父方の伯父の養子となり横尾姓になる。子どもの頃より細密描写に才能を発揮する。60年代のデビュー以来、グラフィックデザイナー、イラストレーターとして世界的に注目を集める。66年、絵画による初個展(東京・南天子画廊)を開催。67年、寺山修司主宰の「天井桟敷」に参加し、美術を担当する。69年に公開された大島渚監督のドキュメンタリータッチの映画『新宿泥棒日記』で、当時新進芸術家として脚光を浴びていた横尾が主役に抜擢される。67年、ニューヨーク近代美術館にポスター15点が収蔵され、72年個展。80年、同美術館でピカソの大回顧展をみて画家になることを決意し、「画家宣言」を行なう。以後画家として、洞窟や滝といった自然風景から、街中のY字路を描いたシリーズ、スターの肖像画まで、多様な作品を生み出す。76年のヴェネチア・ビエンナーレ企画展「5人のグラフィック・アーティスト」に出品。2012年に神戸市灘区に横尾忠則現代美術館、13年に瀬戸内海の豊島に豊島横尾館が開館する。21年から22年に個展「GENKYO 横尾忠則　原郷から幻境へ、そして現況は?」(愛知県美術館、東京都現代美術館他)が開催された。

出品作品について

キュビスム風の肖像画《いつか、それは実現するだろう、しかし誰が知っているのだろう》を出品。何らかの手違いで作家のもとに返却されないままになったことから、2014年制作の《De Chirico misses Böcklin and Niezche》には、画中にヴェネチアで行方不明になった本作を描くとともに、指名手配のポスターに見立て、「45th VENICE VIENNALE 1993」と「WANTED(捜索中)」の文字を配している。

いつか、それは実現するだろう、しかし誰が
知っているのだろう　1988

企画展「カシノ・コンテナ (Casino Container)」

ケルンのグループであるMASA (Media &Art Service und Ausstellungen) が1992年のドクメンタに続いてヴェネチアでもこのプロジェクトを実現する。移動可能な施設として、コンテナ内にはバー、キッチン、最上階に「エレクトロニックカフェインターナショナル」を設置、ISDN回線を介してサンタモニカ、プラハ、パリ、ケルン、福井、東京など世界の様々な場所を結びつけた。期間中、毎週あらゆるジャンルのゲストが参加し、ネットワークの構造と交信相手から得られた結果を発表。数人のシェフが交代で、ビエンナーレに参加するアーティスト、スタッフ、訪問者のためにランチとディナーを準備した。日本からは、武蔵野美術大学 (東京)、K-Bit Institute (福井) の山本圭吾らがネットワーク・パートナーとなる。他に当時ヨーロッパを拠点としていた緒方篤が出品。

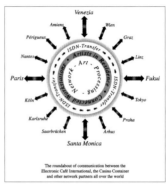

左：カシノ・コンテナの外観
右：カシノ・コンテナ・プロジェクトの
コミュニケーション図

緒　方　　篤

Ogata Atsushi ｜ 1962 –

兵庫に生まれる。ハーバード大学卒業後、富士通に入社。その後休職してマサチューセッツ工科大学で「アートとテクノロジーの融合」をテーマに研究し、修士課程修了。ケルンのメディア・アート・アカデミーKHMに客員作家として招待され、富士通を退社。客員作家時代は、ヨーロッパ各国を巡り、撮影・編集した作品を各地のビデオ・フェスティバルや美術館で上映。以後フリーランスの映像作家・監督としてドイツ、オランダを中心に活動、アメリカ、日本でも作品を発表する。2006年「大地の芸術祭　越後妻有アートトリエンナーレ」から委託を受けて十日町 (新潟) を舞台とした短編映画『不老長寿』を制作。本作は、新人監督の登竜門として名高いニュー・ディレクターズ／ニュー・フィルムズ映画祭2007 (MoMA／リンカーンセンター) で入選。日本に拠点を戻して制作した長編監督デビュー作『脇役物語』(2010年) も上海、カリフォルニア、ニューヨーク、インドなど多数の海外映画祭で入選した。

オ ノ ・ ヨ ー コ

Yoko Ono | 1933−

小野洋子、現在はヨーコ・オノ・レノン。東京に生まれ、幼児期に自由学園で作曲をはじめとする音楽教育を受ける。1952年学習院大学哲学科入学後渡米、ニューヨーク州のサラ・ローレンス・カレッジで詩と音楽を学ぶ。在学中に、音符を言葉に置き換えた楽譜(スコア)の制作を始める。東京に滞在中の62年に草月会館で発表した《絵のためのインストラクション》は、言葉のみを記した楽譜を額装し絵画として提示した、コンセプチュアル・アートの先駆的な試みである。同会館のホールではイヴェントを行なっているが、い

ずれも観者の存在によって完成するものであった。ニューヨークに戻り、マチューナスらのフルクサスと活動。また、ジェンダーの問題を主題とする作品制作を行なうことでも知られている。これらの独創的な作品や多岐にわたる活動が高く評価され、通算4回のヴェネチア・ビエンナーレ(1990、93、03、09年)に参加した。2009年のアルセナーレでの企画展「世界を制作する」では、初期のインストラクションの展示とパフォーマンスも行なわれ、これまでの業績に対し金獅子賞功労賞が授与されている。

展示風景《ウィッシュ・ピース》1990年
Photo: Guido Harari Courtesy of Yoko Ono

展示風景《ふたつの部屋》のうちルーム1 1993年
Photo: Jorg Starke ©Yoko Ono

展示風景《ヌートピア建国宣言》2003年
Photo: Anne Terada ©Yoko Ono

出品作品について

1990年｜企画展「**フルクサス・フェスティバル―流れ(フルクサス)のあるところに運動あり**」｜**ジュデッカ島**

ロンドンのリッソン・ギャラリーで行なわれたHALF A WIND SHOW(1967年)から、2脚の椅子、ラジオ、スーツケース、キャビネット、ガラスと彫刻がついた金色の額縁、コード付きヒーター(全て1967年作)の写真の他以下を出品。

《THIS IS NOT HERE(これは、ここではない)》(1990年)

《Wish Piece(ウィッシュ・ピース)》(1973/1990年)

《Look At Me I'm Only Small(ぼくを見て)》

《Sky Piece for Jesus Christ(イエス・キリストのためのスカイ・ピース)》(1965/1990年) ラリー・ミラーが企画したパフォーマンス。

1993年｜企画展「**東方への道**」｜**ジャルディーニ**

〈Two Rooms(ふたつの部屋)〉(1993年) 詳細は316ページ参照

2003年｜企画展「**ユートピア・ステーション**」｜**アルセナーレ**

〈IMAGINE PIECE(イマジン・ピース)〉(2003年)
2部屋と庭でのインスタレーション。

ルーム1(非公開)

《Gates of Nutopia／NUTOPIAN EMBASSY(ヌートピアの門：ヌートピア大使館)》(2003年)他 詳細は316ページ参照

ルーム2

《DECLARATION OF NUTOPIA(ヌートピアの建国宣言)》(1973/2003年)他 詳細は316ページ参照

庭園

《Mend Piece(メンド・ピース)》(1966/2003年)
手書きのメモ「世界のために壊れたものを直しなさい」。

《Wish Tree(ウィッシュ・ツリー)》(1996/2003年)
手書きのメモ「ウィッシュ・ツリー」。

《Globe Your Own(自分の世界)》(2003年)

2009年｜回顧展「アントンの思い出」｜
パラツェット・ティト（アルセナーレ）

6部屋のインスタレーション。

入口・廊下

《Outro（アウトロ）》（2000年）

《Helmets Pieces of Sky（空のヘルメット・ピース）》（2001-2009年）

《We Are Watching You（私たちはあなたを見ている）》（2009年）

《PROMISE PIECE（プロミス・ピース）》（1966／2009年）

階段の吹抜け

《COUGH PIECE（コフ（咳）・ピース）》（1961年、録音は64年頃）

ルーム1

《WATER TALK（ウォーター・トーク）》（1967年）

《THE YEAR 2002: Painting to be Slept On
（2002年 私と）》（1964-2008年）

《OPEN WINDOW（オープン・ウィンドウ）》（2009年）

《Memory Painting（メモリー・ペインティング）》

《SKY TV（スカイTV）》（1966-2009年）

《SKY TV（live）（スカイTV（中継））》（1966-2009年）

《The Blue Room Event（青い部屋のイベント）》（1966／2009年）
手書きのメモ「空が青くなるまで留まりなさい」。

ルーム2

《Outro（アウトロ）》（2000年）

展示風景《ウィッシュ・ツリー》 2003年
Photo: Karla Merrifield ©Yoko Ono

展示風景「アントンの思い出」のうちルーム1 2009年　Photo: Daniele Nalesso ©Yoko Ono

《Franklin Summer（フランクリンの夏）》（1994年‐現在）
113点のドローイング。

《The Suitcase Piece I（スーツケース・ピースI）》（2009年）

《The Suitcase Piece II（スーツケース・ピースII）》（2009年）

《The Suitcase Piece III（スーツケース・ピースIII）》（2009年）
手書きのメモ「行きたいところを書きなさい」。

《OPEN WINDOW（オープン・ウィンドウ）》（2009年）
手書きのメモ「窓の外のボート…」開かれた窓。

ルーム3

《Touch me III（タッチ・ミーIII）》（2009年）　詳細は317ページ参照

《Curtains（カーテン）》（2009年）

《The Blue Room Event（青い部屋のイベント）》（1966/2009年）
詳細は317ページ参照

ルーム4

《ANTON'S MEMOEY / COSMRTICS
（アントンの思い出／コスメティックス）》（2009年）

《My Mommy Is Beautiful（わたしの母は美しい）》（2009年）

《The Blue Room Event（青い部屋のイベント）》（1966/2009年）

《Outro（アウトロ）》（2000年）

ルーム5

《FREEDOM（フリーダム）》（1970年）

ルーム5と6の間

《The Blue Room Event（青い部屋のイベント）》（1966/2009年）
壁に手書きのメモ「これは床です」。

ルーム6

《SPACE TRANSFORMER（スペース・トランスフォーマー）》
（2009/2009年）

《Cut Piece（カット・ピース）》（1964/1965年）

《Cut Piece（カット・ピース）》（1964/2003年）

《Play It By Trust（信頼して駒を進めよ）》（バレンシア版）　2セット。

《OPEN WINDOW（オープン・ウィンドウ）》（2009年）
手書きのメモ「窓を開けて…」。

《The Blue Room Event（青い部屋のイベント）》（1966/2009年）
詳細は317ページ参照

《ANTON'S MEMORY（アントンの思い出）》（2009年）

《THE OTHER ROOMS（そのほかの部屋）》（2009年）

2009年｜金獅子賞功労賞受賞と関連パフォーマンス

テアトロ・ピッコロでの講演とパフォーマンス。
PLAY IT BY TRUST（信頼して駒を進めよ）、CHAIR PIECE
（チェア・ピース）、MEASUREMENT PIECE（メジャメント・ピー
ス）、PROMISE PIECE（プロミス・ピース）。

2009年｜企画展「世界を制作する」｜ジャルディーニ・イタリア館

《Instruction Pieces（インストラクション・ピース）》（1960‐2009年）

《タッチ・ミー》ルーム3より　2009年　Photo: Daniele Nalesso ©Yoko Ono

展示風景「アントンの思い出」のうちルーム6　2009年
Photo: Daniele Nalesso ©Yoko Ono

長 澤 英 俊

Nagasawa Hidetoshi | 1940-2018

旧満洲（現・中国東北部）に生まれる。5歳のとき引き揚げ、母の故郷の埼玉の川島町で育つ。高校時代に美術に傾倒、1963年多摩美術大学を卒業後、東急百貨店家具設計室に就職する。66年、自転車で東南アジアから中東を横断し、イタリアに至る1年間に及ぶ伝説的な旅を行なう。ミラノでルチアーノ・ファブロらアルテ・ポーヴェラの作家たちと知り合う。オブジェの制作やパフォーマンスを行なっていたが、70年代には大理石やブロンズを用いた彫刻に専念する。しだいにプラトン以来の西欧の根底にあるイデア（どこかにある真の実在）を意識するようになり、イメージをとおして世界の本質を問う旅のような作品を導きだす。何かを支える柱、旅を思わせる船、空へ伸びる樹、水脈へ降りる井戸など、見える形に潜む影のような彼方を暗示させ、西欧の人々はその造形に禅への志向を見いだす。ヴァネチア・ビエンナーレには、72年、76年、78年、82年、88年の企画展に参加し、映像（199ページ参照）から野外彫刻まで幅広いジャンルに出品している。さらに93年にはイタリアの代表として参加を果たした。長澤のヨーロッパでの長い活動が高く評価された証左であろう。国内では93年から94年に水戸芸術館で個展、95年の個展「京の町家展」（京都・小西ギャラリー）、2009年には川越市立美術館、遠山記念館（川島町）、埼玉県立近代美術館の3会場で個展「長澤英俊 オーロラの向かう所」が開催された。モニュメントとしてつくばセンタービル広場に《樹》（1983年）、新宿アイランドに《Pleiades》（1995年）、東京ビッグサイトに《七つの泉》（1995年）などが設置されている。(Y)

1993

COLONNA 1972

PORTA 1975

出品作品について

1972年｜企画展「都市の彫刻」

《COLONNE》（1972年）は「柱」のこと。サン・マルコ広場の総督宮殿近くに設置。イタリア各地から採取した11本の大理石を各1センチの間隔を空けて並べた。

1976年｜企画展「国際的動向 1972-76」

《PORTA》（1975）は「門」のことで、1枚の板に彫られ、樹木の枝と蔓が絡みつくようにある。通り抜けられない「門」の向こうには暗闇が設定されている。70年代の代表作とされる。他に、《MUSA（ミューズ）》（1975年）と《MANO（手）》（1976年）を出品。

1982年｜アペルト82

「空間」と「時間」の二つのテーマが設けられ、長澤は「時間」に、《ROZZO（井戸）》（1980-81年）と《BARCA（舟）》（1980-81年）を出品。「井戸」は世界のどこかへつながるというメタファーでもある。舟のモチーフは繰り返し現われるが、海上を行くものとしてではなく、天上へ向かうかのように時に天井に吊り下げられることもあった。

1988年｜「野外彫刻展」

《EU》は「善」のこと。舟や家を暗示させるところに、長澤作品の系譜がみられる。白を基調とする全体の形象が、ジャルディーニの緑に効果的だった。

1993年｜イタリア館

《IRIDE》は「虹」のこと。上昇を暗示させる3枚の長い鉄の板を床に置かれた12面体、14面体、16面体からなる3つの大理石が支えている。

ROZZO 1980-81

EU 1988

IRIDE 1993

1990

第40回

5月27日——9月30日　49ヵ国が参加

サッカーのワールドカップ・イタリア大会と重なるため、例年よりも時期が早められた。1988年同様、ジョヴァンニ・カランデンテが総合キュレーターを務めた。過去2年間の美術の変化と若手作家の活動を重視して、未来につながる美術の現在を鮮明にするという意図のもと、「未来の次元」が統一テーマとなった。そのため、35歳以下の作家が参加する「アペルト90」に力が入れられた。同様の方針のもと、各国のパビリオンにも、作家の年齢の引き下げが要望された。前年にベルリンの壁が崩壊したことで、中央館では、DAAD（ドイツ学術交流会）が西ベルリンに招いて支援した、ドイツ人ではない作家の活動と、第二次大戦後のベルリン美術の変化を跡づけた「アンビエンテ・ベルリン」が特別展示された。ジャルディーニ以外での企画展として、アキーレ・ボニート・オリヴァの企画による、「フルクサス・フェスティバル——流れ（フルクサス）のあるところに運動あり」展が開催される。「アペルト90」はエイズ・アクティヴィズムで知られるアメリカのアーティスト集団「グラン・フューリー」やジェフ・クーンズの作品が物議を醸した。日本からはコンプレッソ・プラスティコ、松井智惠が出品。金獅子賞は、絵画はジョヴァンニ・アンセルモ（イタリア）、彫刻はベルント＆ヒラ・ベッヒャー（西ドイツ、現・ドイツ）、パヴィリオン賞はアメリカ館（ジェニー・ホルツァー）が受賞した。2000年賞がアニッシュ・カプーア（イギリス）に贈られた。

日本館カタログ

日本館について

日本館のコミッショナーは建畠晢。村岡三郎と、前回のアペルトにも出品した遠藤利克という、世代の異なる二人の作家が選出された。

今回のヴェネチア・ビエンナーレに日本館は二人の彫刻家の作品を展示する。その一人、遠藤利克は一貫して木を素材にしている作家であり、もう一人の村岡三郎は主に鉄を素材にしている作家である。遠藤の作品は寓意への傾斜を重く秘めており、村岡の作品は非情なまでの直接性を有しているが、そのことは彼らの選択する素材の意味に深く関わっているはずである。いやそれは単なる選択の問題ではなく、物質への根源的な想像力の問題であると言うべきであろう。彼らの思考の弁証法は物質に仮託されているのではなく、逆に"物質の夢"自体にその展開の契機を負っているのだ。（略）

彼らは彫刻の不透明な表面をはるかに不穏なものとして"われわれの時代の中に"励起するのである。

たとえば遠藤は火によって、村岡は熱によって、物質のはらんでいる固有の時間を呼び覚ます。それはわれわれにとってはあらかじめ失われた時間、共に生きられることのない時

展示風景　左：村岡三郎の作品　右：遠藤利克の作品

間である。火は消え、熱は去り、われわれの前には沈黙の時間だけが残されている。だがその"不在"のもたらす暗い情動は、われわれの原初的な記憶ともいうべきものの存在をひそかに告げるのである。それは内なる他者としてあらかじめわれわれの身体を支配しており、"物質の夢"はその他者性に輪郭を与えることによって、歴史を（歴史によって構造化された身体を）脅かす。

　外在化された主体の構造を自己消費するいわゆるシミュレーショニストたち、すなわちネオ・モダニストたちにとって、歴史は操作の対象として不断に現在化されるが、それは考えようによってはモダニズム芸術のもつ自己批評性のパロディーであり、歴史への逆説的な埋没であると言ってよい。こうした時代にあって、彫刻の意味を封殺しその表面を絶対的な異物として残置しようとするこの両者の批評的な歴史意識の重さは例外的なものとして注目されなければならない。(略)

　たしかに彼らは共に一種の観念的な資質をもつ作家ではあるが、何も作品において一つのスクールとして括りうるような傾向を示しているわけではない。また両者の組み合わせにとりたてて戦略的意図があるわけでもない。ただ私はこの二人の敬愛する彫刻家の仕事を同時に紹介する機会を与えられたことを誇らしく思うばかりである。

▶建畠晢　日本館カタログ

遠 藤 利 克

飛騨高山（岐阜）の宮大工の家に生まれる。少年時代、仏師に弟子入りして一刀彫りの技術を身につけた。学生時代に見た日本国際美術展「人間と物質」（1970年）に衝撃を受け、その企画者である中原佑介の講義をすべて受けたという。72年名古屋造形芸術短期大学卒業。74年、マーシャル・マクルーハンの「メディアはメッセージである」という言葉に挑発され、街頭で白いビラを配る行為が、美術家としての最初期の試みとなる。翌年初めて水を使った作品を制作。78年、所沢野外美術展で、大地に円形の穴を掘り、その中心に水を湛えるインスタレーション《水蝕V》を行なう。遠藤はこの作品による物語性の発見を「水の発掘」と名付け、自らの制作の基本的な考え方を「考古学的／神話的思考」と呼んだ。84年からの〈寓話〉シリーズでは桶や舟などのモチーフや表面を焼くことにより、生と死などの観念を想起させる。87年のドクメンタに参加。88年ヴェネチア・ビエンナーレ「アペルト88」、90年ヴェネチア・ビエンナーレに参加。90年代はフロイ

トの用語で「欲動」を示す「Trieb」と名付けられたシリーズが開始される。97年の《Trieb-振動I》では、秋山画廊（東京）の吹き抜けの空間を、一筋の水が落下し続けた。以後流動、落下する水の表現の可能性を探ってゆく。2001年横浜トリエンナーレに参加。06年、旧水力発電所である下山芸術の森 発電所美術館（富山県）での個展では水が落下し、内部を水浸しにするインスタレーションが話題となった。04年より開始した〈空洞説〉シリーズは「Trieb」と「考古学的／神話的

1990

上：泉―9個からなる　1989　　下：ヴェネチア市街のポスター

EPITAPH-cylindrical　1990

思考」を統合して、作品は死をめぐる情念や衝動が生成する「空の器」に見立てられている。

出品作品について

《EPITAPH-cylindrical》など大作3点とドローイング1点を展示。展示室中央に設置された《EPITAPH-cylindrical》（高さ3メートル、直径4メートル）は観る人を圧倒する巨大な円環の彫刻。燃やして炭化した木肌が剥き出しになり、周囲にはコールタールの匂いが立ち込めた。「円環はそれ以上に還元できない、幾何学的には究極的なかたちで、世界のどの地域でもシンボリックに扱われてきた。それがなぜかを考えながら、この形態を扱ってきた」と遠藤は作品の形態について語っている。また、「ピラミッドなど古代的なものはすべて身体に重きをおいて巨大に作られている。常識を超える過剰さは、位相が異なる身体と精神の経験を呼び起こす」と、作品が大きい理由についても言及している。

村 岡 三 郎

大阪に生まれる。1950年大阪市立美術研究所修了。54年、二科展に出品した《1954年7月》は大きな反響を呼ぶ。この作品は日本でもっとも早い時期に制作された鉄による溶接彫刻作品だと言われている。65年、現代日本彫刻展でK氏賞、69年には同展で大賞を受賞。60年代までの作品は人体を想起させたが、69年に二科会を退会して以降、鉄や塩、硫黄を使い、生命や死という根源的な問題を問い、重力、熱、光や音などの物理現象を作品に取り入れてゆく。80年代半ばより呼吸や代謝の問題を内包する人体に見立てた酸素ボンベを使用、その後も主要なモチーフとして継続的に使われる。作品に用いる塩への興味から86年と90年に中国西域を旅している。87年に回顧展「村岡三郎 1970-1986」(大阪府立現代美術センター)が開催される。89年「ユーロパリア89日本現代美術」展(ゲント市現代美術館、ベルギー)に出品。90年ヴェネチア・ビエンナーレに参加する。97年に回顧展「熱の彫刻—物質と生命の根源を求めて」(東京国立近代美術館他)が開催される。90年代以降は作品が大型化してゆき、2000年代に入ってからも横浜トリエンナーレ(2001年)、釜山ビエンナー

レ(2010年)をはじめとする国内外の展覧会に参加。継続的に制作、発表を続けていた。1981年から93年まで滋賀大学教授、93年から2002年まで京都精華大学教授を歴任。

出品作品について

出品作品9点のうち7冊の〈アイアン・ブック〉シリーズは、見台に載せた2枚の分厚い鉄板が蝶番で綴じられ、それぞれの頁にタクラマカン砂漠で採った虫や塩、水や熱が取り込まれた作品。《アイアン・ブック:熱の穴》では鉄板に彫られた小さな穴にスカラベが収められ、その横に採取地の経度と緯度が交差している。新作である《酸素—ヴェネツィア》は垂直に立てられた鉄板と6本の酸素ボンベから構成されていた。1本のボンベは鉄板の端に溶接され、他は等間隔に並んでいる。5本のボンベには石膏を塗布した帆布の包帯が巻きつけられている。音の出る方を内側にしたスピーカーが鉄板に取り付けられ、そこからヴェネチアの海中の音が聞こえる仕掛けになっていた。

1990

酸素—ヴェネチア 1990

小倉正史
ヴェネツィア・ビエンナーレ1990 レポート

3日間のオープニングには、かつてない数の日本の美術関係者の顔が見られた。応援団が取り囲んだような雰囲気だったが、遠藤利克と村岡三郎の展示はまずまずの成果を収めたと言っていいだろう。特に遠藤の作品は国際的に関心を持たれる度合が高かったのである。とはいえ、西ドイツのベッヒャーとムハ、イギリスのアニシュ・カプーアの展示が、パヴィリオンの空間の大きなスケールを生かして、圧倒的な印象をあたえていたことを考えると、小さな空間は小さな空間なりに、建物とアーティスト／作品の組み合わせについて、もっと工夫を凝らして演出をするべきではなかっただろうか。

► 『アトリエ』1990年9月号

上：アイアンブック：熱の穴 1986　下：アイアンブック：旋回する熱一右手 1986

菅原教夫
現代美術の粋を集め　ベネチア・ビエンナーレ

遠藤利克はタールのにおいを放つ、まっ黒に焼け焦げた円筒形の彫刻群を出品。とくに「エピタフ」は直径4メートル、高さ3メートルに達する大作である。また村岡三郎は鉄でできた本に加えて、数個の酸素ボンベの列が鉄板へと連接し、その端に規則的なリズム音をだすスピーカーをとりつけた「酸素―ベネチア」を出していた。いずれの制作も元素的な要素を提示した、ひきしまった作品で高く評価できる。問題はむしろ、力強い二人の作品を並べるにはパビリオンが手狭なことだった。

日本がこれまで出品作家を一人にしぼったのは、七六年（篠山紀信）の一度だけ。このところ二人ないし三人を選んでおり、窓口である国際交流基金によれば、それはできるだけ多くの作家を紹介したいからだという。だが、カネとスタッフを豊富に投入したうえでホルツァーなり、カプアなり一人にしぼって強力に押しだす米英に比べると、インパクトが弱くなりがちだ。

もちろんビエンナーレは今回の受賞も示すように欧米中心に運営され、アートワールドへの人脈が薄い日本側が、賞制度に対し作品だけではどうにもならないものを感じているのも事実だ。だが、この催しが美術のワールド・カップの性格を持つ以上、水準の高い日本の作品をいかに効果的にアピールしていくかは今後重ねて考えられていい問題だろう。

► 『読売新聞』1990年7月11日夕刊より抜粋

マイケル・キンメルマン

〔今回のビエンナーレでは、アメリカ、西ドイツ、イギリスのパヴィリオンが特に優れているが〕日本館の遠藤利克による、人工的に変色させた木を使った彫刻作品、〔カナダのジュヌヴィエーヴ・カデューやスペインのアントニ・ミラルダの作品は〕上記3カ国のパビリオンに較べると多少インパクトは弱いが、目立った存在であった。

► 『ニューヨーク・タイムズ』1990年5月28日

アペルト90

欧米の5人の委員によって選ばれた27カ国86作家が参加し、アルセナーレに展示した。

コンプレッソ・プラスティコ

Complesso Plastico (CP) | 1987–

展示風景　愛と黄金

1963年石川生まれの平野治朗と1965年福岡生まれの松蔭浩之が結成したアートユニット。その名称は、イタリア未来派のジャコモ・バッラとフォルトゥナート・デペーロによるマニフェスト「宇宙の未来派主義的再構成」に出てくる言葉から取られている。90年、ヴェネチア・ビエンナーレのアペルト部門に世界最年少で参加。90年代後半よりそれぞれ活動を行なっていた。93年、平野はユニット「LSX」を結成、水戸芸術館のアナザーワールド展に出品している。松蔭は、写真作品を中心にインスタレーション、パフォーマンス、グラフィックデザイン、ミュージシャン、俳優、映画監督など幅広い活動を行なう。また松蔭は、94年に会田誠、小澤剛らとともにアーティストグループ「昭和40年会」を結成している。2021年「平成美術：うたかたと瓦礫1989–2019」（京都市京セラ美術館）では久々に、平野治朗と松蔭浩之がコンプレッソ・プラスティコとして出品。企画・監修した椹木野衣は、かつて大きな影響力をもちながらその後言及されなくなったグループとして取り上げた。

出品作品について

薔薇や十字架、富士山や都庁などのイメージを取り入れ、セルフポートレートを使った作品を《愛と黄金》と名付け、6メートル四方に及ぶインスタレーションとして発表。3Dの技法もブームに先駆けて使用した。

松 井 智 惠

Matsui Chie | 1960-

大阪に生まれる。1984年京都市立芸術大学大学院修了。82年、初個展（大阪・ギャラリー白）。インスタレーションと呼ばれる展示形式が日本に定着する以前から、布や毛皮、レンガ、丸太などを空間に配する作品を発表し、高い評価を得る。80年代末からは、以前のような物語性を感じさせる作品から、鉛や漆喰、ガラスなどの素材を用いた抽象的あるいはミニマルなインスタレーションへと移行してゆく。2000年以降は、映像作品での発表が主となる。代表作〈ハイジ〉シリーズ（2004年-）は、ヨハンナ・シュピーリ原作の物語『ハイジ』をもとにしたもので、主人公の少女と現代に生きる自身を重ね合わせたセルフポートレートの意味合いをもつ。また松井は、初期の頃より作品制作と並行してマニキュア、カーボン紙など様々な素材や技法を用いたドローイングを描き続けている。14年のヨコハマトリエンナーレでは、一日に一枚毎日描いてゆく〈一枚さん〉シリーズを発表するなど、近年では「絵」の制作が中心となっている。

参考図版
のぞき窓から内部のドローイングを見る
その水は元の位置に戻る　1988

参考図版
その水は元の位置に戻る　1988

出品作品について

《水路―意中の速度》では、松井は与えられた空間の四方を壁で囲んだ。鑑賞者は通路側の漆喰を塗った白い壁の端にある入口から中に入る。内側の床と壁は鉛の板で覆われている。真ん中にはもうひとつ白い立方体が立っていて、その壁に開けられた六角形の小さな窓から中を覗くと、内側の壁に描かれたドローイングを見ることができる。内へ内へと誘い込む仕掛けである。床には壁に沿って石膏でできた側溝のような細長い立体がいくつも置かれて、その中にはガラスの破片が入っている。床には他に、ガラス板を積み重ねてできた六角柱や、天井から落ちて積もった青い糸も見える。鑑賞者は空間（＝作品）の中に入り込み、各々がもつ感覚を通じて作品を体感することとなる。「観客は一人の孤独者として、作品の中で「さまよえる旅人」になることができたかもしれません。「さまよえる旅人」の心に浮かぶものを結晶化して、流していくのが「水路」の役割です」と松井は語る。なお本作は、信濃橋画廊（大阪、1988年）、89年ギャラリー21＋葉（東京、1989年）で発表した作品をもとに制作された。(C)

水路―意中の速度　展示風景

企画展
「フルクサス・フェスティバル―流れ（フルクサス）あるところに運動あり」

ヨーゼフ・ボイスらフルクサスのメンバーを軸に、その周辺の人々も含め、前史から現在に至る流れを紹介。前史として具体グループが出品。フルクサスの作家として靉嘔、オノ・ヨーコ、久保田成子、小杉武久、斉藤陽子、塩見允枝子、刀根康尚、ハイレッド・センター、和田義正が出品。

フ ル ク サ ス

Fluxus

リトアニア出身のデザイナーで建築家のジョージ・マチューナスが提唱した前衛芸術家たちのグループ。1962年9月にマチューナスがヴィースバーデン市立美術館（西ドイツ）でフルクサス国際現代音楽祭を企画したのが始まりともされる。このコンサートは評判を呼び、63年にかけて、デンマーク、イギリス、フランス、ドイツ、オランダの各都市を巡回した。同年のマチューナスによるマニフェストでは、ヨーロッパを中心とした伝統的な芸術に対抗する前衛的性質を掲げながらも、フルクサスがラテン語で、流れる、変化する、といった意味をもつように、厳密な定義を避け、明確なイデオロギー的線引きをしなかった。マチューナスの呼びかけで集まった美術、音楽、詩、舞踊など幅広いジャンルの集団で、国籍もドイツ、アメリカ、日本、韓国など10カ国近くに及んだ。参加した芸術家はマチューナス、ヨーゼフ・ボイス、ナムジュン・パイク、ジョージ・ブレクト、ヴォルフ・フォステル、ディック・ヒギンズ、ラ・モンテ・ヤング、ベン・ヴォーティエ、ジョナス・メカス、靉嘔、小杉武久、オノ・ヨーコなど多数。66年には、ハイレッド・センターの「首都圏清掃整理促進運動」（1964年）がフルックスフェストで再演された。フルクサスの活動のなかでヒギンズが、領域越境的な試みが繰り返されることで新しい表現が生まれるという「インターメディア」の概念を提示し、その後の芸術表現にも影響を与えた。その活動は一回限りのものが多かったため、写真やビデオによる記録しか残っていないが、80年代から徐々に関心が高ま

流れ（フルクサス）あるところに運動あり 表紙中央の舌を出した顔は1965年の「フルクサス・オーケストラ」ポスターから引用されている。

会場入口

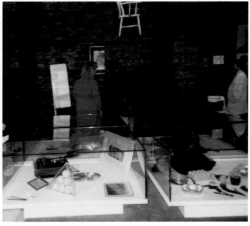

展示風景

り、90年代になるとフルクサス関連の展覧会が多数開かれ、研究者も競って本を出版。その流れで90年のヴェネチア・ビエンナーレで「フルクサス・フェスティバル」が開催された。

靉 嘔

234ページ参照

出品作品 《FINGER BOX-Kit》など

FINGER BOX-Kit 1963

久 保 田 成 子

129ページ参照

出品作品 《デュシャピアナ：階段を降りる裸体》、《アダムとイヴ》、《メタ・マルセル：窓（雪）》、《自転車の車輪》

小 杉 武 久

Kosugi Takehisa | 1938–2018

東京に生まれる。1956年、東京芸術大学音楽学部楽理科入学。在学中より主としてヴァイオリンによる即興演奏を始め、60年に即興演奏集団「グループ・音楽」を結成。62年、同大学を卒業。64年、武満徹、一柳慧とCollective Musicを結成。65年に渡米、ニューヨークを中心に音楽活動を行なう。67年、ヨーロッパに渡り、各地のフルクサス作家と接触して帰国。69年に即興演奏集団「タージ・マハル旅行団」を結成。70年、大阪万博でお祭り広場の音楽制作。77年にアメリカへ移住し、マース・カニングハム舞踊団の専属音楽家として、ジョン・ケージ、デヴィッド・チュードアらと活動。95年から2011年まで同団の音楽監督を務めた。1986年ポンピドゥー・センターの「前衛芸術の日本」に出品、パフォーマンスも行なう。08年横浜トリエンナーレに出品。16年、あいちトリエンナーレで最新作を含むインスタレーション作品を展示するとともに、1960年代から現在までの代表的作品を上演する。2018年の逝去に際し、『ニューヨーク・タイムズ』に追悼記事が掲載されるなど、国際的にも重要な作家であった。

メタ・マルセル：窓（雪）1976-77

参考図版
Interspersion for 20 seconds 1979-84

斉 藤 陽 子

Saito Takako | 1929–

福井に生まれる。父の意向により日本女子大学で児童心理を5年間学んだ後、久保貞次郎が提唱した創造美育運動に関わる。教えるのではなく、子ども自身がもっている表現力を促し、創造的人間を育てることを目標とする運動だった。この運動で出会い、先に渡米していた靉嘔の勧めにより1963年、ニューヨークに渡る。靉嘔にフルクサスの創始者ジョージ・マチューナスを紹介され、60年代から70年代を通してフルクサスに参加。マチューナスやオノ・ヨーコらとのコ

ラボレーションのなかで、パフォーマンス、マルチメディア、インスタレーション、彫刻作品などを制作。その後もパフォーマーと見る人の垣根を取り払う、というフルクサスの理想を保持し続けている。88年、デュッセルドルフ市立美術館で個展「斉藤陽子　デュッセルドルフの一人の日本女性：オブジェ」が開催される。2005年「前衛の女性1950-1975」展（栃木県立美術館）、08年「DISSONANCES 不協和音—日本のアーティスト6人」（豊田市美術館）に出品。1978年から83年までエッセン大学で教え、現在もデュッセルドルフで制作を行なっている。

Do it Yourself pictures 1982

塩 見 允 枝 子

Shiomi Mieko | 1938-

岡山に生まれる。旧名は千枝子。1961年東京芸術大学音楽学部楽理科卒業。作曲を長谷川良夫、音楽理論を柴田南雄に師事。在学中に小杉武久らとともに「グループ・音楽」を結成し、イベントと即興音楽に取り組む。63年、ナムジュン・パイクにフルクサスを紹介され、翌年ジョージ・マチューナスの招きでニューヨークへ渡り、フルクサスに参加。65年、世界各地の人に白紙のカードを送り、記入してどこかに置いてもらう「ことばのイヴェント」〈スペシャル・ポエム〉シリーズを開始し、以後10年間で9つのイヴェントを行なう。70年の結婚後は大阪へ拠点を移した。90年のヴェネチア・ビエンナーレでパフォーマンス「エアー・イヴェント」を行なったことで、欧米の芸術家たちとの交流を再開する。2005年、「前衛の女性1950-1975」展（栃木県立美術館）、08年、「DISSONANCES 不協和音—日本のアーティスト6人」（豊田市美術館）に出品。12年、東京都現代美術館「MOTコレクション クロニクル 1964—OFF MUSEUM」展の開催にあたり、トーク＆イヴェント「インターメディア／トランスメディア」を行なう。作曲、イヴェント、パフォーマンス、視覚詩の創作など活動は多岐にわたり、音楽に視覚や言語の要素を合わせた表現を追究し続けている。主な著書『フルクサスとは何か？—日常とアートを結びつけた人々』（2005年）がある。

Game around a Revolving Door 1967

刀 根 康 尚

Tone Yasunao | 1935-

東京に生まれる。1957年千葉大学国文科を卒業。60年に小杉武久らと「グループ・音楽」を結成し、即興演奏を行なう。ニューヨークのジョージ・マチューナスにテープや楽譜を送ることがきっかけとなり、日本国内からフルクサスに参加。同時期、ハイレッド・センターの活動にも参加し、赤瀬川原平の千円札事件では、中西夏之、高松次郎らとともに弁護側証人となった。60年から70年代にかけて『音楽芸術』や『現代美術』など数多くの雑誌に執筆し、『現代芸術の位相—芸術は思想たりうるか』（1970年）を出版。72年に渡米し、ニューヨークでフルクサスの活動に参加する一方、作曲活動を続ける。CDなど音響再生産メディアの盤面に故意に傷をつけて、ノイズを生み出す「ノイズ・ミュージック」で知られている。2001年横浜トリエンナーレに参加。02年、オーストリアのリンツで開催されるメディアアートの世界的イベント「アルス・エレクトロニカ」でデジタル・ミュージック部門の金賞を受賞している。アルバムとして、『詩経』のなかの漢字を画像に置き換え、それをデジタルデータ化して音に変換した『Musica

モレキュラー・ミュージック 1982-85

1990

Iconologos』（1993年）、万葉集4500首余りを素材にした『Wounded Man'Yo #38-9/2001』（2002年）、『Yasunao Tone』（2003年）などがある。

ハイレッド・センター

Hi-Red Center | 1963-64

高松次郎、赤瀬川原平、中西夏之の3名によって結成された集団。3人の名前の頭文字（高＝ハイ、赤＝レッド、中＝センター）をとって名付けられたが、メンバーは流動的で和泉達、刀根康尚、小杉武久らが一緒に活動することもあった。1962年、観客を晩餐会に招待し、主催者だけが晩餐をとるイベント「敗戦記念晩餐会」、同年駅のホームや電車内で突発的に行なわれたハプニング「山手線事件」を経て、63年、新宿の第一画廊での「第5次ミキサー計画」で初めてハイレッド・センターという名前が公にされた。64年、帝国ホテルに招待客を呼び寄せた「シェルタープラン」にはオノ・ヨーコ、横尾忠則が観客として参加している。同年池坊会館の屋上から様々なものを投げ落とした「ドロッピング・イヴェント」、銀座の路上を全身白衣にマスク姿で清掃する「首都圏清掃整理促進運動」で短い活動を終える。公共へ介入することによって、芸術の枠組みそのものの意味を問い直す活動を一貫して行なった。メンバーがナムジュン・パイクや久保田成子を通してフルクサスに共鳴し、交流をもっていたことで本企画に取り上げられた。

参考図版　首都圏清掃整理促進運動　1964

和 田 義 正

Wada Yoshimasa | 1943-2021

京都に生まれる。京都市立芸術大学で彫刻を学び、1967年、ニューヨークに渡る。ベトナム反戦運動、ウッドストック、ヒッピー文化、ニューエイジなど、カウンターカルチャーの影響を受けて、68年、パフォーマンスやコンサートでフルクサスの活動に加わる。ラ・モンテ・ヤングやパンディット・プラン・ナート（パキスタン出身のヒンドゥスタニー音楽家）、ジェームス・マッキントッシュ（スコットランドのバグパイプ奏者）らと共に音楽を学び、作曲やパフォーマンス、サウンド・インスタレーションや音響彫刻を制作。70年代、配管工の仕事で手に入れた器具を楽器に改造して使用した。80年、音楽と造形芸術の関係をテーマにした展覧会「眼と耳のために」（ベルリン芸術アカデミー）に参加。長年サンフランシスコに住み、ヨシ・ワダとして活動。ミニマル／ドローン・ミュージックの開祖のひとりと言われている。一時期は集団即興活動を行なっていたが、後年は単独ライブに専念した。息子のタシ・ワダも同様なミニマリズムの活動を行なっており、親子で共演することもあった。アルバムに『Lament for the Rise and Fall of The Elephantine Crocodile』（1981年）、『Earth Horns with Electronic Drone』（2009年）などがある。

1988

第43回

6月26日——9月25日　43カ国が参加

総合キュレーターはジョヴァンニ・カランデンテ。総合テーマは設定されなかった。中央館では、イタリアと密接な関係をもつ外国人作家による「アンビエンテ・イタリア」と「イタリアの芸術の現況」が開かれた。後者はサンドロ・クッキやフランチェスコ・クレメンテなどトランス・アヴァンギャルドの作家で占められた「新しいイコノロジー」、ヤニス・クネリスなどによる「代替技術」および「抽象」、「具象」、「自然」の各セクションで構成されていた。さらに中央館前の庭園で野外彫刻展が行なわれ、ここに長澤秀俊が出品した。ジャルディーニ以外では若い作家を集めた「アペルト88」、加えて40年前の1948年に開かれた「芸術の最前線」を再現した展覧会が行なわれた。「アペルト88」には、バーバラ・ブルーム、アンディ・ゴールズワージー、イリヤ・カバコフらとともに日本からは石原友明、遠藤利克、西川勝人、宮島達男、森村泰昌が参加。また日系アメリカ人のフジタ・ケンジも出品した。金獅子賞は国際賞がジャスパー・ジョーンズ（アメリカ）に、パヴィリオン賞はイタリア館に贈られた。また35歳以下の若手作家を対象とする2000年賞はバーバラ・ブルーム（アメリカ）が受賞し、トニー・クラッグ（イギリス）とエンツォ・クッキ（イタリア）が特別表彰を受けた。

日本館カタログ

日本館について

コミッショナーは、86年に続き酒井忠康。参加作家は、いずれも木を素材にした植松奎二、戸谷成雄、舟越桂。舟越は2000年賞の候補となり、戸谷、植松の作品は、現地で売約が成立した。

〔17世紀の遊行僧〕円空が日本各地に刻みのこした仏像群は、そ

の独創的な造形性において、大いに現代のわれわれを驚かし、強いインスピレーションをあたえた。1950年代はじめのことである。（略）

〔例えば日本の前衛美術運動に大きな影響をあたえた瀧口修造が円空について書いた一文は〕合理を目的とする近代化によって、まさしく疎遠なものとして埋れていたところの、自然に対する力の認識と、畏怖の感情を、あらためて円空の彫刻のなかに感じたことを証明している。（略）現代のわれわれが「中心の喪失」のなかに放置されているという精神の不毛な情況を考えると、（略）〔作家が〕時代の断片となってしまった想像力に、ひとつの生命ある形を附与するためには、創造行為のなかに「魂の道場」を探らなければならないということである。「円空からはじまる」としたのは、そのような情況のなかに身をおく現代の作家が、創造行為の本来的な発生をうながす所在の確認のためにひとつの手立てとなればいい、というわたしの願望をこめたものである。（略）

現代のわれわれは、円空の彫刻からあたえられる「形の生命」を、合理主義の行き詰りのなかに配置して、それを眺めるだけではなく、むしろ、積極的に円空から発信されてくると

展示風景　手前に戸谷成雄、奥左に植松奎二、奥右に舟越桂の作品

ころのメッセージを受信し、精神的な「聖なるもの」を観照すべき空間をひらかねばならないのである。

　今回日本館に展示する戸谷成雄、植松奎二、舟越桂の3人の作家たちは、こうした意図から選出された作家たちである。それぞれ創造行為の経験の内容がちがうから、同じ木という素材を用いた仕事ではあっても、表現の方法は、当然に異なったものとなっている。しかし、木のもっているさまざまな「素性」にかぎりない関心をもち、新しい課題を求めて手をのばしている、という点では共通している。造形の「詩学」を見失なって久しい現代の作家は、もはや、あらゆる分類法にも組しないが、自己の足もとに影のごとく潜伏している、再生されるべき伝統に、けっして無関心ではいられない。出会いにおける、いわばこの未知の世界は、未来であると同時に過去の時間を生きてみるところにも開示される。そうしたなかで、日本の伝統との新鮮な対話の契機をもちうるのならば、わたしは、それを「魂の道場」における「陶酔」とよびたい。

▶酒井忠康「円空からはじまる」日本館カタログ

コミッショナー

酒井忠康 ————

Sakai Tadayasu | 1941–

1986年と88年のコミッショナーを務めた。北海道余市に生まれる。1964年慶應義塾大学文学部美学美術史学科卒業。同年神奈川県立近代美術館の学芸員となる。79年、『海の鎖　描かれた維新』(1977年)と小林清親を論じた『開花の浮世絵師　清親』(1978年)で第1回サントリー学芸賞受賞。評論の軸としては、高橋由一、岸田劉生、村山槐多らの近代洋画家、現代彫刻の若林奮、砂澤ビッキ、ダニ・カラヴァン、イギリス現代彫刻などを論じている。92年より同館館長を務め、2004年、世田谷美術館館長に就任、現在に至る。サンパウロ・ビエンナーレの日本コミッショナーを2度務めた(1981年、91年)他、1996年の同ビエンナーレでは、特別展「ユニヴァーサリス」のアジア地域担当キュレーターとして柳幸典や蔡國強らを紹介した。多くの美術展の審査委員を務め、全国の美術館運営を鳥瞰する視点をもつ美術館人であり、30冊以上の著作を上梓している。(Y)

植松奎二

兵庫に生まれる。1969年神戸大学教育学部美術科卒業。同年箱根彫刻の森美術館で開催された第1回現代国際彫刻展に入選後、京都のギャラリー16で初個展を開催。この個展では作品の素材に水を使うなど、当時は空気や水、土などから作品を作ってゆくことに興味をもっていた。74年、神戸市文化奨励賞を受賞し、それを契機にアーティストビザを取り、75年渡独。当時現代美術が一番動いていると感じた街、デュッセルドルフ（ドイツ）に住み始める。76年、ストックホルム近代美術館で個展を開催し、以後ドイツ、フランス、ベルギー、フィンランド、オランダなど欧州各地のギャラリーや美術館で個展を開催。83年から布と枝を使ったインスタレーションを行なう。86年より西宮にもスタジオをつくり、デュッセルドルフと往復しながら制作活動を続ける。88年ヴェネチア・ビエンナーレに参加。当時デュッセルドルフにいたため、事前に会場を視察。インスタレーションを行なうため、20日以上現地に滞在した。90年には神戸須磨離宮公園野外彫刻展で大賞を受賞。以後多くの野外彫刻展に招へいされている。2013年、中原悌二郎賞受賞。21年、日本では15年ぶりの美術館での個展「みえないものへ、触れる方法－直観」が芦屋市立美術博物館で開催される。重力や引力、自然や地球、宇宙といった根源的なものへの興味をもとに、木、石、布、金属など多様な素材を配置したり、映像を使ったインスタレーション、円錐による彫刻、石を削り出した作品を精力的に制作。

出品作品について

布と雑木を使った《倒置》など4作品を出品。1点のみ日本館内部に、他は屋外に展示した。異質な素材や形態、色を用いることによって、緊張感のある空間を生み出した。一連の作品には植松の重力や引力への興味が表われている。

1988

倒置─浮遊の場　1988　日本館前に設置

Project Venezia Biennale　1987

戸谷成雄

長野に生まれる。1975年愛知県立芸術大学大学院彫刻専攻修了。在学中は具象的な作品を制作し、国画会などに出品。その後は60年代末から70年代中期まで続いた「もの派」の動向に抵抗し、原点に立ち戻ることで、彫刻の原理と構造を追究、その新たな可能性を模索する。74年の初個展（東京・ときわ画廊）では、コンクリート、石や生ゴムを使った《POMPEI I・79》を発表。ポンペイ（イタリア）の火山灰に埋もれた遺跡を手がかりに「彫刻なるもの」の記憶を探る本作は、その後の作品の礎となる。80年代に入ると、鉄筋を芯にして固めた石膏を彫り出す〈彫る〉シリーズ、角材を組み上げた〈構成〉シリーズを発表する。84年から自然をテーマにした〈森〉〈気配〉〈湿地帯〉シリーズで、チェーンソーを使い木材を削ることによって形づくられる彫刻作品を生み出す。88年ヴェネチア・ビエンナーレに参加、同年朝倉文夫賞受賞。89年ミッデルハイム・ビエンナーレ（アントウェルペン、ベルギー）に参加。94年から〈境界〉シリーズ、2000年頃から〈ミニマルバロック〉シリーズなど発表。1990年「プライマルスピリット：日本の彫刻展」（ロサンゼルス・カウンティ美術館他）に出品。95年「戸谷成雄―視線の森」展（広島市現代美術館）、2000年、光州ビエンナーレでアジア賞受賞。01年「戸谷成雄―さまよう森」展（国際芸術センター青森）、11年「洞穴の記憶」（ヴァンジ彫刻庭園美術館）などの個展が開催される。15年、中原悌二郎賞受賞。

出品作品について

戸谷にとってその後ライフワークともなった〈森〉シリーズの2点を含む全5点を出品。《森》（1987年）は、表面にチェーンソーや斧による無数の切り込みを複雑に彫りこみ、高さ2メートルを超える角材28本が、一定の間隔をあけて林立している。それぞれ別の表情をもつ有機体の集合として、タイトル通り森の風景となっている一方、火山灰に埋もれた遺跡の様相も呈している。

森 1987

展示風景　手前：連山　1985、奥：湿地帯　1987

舟越　桂

彫刻家・舟越保武、俳人・道子の次男とし
て岩手に生まれる。弟の舟越直木も造形作
家。子どもの頃より父と同じ彫刻家になること
を漠然と考えていた。1977年東京芸術大
学大学院修了。在学中に函館のトラピスト
修道院から聖母子像制作の依頼を受けたこ
とがきっかけとなり、本格的に木彫で人物像
の制作を開始する。その時、適度な硬さゆ
えに彫る速度が自分に合っている素材とし
て楠と出会う。また82年以降は、父親がアト
リエに残していた大理石を人物像の目に使
うようになる。79–80年、初めての木彫によ
る半身像《妻の肖像》を制作。86年、文化
庁芸術家在外研修員として1年間ロンドン
に滞在。現地の人に声をかけて写真を撮
り、モデルにした。88年ヴェネチア・ビエン
ナーレに参加。89年に「アゲインスト・ネイ
チャー 80年代の日本美術」展（サンフランシス
コ近代美術館他）、サンパウロ・ビエンナーレに
出品。80年代から始まる楠による木彫彩色
の人物像は、90年代前半からは腹が大きく
膨らんだり、首が伸びたり、手が背中から出
るなど異形化してゆく。2000年、上海ビエン
ナーレに出品。03年、中原悌二郎賞を受
賞。同年「舟越桂 1980–2003」（東京都現代
美術館他）が開催される。04年からは古代神
話に登場する怪物スフィンクスをモチーフと
したシリーズを始める。舟越は人間の内面
を掘り下げながら一貫してその姿を表現する
ことにこだわり続けている。

出品作品について

《妻の肖像》《傾いた雲》《静かな向かい風》
など彫刻7点とドローイング3点を出品。木彫
に大理石の目をはめこんだ半身像は、木の
ぬくもりによって温かみがある一方、能面のよ
うに無表情であることによって、観者の視線
を突き放し、独特の緊張感を生み出す。

1988

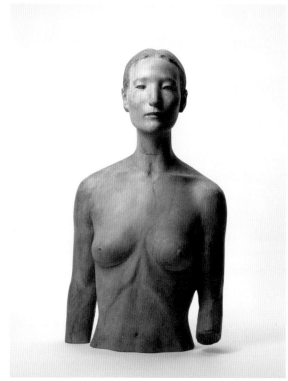

妻の肖像　1979-80

静かな向かい風　1988

菅原 教夫
ベネチア・ビエンナーレを見て──酒井忠康氏に聞く

「従来ともすると欧米追従型の問題提起になりやすかったのですが、今回は"おらが国はおらが国"というコンセプトを戦略的にとった。これは日本の現代美術のアイデンティティーが見えにくいと言われている状況下ではわかりやすく、成功したと思います。加えてこうしたコンセプトは欧米側が閉ざせば単純な日本回帰になるところ、現在は欧米に行きづまりがあって、これを打開するために日本を注目している時代でしょう。従って向こうから問い返しがくる。それにこちらがまたどう返していくかで現代美術が豊かになっていくという意味でもよかった」

　現地のジャーナリズムでも英国やブラジルとともに日本の作品が高く評価された。コレクターからは作品購入の申し出が、画商や美術館からは展覧会開催の話が出品作家に相次ぎ、「前回よりも熱い関心、手ごたえを感じた」と酒井氏は言う。

　「この躍進の一因に外国で勉強している人を含めて作家の層が厚くなったことが挙げられるかもしれません」

▶『読売新聞』1988年7月21日夕刊より抜粋

戸 谷 成 雄
アートの国際舞台ヴェネツィア・ビエンナーレ報告
── 参加作家に聞く

今度のビエンナーレに参加してみて、様々な点で大変おもしろかった。あちらのいろんな民族の人達がかえす反応や印象からしても、自分の説明がかなり近いところまで伝わっていっている、という感があった。私の彫刻は、（略）素材物体の内部にむかって、ある角度をもって奥行きや幅を獲得しようとして彫られてゆく。いわば彫るという方法自体がイメージと重なりあい一体化し、形象ないし表面を形づくろうとする方法＝メチエ、そのものが大きな意味を持っている。その上で、日本の木の伝統文化のなかで現代美術として扱われている木が、どういう歴史的文脈を見出すことができるかに、私は多少とも意識的であるが、私のなかにある一種縄文的な感覚に対して、植松さんは東山スタイルというか、あるいは弥生的であり、舟越さんは鎌倉的感覚を持っているとも言え、今回の三者三様の日本の在り方は、コンセプトがよく見えたおもしろいものではなかったろうか。（略）日本の現代美術は、若手の作品でもビエンナーレのような空間に自然にとけこんで並んでいるように見える。各自がごく普通に、コンピューターでも、ハイテクでも、プレモダンでも、あるレヴェルをもって使いこなし、昔のような媚びもなくそれなりの自分勝手な世界を造っている。こういうゴチャマゼ的なものがヨーロッパではすごく新鮮に見え、今やこちらの方から選択して出てゆく時代が来たという手ごたえは確かに感じられたというのが正直な実感である。

▶『アトリエ』1988年10月号

マリーナ・ヴェゼイ

キッチュな混乱と凡庸さとあいまいさの中にあって、人目をひくパヴィリオンもある。日本からは、生きているかのような木々の群れを生み出す戸谷成雄や、日本人にも、アメリカ人にも、古代エジプト人にも見える肖像彫刻を着色した木材でつくりだす舟越桂らが出品しているが、彼らの作品は、軽やかであると同時にシリアスで、そのうえ人をあざむくような風変わりな魅力をもつ。

▶『サンデー・タイムズ』1988年6月26日

南條史生が選考委員に加わり、約80作家が選出され、アルセナーレに展示。

石 原 友 明

Ishihara Tomoaki | 1959–

大阪に生まれる。1984年京都市立芸術大学大学院修了。在学中に京都と東京の美大生が共同で企画した展覧会「フジヤマゲイシャ」や関西の「イエスアート」などに参加。80年代の関西ニューウェーブを代表する作家のひとり。自身の姿を焼き付けた写真やインスタレーションによって注目を集めた。革の彫刻、ぬいぐるみのような立体作品、ピントのボケた写真や点字による絵画など、彫刻や写真、絵画の約束事や美術の枠組みそのものを問い直すような作品を発表。主な個展として、「美術館へのパッサージュ」（栃木県立美術館、1998年）、「Self Portraits一わたしとその背後」（同上、1999年）、「石原友明展 i」（西宮市大谷記念美術館、2004年）。2016年には、自分の毛髪をデジタル化してキャンバスに描いた作品や3Dスキャンして切り分けた身体を立体として再構成した作品を発表。自分の身体に向き合いながら制作を続けている。

出品作品について

船形のキャンバスに焼き付けた写真によるセルフポートレートの巨大なインスタレーション《約束IV》を発表。

西 川 勝 人

Nishikawa Katsuhito | 1949–

東京に生まれる。現在はデュッセルドルフ近郊のノイス（ドイツ）に在住。1972年慶應義塾大学卒業後に渡欧し、ドイツのミュンヘン美術大学、デュッセルドルフ美術大学大学院を修了。美術家としてヨーロッパを拠点に活動を始める。89年、「現代美術への視点」（東京国立近代美術館）、1991年サンパウロ・ビエンナーレ、96年と2004年にヴェネチア国際建築展に出品。94年以降、インゼル・ホンブロイヒ美術館に作品が展示・収蔵され、美術館の活動にも参画、隣接した

石原友明　約束IV　1988

西川勝人　5点ともすべて《無題》1987

アトリエを拠点に創作活動を続け、デュッセルドルフ市文化奨励賞を受賞。ハンブルク美術大学名誉教授として後進の指導にも努めている。彫刻や立体、絵画、ドローイングなど表現は多岐にわたる。また、建築との融合をはかった公共美術も数多く手がける。

出品作品について

ペンキで塗装した木、石膏による彫刻5点を出品。いずれも1987年制作。

遠 藤 利 克

142ページ参照

出品作品について

22本の木材（各：高さ140センチ、直径27センチ）を等間隔で円形に配したインスタレーション作品《無題》を展示。

無題　1988

宮 島 達 男

98ページ参照

出品作品について

LEDを用いて、1から9まで数字が変化して赤く光るデジタル・カウンターによる5×7メートルに及ぶインスタレーション作品《SEA OF TIME》を展示。

SEA OF TIME　1988

森 村 泰 昌

132ページ参照

出品作品について

作家自身の顔から胸までを赤や黒で塗り込め、胸像に見立てて撮影された《肖像（赤I）》《肖像（黒）》や横たわる全身像《肖像（赤II）》などの写真作品を出品。いずれも1986年制作。

肖像（赤I）　1986

フ ジ タ ・ ケ ン ジ

Fujita Kenji 1955 –

日系アメリカ人。ニューヨークに生まれ、現在も当地に在住。1978年ベニントン大学卒業、97年ニューヨーク市立大学クイーズ校で美術学修士号を取得。85年の「ヴァナキュラー／アブストラクション」展（東京・スパイラル）に出品。2017年、ヴェネチア・ビエンナーレの企画展「Viva Arte Viva」ではナンシー・シェイヴァ《標準化、バリエーション、特異性》のグループウォールに出品。主に段ボール、アルミホイル、フェルト、木、布、紙、絵具といった素材を用いて作品を制作を行なう。ニューヨークのバード大学とスクール・オブ・ヴィジュアル・アーツ（SVA）で後進の指導に当たる。ロサンゼルス現代美術館、ブルックリン美術館などに作品が収蔵されている。

出品作品について

合板、ゴム、金属板、プラスチックなどに着色した《BITTER SKIN》を含むアッサンブラージュ作品4点を出品。

BITTER SKIN　1988

1986

総合キュレーターは前回に引き続き、マウリツィオ・カルヴェージで、総合テーマは「芸術と科学」。この回より韓国が参加。アメリカ館はイサム・ノグチの個展だった。中央館の企画展示は「空間」「色彩」「芸術と錬金術」「技術と情報」「芸術と生物学」「空間と驚き」「芸術のための科学」の7つのテーマのもと、中世の版画、文献から現代作家まで数百人の作品で構成された。出品作家は、カンディンスキー、マン・レイ、マグリット、ジャスパー・ジョーンズ、ジョゼフ・コーネル、ジョゼフ・アルバース、ブライアン・イーノ、メレット・オッペンハイムなど。また、1968年を最後に中断されていた賞制度が復活、金獅子賞の作家賞は、西ドイツ（現・ドイツ）のジグマー・ポルケとイギリスのフランク・アウアーバックが受賞し、パヴィリオン賞はフランス館（ダニエル・ビュラン）に贈られた。ジャルディーニ以外での企画展としては、パトリック・レイノーら約50作家による「アペルト86」などが開催された。

日本館カタログ

日本館

コミッショナーは酒井忠康。総合テーマである「芸術と科学」の意味を捉え直して「自然」をテーマに二人の作家を選出した。出品作家は1980年に続いて2回目の参加となった若林奮と76年の企画展に参加実績のあった眞板雅文。若林は展示室全体を使った展示、眞板は外部に作品を設置した。

現代美術の動向に積極的な関心をよせるならば、作家の表現行為が、はたして、いかなる創造的母胎の上にあるかをたずねてみることである。それは同時に、現代美術の変革の可能性について関与することになるからである。自己の表現行為を、明日にむけていかに活性化させるかを問うことは、すなわち、自己の想像力の内容を眼にみえるかたちにしなければならない作家の場合のみならず、これは批評の現在とも深く連動している問題でもある。しかし、変革の可能性に対する対応は、既存の批評言語では、きわめてとらえにくいところにさしかかっている。これまでの思想や理論の体系には与しない領域へ、現代美術がその展開の鋒先をむけはじめているからである。

そういう状況を十分承知したうえで、わたしはあえて「人間と物質　自然への回帰」という命題をたててみることにした。（略）

現代美術は、歴史と文化の多様な脱構造のなかで、その昔から手引きとしてきた自然との対応に、いま、共感をあらたに接近している。それは創造的母胎に対する再認識の時代をむかえているからである。ここに、わたしは現代美術の変革の可能性をみる。「自然への回帰」というのは、ひとつの里程

展示風景　上3点：眞板雅文の作品
展示風景　右3点：若林奮の作品

標である。

　今回のヴェネチア・ビエンナーレ展のための参加作家を選定する段階で、わたしはこの点を重視した。何人かの作家と話し合い、その結果、若林奮と眞板雅文の2人の彫刻家に決定した。（略）〔両者による出品作品の構想の〕特色のひとつは、いうまでもなく「人間と物質」の関連の系を、よりつきつめることによって、「自然への回帰」を創造的母胎に照らして考察しようとした点である。若林においては、その物理が顕著であるが、他方、自然との調和において感性の回復をはかろうとする傾向が、眞板の構想のうちに感じられる。したがって、若林の作品は哲学的な性格をともない、他方、眞板のそれは詩的な世界と結びつく。物質という媒体を通して、宇宙へ送信するヴィジョンは、しかし、「自然への回帰」において、あらたなる次元を開示しているという一点では共通する。

　　▶酒井忠康「人間と物質ー自然への回帰」日本館カタログ

眞 板 雅 文

旧満洲（現・中国東北部）で生まれる。1947年
に引き揚げ、横須賀で育つ。高校教師の影
響で現代美術に興味を持つようになり、卒
業後、平面や立体作品を制作する。66年、
現代日本美術展に出品。同年の個展では
矩形の支持体に複数の板をレリーフ状に構
成した作品を発表。60年代末からは、室
内、夜景、海を撮影した写真と鉄、ガラス、
電灯などを組み合わせたインスタレーション
作品を制作。71年、国際青年美術家展で
大賞を受賞、シェルター・ロック財団などの
奨学金によりフランスに留学。72年にパリの
ギャラリー・ランベールで個展を開くが、肺結
核にかかり帰国までの7カ月療養生活を送
る。76年ヴェネチア・ビエンナーレで、写真
と物体の関係性を意識したインスタレーショ
ン〈状況〉シリーズを出品。作品輸送のトラ
ブルにより、眞板と小清水漸の作品は展示
作業が遅れた。眞板はその後ヨーロッパを
巡る。77年パリ青年ビエンナーレに出品。
海外の風土にふれることで、自然と美術の
関わりについてより深く考えるようになる。80
年代に入るとロープや布を織り込んだ網状
や円形の呪術的な作品を展開する。86年
ヴェネチア・ビエンナーレへの参加がきっか
けとなり、作品が巨大化し、野外彫刻の仕
事が増える。それにつれて石や金属を使用
することが多くなるが、自然や水へのこだわ
りは止むことがなかった。97年頃より竹を逆
円錐状に組み上げる巨大な作品を制作。
一貫して自然との対話から生まれる作品を
追究した。

1986

出品作品について

鉄の表面を亜鉛メッキした6メートル以上
の高さのドーム型彫刻《樹々の精》は、日本
館前の木立の中に置かれた。作品の下部
中央に配した円筒には水が張られ、そこに
木々が映り込んで周囲の自然と一体化して
いた。もう1点、鉄でできた三角形のレリーフ
《輝く樹々》（1986年）を日本館外壁に展示。

樹々の精　1986　日本館前に設置

若 林 奮

東京に生まれる。1959年東京芸術大学を卒業後、主に鉄を素材とした彫刻から出発して早くから注目される。73年、神奈川県立近代美術館での個展を終え、文化庁の芸術家在外研究員として渡仏。旧石器時代の洞窟遺跡の実地調査を研究の目的として、パリを拠点にエジプトやスペインを訪れ、各地の博物館で考古資料を調査した。その滞在は77年頃に人間とそれを取り囲む外界との関係を把握する物差しとしての「振動尺」という、若林の制作の根幹となる彫刻の概念を生み出す契機のひとつにもなった。80年ヴェネチア・ビエンナーレに参加。85年、高輪美術館（現・セゾン現代美術館）の庭園を制作。86年再びヴェネチア・ビエンナーレに参加。87年、東京国立近代美術館で個展を開催。96年より東京都日の出町につくられるゴミ処理場計画に反対する市民によるトラスト運動に連帯し、建設予定地に「緑の森の一角獣座」を作庭。なおその作品は、2000年に東京都の強制収用により消滅した。02年に豊田市美術館で、初期の彫刻、素描から近作までによって構成された初めての本格的な回顧展を開催。武蔵野美術大学、多摩美術大学教授を歴任。700点を超える銅版画も制作しており、生前から共同制作をしていた詩人の吉増剛造は没後に銅板を譲り受けてオブジェを制作している。鉄をはじめ、銅や鉛、木、石膏、硫黄などの様々な素材を使って人間と自然との関係を追究し、詩的で思索的な作品を制作した。

出品作品について

日本館内部全体を使い、樹木を描いた銅板、鉄や鉛の円筒やプレートを配した大型のインスタレーション《大気中の緑色に属するもの II》を出品した。この作品は、丹沢渓谷の景観に着想を得たという。

大気中の緑色に属するもの II 1985

酒井忠康・談
海外レポート 第42回ヴェネツィア・ビエンナーレ

アーティストが従来どおりの対応をしていたのでは、新しいものは生まれてこない。そういう点で、仕事の経過を私自身が長年眺めていた若林奮がもっともふさわしいだろう。都市とか地形の問題、さらに地球学的な興味の集約されたかたちが、彼の作品に反映されてきているので、こちらの考えの一端を彼に伝え、また彼が考えている構想もこちらに教えてもらって、それで若林と連動するかたちでもう一人、作家を選んでみようということになったんです。

それはある意味では、ひじょうに共通点の多い作家である必要があるし、また国際展の展示という効果のことを考えた場合、異質の部分もいろんな意味で見せてくれる作家でなきゃ困る。そういう対照関係のなかで、ぼくのアイデアがより具体的に見せることができれば効果的だというので、若林のほうは哲学的なタイプの作家というふうにとって、詩的なタイプの作家を片方に置いてみよう。そして、眞板雅文にも、そういった意味での構想があるからマケットをつくってほしいんだと説明し、マケットや作品をいくつかつくってもらったんです。

眞板の場合は、いちばん大きいもので六メートル近い大きさのドーム型の、構造が鉄でできていて、亜鉛メッキした、水と木を主題にした作品をつくってもらいました。これは大きさからいって野外に置くのがふさわしいだろうということで、日本にいたときには、日本のパヴィリオンの設計図と日本館が置かれている地理的状況を示す平面図、あるいは資料写真に基づいて、設置場所をあるていど見込んで行ったんだけれど、現地の空気を吸って、根本から変えようということになったんです。

というのは、ひじょうにいい木が日本館をとり巻いているんです。むしろ木の中に積極的に、大きな物体をかましてみたらどうだろうか。そうすることによって、樹木との対話がより有機的に行なわれ、なおかつ、それを見に来る人たちを祝祭的な気分にさせるというかね。

結果的には、そういう効果がじっさいに生まれたんですよ。なおかつ、そういう樹木に覆われた中に置かれたあるひとつの鉱物的な、人工的な立体物がドームを構成していて、光のかげんでひじょうに神秘的にシルエットを映してくれたり、とても変化に富んだ作品になったんです。それはひとつには、下に水槽を用意したということが効果を上げたんだと思うんです。

ところが、夕方、日が暮れて……。向こうは明るい夜というか、夕暮が尾をひくんです。なかなか真っ暗な闇にならない。

そういうころには一種、原爆ドームのイメージを与えるんですよ。(略)生と死の極端なコントラストが奇妙な感じを与えたわけです。

見る人にそういう感慨を抱かせる仕事が、日本館の玄関の前に設置されることによって、対照的に館の内部を全部使ってインスタレーションをした若林の仕事が、かえって生きてきたということがあります。いってみれば彼の仕事は銅板を燻製にして、本質的な質をそこで変えてしまったというのかな。そうすると表面にさまざまな、物理計算で予測できない微妙なニュアンスが出てきて、そのニュアンスがまた彼のイメージをおそろしく刺激したところがあるんです。

▶『美術手帖』1986年9月号

大西克寛
ベネチア二つの展覧会
好評の日本館、「賞」が復活

今回の出品作家は、若林奮と眞板雅文の2人で、どちらも日本で意欲的な制作活動をしている中堅彫刻作家である。

丹沢溪谷の景観に想を得たという若林の「大気中の緑色に属するもの No.2」は、樹木などを描いた銅板の大きな箱、円筒などを配置した大型の作品。素人目にはいささか難解だが、植物世界の雰囲気を鉱物でつくり出していると、現代美術の専門家たちは称賛している。

眞板の作品「樹の精」は、鉄材のアルミメッキで、日本館前の木立の中に置かれている。中央に置いた水おけの反射が効果的で、いかにも自然の美しさを歌いあげているような明るい気分を出している。夕日の中のシルエットが広島の原爆ドームを思わせるようでもある。

▶『朝日新聞』1986年8月29日夕刊

アメリカ館

イサム・ノグチの個展を行なう。磯崎新が展示デザインを担当した。

イサム・ノグチ

Isamu Noguchi | 1904-1988

ロサンゼルスに生まれる。父は詩人で英文学者の野口米次郎、母は作家で教師のレオニー・ギルモア。日本名は野口勇だが、1907年に来日しイサム・ギルモアとして、18年まで茅ヶ崎や横浜で過ごす。22年、彫刻家を目指す。23年、コロンビア大学医学部に入学するが、彫刻作品の個展をレオナルド・ダ・ヴィンチ美術学校ロビーで開催し、大学は中退する。パリに行きブランクーシの助手を1年ほど務める。抽象彫刻に取り組む一方、肖像彫刻で生計をたてる。31年に再来日し、父と再会、前年の北京滞在を含め陶芸や毛筆画に接する。36年、最初の公共作品《メキシコの歴史》がメキシコシティに完成。戦中は志願して日系2世の強制収容所に入所し、窮状を訴えた。舞台美術や家具のデザインの仕事は継続的にあり、46年にニューヨーク近代美術館の「14人のアメリカ人」展に出品。50年の来日では多くの芸術家と親交をもち、翌年女優の山口淑子と結婚 (56年離婚)。56年、パリのユネスコ本部の庭園をはじめ、この頃から多くの公共作品、彫刻庭園を手がけるようになる。59年、ドクメンタに出品。68年、ホイットニー美術館で初の回顧展。70年に香川県牟礼にアトリエを構え、後に庭園美術館となる。72年ヴェネチア・ビエンナーレの都市計画展に出品。81年からニューヨークに自身の美術館を設計 (83年完成)。86年ヴェネチア・ビエンナーレアメリカの代表。2005年、設計に当たった札幌のモエレ沼公園が開園した。

アメリカ館正面に設置された
《スライド・マントラ》 1986

出品作品について

〈あかり〉の作品や《Scivolo Mantra》(1986)、《Mountain to Play》(1933)、《Pool for Josef von Sternberg》(1935)、《Playing Area for The United Nations, New York》(1952) など全14点を出品。

中央館「芸術と科学」

「色彩部門」に吉川静子が2点出品。「技術と情報」部門に河口洋一郎および、福本隆司・林弘幸が所属するトーヨーリンクスとして出品。

吉 川 静 子

Yoshikawa Shizuko | 1934-2019

福岡に生まれる。1956年津田塾大学英文科卒業。58-61年、東京教育大学 (現・筑波大学) で建築、工業デザインを学ぶ。61年、「戦後のバウハウス」と呼ば

れたウルム造形大学で視覚コミュニケーションを学ぶために渡独。その後スイス
で、夫のグラフィック・デザイナー、ヨーゼフ・ミュラー゠ブロックマンとともにデザ
イナーとして活動。チューリッヒ・コンクリート派の精神を受け継ぐ芸術活動を行
なう。78年、南画廊（東京）で個展。80年チューリッヒ美術館（クンストハウス）で個
展。88-90年、ヨーロッパ各国巡回展「今日のスイスコンクリート」に参加。
2018年に作品集『吉川静子』が刊行される。

出品作品について

《Z 118, MAPPENWERK AUS 9 BLÄTTER, STUDIE: VARIATION MIT
16-TEILIGEN FARBKREIS》（1977-1980）、《M 94 FS/6X4》（1983）の平面
作品2点を出品。

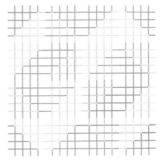

参考図版 4 x 3 Drehspiegelung m 44, No. 28535
1978-1982

河 口 洋 一 郎

115ページ参照

出品作品について

《ORIGIN 1, ORIGIN 2》（1984-1985）、《FOTOGRAFIA》（1985）のCG作品
と写真を出品。

トーヨーリンクス

Toyo Links

福 本 隆 司　Fukumoto Ryuji | 1959-

東京に生まれる。大阪芸術大学映像計画学科卒業後、大阪大学工学部でCG
アニメーションの開発に参加。1982年、CG制作会社の草分け的存在である
トーヨーリンクスの設立に関わり、後に社長を務める。84年、ディレクターとして
制作に携わった短編アニメーション『Bio-Sensor』は高く評価され、世界最大
のCGの祭典シーグラフでトップ上映された。85年、第1回広島国際アニメー
ションフェスティバルでは『スター・ウォーズ』のCGシーンでプログラミングを担
当する。『鬼武者』（2001年）、『バイオハザード』（2002年）のCGムービー、短編ア
ニメーション『KUDAN』（2008年）などをプロデュースする。その後、現実世界に
仮想世界（CG）を重ね合わせるARやMRの技術を駆使した映像制作に取り組
む。14年広島国際アニメーションフェスティバルで国際選考委員長を務める。

林　　弘 幸　Hayashi Hiroyuki | 1958-

大阪に生まれる。1980年京都市立芸術大学美術学部卒業。84年、トーヨーリ
ンクスに入社し、CG制作を始める。88年にフリーとなり、「Art On Computer」
（O美術館）に出品。91年に海亀事務所設立、「神戸コンピュータグラフィックス
アート展」（神戸市民文化振興財団）に出品。97年、押井守監督作品『G.R.M.』に
デジタル監督として参加。同監督の『イノセンス』（2003年）、『スカイ・クロラ』（2007
年）、『攻殻機動隊2.0』（2008年）、崔洋一監督作品『カムイ外伝』（2009年）の制
作に参加。

出品作品について

《トーヨーリンクス・デモ・リール》（1986）を出品。

国際建築展

1895年、国際美術展としてスタートしたヴェネチア・ビエンナーレは、1930年代に音楽、映画、演劇の各部門が加わるも、建築はしばらく美術部門のなかで扱われていた。建築が正式に独立部門となり、第1回国際建築展が開催されたのは1980年のことである。同展ではイタリアの建築家パオロ・ポルトゲージがキュレーターに就任し、メイン企画において20の現代建築のファサードを実物大で並べ、都市の街路のような仮設空間を現出させた。初めてビエンナーレ会場に使用されたアルセナーレ（コルデリエ）の巨大空間がこの展覧会を可能なものとし、観客を直接的な建築空間の体験へと誘った。建築を建築として見せるというポルトゲージの意向が反映され、ジャルディーニの各国パヴィリオンは会場にならなかった。

しかし1991年の第5回展からは、建築展も美術展と同様、各国参加によるパヴィリオン展示と、総合キュレーターによる企画展という2本立ての構成となり、2年に一度の定期開催も2000年展（第7回）以降定着する。2014年展では、総合キュレーターのレム・コールハースが各参加国に過去100年の「近代化の吸収」をテーマにリサーチし、問題提起するよう要請することで、パヴィリオン展示と企画展との内容面での一体化が図られた。2018年展では、参加国は63カ国に拡大し、美術展のみならず建築展もまた世界最大級の国際展として不動の地位を築いている。

日本は、1991年展より公式参加し、国際交流基金主催のもと日本館を会場に、狭義の建築という枠組みにとどまらず、独創的なテーマに基づき、建築や都市、社会にまつわる提案を一貫して行なっている。その方向性を鮮明に打ち出したのは、1996年から日本館コミッショナーを3期連続して務めた磯崎新であった。磯崎は1996年展において、前年に発生した阪神淡路大震災の瓦礫20トン超を日本館に持ち込み、都市のもろさを明るみにしたのを皮切りに、「少女都市」（2000年）、「漢字文化圏における建築言語の生成」（2002年）という刺激的なテーマを掲げ、国内外の建築家や美術家、キュレーターを起用して展示を構成した。

2004年展では、森川嘉一郎コミッショナーがおたく趣味により変貌した秋葉原の街の風景を可視化し、メ

タボリズムの提唱から50年を迎えた2010年展では、北山恒コミッショナーが東京の密集市街地を構成する新しい「家」のカタチを紹介した。東日本大震災後最初の建築展となった2012年展では、伊東豊雄コミッショナーが陸前高田市に被災地の人々が集う場である「みんなの家」をつくる過程を追った展示を行ない、日本館は1996年に続き、最高賞である金獅子賞を獲得した。2014年展以降は、毎回タイムリーなテーマのもとで、多数の建築家やクリエイターが参加するプロジェクト型の展示が行なわれている。

日本館を離れたところでも、国際建築展における日本の建築家のプレゼンスは大きい。妹島和世が2010年展の総合キュレーターを務めたのを筆頭に、各館の企画構成に携わる建築家も多い。2021年展では、寺本健一がキュレーターに加わったUAE館が金獅子賞を受賞した。当局主催の企画展にも毎回少なからぬ日本人建築家が招待出品している。これまでに伊東豊雄と篠原一男（ともに功労賞）、石上純也（ベスト・プロジェクト賞）、SANAA（作品賞）が個人賞としての金獅子賞を受賞している。(1)

日本館における展示風景　2012

1984

第41回

6月10日──9月9日　37ヵ国が参加

総合キュレーターはマウリツィオ・カルヴェージで、総合テーマは「美術と諸芸術、その現在と歴史」だった。中央館の企画展示は、デ・キリコ、ダリ、ピカソ、デュシャン、ピカビアなどによる「鏡に映った芸術」とナムジュン・パイク、リチャード・セラ、ボブ・ウィルソン、インゴ・ギュンターなどによる「芸術、環境、舞台」。前者は現代芸術が古典作品をどのように映し出しているのか、古典に対する憧憬と反発が示された。後者のビデオアート部門には、出光真子、中谷芙二子らが出品。舞台では田中泯が振り付けに参加した。フランス館はジャン・デュビュッフェ、イギリス館はハワード・ホジキン、西ドイツ館はペンクとローター・バウムガルテン。ジャルディーニ以外の企画展として最大の規模だったのは、パラッツォ・グラッシで開催された「ウィーンの諸芸術：ゼセッションからハプスブルク帝国の崩壊まで」で、クリムト、シーレ、ココシュカらの作品が展示された。また「ポスト抽象、ポスト自然主義」をテーマにした「アペルト84」がザッテレの旧食塩倉庫の一室で開催され、キース・ヘリング、ヘルムート・ミッテンドルフなどニュー・ペインティングの傾向を示す作品が多く展示された。

1984

日本館カタログ

日本館

日本館コミッショナーは1982年と同様、たにあらた。この回より、国際交流基金の担当者がアシスタント・コミッショナーとなる。出品作家は伊藤公象、田窪恭治、堀浩哉。日本館は可燃性パネル除去のために大規模な改修が行なわれ、壁が白く塗られすっきりとした空間になった。

今日の日本の現代美術は、現象的にいって多極的であると同時に、作品主義的充足の過程にあるとみることができるといえよう。こうした現状を迎えたことは、近い過去として"70年代中葉期"にさかのぼることができるが、この限定的局面における主義主張のポイント、すなわちポスト・ミニマリズム、ポスト・コンセプチュアリズムは、すでに一般的なキャッチフレーズとはいえないほどに、多極的な局面を迎えていることも事実である。(略)

今回出品の3作家は、一般には"70年代作家"と呼ばれている。(略)その特徴を挙げるとすれば、(戦後から60年代中葉期までの)第一期の特性である"美術の意味の外延化"(時にそのことが、作品や発表の形式で破壊性やセンセーショナリズムをともなう)に対しては、"美術の意味を内包化し、破壊衝動から表現を守る検証の場"に美術を戻そうとしたことであり、他方、70年前後の動向の特色である"モダニズム批判の概念的マテリアリズム"に対しては、"表現を実質的でベーシックな水準において、表現の機構をともに見直す"という方法論をポリシーとしている。(略)3人の作品には、前回のように素材的関連性さえ見出せないが、いずれも日本の現代美術の現在性を語るうえで欠

展示風景　手前：伊藤公象の陶　左：田窪恭治のレリーフ　右：堀浩哉の絵画

かすことのできない作家たちであり、互いに異なった立脚点を
もちながらも、それぞれ日本の70年代から今日にまでいたる
過程の共通性をも担っている。(略)

　彼らに際立っているのは、"素材のもてる意味を独創的に
深耕していく特殊性" の深まりと、加えてもっと重要な点は、造
形的結果以前の "表現そのものを喚起し、形成していくプロ
セス" を大切にしていることであろう。

　彼らの作品が、その現象形態(あらわれたスタイル)とは裏
はらに厚みのあるものに感じられるならば、それが、"70年代
作家" の特質であり、こうした作品的な充実をみるまでに多く
の時間を要したこともうなずけるだろう。

　　　　　　　　　　　　▶たにあらた 日本館カタログ

_____

コミッショナー

たにあらた─────
Tani Arata 1947-2020

40回と41回のコミッショナーを務めた。長野に生まれる。本
名は小口牧通。1967年千葉大学文学部卒業。72年、「芸
術における〈制度〉の問題1」が『みづゑ』創刊800号年記
念芸術評論募集入選となりデビュー。ペンネームの「たにあら
た」には、「他に類のない新しい批評」をめざす意味がある。
後に「谷新」とする。流通小売業の業界紙『商業界』で広報
や編集に従事しながら、美術批評では『美術手帖』や『みづ
ゑ』の常連的な筆者として活躍する。77年のパリ青年ビエン
ナーレの作家推薦を行なう。92年、初の評論集『回転する
表象 現代美術／脱ポストモダンの視角』を上梓。その後、国
際交流基金のアセアン文化センターによる東南アジアの現代
美術の調査を行ない、93年『北上する南風─東南アジアの
現代美術』を刊行。97年より宇都宮美術館館長を2017年ま
で20年間にわたり務めた。18年の第4回「水と土の芸術祭」
の総合ディレクターが最後の大きな仕事となった。(Y)

伊藤公象 Ito Kosho | 1932-

彫金家の長男として石川に生まれる。本名は一成。1946年、14歳から九谷焼の陶芸家のもとに弟子入りするが、伝統的な陶芸の世界に反発を感じ、5年の修業を経て19歳の時窯元を離れる。美術記者を志し54年に富山新聞社に入社、文化部に配属されるも59年に退社。この頃より美術活動を始め、当初は「茫磁」、次いで「勝敏」の号を用いる。62年、二紀会の公募展で受賞したのを機に上京。抽象彫刻のパイオニアである建畠覚造と出会い、建畠の主宰するデザイン会社に勤めるが、会社は2年で解散する。69年に茨城県笠間に転居、73年より「公象」の号を用い始める。74年、粘土の塊を糸で薄くスライスし、柔らかく丸めて変形させ、焼成させたものをパーツとして組み合わせた〈多軟面体〉シリーズを発表。土を凍らせたり乾燥させたりして生じた土の収縮や亀裂を利用するなど、自然現象を活かした独自の造形は注目を集める。78年インド・トリエンナーレでゴールドメダルを受賞。84年ヴェネチア・ビエンナーレに参加する。90年、女子美術大学教授となり99年まで務める。98年、モンペリエ(フランス)で開催された第1回国際陶芸映画祭で、「[土の地平]伊藤公象展」(1996年)の記録映像が現代的創造賞を受賞。2002年より金沢美術工芸大学大学院の専任教授となり09年まで務める。土の造形の先駆者として、美術の概念を問い直すような新しい表現を追究してきた。

出品作品について

笠間での生活の日常感覚を持ち込むため、妻子、助手とともにヴェネチアへ赴く。館内左手のスペース約64平方メートルの床一面に「起土」を敷きつめ、非常口を開け放つことで、アドリア海を借景とした展示を行なった。「起土」は釉薬をかけて焼いた陶板の上に薄く柔らかな生の粘土を置いて凍らせたもので、大きな亀裂を生じて固まり、焼成するとさらに収縮して亀裂が強調され、様々な表情をもった。

起土：焼凍土による　1984

田 窪 恭 治 ────── Takubo Kyoji | 1949–

愛媛に生まれ、宇和島で幼少期を過ごす。1971年より73年まで、イメージの生成と消滅を主題とするコンセプチュアルな個展シリーズ〈イメージ裁判〉を都内の画廊で5回開催。72年に多摩美術大学を卒業、『イメージ裁判覚え書き』を自費出版する。75年パリ青年ビエンナーレに出品し、1カ月パリに滞在する。78年頃より自らの手形を木に刻印して金箔を貼った立体作品を制作。やがて拾ってきた廃材を利用して扉や窓を想起させる形態を作り、正面性の強い絵画的な作品となってゆく。84年ヴェネチア・ビエンナーレに参加。87年、建築家鈴木了二と、取り壊しが決まっていた民家の屋根、壁、床などをすべて剥ぎ取って、枠組みだけ残し、床のあったところに強化ガラスを敷いた《絶対現場1987》を展開。そのプロセスを安齋重男が写真に記録した。美術館や画廊、アートマーケットから離れたところに表現を見いだす。89年にフランス、ノルマンディー地方に一家で移住し、フランスの職人たちとの協働でサン・ヴィゴール・ド・ミュー礼拝堂の再生

プロジェクトを開始。建物の工事が終了した96年からは壁画を制作。99年、礼拝堂の完成で村野藤吾賞を受賞、帰国する。2000年には礼拝堂再生プロジェクトに対し、フランス政府より芸術文化勲章オフィシェを受章した。その後香川県琴平町に住み、2011年まで文化顧問として琴平山再生計画を担う。12年陸前高田市の松月寺で6曲1双の屏風を制作。

出品作品について

ギリシャ神話に着想を得た《黄昏の娘たち(83-5)》《巨船アルゴー》などレリーフ11点を展示。ギリシャ神話に登場する世界の西の果てにある「ヘスペリデスの園」に住むのは、黄金のりんごの世話をするニンフたち。ヘスペリデスは「黄昏の娘たち」という意味をもつ。アルゴーも、金羊毛を求めて英雄たちが乗り込んだ巨大な船の名前。

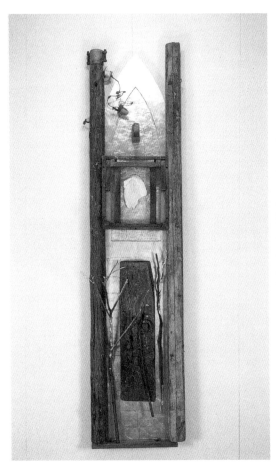

巨船アルゴー 1983

黄昏の娘たち(83-5) 1983

堀　　浩　哉

Hori Kosai | 1947–

富山に生まれる。1967年多摩美術大学に入学。《自己埋葬儀式》というパフォーマンスを行ない、美術家として活動を始める。60年代末には学生運動に参加し、美術の制度を問い直す反体制運動「美術家共闘会議（美共闘）」を立ち上げ、議長を務めた。当時多摩美術大学の学生だった彦坂尚嘉、宮本隆司、石内都、山中信夫らが参加。68年、学生運動の責任者として大学を除籍された。学生運動が収束していくと、71年「美共闘Revolution」を新たに結成。機関誌『美術史評』を発行、美術館や画廊以外の場所で個展を行なうことを通して、美術表現が制度化されたことを批判する。当初はパフォーマンス中心だったが、70年代末より絵画の歴史を遡りながらその起源を探りつつ、キャンバスや和紙に油彩、アクリル、墨、岩絵具、クレヨン、オイルスティック、箔など様々な素材を用いながら、日本画、洋画というジャンルを超えた絵画を描く。77年パリ青年ビエンナーレ、84年ヴェネチア・ビエンナーレに参加。91年「近作展」（国立国際美術館）が開催される。2001年、「センチュリー・シティ展」（テート・モダン）に参加。70年代からユニット「堀浩哉＋堀えりぜ」としても活動。畠中実を加えた3名で「ユニット00」として活動していた時期もある。02‒15年、多摩美術大学の教授を務め、14年に退官記念展「堀浩哉展　起源」を多摩美術大学美術館で開催する。

風の音へ 83-5　1983

1984

出品作品について

1982年から並行して描き始めた、〈風の音へ〉と〈水の肌へ〉という二つのシリーズを中心とした6点の絵画を展示。

風の物語へ　1984

報告・展示評

たにあらた
ナショナルな面 顕在化
——第41回ベネチア国際ビエンナーレ美術展

日本からは今回、伊藤公象、田窪恭治、堀浩哉の三名が参加。伊藤は陶による表現で、国内でも注目された「起土」という凍土を焼成した作品、田窪は木や鉄の廃材に金ぱくをはったレリーフ、堀はアクリルや岩彩を用いた絵画をそれぞれ出品したが、日本では言葉にしにくい、伝統性をもしのばせる現代美術、という観点をとる関係者の反応が多かった。

これは作家選択の際の狙いのひとつでもあったが、欧米の、精細とはいえないがタフな目に作品がさらされる時、作品はおのずとナショナルなこだわりの局面を顕在化させるものだという実感だった。

それは作品に内在するセンスの問題であり、現代美術のみならず、作品を通して日本の美術を広範囲に眺めようとする目に対しては、広角度のとっかかりを与えることができたと思う。日本に対する半ば類型化された目に部分的に対応しつつ、そこに異変をかたちづくる存在感と機微をこれらの作品は内在させていたからである。

► 『京都新聞』1984年8月8日

南條史生
ビエンナーレ報告

その難しい壁面をうまく使ったのは伊藤公象である。観音開きの非常口を明け放ち、その手前に「起土」を長方形に敷きつめた。開いたドアの向うには緑の木陰と、ヴェネツィアの海が見える。夕暮れ時には海が落日を反射して、美しさは出色である。起土の説明に加えて、「日本の土とヴェネツィアの海が一つの空間に収まっているのだ。借景というのは古くから日本にある手法の一つなのだ」というと、多数の訪問者がなるほど、とうなずいた。

結局のところ現代美術のコンセプトといっても、その程度に単純で、しかし明快なものでなければ国際的な場面では通用しにくい。国内の身内だけに通用するような持って回った観念論は何の支えにもならないことを知っておくべきだろう。

田窪恭治は金を多用したカトリック的なイメージの作品8点を出品し、イコンの本場イタリアの人々の少なからぬ好奇心を刺激した。堀浩哉の5点の平面作品は、その渋い色調と繊細な筆致にもかかわらず日本的な印象を与えず、むしろ西欧的な抽象画の伝統に乗っているという評価が見られたのはよかった。

不思議なことに、全く傾向が違うにもかかわらずこの3人の組み合わせは、日本館に独特の雰囲気と調和を生み出した。多くの美術関係者から日本館全体のまとまりのよさを指摘されたのは、まんざらお世辞だけだったとはいえないだろう。

► 『アトリエ』1984年9月号

173

企画展「芸術、環境、舞台」ビデオ・アート／舞台

キュレーターはマウリツィオ・カルヴェージ。日本からはビデオ・アート部門に出光真子、伊奈新祐、金指真理子、串山久美子、久保田成子、黒塚直子、斎藤信、櫻井宏哉、島野義孝、柴田良二、篠原康雄、多寡克也、中井恒夫、永田修、中谷芙二子、羽永光利、松永浩之、松本俊夫、山本圭吾、吉岡敏夫が出品。うち13人がビデオギャラリーSCANの新作公募展で入選した若手作家で、残りの作家も当時SCANが作品を配給していたビデオ作家たちだった（1980年原宿にオープンしたビデオギャラリーSCANは、ビデオ・アートを推進する一方で、海外の最新アート情報や、オルタナティブな領域の幅広い映像、音楽、パフォーマンスなどの視聴覚文化を紹介するユニークな活動を展開した）。また、舞台部門では田中泯が「芸術、環境、舞台」のアーティストショー「ビオラのモジュール──カンディンスキーへのオマージュ」の振り付けを行なった。

出 光 真 子

Idemitsu Mako | 1940−

東京で、出光興産創業者・出光佐三の四女として生まれる。1962年早稲田大学文学部卒業後、63−64年、コロンビア大学（ニューヨーク）で学ぶ。65−73年、カリフォルニア州で活動。60年代後半に実験映画を撮りはじめ、70年代初頭から、主婦やジェンダーの視点で撮ったビデオ・アート作品を発表、国際的な評価を得る。82年、ビデオギャラリーSCANで個展。86年「ニュー・ビデオ：ジャパン」や2012年「MoMAメディア・ラウンジ」などニューヨーク近代美術館の10の展覧会に出品し、同美術館に《Great Mother（Yumiko）》（1983年、22分）など13作品が収蔵される。近年の主な展示に「The EY Exhibition：The World Goes Pop」（テート・モダン、2016年）、「恵比寿映像祭 インヴィジブル」（東京都写真美術館、2018年）など。著書に『ホワット・ア・うーまんめいど──ある映像作家の自伝』（2003年）など。

GREAT MOTHER（YUMIKO）1983

出品作品 GREAT MOTHER（YUMIKO）1983 22分、GREAT MOTHER（SACHIKO）1984

伊 奈 新 祐

Ina Shinsuke | 1953−

愛知に生まれる。九州芸術工科大学（現・九州大学）大学院博士後期課程単位取得退学。同大学助手を経て、京都精華大学大学院教授となる。映像作家であり、主に実験映像（実験映画、ビデオ・アート）とメディア・アートを研究する。2006年、「眩暈の装置」展（川崎市民ミュージアム）の関連企画で、ヴェネチア・ビエンナーレの出品作《FLOW（2）》（1983年、7分）を上映。また11年、「第2回中之島映像劇場 日本のビデオアート──1980年代」（国立国際美術館）では《FLOW（2）》、《Sha》（1986年）が上映された。編著に『メディアアートの世界──実験映像1960−2007』（2008年）、翻訳に『ヴィデオ・アートの歴史』（クリス・メイ＝アンドリュース著、2013年）など。

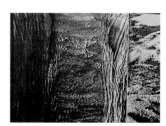

FLOW（2）

出品作品 FLOW（2）7分

1984

金 指 真 理 子

Kanasashi Mariko

出品作品 CAN YOU HEAR ME? 1984 5分30秒

串 山 久 美 子

Kushiyama Kumiko | 1959–

長崎に生まれる。1986年筑波大学大学院芸術研究科修了。83年、「ニューイメージ宣言」（イメージフォーラム、東京）、香港国際ビデオアート展（香港アートセンター）に出品。84年、日本国際美術展（東京都美術館）、AFIナショナル・ビデオ・フェスティバル（アメリカン・フィルム・インスティチュート、ロサンゼルス）に出品。85年、ビデオギャラリーSCANで個展、同年ピクタービデオ制作奨励金を受ける。86年「ニュー・ビデオ：ジャパン」（ニューヨーク近代美術館）、オーストラリア・ビデオ・フェスティバル（シドニー）に出品。2012年から13年「MoMAメディア・ラウンジ」（ニューヨーク近代美術館）に出品、同美術館に《House in Oikoshi》（1984年、5分）が収蔵される。

出品作品 TRUE FACE 1983 6分

久 保 田 成 子

129ページ参照

出品作品 無題 1979 30分

黒 塚 直 子

Kurotsuka Naoko | 1959–

東京に生まれる。1985年東京芸術大学大学院美術学部デザイン科修了。ビデオギャラリーSCANに集まった新世代のアーティストのひとり。80年代はビデオ・アートを制作し、作品はカナダ国立美術館、J・ポール・ゲティ美術館（ロサンゼルス）、アムステルダム市立美術館などに収蔵されている。1983年、ビデオギャラリーSCANで個展。85年にゼロックス・ナレッジ・イン（銀座ソニービル）で藤幡正樹と「宇宙人の落物」展を開催。2006年、「眩暈の装置」展（川崎市民ミュージアム）の関連企画で、ヴェネチア・ビエンナーレの出品作《ひるねの間》（1983年、9分）が上映された。1990年代より藍染料を使った絵と、テラコッタのオブジェ作品を制作。著書には絵と文を手がけた『空の森』（2014年）などがある。

出品作品 ひるねの間 1983 9分、A MINIATURE GARDEN 1983 6分

斎 藤 信

Saito Makoto 1961–

宮城に生まれる。1986年筑波大学大学院総合芸術コース修了。82年、SCAN 82 Autumn（ビデオギャラリーSCAN）、83年、香港国際ビデオアート展（香港アートセンター）に出品。84年、ビデオギャラリーSCANで個展。85年、「ハイテクノロジー・アート国際展」（渋谷西武百貨店）に出品。ニューヨーク近代美術館での

86年「ニュー・ビデオ：ジャパン」、89年から90年「コレクションによる近年日本のポスター」、2012年から13年「MoMAメディア・ラウンジ」に出品。同館に《A-R-K》(1985年、3分) が収蔵される。06年「眩暈の装置」展 (川崎市民ミュージアム) の関連企画で、ヴェネチア・ビエンナーレの出品作《FRAME BY FRAME DO-OR》(1983年、3分) が上映され、また11年「第2回中之島映像劇場　日本のビデオアート—1980年代」(国立国際美術館) では《FRAME BY FRAME DO-OR》、《FRAME BY FRAME TO-W-ER》(1983年)、《LOCUS》(1985年、3分) が上映された。

出品作品 FRAME BY FRAME (DO-OR) (TO-W-ER) 8分

FRAME BY FRAME (DO-OR) (TO-W-ER)　1983

櫻 井 宏 哉

Sakurai Hiroya | 1958−

神奈川に生まれる。筑波大学大学院修士課程芸術研究科修了。1985年、ビデオギャラリーSCAN (東京) で個展、91年にチャプターアートセンター (イギリス) で個展。2019年、「THE STREAM (水流), Hiroya Sakurai」(ラトローブ・リージョナル・ギャラリー、オーストラリア)、20年、「第4回マラスタ・ショートフィルム・フェスティバル」(イタリア) で櫻井作品の特集プログラム「櫻井宏哉の〈水流〉」が開催される。ビデオおよびビデオ・インスタレーションを制作し、人工により制御される自然の変容を造形的な視点から映像表現する。主な題材として水田の水路を流れる水を扱う〈水流〉シリーズがある。

出品作品 IKI 1983 3分14秒

島 野 義 孝

Shimano Yoshitaka | 1960−

東京に生まれる。1982年、ビデオ・エージ・パワー、SCAN 82 Autumn (ビデオギャラリーSCAN) に出品。84年、ビデオギャラリーSCANで個展。85年、東京パフォーマンスアートフェスティバル (ラフォーレミュージアム原宿) に出品。2006年、「眩暈の装置」展 (川崎市民ミュージアム) の関連企画で、ヴェネチア・ビエンナーレの出品作《カメラと、私のカメラ (CO-RELATION)》(1983年) が上映された。また11年、「第2回中之島映像劇場　日本のビデオアート—1980年代」(国立国際美術館) でも《カメラと、私のカメラ》、《ころがすこと》(1984年、4分47秒)、《テレビドラマ》(1987年、7分22秒) が上映された。

出品作品 カメラと、私のカメラ CO-RELATION 1983 8分40秒、ROLLING 1984 5分

柴 田 良 二

Shibata Ryoji | 1958−

富山に生まれる。1981年九州芸術工科大学 (現・九州大学) 画像設計学科卒業。ビデオ・アーティストとしての活動を経て、コンピューターを駆使したメディア・アート作品を手がける。光、音声、動作などを感知するリアルタイムCGシステムの開発に携わっている。2006年、「眩暈の装置」展 (川崎市民ミュージアム) の関連企画で、ヴェネチア・ビエンナーレの出品作《OE》(1983年、13分) が上映された。

1984

出品作品 O E 1983 13分

篠 原 康 雄

Shinohara Yasuo | 1952−

京都に生まれる。ビル・ヴィオラの影響を受け制作を始める。国際ビデオ・アート展 Tokyo'78（朝日講堂、草月会館）に出品。82年、シドニー・ビエンナーレ参加。83年、ビデオギャラリーSCANで個展、サンセバスチャン・ビデオファスティバルに出品。84年からのビデオカクテル（東京・駒井画廊他）に出品。ヴェネチア・ビエンナーレの出品作であり、ニューヨーク近代美術館の収蔵品となっている《Cubist's Fantasy II》（1983年）が2006年、「眩暈の装置」展（川崎市民ミュージアム）の関連企画で上映された。(Y)

Cubist's Fantasy II 1983

出品作品 Cubist's Fantasy II 18分

多 寡 克 也

Taka Katsuya | 1963−

1986年、ビデオギャラリーSCANで個展。同年ニューヨーク近代美術館「ニュー・ビデオ：ジャパン」、2012年から13年「MoMAメディア・ラウンジ」に出品、同館に《DENO》（1985年、2分）が収蔵されている。2006年「眩暈の装置」展（川崎市民ミュージアム）の関連企画で、ヴェネチア・ビエンナーレの出品作《JANTA》（1984年）が上映された。

出品作品 JANTA 1984 7分

中 井 恒 夫

Nakai Tsuneo | 1947−

大阪に生まれる。東京芸術大学在学中に映画の制作を始めて、第1作『仮眠の皮膚』（1967年）が草月実験映画祭で入賞。第2作『パリュウド』（1968年）は東京フィルム・アート・フェスティバルで奨励賞を受賞。1971年、炎を使ったインスタレーションを発表する一方、『錬金術』を制作。同作は75年ベルギーのブリュッセル国際実験映画祭でグランプリ受賞。79年、ニューヨーク近代美術館の「東京から福井、京都のビデオ」に出品。70年代後半よりビデオ・アートに取り組み、シングルチャンネルのビデオ作品《人工楽園》（1983年）を制作。同作はのちにドクメンタ（1987年）に出品される。83年「ビデオカクテル」に参加し、画廊や美術館で展覧会を企画。88年、ビデオギャラリーSCANで個展。その後《ニュー・ワールド》（1987-89年）などビデオ・インスタレーションやビデオ・オブジェが制作の中心となる。2000年以降は《東京原爆　未来の歴史1》（2009年）や《Ilinx　未来の歴史2》（2011年）を発表。

出品作品 VIDEO COLLAGE '83 1983 10分

永田　修

Nagata Osamu | 1950–

愛知に生まれる。1985年、ビデオギャラリーSCANで個展。出版物のデザイン
の仕事を行なうとともに、83年頃から約10年間はビデオ・アーティストとしてオラ
ンダをはじめ国内外でビデオ・インスタレーションを制作した。86年、ニューヨー
ク近代美術館の「ニュー・ビデオ：ジャパン」、2012年から13年「MoMAメディ
ア・ラウンジ」に出品し、同館に《MINAMI（SOUTH WIND）》（1984年、9分）
が収蔵される。

出品作品 ON THE WIND 1983 15分30秒

中谷芙二子

Nakaya Fujiko | 1933–

北海道に生まれる。高校を卒業後は雪の結晶の研究で知られる父・宇吉郎の
仕事の関係でアメリカで暮らし、1957年ノースウェスタン大学美術科を卒業。
当初は油絵を描くが、ロバート・ラウシェンバーグらとの出会いを通して、66年、
「九つの夕べ―演劇とエンジニアリング」（ニューヨーク）でパフォーマンスに参加。
同年、これを行なった芸術家と科学者がコラボレーションする組織E.A.Tのメン
バーとなる。70年、大阪万博のペプシ館で人工霧を使った「霧の彫刻」を初め
て制作。70年代から80年代にかけて、ビデオギャラリーSCANを主宰し、コミュ
ニケーションをテーマとするビデオ作品を発表、日本におけるビデオ・アートの推
進者となった。90年以降は自然環境と人間との関係を問う「霧の彫刻」を世界
中で発表して、様々な分野の芸術家とのコラボレーションを果たす。92年、昭
和記念公園（立川）、99年、グッゲンハイム美術館（ビルバオ）に霧の作品を設置。
2001年、バレンシア・ビエンナーレ（高谷史郎とコラボレーション、スペイン）、05年、ラ
トビア自然史博物館「雪と氷との会話」に出品。08年、横浜トリエンナーレに出
品。18年から19年に水戸芸術館現代美術ギャラリーで個展「霧の抵抗」が開
催された。17年、フランス芸術文化勲章コマンドゥール受勲、18年、高松宮殿
下記念世界文化賞受賞。

FOG SCULPTURE #94768 EARTH TALK　1976

出品作品 OPAL LOOP/CLOUD INSTALLATION 72503 1980、
FOG SCULPTURE/94768 "HEARTH TALK" 1976、ISLAND EYE-ISLAND EAR 1974 合計56分

羽永光利

Hanaga Mitsutoshi | 1933–1999

東京に生まれる。画家志望だったが、家族の反対もあり断念する。1958年に
文化学院美術科を卒業後、マン・レイやモホリ・ナジから影響を受け、フォトグラ
ムやデカルコマニーを制作。瀧口修造との出会いも、制作の原点にあった。当
初は抽象的な作品を志向し、61年、第一画廊（新宿）で初個展。62年から時
代の要請に従って記録写真やルポルタージュを発表する一方、「ジャックの会」
や「ビデオひろば」にオーガナイザーとして関わる。70年頃より、環境問題にも
関心を持ち、「地方の大自然の空気を缶詰に入れて銀座で放つ」という「メー
ル・アースデイ」を企画する。81年、写真週刊誌『FOCUS』の立ち上げに参

画。82年から83年にかけてフランス15都市を巡回したアヴィニヨン・フェスティバル写真展に出品。83年、ポンピドゥー・センター（パリ）で展示。84年にユネスコ・パリ本部で個展開催。没後の2014年、息子である羽永太朗が「羽永光利プロジェクト」を立ち上げ、約10万コマのネガをデジタルアーカイブ化する。同年「アートフェア東京2014」で記録写真が紹介され、国内外で再評価の機運が高まる。15年、テート・モダン（ロンドン）、18年、東京国立近代美術館で展示。

出品作品 BUTO FANTASY

松 永 浩 之
Matsunaga Hiroyuki

出品作品 DANDARA 1984 5分10秒

松 本 俊 夫
Matsumoto Toshio ｜ 1932–2017

SHIFT 1982

愛知に生まれる。1955年東京大学文学部美学美術史学科卒業後、新理研映画に入社しPR映画『銀輪』を初演出する。59年に退社した後、映画理論家として活動する一方、映画制作も行ない、記録映画『西陣』で62年、ヴェネチア国際記録映画祭グランプリを受賞。67年に『母たち』で再び同賞を受賞。69年、『薔薇の葬列』で劇映画に進出、『ドグラ・マグラ』（1988年）などの作品を監督。70年、大阪万博では「せんい館」の総合ディレクターを務め、「スペース　プロジェクション・アコ」でマルチ画面の映像制作を行なった。一方、医学・工学用の電子的測定装置を使用した《メタスタシス＝新陳代謝》（1971年）や《偽装　ディシミュレーション》（1992年）など斬新な作品により、日本を代表する実験映画作家のひとりとされる。2012–13年、ニューヨーク近代美術館と国際交流基金の共催による「東京1955–1970：新しい前衛」展、「MoMA　メディア・ラウンジ」に出品し、同館に《Mona Lisa》（1973年、3分30秒）が収蔵される。著書に『映像の発見』（1963年）などがある。2012年町立久万美術館で個展。

出品作品 SHIFT 1982 10分、FORMATION 1983 9分

山 本 圭 吾
Yamamoto Keigo ｜ 1936–

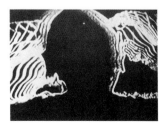

HUMAN BODY ENERGY No.3 1984

福井に生まれる。1968年頃よりビデオを用いた作品を制作し、71年からは観客が作品に参加するビデオ・インスタレーションを発表。「通信と芸術の関係」というテーマにも早くから取り組んでいる。75年のサンパウロ・ビエンナーレでは、日本初の展示ビデオ・アート作品として《ビデオゲーム・五目並べ》を出品。77年にはドクメンタに参加、79年の「東京から福井、京都のビデオ」、86年の「ニュー・ビデオ：ジャパン」（いずれもニューヨーク近代美術館）に出品。92年、ドクメンタで「インターナショナル・エレクトロニック・カフェ」の企画および日本側のディレクターを務める。93年のヴェネチア・ビエンナーレでは、世界をネットワークで結びつける「カシノ・コンテナ」に参加する。2012–13年、ニューヨーク近代美

術館「MoMAメディア・ラウンジ」に出品し、同館に《Foot No.3》(1977年、10分) など3点が収蔵される。

出品作品 BREATH N.5 5分50秒、HUMAN BODY ENERGY 1984 4分50秒

吉 岡 敏 夫

Yoshioka Toshio

出品作品 SHE IS A VIEWER 1983 12分

田 中 泯

Tanaka Min｜1945–

東京に生まれる。1965年東京教育大学中退。66年よりクラシックバレエやモダンダンスを学んだ後、74年から精神と物理の統合体として存在する身体に重点をおいた「ハイパーダンス」を展開。78年、パリ秋芸術祭「〈間〉—日本の時空間展」(磯崎新・武満徹プロデュース、ルーブル装飾美術館) で海外デビュー。ゆるやかで微細な動きで身体の潜在性を掘り起こすパフォーマンスは、ダンスをはるかに越えて、新しい芸術表現として衝撃をもたらした。85年から今日に至るまで、山村へ移り住み農業を礎とした日常生活をおくることでより深い身体性を追求。02年の映画『たそがれ清兵衛』で日本アカデミー最優秀助演男優賞と新人賞受賞、その後、国内外問わず多くの映像作品に出演。著書に『僕はずっと裸だった』(2011年)、松岡正剛との共著に『意身伝心』(2013年) などがある。また、写真集に『田中泯 海やまのあひだ』(岡田正人、2007年)、『Last Movement—最終の身振りへ向けて〈I〉、〈II〉』(平間至、2013年)、『光合成 MIN by KEIICHI TAHARA』(田原桂一、2016年) など。22年、ドキュメンタリー映画『名付けようのない踊り』が公開される。

参考図版 パリ秋芸術祭「〈間〉—日本の時空間展」1978

アペルトとアルセナーレ

1980年、アキーレ・ボニート・オリヴァとハラルド・ゼーマンの提唱により、若手作家を対象とした特別展「アペルト」が開始された。アペルトとは「開かれた」を意味するイタリア語で、そこには門戸を広げ、最先端の現代美術を紹介しようする意図が見える。参加作家からは、80年のジョナサン・ボロフスキー、82年のジュリアン・シュナーベルをはじめ、出品からまもなくして世界的名声を得た者が続出。やがてアペルトは若手の登竜門として定着し、ビエンナーレの重要なプログラムとなった。

日本人では、82年にイタリア在住の長澤英俊が参加。88年には石原友明、遠藤利克、西川勝人、宮島達男、森村泰昌と日系アメリカ人フジタ・ケンジが選出され、これを機に日本国内でアペルトが注目されるようになった。そして90年にはコンプレッソ・プラスティコ、松井智恵、93年には椿昇、中原浩大、柳幸典と、日本人の参加が続いた。しかし95年、総合キュレーターであったジャン・クレールの意向によりアペルトが取りやめとなった。その決定は、ヨーロッパ各地で「アペルト95」のタイトルを掲げた展覧会が開催されるなど、美術界に大きな波紋を投げかけた。

アペルトの展示会場は、84年までは主にザッテレの旧食塩倉庫であったが、86年にジャルディーニから徒歩10分ほどのアルセナーレに移された。アルセナーレとは、ヴェネチア共和国時代の造船とそれに搭載する兵器などの工場からなる区域を指す。アペルトには、コルデリエと呼ばれる船を係留するロープの製造工場だったレンガ造りの建物が使われた。全長317メートルの細長い柱廊空間を、柱ごとに区切り、個展形式の展示が行なわれた。そしてアペルト中止以降は、企画展の主会場のひとつとなり、現在に至る。

今世紀に入り、展示会場の範囲はさらに拡大され、旧大砲倉庫、旧武器庫などが加えられた他、2005年からはアルセナーレの北側にある旧石油貯蔵庫が中国館として使用され、2007年にはイタリア館もジャルディーニからアルセナーレに移された。またパヴィリオンをもたない国々の会場も設けられ、2019年には25カ国が展示を行なった。さらにカフェやショップなども併設され、広大な敷地内で一日を過ごすことも可能となった。(C)

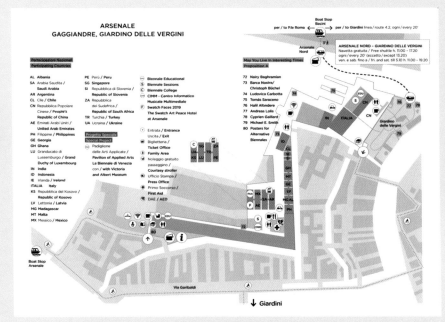

アルセナーレの配置図（2019年のリーフレット）　青：企画展　ピンク：各国パヴィリオン

1982

総合キュレーターのルイージ・カルルッチオは前年12月にサンパウロで急逝し、大まかな計画と不完全なリストが国際委員会に託された。春の終わりにも開幕日が決まらず、中止の噂までもが流れていた。プレビュー初日にも中央館の展示は終了せず、トマーゾ・トリニがコーディネートした「アペルト82」も展示が半分も終わっていない状態だった。まだ到着しない作品や行方不明の作品があり、そのほとんどがアメリカ人作家の作品だったため、反米の噂までもが広まった。ジャルディーニの中央館では、「芸術としての芸術：芸術作品の持続性」が開催され、マティス、ブランクーシ、シーレの展覧会が行なわれた。イタリア館ではフォンタナなど、イギリス館はバリー・フラナガン、アメリカ館ではロバート・スミッソンが展示された。東ドイツ（現・ドイツ）が初参加し、6年ぶりに参加したソ連館には、制作中のアーティストの膨大な数の自画像や画像が展示された。ジャルディーニ以外では、「アントニ・タピエス 1946–82」、「リカルド・トマージ・フェローニ展」（ともに会場は、サン・ジョヴァンニ・エヴァンジェリスタ）や長澤英俊、ジュリアン・シュナーベル、アニッシュ・カプーアらが参加し、「時間と空間」をテーマにした「アペルト82」が開催された。「時間」はジュデッカ島の海軍倉庫で、「空間」はザッテレの旧食塩倉庫で行なわれた。

GIAPPONE

La Biennale di Venezia, 1982

日本館カタログ

日本館について

コミッショナーはたにあらた。日本館の作家選考は、推薦、協議制が導入された。幅広い地域の美術関係者が戦後生まれの作家を推薦し、そのなかからたにによって彦坂尚嘉、北山善夫、川俣正が選出された。

今回のビエンナーレで日本館に出品する3作家は、戦後生まれの世代に属している。彦坂尚嘉と北山善夫は1960年代末、川俣正は1970年代末から発表を始めるが、彼らは先行する動向（「反芸術」、「コンセプチュアル・アート」、「もの派」）に対する批判から展開した表現内容によって特徴づけられる。70年代初めから中葉期までの日本の現代美術の状況は、60年代までの経済の高度成長とリンクする未来志向の表現が下火になる一方、そうしたモダニズム路線を根底的に批判する新興勢力が台頭した（その代表格が70年前後の動向を特徴づける「もの派」である）が、これら60年代から70年代前後にかけての動向をさらに批判する勢力の台頭の時期に当たっている。しかし、70年代中葉期までの表現は、美術史や作家存在、表現することそのものを対象にした根底的な問いかけから発しており、作品としての生成については困難を極めた。ひと口にマイ

展示風景　北山善夫の作品

展示風景　左：北山善夫の作品　中央：川俣正のパネル　右：彦坂尚嘉のレリーフ

ナーな作品傾向であったといえるだろう。こうした時代の後（70年代中葉期以後）、70年代前半に模索した志向性をベースに"制作"が積極的にかえりみられるようになり、絵画の形式や表現の検証もさかんにおこなわれるようになった。最初に、それはオール・オーヴァーな描写やモノクロームのドゥローイングなど表出を最少限に抑えたものであったが、70年代末ころから表現主義的な傾向にいたり、一般に"ニュー・ペインティング"と称される動向を生んでいる。この3作家は、以上のような意味で日本の80年代の新表現を生み出すうえで先駆的な役割を果たしたということもできる。

　川俣正は、主な作品のほとんどで、木（板や角材）を素材に選び、大抵は、壁に代わる板と線に代わる角材を組み合わせる。それらの作品は、ポスト・モダンのデコンストラクションという考え方とも関係し、造形的なバランスにおいてだけではなく、内部を動きながら見る際に感じる知覚的なバランスも考慮している。(略)北山善夫の作風は、「自由」という言葉で最もよくあらわせるかもしれない。(略)しかしそれは、適度な秩序なしにはあり得ない。使われる素材の質と、作家の創造上の意図が、微妙に調和して溶け込んでいる。(略)彦坂尚嘉は1975年にパリ・ビエンナーレに参加して以後、木の上に描くようになった。(略)それは近代におけるタブローの因襲的な概念に抗い、挑戦することを意味しているのである。作品の背後にある制作の要素は、日々生きている空間なども含めた広いフィールドから生まれてくるのだが、江戸時代の大画家尾形光琳（1658-1716）や、あるいは大和絵の伝統にさえつながっているかも知れない。

▶たにあらた　日本館カタログ

川俣　正

北海道に生まれる。1978年に大学の友人たちと展覧会をする場として演習室を立ち上げ、初めて木材でインスタレーションを行なう。大学にはほとんど行かず、カメラを持って毎日東京のいろいろな町を歩き回る。79年東京芸術大学美術学部絵画科卒業。同年《バイランド》で初めて屋外（多摩川河原）での作品設置を行なう。82年ヴェネチア・ビエンナーレに参加。オープニング後6カ月間ヨーロッパを放浪する。その後はヨーロッパでの現地制作が多くなり、当地でアシスタントや道具などの調達を工夫することによって、作品が変わってくることを実感する。公共空間に木材を張りめぐらせるなど大規模なものが多く、制作プロセスも含めて作品となった。84年東京芸術大学大学院博士課程満期退学。87年のドクメンタ、サンパウロ・ビエンナーレ、92年のドクメンタに参加。97年、パリのサルペトリエール病院の礼拝堂に4000個の椅子を使った《椅子の回廊》を作る。96−99年《ワーキング・プログレスプロジェクト》を行なう。オランダのアルクマールでは町外れにある麻薬中毒患者などのリハビリを行なっている病院からの依頼によるもので、患者たちが病院の運河沿いに遊歩道を組み立てると、3年後には約3キロの長さになった。2016年、ポンピドゥー・センター・メッスで個展「Under the Water」開催。

横浜トリエンナーレ2005のアーティスティック・ディレクターを務める。99−2005年、東京芸術大学美術学部先端芸術表現科教授。07−19年、フランス国立高等美術学校教授。著書に『アートレス マイノリティとしての現代美術』（2001年）など。

出品作品について

材料を現地で調達して、1ヵ月滞在して制作。日本館の外壁からピロティまでを角材や板を用いて、建築現場のように取り囲んだ大規模インスタレーション《'82ヴェネチア》を制作。館内には制作プロセスを記録した《Photographs Document 81》（1979−81／写真パネル）も展示。

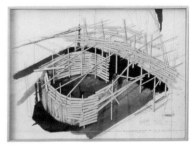

ヴェネツィア・ビエンナーレ、プラン・ドローイング　1982

1982

'82ヴェネチア

北 山 善 夫

滋賀で、京都の友禅染職人の家に生まれる。子どもの頃より病気を繰り返し、常に死と隣り合わせだった。中学を卒業して友禅の職人となるが、美術を志す気持ちももち続け、16歳から20歳頃まで京都の洋画教室に通い、石膏デッサンや油絵を学んだ。1979年より竹と紙を用いたスケールの大きい彫刻をつくりはじめ、80年代初頭に正式にデビューする。デッサンを一切せずに、素材のかたちの変化に従う作品を制作。82年ヴェネチア・ビエンナーレに参加。86年より本格的に絵画作品を発表し、〈偶像図〉と〈宇宙図〉の二つのシリーズに取り組む。偶像図は粘土でつくった人形を紙にインクで描き写す。一体の人形を描き終えたら、また新たな人形を制作して空間のなかに落とし込んでゆく。人形が偶像化され、生と死や歴史、戦争といった主題が込められた。宇宙図は製図用具やロットリングを用いて、自動筆記のようにインクで画面全体に描かれている。西洋由来の一点透視図法や遠近法による空間構成ではなく、東洋の山水画に見られる、より概念的な空間構成に自らの歩むべき方向性を見いだした。92年、愛知芸術文化センターの吹き抜けの空間に、跳躍する人をテーマにした、室内彫刻としては世界最大級の竹と和紙による40メートルの立体作品を設置、今も常設展示されている。

出品作品について

竹ひごや木の板に紙や革、布、鉛を貼り、油彩やパステルで彩色した新作を含む立体作品6点を出品。最大の作品は横幅3.7メートルにも及んだ。

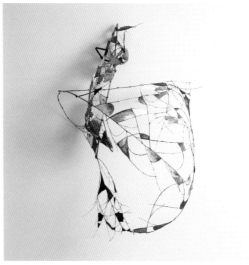

どこかで 1982

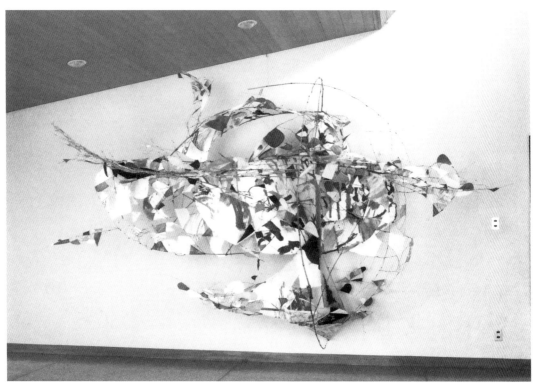

言い尽くせない 1982

彦 坂 尚 嘉

東京に生まれる。1966年多摩美術大学入学。69年に同大学のバリケードの中で造型作家同盟展を開く。同年、現代音楽家・刀根康尚と現象学研究会を結成し、フッサールの著作の勉強会を始める。さらに「美術家共闘会議（美共闘）」結成に加わり、反体制運動に参加する。70年、授業料未納を理由に多摩美術大学を除籍される。同年より自宅の8畳間と縁側にラテックス（工業ゴム）を大量にまき、乾くまでの様子を撮影する《フロア・イベント》を開始。70年代以降の日本のコンセプチュアル・アートの先達として、美術表現そのものを根元から問い直す活動を続ける。一方、木の支持体を使った〈ウッド・ペインティング〉シリーズを形や図像を少しずつ変えながら続け、制作のなかに具体的手応えを取り戻そうとした。71年、「美共闘Revolution」の機関誌『美術史評』創刊を主導、初代編集長を務める。75年パリ青年ビエンナーレに出品。82年ヴェネチア・ビエンナーレに参加。82–83年、文化庁在外研修員の身分でフィラデルフィア大学院グラデュエイトスクール・オブ・ファインアーツに特別生として留学。87年サンパウロ・ビエンナーレに出品。ラカンの精神分析を背景にした芸術分析の理論を構築し、ブログに発表する他、2004年より歴史への関心から連続シンポジウムのアートスタディーズを企画した。2009–13年、立教大学大学院の特任教授を務める。主な著書に『反覆／新興芸術の位相』（1974年）、『彦坂尚嘉のエクリチュール—日本現代美術家の思考』（2008年）がある。

出品作品について

厚い板をレリーフ状に連ねて、アクリル絵具により抽象化されたパターンを描いた〈ウッド・ペインティングによるプラクティス〉シリーズ11点を出品。

P. W. P. 8（森）1978

P. W. P. 50（ズーニー・ソング）1981

1982

たにあらた

総じて日本館に高い評価

日本の現代美術の水準は、こうした国際展に参加してみても判るように高いものであるが、今回日本館では館内をほぼ二分して彦坂、北山の作品を展示、川俣は館内では五枚の写真パネルの展示に限定して、中心の制作は館外においた。公園入り口からも深い緑を突き破るように見える川俣の作品は約一ヵ月を要して現地制作されたもので、制作場所の特殊条件を活かしながら川俣独自の造形感覚を拮抗させようという試みは今回もよく発揮された。規模の大きさも手伝ってジャーナリスティックな受けはよかったといえよう。

　北山の作品は今回の三人の中では一番注目された。竹、木、紙を中心素材に一見自由に制作された立体絵画だが、類例を見出せないことと、現象的な楽しさ（"凧"のようだという印象を与えたのは日本と同じだった）もあって、大作の前では記念撮影をする観客の姿がしばしば見られた。

　今回の三人の中では一番キャリアの長い彦坂の作品も強い印象を与えた。飛びはねるような北山の作品との対比もよかったが、正面きった質問——こうした作品の成立要因、国内での位置づけ——があびせられた点に関心の深さを知ることができる。展示では国際交流基金の矢口國夫氏にリードしてもらったが、総じて日本館が評判になったのはこうした関係者の努力が大きい。従来清掃から始めなければならない日本館は、今年は大使館によって内外装が整えられており、すぐ展示にかかれる状態だった。

▶『毎日新聞』1982年7月16日夕刊

ジョン・ラッセル・テイラー

日本館は毎回、エレガンスと様式と伝統に敬意を払いながらも、それに隷属しない態度をもっている点で優れている。

　今年の日本館は、風にうねる帆布のような、巨大な木の建造物の形をしている。それは川俣正によって制作され、半分はがれた包装紙のように見えなくもないが、魅力的である。館内には、北山善夫の作品がある。これは、凧を思わせるフォルムをしており、羽根のように軽く、青空へ旅立たんばかりである。そして、彦坂尚嘉は、板の上にどこか日本的な抽象化されたパターンを、独特な手法で描いている。そのため見る者は、なぜだかわからずとも、この作家が日本人であると直観的に感じるのである。

▶『タイムズ』1982年6月15日

1980

総合キュレーターはルイージ・カルルッチオ。総合テーマは「1968-80年における芸術家の実験と作品」。これは1968年のパリ5月革命に代表される「異議申し立て」以降の美術の動向をみようとするもので、79年の第2回参加国代表者会議で決定された（この時点では日本館コミッショナーは未定）。中華人民共和国が初めて参加したが、パヴィリオンがないのでユーゴスラビア館の一部で展示を行なった。また、第1回ヴェネチア・ビエンナーレ国際建築展が同時期に開催された。中央館の企画展示「70年代の芸術」ではヨーゼフ・ボイスやアンディ・ウォーホルら現代美術の巨匠たちが並ぶ。特色をみせたのはジャルディーニ以外の企画展で、今回から若手作家のための「アペルト」が始まった。会場はサン・マルコ広場対岸のザッテレの旧食塩倉庫、テーマは「70年代から80年代に向けての芸術」で、新表現主義の傾向を中心に41作家が出品し、ジョナサン・ボロフスキーのインスタレーションなどが話題となった。他にバルテュスの回顧展、マリオ・デ・ルイージの回顧展、チェコスロバキア現代美術展、ストリンドベルグ展、クロード・ヴィアラらによる「ボルドーでの習得」展などが開催された。

日本館カタログ

日本館

コミッショナーは美術評論家の岡田隆彦。参加作家は榎倉康二、小清水漸、若林奮の3名が選出された。榎倉は1978年に引き続き2回目となる。

私がここで紹介しようとする3人の作家──榎倉康二、小清水漸、若林奮──は、この20年間日本の美術を導いてきた鋭敏なアプローチで、傑出した存在である。今日の日本の他の作家たちと同様、3人は西欧の芸術から会得したものを礎にして出発した。言うまでもなく、彼らは、次第に独自な世界を形成していき、日本の風土にしか育ちようがない、それにも拘わらず現代的なスタイルにたどりついた。（略）

　見たところ、3人の作品は全くスタイルを異にするように見える。使われる素材もまちまちで、榎倉はもっぱら使い古しの油を、小清水は木を、若林は鉄を使う。しかしながら、彼らは「今日、現実をいかにして捉えるべきか」という問いを強調するという、同じ芸術理念を共有しているのである。つまり、彼らはそれぞれ独自のやり方で、「視覚的表現とは何か、そして何であり得るか」というテーマを具現しているわけである

▶岡田隆彦「現実を捉える」日本館カタログ

コミッショナー

岡田隆彦

Okada Takahiko｜1939-1997

東京に生まれる。画家を志し1955年都立駒場高校美術科に入学するも断念し、獨協高校に転校する。シュルレアリスムを知り、西脇順三郎を慕い慶應義塾大学文学部仏文科に入学。在学中に吉増剛造らと詩誌『ドラムカン』を創刊。詩集『われらのちから19』(1963年)、『志乃命』(同年)などで注目される。美術評論では65年「はんらんするタマシイの邦 イヴ・タンギーの難破譚につき」で『みづゑ』創刊60周年記念芸術評論募集第1席入選、美術出版社に2年間務める。68年には写真同人誌『プロヴォーク』に参加。20世紀美術を中心に評論を執筆、「イメージ」を「イミジ」と原音表記にこだわる面があった。著作に『危機の結晶　現代美術覚え書』(1970年)、『眼の至福　絵画とポエジー』(1985年)などがある。東京造形大学教授を務めるがアルコール依存症になる。復帰後の85年、長編詩集『時に岸なし』で第16回高見順賞を受賞。90年から慶應義塾大学環境情報学部教授、『三田文学』編集長を務めた。

展示風景　壁面に榎倉康二の作品　小清水漸のレリーフ

展示風景　床に若林奮の作品

展示風景　床に小清水漸の作品　上右から2人目榎倉康二

榎 倉 康 二

東京に生まれる。父は画家の榎倉省吾。
1968年東京芸術大学大学院油画科修了。
在学中からグループ展で発表を行ない、69
年に初個展(東京・椿近代画廊)。キャンバスに
絵具で何かを描くことより、絵具の物質性の
延長線上に、素材に綿、毛、蝋、鉄などが
選択され、場、痕跡、触覚的な関わりに興
味をもつようになる。当時の「もの派」とは距
離をおき、形を作ることへの執着は継続して
いた。美術館や画廊空間から離れ、グルー
プで空き地を整備し野外展を試みるなど、そ
うした場に制作の「原風景」をみたという。
70年の日本国際美術展では、床に敷き詰
めた紙にエンジン・オイルを染み込ませ、71
年には東京都美術館の高さ5メートルの仮
設壁面にモルタルを吹き付けた作品をみせ
た。翌年のパリ青年ビエンナーレでは2本
の松のあいだに高さ3メートル、幅5メート
ルのコンクリートの壁に廃油を染み込ませる
《壁》を制作、初期の代表作となる。70年代
後半に入ると、綿布に廃油や油絵具を染み
込ませた作品を展開、それは物質性の強い
絵画であり、ライフワークともいえる手法を見
いだすこととなった。78年、80年ヴェネチア・
ビエンナーレに連続参加。また68年から写
真も試みており、作品の記録から始まった作
業は、やがてシャッターを切ることが意識化
され、風景や事物といった対象と身体との
緊張感ある関わりを確認する表現へと至る。
2005年には東京都現代美術館で回顧展
を開催。東京・世田谷に榎倉の作品を定期
的に展示するSPACE23℃がある。

出品作品について

3点の出品。いずれも平面と立体を組み合
わせた作品といえる。大きな布をほぼ対角
線状に交差させ、廃油の濃い染みと薄い染
みから構成された床と壁面への広がりと、廃
油という物質性が醸し出すイメージにこだ
わっている。

1980

無題 No.1　1980

無題 No.5　1980

小 清 水 　 漸

愛媛に生まれる。中学生のとき上京。東京
都立新宿高校卒業後、音楽やデザインへ
の興味もありつつ、1966年、多摩美術大学
彫刻科に入学するが、71年除籍退学。在
学中からグループ展で発表を行なう。大学
では絵画科の斎藤義重教室に出入りし、都
内の画廊巡りで美術界の空気を感じてい
た。68年に関根伸夫の《位相―大地》の
制作のアシスタントをすることで、手がかりを
みつける。この頃、紙で石を包み込むなど、
儚さと強さが共存する作品がみられる。70
年の日本国際美術展では、縦2メートルの
鉄板の下部を刃物のように磨き上げ、立て
かけるものと床に並べる〈鉄〉を展示。同年、
巨大な御影石に展示場で割れ目を入れる
作品などで「もの派」と言われていたが、造
形への志向を示していた。71年の初個展
（東京・田村画廊）から、数十本の同じ長さの板
や角材に様々な刻み込みを入れた〈表面か
ら表面へ〉のシリーズが始まる。同年パリ青
年ビエンナーレに参加し、その後数カ月の
ヨーロッパでの美術体験は貴重なものにな
る。帰国後、斎藤義重の回顧展のために再
制作の仕事を手伝う。75年には、木でつ
くったテーブルに枝を置いたり、天板の凹み
に水を湛えたりした〈作業台〉シリーズを発
表、代表作となる。制作にあたってはデッサ
ンや事前のプランなどはなく、素材と向き合
いながら進められた。76年ヴェネチア・ビエ
ンナーレ「国際的動向」展に参加。79年、
「木との対話展」（池袋・西武美術館）に出品。80
年ヴェネチア・ビエンナーレ、83年サンパウ
ロ・ビエンナーレ参加。85年頃から色彩が
取り入れられ、セラミックや青磁へこだわり、
彫刻という器を問い続けている。87年、国
立国際美術館で近作展。92年、岐阜県美
術館他を巡回する個展が開催された。

出品作品について

小清水の代表的な仕事である〈作業台〉シ
リーズ3点と木のレリーフ作品3点を出品。レ
リーフは壁面に立てかけられた。

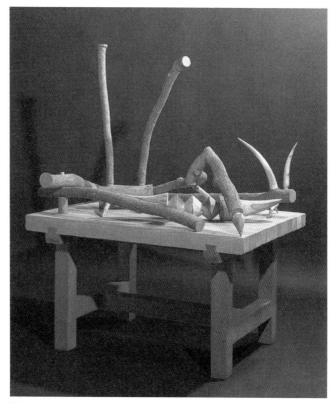

作業台―桐の枝　1979

作業台―木の帆　1977

若 林 　 奮

163ページ参照

出品作品について

70年代の代表作といえる〈振動尺〉は試作
を含め5点、〈100粒の雨滴〉から3点、他
に2点を出品。床に置かれた作品群のモ
チーフの出発点はエジプトのナイル河周辺
の風景とされる。若林は、ラスコーの壁画や
ピラミッドなど先史古代の遺跡がもつ物質感
や先史的な時間に惹かれていた。〈100粒
の雨滴〉は、重ねられた銅板の1枚1枚に
封印された時が刻まれているかの様相をみ
せる。あたかもピラミッドの石のようである。

1980

左より:《振動尺 I》《振動尺 II》《振動尺 III》《振動尺 IV》 1979

100粒の雨滴 II 1976-77

100粒の雨滴 I 1975-76

岡田隆彦
ベネチア・ビエンナーレ展報告

会場の仕つらえがもはや現代美術とそりがあわなくなっており、真ん中のミニマル・アートと見紛いかねない正方形の空気とりや幾何学模様のある大理石の床の印象が強すぎて、作品の印象を若干疎外しているのが誠に残念だった。㊙この最も権威ある国際的な芸術展が現代芸術の現在を示す機会と国際的な文化交流及び情報交換の機会とをもたらしているのは明白である。それにもかかわらず、日本館では、他のほとんどの館が行ったオフィシャルなレセプションも開かず、大使はおろか、ローマの日本文化会館館長ですら姿をあらわさず、コミッショナーや作家たちに何の挨拶もなかった。何ともさびしいことである。　►『朝日新聞』1980年7月21日夕刊

小清水　漸
トラブル続きの果てに見たものは…

ヴェネチアには、五十日も前に横浜港を出航した若林、小清水両名の作品が、すでに解梱を待っているはずであった。海路三十日、通関陸送を加えて二十日を予定し、充分な余裕を見ていたはずであった。そして二週間早くヴェネチア入りしている榎倉康二氏は、すでに製作を終え、岡田隆彦氏とともに悠然とヴィーノなど酌み交しているであろうと思われた。しかしながら事実は易々と私達の期待をひっくり返してくれる。榎倉氏の作品こそ展示されてはいるものの、わが日本館は連日のように降る夕立を防ぎきれず、あちらこちら雨漏りし、先着両氏の奮闘的清掃にもかかわらず、荒れ果てた風情のうちにあった。さらに、雨漏りのする床に並べられるべきわれわれの作品は、イタリア国内のどこに有るのかさえも分からなかった。先着両氏は、通辞役を交流基金により依頼されたヴェネチア大学の市原氏とともに、屋根屋との交渉、事務局との連日の折衝その他に、少なからずウンザリされている風であった。

　けっきょく、税関のストの煽りを喰ったりして作品が届いたのは、プレス・オープンの三日前であり、数百キログラムの若林氏の作品をいとも簡単に動かしてしまう、驚くべき力持ちの運送屋によって解梱されたのは二日前、空箱が運び出されたのが一日前であった。　►『美術手帖』1980年9月号

榎倉康二
ヴェネチア・ビエンナーレ'80報告

最後に、日本館での日本の作家達の作品（私の作品を含めて）を見ながら、私たちは日本の制度的既定の中で作品を常に造り、他人の作品を見ているのだという意識を新たに感ぜざるをえない。私たちは、情報のレヴェルでは、世界に接し、また添って生活しているようだが、自己の周囲を見つめる視点も、他者の作品を見る視点も、どっぷり日本という国の制度の中に漬かっている。㊙

　私たちが、伝統的な感性としての自然との一体感という感覚を、大衆的幻想や制度的な輪に作品のリアリティーの一部をあずけるというような、感覚にすり変えてはならない。私たちは、この日本のもつ感性の構造をより強固に把握しなければならない。　►『美術手帖』1980年9月号

1978

1975年に人権尊重を盛り込んだヘルシンキ宣言が欧州安保協力会議で採択後、78年にはソ連（現・ロシア）などの人権侵害を監視するヘルシンキ・ウォッチが設立された。それらに同調したビエンナーレ当局に反発したソ連やポーランド、ハンガリーなどの東欧諸国の不参加（ルーマニアとユーゴスラビアは除く）により、参加国は西側に偏った。他方、オーストラリアが20年ぶりに参加した。総合キュレーターは76年に引き続きヴィットリオ・グレゴッティ。テーマは「自然から芸術へ、芸術から自然へ」。中央館では、20世紀の前衛的な動向を振り返る企画展「芸術自然への六行程―芸術の自然」が行なわれた。ジャルディーニ以外の企画展では、70年に亡くなった画家ドメニコ・ニョーリ、アルテ・ポーヴェラ系のクラウディオ・チントーリ、ビデオアートのケティー・ラ・ロッカの回顧展や、旧食塩倉庫で「言葉とイメージ」「言葉の物質化」「開かれた空間」、カ・コルネール・デラ・レッジーナでは「芸術と映画」などの展覧会が開催された。

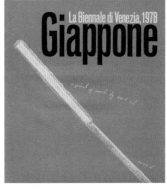

日本館カタログ

日本館

コミッショナーは1976年同様に中原佑介が就任。参加作家には榎倉康二、菅木志雄の2名が選出された。

「自然から芸術へ、芸術から自然へ」というテーマに応えて、2人の日本人作家の作品を紹介したい。（略）彼らは自作を説明するのに「自然」という言葉を使ったことは一度もない。しかしながら、彼らの作品を分析する鍵としてこの言葉を使えると思うのである。榎倉康二と菅木志雄のどちらの作品でも、それぞれ違ったニュアンスではあれ、自然が構造の一部を成し

ている。榎倉は、自然における時間という面を重視し、一方菅は、空間という面に焦点を合わせる。そのことが、両者を大きく隔てているように思える。（略）

　両者とも、事物間の関係の上に、芸術の世界を構築する。彼らは決して自らの作品を、単独の物体という観点からは考えない。彼らにとって芸術作品は、事物を集積するシステムとして、たちあらわれるものなのである。

▶中原佑介「榎倉康二と菅木志雄」日本館カタログ

コミッショナー

中原佑介 ————

Nakahara Yusuke｜1931-2011

76年と78年のコミッショナーを務めた。兵庫に生まれる。本名は江戸頌昌（のぶよし）。1955年京都大学大学院理学研究科修了（湯川秀樹研究室）。55年、「創造のための批評」が美術出版社の美術評論募集第1席入選、『美術批評』に掲載されデビュー。ペンネームは詩人中原中也と口先だけの印象批評でなく「腹（深い所）からものを申す」の意を込めた。56年から『読売新聞』の展覧会評を担当した。63年、内科画廊の「不在の部屋」展をはじめ先鋭的な展覧会企画を行なう。70年の日本国際美術展（東京ビエンナーレ　人間と物質）は中原ひとりが

展示風景　床に菅木志雄の《全体としての一側面》、壁面に榎倉康二の作品

コミッショナーとなり、日本における現代美術の国際展の嚆矢とされる。著書の『ナンセンスの美学』（1962年）、『大発明物語』（1975年）は、美術領域から人間の創造力と想像力の拡張を説く。入門書として定評ある『現代彫刻』（1965年）やライフワークともいえる『ブランクーシ』（1986年）など、彫刻領域の論考が多い。2006年から10年まで兵庫県立美術館長を務めた。11年より全13巻にわたる批評選集が刊行中。16年、「美術は語られる—評論家・中原佑介の眼」展（DIC川村記念美術館）が開催された。

榎 倉 康 二

190ページ参照

出品作品について

素材となる廃油と木材を現地で調達し、制作にあたった。廃油を染み込ませた板を綿布に押し付け、その板を染みからずらし痕跡を見せる作品。縦3.6メートル、横8メートルという大作4点を四方の壁面に展示したが、部屋の中央には菅木志雄の作品があり、互いに鑑賞の視線を妨げる面もあった。

無題 No.12 1978

1978

無題 No.13 1978

196

菅 木 志 雄

岩手に生まれる。1968年多摩美術大学卒業。在学中は斎藤義重に学んだ。69年、美術出版社の芸術評論にペンネーム桂川青の「転移空間〈未来のノートから〉」が佳作入選する。詩人で小説家の富岡多恵子と結婚。初個展は68年（東京・椿近代画廊）。この頃の潮流を示す「もの派」を代表する作家として知られる。菅は素材に手を加えないように、その場、その時だけに成立する作品を主につくり続けてきている。額縁や台座で自立する美術作品ではなく、選んだ素材が空間とともにあり、見るものがそれに感応して成立することを重視する。自身によるイベントや版画制作も行なうが、活動歴では70年のジャパン・アート・フェスティバル大賞受賞。73年パリ青年ビエンナーレ、76年シドニー・ビエンナーレ、78年ヴェネチア・ビエンナーレに参加。木などの素材を選ぶ、置く、並べる、組み合わせる、こうした過程を通して成立する作品は、しだいにスケールも大きくなっていった。97年から98年には国内6館を巡回する展覧会が開催された。99年に映画作品を含めた個展が横浜美術館で、2015年には東京都現代美術館で大規模な個展を開催。16年にはミラノのピレリ・ハンガービコッカとニューヨークのディア・チェルシーで個展、17年のヴェネチア・ビエンナーレの企画展「アート万歳」に参加した。

出品作品について

天井まで届く10本ほどの松材を縦に切断し、床近くまできたところで、割れた一方を床に寝かせる《全体としての一側面》は、現地で調達した素材によるインスタレーション。日本館前の木陰でパフォーマンス《他律》も行なわれた。

全体としての一側面　1978

パフォーマンス《他律》　日本館前

菅木志雄

ヴェネチアに熱風は吹いたか

それまでビエンナーレに参加されたアーティストの方々のくわだて、そのもっていき方などを気恥ずかしい思いをしながらも反芻しているうちに、漠然とあるひとつの方向が見えてきたように思います。その方向は充分に納得できるものではありませんでしたが、思考していく目安にはなるもので、それがなにかというと〈十全に日本的であるもの〉を持ちこもうということでした。これはいうなれば逆説的な意味あいを含んでいますが、それまでもビエンナーレなどでは東洋あるいは日本といった域に関してはある種の不可解さを持っているかわり、それにもまさる独断的な思い入れというか概念規定をおこなっているように見受けられ、そんなところに中途半端な日本風のものを持ちこんでも、結局かれらの意識になんらかの問い直しを与えるきっかけにもならないだろうと思われ、それならばいっそのこときわめて日本の風土性、日本人の意識構造にしたがった造作をおこなう方が、どれだけあちらの人々に〈邪魔な気分〉を起させるかわからないという考えにいたりました。それはかれらにとっても新たな視野としてながめられるだろうといった期待を無理にでも持たなければうなずけないものでもあったのです。

この〈邪魔な気分〉はもちろん〈十全に日本的であるもの〉に対するものですが、なぜこんな〈気分〉になるかといいますと、これはあちらの実存主義的なものの見方にかかわりがあり、かれらが見るということはすなわちなにはともあれ見えなくてはならない、といった立場があるのに、わたしが目指す〈十全に日本的であるもの〉という内容はむしろ見えているのだけれど見えない、在るのだけれどそこには無い、といった厳密に存在しているものの外縁のあいまい模糊とした領分をより積極的に評価しようとするものでした。が、あちらではそのような見えない世界が見えるもので現わされた状況を解釈するのははなはだ不得意のようで重い気分にさせるらしい、ことがわかりました。

▶『美術手帖』1979年1月増刊号

企画展「芸術自然への六行程─芸術の自然」

中央館で開催、6つのセクションのうち「自然／反自然」に日本からは「具体」グループの作家が出品、村上三郎、嶋本昭三、田中敦子、元永定正、白髪一雄、吉原治良（以上の作家は93年「東方への道」を参照）、向井修二、坪内晃幸の絵画作品がパリのコレクターのコレクションから絵画が1点ずつ展示された

向 井 修 二

Mukai Shuji | 1940-

兵庫に生まれる。59年、元永定正と出会い、同年の具体展に参加し、72年の解散まで出品する。60年大阪美術学校（現・大阪芸術大学）卒業、吉原が経営する吉原製油宣伝部に入社する。61年に具体美術協会会員になる。62年の前衛の美術と舞踊「だいじょうぶ月はおちない」では、《顔と記号》を舞台上で発表、12人の実際の顔を配したパネルに記号を書きつけ、自身も記号だらけになった。63年に初個展（大阪・グタイピナコテカ）。65年から67年、アメリカの美術館5館を巡回した「日本の新しい絵画と彫刻展」に出品。69年、手元にある作品を焼却するパフォーマンスを行なう。2013年、ニューヨークのグッゲンハイム美術館での具体展では、館内各所に記号を描いて話題となった。

出品作品について

油彩《無題》（1965）を1点出品。

坪 内 晃 幸

Tsubouchi Teruyuki 1927-2005

愛媛に生まれる。1945年愛媛師範学校(現・愛媛大学)卒業。56年から読売アン
デパンダン展に出品(60年まで)。同年『藝術新潮』に掲載された「具体美術宣
言」に感銘し、吉原治良に作品を送り批評を乞う。この頃からスポイトで絵具を
たらし込む絵画を制作。57年、具体美術展に参加、協会にも加入する。15年
間具体に参加しているが、66年には松山で美術運動「グループ・ネオブロック」
も結成。70年代以降、道路にある制限速度を示す数字「40」を収集、ネコプ
リント、メールアート、「40」のステッカーを身につけたパフォーマンスなどを展開
した。82年まで、ほぼ10年間〈40〉シリーズで個展(主に東京・村松画廊)を開催
した。2011年、町立久万美術館で個展。

出品作品について
油彩《無題》(1965)を1点出品。

企画展「芸術と映画」

1916年から78年までのアヴァンギャルド・シネマの特集。20年代の実験的な
作品をつくったハンス・リヒターやマルセル・デュシャン、アメリカのブルース・ナ
ウマンやリチャード・セラをはじめ、イタリアの70年代に活動してきた作家を加
え、全94名の16ミリ、8ミリ映画が上映された。

荒 川 修 作

221ページ参照

出品作品について
荒川修作+マドリン・ギンズによる2作目の映画。浮浪児に扮した少年がニュー
ヨークの街を徘徊しながら奇妙な行動をする。1972年にホイットニー美術館で
初上映。日本では愛知芸術センター「精神の場から身体の場へ」(2001年)や東
京・六本木のSCAI PIRAMIDE(2021年)などで上映された。

For Example (A Critique of Never) 1971

長 澤 英 俊

138ページ参照

出品作品について
手を使ったシークエンスを中心に編集している。1971年にミラノのガラリア・ラ・
ベルテスカや72年、京都市美術館(現・京都市京セラ美術館)の「映像表現'72—
もの・時間・空間」などで上映された。

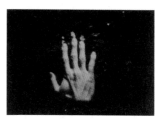

No.1 1971

1976

総合キュレーターはヴィットリオ・グレゴッティ。1968年以来、改革をめぐって紆余曲折があり、70年、72年は開催されたが、74年は延期となった。その間公開討論会、コミッショナー会議も開かれ、76年の総合テーマは当初「環境」だったが、二転三転し「環境・参加・文化構造」となった。ビエンナーレ当局の企画の揺れは続き、アメリカなどは「環境」を特に展示のテーマにしなかった。中央館でのテーマに即した「環境／芸術 1915-76」は、ジェルマーノ・チェラントが企画、部屋という室内環境と関わる作品を集めた展示で、ヤニス・クネリスの8頭の馬が部屋にいたり、イヴ・クラインの何もない部屋などで構成された。話題となったのは、フランコ体制下の公式のスペイン館を閉鎖し、中央館で開催された「スペイン 芸術の前衛と社会的現実 1936-76」展で、ビエンナーレ当局の反フランコの姿勢をみせた展示だった。ダリなどフランコ派はあえて展示されず、ピカソ、ミロからアントニ・タピエスらの現代作家まで前衛美術が出品された。

日本館カタログ

日本館

初めて写真領域から篠山紀信が選出された。篠山は1975年、新宿の小田急グランドギャラリーで〈家〉の展覧会を開催していた。コミッショナーの中原佑介は、ビエンナーレの「環境」というテーマに即して篠山のこのシリーズの出品を決める。展示構成を依頼されたのは建築家の磯崎新で、日本館の床はグレーのじゅうたんで敷き詰められ、天井は白布が張られることでニュートラルな空間となった。日本列島に生活してきた人間の痕跡を活写した写真は、1点1点の鑑賞性よりも、群として示され、全132点（1点は100×120センチ）を4つの壁面に3段掛けに展示、パノラマ的な風景を現出させた。

篠山がなぜ日本の「古い家」の中から選択したのかは想像に難くない。ひとつには、この国における「環境」の概念の元来の形態に、直接目を向けたという欲望がある。しかし同時に、そういった環境の、消え行くかも知れない断面を呼び戻したいという欲望もあると言えるだろう。これらの写真はまさしく「環境」を、刻み込まれた時の推移を無視して単なる空間の問題として考えるのが望ましいかどうか、問いかけているようである。これらの写真は「生活環境はどのような形態をとるべきか」という問いを発しているのだと考えたい。

▶中原佑介 日本館カタログ

展示風景　上下共

展示作業

篠　山　紀　信

東京に生まれる。生家は新宿の真言宗円照寺。1963年日本大学芸術学部写真学科卒業。在学中の61年、広告制作会社ライトパブリシティ写真部に勤務（68年退社）。66年、国立近代美術館（東京）の「現代写真の10人」展に選ばれる。人体、肉体の動きの美を女性ヌードを中心に取り組み、68年に初の写真集『篠山紀信と28人のおんなたち』を上梓。69年、ライフワークともいえるテーマ「都市とヌード」をソラリゼーションによる『PHANTOM』で見せる。71年に月刊『明星』の表紙で芸能人を撮り始め、70年代は週刊誌などのグラビア、表紙を女優、アイドル、歌手などで飾り、「激写」なる言葉を生み出し社会現象となる。一方、自分の日常に起こったことをドキュメンタリーとして、報道写真に新たな視点を呼び起こした『晴れた日』（1975年）を発表。76年ヴェネチア・ビエンナーレ参加。80年代には複数のカメラを連結して撮影をする「シノラマ」の技法で都市などを撮った。91年の樋口可南子と宮沢りえの写真集ではアンダーヘアが話題となった。2007年、40年間撮り続けてきた板東玉三郎の写真集、さらに11年の東日本大震災直後の記録写真『ATOKATA』など、時代へ果敢な眼差しを向け続け、活動は止むことはない。

1976

出品作品について

〈家〉シリーズは、『潮』誌上で1972年から4年間にわたって連載された。日本全国にわたって廃墟、アパート、民家、銭湯、さらに赤坂迎賓館などを撮影した。その後写真集『家』(1975年 編集構成・鶴本正三、文・多木浩二)として刊行。日本館では42カ所を撮った132点が選出されている。日本館では初の写真家選出となり、個展形式の展示も初となった。

左頁上から
農家 1626(石川県珠洲市若山町上黒丸 個人住宅)
農家 1856(富山県東砺波郡利賀村高沼地区)
廃屋になった農家(北海道苫小牧市勇払)
右頁上から
集合住宅 1950(大阪府豊中市城山町4-6-20 文化住宅)
荒廃した鉱山(福岡県北九州市筑豊炭鉱)
武士の家 1725
(鹿児島県川辺郡知覧町郡6110 個人住宅)
年記は建築年( )内データは写真集『家』より

中原佑介
環境と芸術のこと

私は篠山の写真がとくに日本の家の内部に焦点を据えている点に興味を感じた。写真に見られる日本の家は、古い農家などいわゆる長い歴史をもったものが主となっているが、その家のなかの情景は、日本人の「環境」についての考えが集約的にあらわされているように思われたからである。写真家・篠山紀信の作品展というよりはむしろ匿名の写真といった性格を前面に押しだすことができればと私は考えた。そこで、建築家の磯崎新にディスプレイの設計を依頼したが、磯崎のディスプレイはそれにきわめてふさわしいものだったと思う。磯崎は床をグレイのじゅうたんで敷きつめ、天井を薄い白の布でおおうことによって、会場全部を色のないクールな空間とし、そこへ篠山の写真パネル（カラー）を四面の壁全体にちょうどパネルで壁をつくるように、三段がけでびっしりと埋めるというディスプレイを考案した。パネルの一枚一枚はヴァラエティを示しながら、その全体がいわば集合体としての力を発揮し、日本の家にみられる「環境」というものがひとつの固有の性格をもっていることを強く示し得たのではないかと思う。

▶『現代芸術入門』美術出版社 1979年

1976

[対談] 篠山紀信・岡田隆彦
今日は言葉で 現代美術は手妻なり

篠山 （略）国際美術展なんていうのを見るのは、初めての経験だったですから、それはおもしろかったですね。おもしろかったというのは、つまらないということもおもしろいわけだから。それから、日本の若いアーチストもきてました。眞板雅文さんなんか。眞板さんは出品者の一人です。それから、河口龍夫さん。作品は出してませんでしたけど、ぼくは初めて現代美術の作家と会って話した。それから、パリから工藤哲巳さんなんかもきてました。ぼくは初めてだし、いってみれば、業界も違うし、ですから何でも聞けるわけですよ。それから、紙を配る人は何というんですか。

編集部 松澤宥さん？

篠山 そうそう。一番初めホテルで会ったら、いきなり紙なんか渡されてね。それが作品だというから、びっくりしたりなんかして。

（略）ぼくは、家のデザインとか様式美とか、あるいはその歴史的な意味とか、地理史的な意味とか、そういうのはまったく興味ないんですよ。従来民家の写真なんていいますと、そういう専門的な撮られ方というのはずいぶんされてきたわけです。ぼくがやりたかったのは、そこに住んでいる人間と、人間がつけてきたにおい、手あか、そういうものを見ることによって、日本人を見よう。それから、その家がずうっと生きてきた時代というもの、おおげさにいえば、日本と日本人を見ようということが、一番初めの発想だったわけです。

▶『アールヴィヴァン』第0号 1976年10月

企画展「国際的動向 1972-76」

1972年のビエンナーレ以降の現代美術の傾向を88作家の作品を通して見せる企画。作品部門とパフォーマンス部門から構成された。作品部門はスウェーデンの批評家オーレ・グラナス、パフォーマンス部門はイタリアのトマス・トリノが当たった。会場はジュデッカ島にある旧造船所。日本人作家の選定には東野芳明が関わった。河原温、工藤哲巳、小清水漸、長澤英俊、眞板雅文、藤原和通、松澤宥が出品。

河 原 温

Kawara On | 1932-2014

愛知に生まれる。1951年に高校卒業後、上京。53年、ニッポン展（東京都美術館）でタイル貼りの浴室に、妊婦や人間の断片が描かれた鉛筆素描の〈浴室〉シリーズを出品し注目を集める。54年、日比谷画廊（東京）で〈物置小屋の出来事〉シリーズを発表。メキシコ滞在を経て65年からニューヨークを拠点に活動を開始する。66年1月4日から単色に塗られたキャンバスにその絵が描かれた日付だけを描く「日付絵画（〈Today〉シリーズ）」の制作を開始。コンセプチュアル・アーティストとしての地位を確立、このシリーズは河原の代表作となる。並行して、〈I Read〉や〈I Got Up〉シリーズなどを制作。その後〈I am still alive〉〈One Million Years〉シリーズなどいずれも存在や時間をテーマとした作品に取り組む。この頃より展覧会には出品するもののカタログでも経歴を明らかにせず、公式の場に出ることもなく、ポートレートやインタビューも残さず、その実像を徹底して隠していた。72年ヴェネチア・ビエンナーレ「探究の場としての書物」に参加。98年、東京都現代美術館で大規模な個展が開催される。2015年、グッゲンハイム美術館で開催された個展「On Kawara-Silence」の準備中に亡くなる。

出品作品について

「何時に起きた」という文章の押印された絵ハガキを数百枚展示した。絵ハガキには「ヴェネチア・ビエンナーレ、国際的動向、1972-76」というスタンプが印刷されていた。(u)

工 藤 哲 巳

Kudo Tetsumi | 1935-1990

大阪に生まれる。本名は哲美だが、病弱であったため通名を哲巳とした。1954年東京芸術大学に入学。58年、読売アンデパンダン展への出品作がアンフォルメル運動の推進者ミシェル・タピエに賞賛される。62年、国際青年美術家展での大賞受賞し、その奨学金によって渡仏。以後パリを拠点にヨーロッパで活躍。60年代を通してヨーロッパの人間中心主義を批判し、従来の人間像の解体を主張する作品を発表。また攻撃的で挑発的なハプニングを展開する。69年に一時帰国し、千葉県房総の鋸山に巨大な岩壁レリーフ《脱皮の記念碑》を制作。70年、デュッセルドルフ・クンストハレで回顧展、72年にはアムステルダム市立美術館で個展が開催される。75年頃より内省的で自画像的な

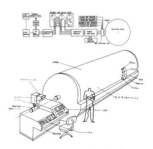

コンピュータ・ペインティングの制作装置図

〈危機の中の芸術家の肖像〉シリーズが始まる。80年代になると〈天皇制の構造〉や〈遺伝染色体と人魂〉のシリーズなど、自己と日本の社会構造を根幹から見つめなおす作品を展開。87年に東京芸術大学教授に就任するが、90年に死去。94年と2013年に国立国際美術館他で回顧展が開催される。海外でも07年ラ・メゾン・ルージュ(パリ)で個展、08年、ウォーカー・アート・センターで大規模な回顧展が開催される。

出品作品について

作者は「翻訳」というプロセスと呼んでいるが、自作を写真に撮り、エレクトロニクスの装置により拡大した作品を2点出品。(U)

無題(コンピュータ・ペインティングB)

小 清 水　　漸

191ページ参照

出品作品について

〈作業台〉シリーズは、後に小清水の代表作となるシリーズで、出品作3点は最初期のもの。他にオイルパステルのドローイング8点を出品。会期終了後、作品は作家のもとに戻らず行方不明となった。

国内展示(右も) 左:作業台―作業台　1975
右:作業台―裏山の木の枝　1975

作業台―熊勢川の石　1975

藤 原 和 通

Fujiwara Kazumichi | 1944–2020

岡山に生まれる。サウンド・アーティスト。68年《音響標定(Echo Location)》を始める。奥吉野で樵をした時、木を切る音からヒントを得たという。69年自作の「音具」と名付けた発音楽器でパフォーマンス(東京・ときわ画廊)。その後パフォーマンスは空き地、海岸、路上などで行なわれていく。70年に松澤宥らの「ニルヴァーナ」グループに加わり、翌年諏訪の泉水入瞑想台での「音会」に参加。73年、「点展」に参加。74年、渋谷山手教会脇の空き地での音楽公演《音響標定》は、直径約2メートルの「石臼」に取り付けた長さ約7メートルの丸太を押し回すことで擦り合わさる音の演奏だった。同年パリ青年ビエンナーレに参加するが現地制作ができず。76年から88年までベルガモなどに滞在。91年、音響振動コミュニケーター「ハンドフォン」を開発。92年テレビ番組「ウゴウゴルーガ」の「おとのはくぶつかん」を担当する。96年、昆虫の交尾音などの〈生

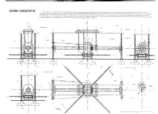

参考図版　作品プランと工場での現場制作。
作品は完成しなかった。

物音〉シリーズ「MATING」を発表。2000年代、京都や表参道に音の専門店「オトキノコ」を開設。

眞 板 雅 文

162ページ参照

出品作品について

70年代の眞板の作品に顕著な、風景や室内などの写真と水や光といった自然の要素を組み合わせた作品。展示ブースの3面にインスタレーションした。

展示ブース入口

展示風景　左：《状況16》　右：《状況14》

松 澤 　 宥

Matsuzawa Yutaka | 1922-2006

長野に生まれる。1943年早稲田大学理工学部に入学、在学中に新潟の工場へ軍需動員、46年卒業。建築事務所に就職後、49年より諏訪実業高校定時制で数学を教える（82年まで）。同年、第一詩集『地上の不滅』（10部）刊行。52年より美術文化協会展、読売アンデパンダン展へ出品。蔵にあった物などを自宅の中2階の蚕部屋に置くようになり、いつか「プサイの部屋」と称され、松澤の「脳内宇宙」といわれる空間となった（現在は老朽化のため長野県立美術館が中心となって保存と記録作業が行なわれている）。55年、ウィスコンシン州立大学へ教授として招聘され、さらにコロンビア大学などで超科学、超宗教を研究し、57年に帰国。作品は函、祭壇やマンダラ状のものになり、この頃から作家名や作品などがψ（プサイ）と総称される。64年6月1日「オブジェを消せ」という啓示を受け、文字だけによる観念芸術を創始する。活動は諏訪を拠点とし、ハガキ絵画、パフォーマンスが中心となり、ニルヴァーナ（肉体を吹き消す、物質の消滅）が問われていく。71年、下諏訪山中に泉水入瞑想台を建てる。70年代からは海外の概念芸術の展覧会に招待されることが多くなる。83年、『ψの函』（造形社）刊行。97年、斎藤記念川口現代美術館で個展。没後、「ニルヴァーナからカタストロフィーへ」（東京・オオタファインアーツ、2017年）、「松沢宥：生誕百年」（長野県立美術館、2022年）が開催された。

2点共
パフォーマンス《この1枚の白き和紙の中に》

出品作品について

午前0時直前、和紙にψ（プサイ）と墨書きし、Ω（オメガ＝最終）を予告する。サン・マルコ広場、フェニーチェ広場などでパフォーマンスを行なった。

企画展「5人のグラフィック・デザイナー展」

ポール・デイヴィス（アメリカ）、リチャード・ヘス（アメリカ）、ミルトン・グレイザー（ア
メリカ）、ロマン・チゼルヴィッチ（ポーランド）、横尾忠則が参加。具象的な図像をモ
ンタージュする傾向を示す作家たちといえよう。8月にコレール美術館において
開催された。横尾は現地には行けなかった。

横 尾 忠 則

133ページ参照

出品作品について

五人のひとり、日本の横尾忠則は、九月三日付けの"ユニタ紙"に彼の作品
"グリーティング"の写真が大きく掲載され、批評家、フェリス・ランダディオは次
のように紹介している。「洗練された東洋の符号を用い、刺激的な折衷主義を
完成した。これらは西欧の感覚では不可能な絵画である」。(略) 状況劇場のた
めのポスター"腰巻きお仙"や"ジョン・シルバー"などの中で、彼が用いている
浮世絵的発想と色彩は、西欧では考えられないイメージであろう。観客たちは、
横尾のポスターの前でため息をつき、なかなか動こうとしなかった。

▶ 今泉幸子「ベネチア・ビエンナーレとグラフィック5人展」『毎日新聞』1976年9月22日夕刊

左：会場のコレール美術館　　右：劇団状況劇場第8回公演「腰巻きお仙」ポスター　1966

ビエンナーレと国際交流基金

日本の国際文化交流の中核を担うべき公的専門機関として、1972年に国際交流基金が発足した。これにともない、戦前からわが国の国際文化事業を展開してきた国際文化振興会（KBS）は解散し、その権利と義務が国際交流基金（以下基金）に承継された。KBSの予算は戦後大幅に削減されたが、その限られた予算のなかでもヴェネチア・ビエンナーレへの参加を優先させていたのは、日本代表を送るというヴェネチアの万国博方式が国を動かしたためなのかもしれない。KBSに置かれていた国際展のコミッショナー選考機関である国際美術協議会も移管され、日本館展示は1976年展以降、基金の主催事業として推進されていく。ここにようやく国際展に臨む日本の体制が整えられた。

　基金の業務は、コミッショナー（キュレーター）と出品作家の決定を含む展覧会チームの結成に始まり、作品の決定・輸送、関係者の派遣、日本館カタログの制作、広報、協賛依頼、予算管理など多岐にわたる。また現地では、展示設営、オープニング・パーティー実施の他、プレス対応、日々の会場管理・運営業務を担う。各業務を行なうため、国内外の多数の関係者との密接な連絡調整も不可欠である。基金の担当者は、適切に事務をこなすだけではなく、コミッショナー（キュレーター）や作家と同じ土俵に立って考え、理解し、オーガナイズする資質も必要であり、日本館チームの一員として大きな役割が求められるゆえに、1984年展からはアシスタント・コミッショナーと位置付けられた。

　ネックとなるのは、ヴェネチアには基金の事務所がなく、駐在員もいないことである。基金のイタリアにおける拠点はローマ日本文化会館であり、遠隔操作にも限界がある。そこで、日本館は現地在住の柏木昌（1984年展-2001年展）、武藤春美（2001年展-2022年展）などをコーディネーターに委嘱し、現地での様々な業務を依頼してきた。こうした人々の協力なくしては、日本館の展示は覚束なかっただろう。ビエンナーレは、かつて「美術のオリンピック」と呼ばれたが、まさに参加国が鎬を削る場であり、各国の総合力が問われている。

　日本館の展示に加え、基金は時に関連企画展をヴェネチア市内で同時開催し（109ページ参照）、日本の現代美術の複眼的な紹介に努めている。またビエンナーレ当局主催の企画展に日本の作家が選出されると、助成プログラムを通して支援を行なっている。例えば2015年展の企画展に招かれた石田徹也（1973-2005）は、ヴェネチアで「発見」され、マドリードとシカゴの個展へとつながったように、ヴェネチアの評価は世界の評価へと直結する。それゆえ、ビエンナーレへの参加は、基金の基幹事業と位置付けられている。

　四半世紀にわたるビエンナーレへの参加経験を糧に、基金は2001年、日本における国際展「横浜トリエンナーレ」の発足に中心的な役割を果たした（2008年展まで参画）。現代アートの国際的な発表の舞台を日本に創設し、国内外のアーティストを招き、日本から世界へ向けて発信するというのが、その狙いであった。(I)

横浜トリエンナーレ2001 フライヤー

1972

第36回
6月11日──10月1日　33カ国が参加

総合キュレーターはマリオ・ペネロペ。運営、展示の改革を進めるべく、賞制度の廃止などを継続する一方、総合テーマとして「作品か行為か」を設定。多数の企画展が開催され、ジャルディーニ以外にもヴェネチア市街に展示が広がった。中央館の特別展示は、「現代のイタリア彫刻」、イサム・ノグチが参加した「ヴェネチアのための4つの都市計画」、河原温が参加した「探究の場としての書物」、ジョセフ・コスース、エド・ルッシェらが参加した「印刷による実験的版画」が開催された。ヴェネチア市街では、国別に作家が選出された「都市の彫刻」に長澤英俊が参加した。また日本からも8人の作家が招待された「今日の版画」をはじめ、巨匠たちの作品でみる「1900-45　近代絵画の歩み」、スザンヌ・リンケ、リチャード・セラ、キース・ソニアらが参加した「ビデオテープ」、「ヴェネチア、昨日、今日、明日」、「装飾芸術」展などが行なわれた。

1972

日本館

同一人物に2回続けてコミッショナーを委ねるとする国際美術協議会での決定を受け、1970年と同じく日本館は東野芳明がコミッショナーに就いた。総合テーマ「作品か行為か」を受けるかたちで、東野は「作品」には宇佐美圭司、「行為」には田中信太郎を選出した。展示室に宇佐見、ピロティに田中の展示とし、70年同様の個展形式をとった。

現代美術の国際展を組織する者は、その成果に関して様々な側面を考え直している途上にある。その一例が、授賞審査制度の中止に向かう傾向である。また、国別に個々の作家を選ぶという原則があるために、作家の質がそろわないという問題も残っている。（略）この問題の解決に向けた過渡的な方策として、現在とられているのは、美術が今あるところの本質を明らかにするようなテーマを明確に設け、展覧会を組織することである。それに基づいて各国は、作家と作品を選考するように要請されるわけである。かくして、第36回ヴェネチア・ビエンナーレでは、〈作品か行為か〉という統一テーマを設けることで改革の第一歩を踏み出した。日本館は対照をなす一組、田中信太郎の「空間構築」と宇佐美圭司の「絵画」を展示することになる。両者とも、1940年生まれの才能あふれた作家で、ここ数年ヴェネチア・ビエンナーレに出品した日本人作家に比べても、より若い世代に属する。

▶東野芳明「日本─連続と非連続」日本館カタログ

コミッショナー

東野 芳明
Tono Yoshiaki | 1930-2005

1970年と72年の日本館コミッショナーを務めた。東京に生まれる。54年東京大学文学部卒業。同年「パウル・クレー論」が美術出版社の美術評論募集第1席となりデビュー。57年最初の著作『グロッタの画家』を上梓。58年と60年のヴェネチア・ビエンナーレのアシスタントとして渡欧。その帰途世界を旅し各地のアートをめぐる見聞が『パスポートNO.328309』（1962年）となる。また、60年代の読売アンデパンダン展などの先鋭的な動向を「反芸術」とし、議論を起こした。67年から多摩美術大学で教鞭をとり、81年の芸術学科創設に尽力する。美術評論の軸としては、欧米の現代美術の動向についての論考が多く、親しくしていた作家の評伝『ジャスパー・ジョーンズ』（1979年）、またライフワークともいえる『マルセル・デュシャン』（1977年）を上梓し、78年から80年にいたる《大ガラス、東京バージョン》の制作では中心的な役割を担った。素潜りを趣味としていたが、90年脳梗塞で倒れ、長く闘病生活を送るなかで、自ら撮影した海中写真の個展も行なった。旧蔵資料は富山県美術館などに寄贈されている。

210

展示風景　ピロティの田中信太郎の作品

展示風景　上下共
宇佐見圭司の作品
床に《ゴースト・プラン・イン・プロセス》が並ぶ

宇 佐 美 圭 司

大阪に生まれる。1958年大阪府立天王寺
高等学校卒業後上京し、阿佐ヶ谷美術学
園（現・阿佐ヶ谷美術専門学校）に学ぶ。佐伯祐
三、松本竣介にあこがれ絵画に取り組む。
62年、評論家の東野芳明を訪ね、63年、
日本橋の南画廊で初個展、画廊主志水楠
男は79年に亡くなるまで宇佐美を支えた。
65年に『ライフ』誌に掲載されたロサンゼル
スのワッツ暴動の写真から4つの人物像を
抽出し、以後の絵画の中心的なモチーフと
する。67年、パリ青年ビエンナーレに出品。
68年にはレーザー光線による環境的な作
品を発表。70年の大阪万博では鉄鋼館ス
ペースシアターの光の演出を担当し、前川
國男、武満徹らとレーザー光線で会場構成
をした。72年ヴェネチア・ビエンナーレに参
加。宇佐美は執筆も多く、ピカソ、マティスな
どを論じる『絵画論』、『線の肖像』（共に1980
年）、『デュシャン』（1984年）を刊行。以後6冊
の著作を上梓する。80年、南天子画廊で個
展、以後同画廊を拠点とする。壁画にも取り
組み、東京大学中央食堂（1977年、2017年廃
棄）、慶応義塾大学図書館ロビー（1982年）、
三重県総合文化センター（1994年）などがあ
る。2012年の大岡信ことば館での個展「制
動・大洪水」が生前最後の展覧会となった。
21年に東京大学駒場博物館で「宇佐美圭
司 よみがえる画家」展開催。

出品作品について

壁面に1962年制作からの絵画作品17点
と床に立体1点を出品。立体作品はニュー
ヨークで作られた。地下作業場に大きな帯
のこを設置して、500個近い形を材木から
切り出し、みがき、塗装することを1カ月あま
り行ない、会期ぎりぎりに日本館に搬入した。
積み上げられた6つの形が6角形に配列さ
れた。

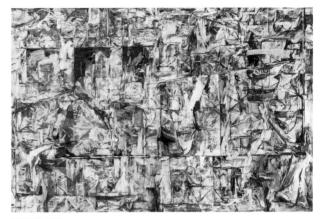

行動の場　1964

ゴーストプランX No.1　1969

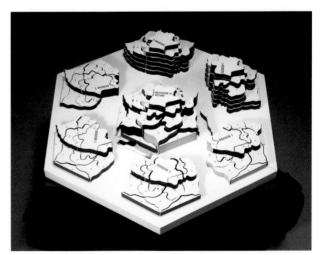

ゴースト・プラン・イン・プロセスIV

1972

田中信太郎

東京に生まれる。1958年茨城県立日立第
一高等学校卒業後上京し、フォルム洋画研
究所に学ぶ。59年、二紀展に入選。画面
に廃品を用いたアッサンブラージュ作品だっ
た。60年から読売アンデパンダン展に出品。
また同年からネオ・ダダイズム・オルガナイ
ザーズの活動に参加した。65年、新宿の椿
近代画廊で初個展。68年の東京画廊での
個展では、ガラス、ハロゲン光、ピアノ線を
使った国内でも早期のインスタレーションの
作品を発表。69年、パリ青年ビエンナーレ
には2カ月間の船での移送中に自重で固ま
る土の作品を出品。70年、日本国際美術展
に出品。72年ヴェネチア・ビエンナーレに参
加。以後、多くの国際展に参加する。80年
代に入ると、これまでの純粋幾何学的な構
成を離れ、色彩が施され、木彫や大理石に
よる有機的な形態をもった演劇的な装置を
思わせる作品を展開するようになる。80年代
後半から、風景をモチーフにしたときにはナイ
ル河の三角州の形が表われたり、作品の先
端に赤とんぼを設置するなど、自らの表現の
着地点に多様な表情をもたせた。また、多く
のパブリック・アートを手がけ、67年からのイ
ンテリアデザイナー倉俣史朗との交友は互
いに刺激を与え合った。

出品作品について

日本館のピロティの壁を黒く塗り、2メートル
四方および3メートル四方の鉄板と、同じ形
態のプラスティックによる作品、計12点を出
品した。このプラスティックの作品は、薄いプ
ラスティック2枚を約3ミリの隙き間を開けて
貼り合わせたもので、その中には金色の鉄
粉が約50キログラムほどつめこまれていた。
しかし田中が現地を離れた後、作品は壁か
らずり落ち、角から亀裂が入り、中の鉄粉が
舞い、会場は金色になってしまったという。

上中下:《Mort + Coagulation》によるインスタレーション

小川正隆
型破りのベネチア・ビエンナーレ展

日本館の水準はAクラスに選ばれると私は判断する。だが、残念なことに、いつも痛感するのは、この日本館の建物が新しい傾向の作品を展示するにはまったく不適当だということである。ピロティで支えられた形の建築で、そのピロティの部分の空間も、ひとつの展示場になっているものだが、採光も不十分であり、また落着いた感じにも欠け、ここに割当てられた田中は、これでずいぶん損をした。日本館の改築は、日本がこのビエンナーレに参加するかぎり、さし迫った問題だと切実に思う。　　　　▶『朝日新聞』1972年7月3日夕刊

田中信太郎
危ういかなヨーロッパ美術界

確かに日本の美術のレヴェルは高い。だが、今回のような国際展という限られた場合にしかわれわれの活動を外国に紹介するチャンスがないというのではなさけない。これは情報の輸入ばかりが先行して、逆に日本の状況を海外に知らせるという大前提が置き去りにされているからであり、新しいものばかり求める狭い日本の美術界の中で生きていくために結果的には、作家につぎつぎと変質を求めるという悪循環をもたらしている。　　　　▶『美術手帖』1972年9月号

1972

針生一郎
ヴェニス・ビエンナーレ・レポート

こんど4年ぶりに訪れて、多くの友人、知人に会い、会場の掃除婦たちにまでなつかしげに声をかけられたが、わたしは観光客と弥次馬に徹することにした。批判の嵐はすぎて、ビエンナーレは生きのびたが、それをとりまく空気は微妙に変質していた。前回以来、審査も賞も廃されたから、前評判ももり上りもなく、構成や運営に多少の近代化は加えられたものの、世界のヒノキ舞台といった権威はすでに失われたことを、だれもが感じとっていた。アメリカの画商やコレクターの姿がめっきり少なくなり、それに代って社交下手なドイツの作家や批評家たちの姿がめだつのは、ドルとマルクの力の消長を反映しているのだろうか。サン・マルコのキャフェが終ったあと、フィニチェ広場やレストラン「アンジェロ」などで、明けがたまで飲みかつ語りあうのが、かつてのビエンナーレだったが、12時をすぎると人影がまばらになり、やがていつも酔っぱらっているピエール・レスタニーとか、グッゲンハイム美術館をクビになって、新しい仕事と理解者を求めているエドワード・フライとかしか、まわりにみかけなくなる夜が多かった。そして4年前、わたしといっしょにビエンナーレ当局に抗議文をつきつけた、スウェーデンの批評家オーレ・グラナツや、フランスの作家ピョートル・コワルスキーは、カッセルで会ったとき、「あれから一度も、ヴェネチアにいったことがない。スウェーデンはもうけっして出品しない」と、ネバーの語につよいアクセントをこめて語った。　　　　▶『みづゑ』1972年8月号

カ・ペーザロ国際近代美術館で6月11日から10月1日まで開催。46カ国約200名の作家、約600点が展示された。

磯 辺 行 久

Isobe Yukihisa | 1935–

東京に生まれる。高校時代に瑛九らのデモクラート美術家協会に入会、リトグラフの制作を始める。1959年東京芸術大学美術学部絵画科卒業。62年の読売アンデパンダン展にワッペン形を反復した作品を出品したり、古箪笥を使ったオブジェを発表することで、日本のポップ・アートの先駆者として注目を集める。65年に渡米、その後ニューヨークに移住、建築や都市計画に関心が移ったことで作品が大きく変化する。68年にグリーン・カード（労働許可証）を取得。72年、ペンシルベニア大学大学院でエコロジカル・プランニングを修めた後、M・ポール・フリードバーグ環境設計事務所、ニューヨーク市公園課などにプランナーとして勤務。74年、帰国。75年にリジョナル・プランニング・チームを設立。2000–15年には越後妻有アートトリエンナーレに参加し、信濃川をテーマとした野外作品を発表。07年、個展「サマー・ハプニング」（東京都現代美術館）が開催される。著書に『エコロジカル・プランニングの方法と実践I、II』（1975、77年）など。

出品作品について

3点を出品。「空気建築」ともいえるパラシュート・プロジェクトのシリーズから生まれた版画作品は、磯辺の彫刻家・建築家の両面を窺わせる。(U)

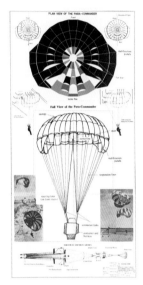

PARACHUTE CANOPY PROJECT
PARACOMMANDER CANOPY #440 1969
STEERABLE MODIFICATION. WT.21Lbs.

岡 君 子

Oka Kimiko | 1943–

兵庫に生まれる。1966年大阪樟蔭女子大学で英米文学を専攻、卒業後、元永定正に師事する。68年、芦屋市展で美術協会賞を受賞し以後毎回出品する。同年、具体新作展（大阪・グタイピナコテカ）に出品。具体グループとの関わりをもちながら絵画を制作するが、平面にこだわり、油彩、アクリル画、版画と広げていく。画面には地のボリュームとは対照的に数本の線が描かれる。その線は画面に浮遊する細い生物を思わせもする。69年、具体新人展（同上）、現代日本美術展に出品するかたわら初個展（大阪・画廊あの）を行なう。70年、ジャパン・アート・フェスティバルに出品し、海外に作品が紹介される。71年のジャパン・アート・フェスティバルではミラノ、リオデジャネイロへ紹介される。以降、大阪の画廊宮崎や春秋館画廊でのグループ展参加や個展を開催する。

出品作品について

《P. 1》《P. 2》《P. 3》を出品。

P.1 1972

木村光佑

Kimura Kosuke｜1936–

大阪に生まれる。高校時代はヴァイオリニストを目指していた。1959年京都市
立美術大学日本画科（現·京都市立芸術大学）卒業。一時はプロライセンスをもつボ
クサーだった。広告代理店に就職、グラフィック・デザイナーとして働くなかで印
刷技術を習得する。68年の現代日本美術展に版画を出品し入選。様々な図
像をモンタージュした亜鉛板リトグラフの作品だった。69年、紀伊國屋画廊（東
京）で個展。技法は紙やアクリル板にリトグラフやシルクスクリーンを併用するな
ど、複雑かつ精巧なイメージを生み出していく。71年サンパウロ·ビエンナーレ
に出品。海外展で受賞を重ねる一方、美大受験時に彫刻も希望していたことも
あり、彫刻展へも出品するなど活動を広げ、公共彫刻も手がける。80年代の〈ア
ウト·オブ·タイム〉のシリーズではかつて描かれていた人物など有機的なモチー
フが消え、風景や建築の図像が幾何的に処理された静謐な画面となっている。
87年からは京都工芸繊維大学の教授に就任し、後に学長を務めた。

出品作品について
初期作品を代表する〈現在位置〉シリーズから3点を出品。

現在位置―フレーミング（A） 1971

菅 井 汲

226ページ参照

出品作品について
〈フェスティバル〉シリーズの3点を出品。

参考図版　フェスティバルB　1971

高 松 次 郎

227ページ参照

出品作品について
《THESE THREE WORDS》《日本語の文字》《無題》の3点を出品。

THESE THREE WORDS　1970

1972

名 知 富 太 郎

223ページ参照

出品作品について

〈コンポジション―無限〉シリーズの3点を出品

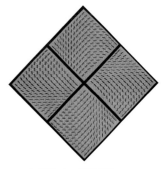

コンポジション―無限 1971

野 田 哲 也

Noda Tetsuya｜1940–

熊本に生まれる。画家野田英夫は伯父。1965年東京芸術大学大学院修了。66年から現代日本美術展などに出品する。68年、東京国際版画ビエンナーレで大賞を受賞し注目され、以降同展に出品を続ける。66年からシリーズとして制作の〈絵日記〉は、その後〈日記〉となりライフワークとなる。モチーフは身近な人、家族、静物、風景で、それらは作家が自ら撮影した写真が元となり、シルクスクリーンと木版の複合的な技法でまとめられていく。画面には写真の記録性に宿る追憶のイメージが浮かび上がる。73年にソーカー・ケースマン画廊（サンフランシスコ）で個展。日本では78年以来フジテレビギャラリー（東京）で個展を開催していく。リュブリアナ、クラクフといった版画の国際展に継続的に参加する。さらに英国国際版画ビエンナーレなど多くの国際展の審査委員を務める。78年から2007年まで東京芸術大学の教職につき後進を指導、2010年、文化庁文化交流使節として1年間にわたりイスラエルとイギリスで木版画を教えるなど、海外での版画教育活動も多い。約500点を収録したレゾネ『野田哲也全作品1964–2016』（2016年）がある。

出品作品について

〈日記〉シリーズから2点を出品。

日記：1972年3月14日（a）

日記：1972年3月14日（b）

松 谷 武 判

31ページ参照

出品作品について

《9／20オブジェB》《9／30オブジェ72》《1／30オブジェD》の3点を出品。

9／20オブジェB 1971

1970

総合キュレーターはウンブロ・アポロニオ。1968年、パリ5月革命の影響による異議申し立ての流れはヴェネチアにも及んだが、ビエンナーレ当局も改革をうちだした。最も特徴的なのが賞制度の廃止だった。また国家単位より美術家重視の展示となり、制作の過程を観客に見せるなどの取り組みもなされた。参加を表明していた国では、政治状況からチェコスロバキア館と改革への不満を表明したスウェーデン館が閉館となった。イタリア館では、これまでの網羅的な企画から若手7人に絞った展示をみせた。アメリカ館では50人以上の作家の版画作品が展示の予定だったが、ロイ・リキテンスタイン、フランク・ステラら多くの作家がベトナム反戦、米軍のカンボジア侵攻に反対し出品を拒否した。中央館では「実験芸術への提案」が開催され、1920年代の構成主義から70年までの実験的傾向、つまりは素材の多様性の流れをたどり、キネティックやオプティカルなどの諸傾向が取り上げられた。市内のカ・ペーザロ国際近代美術館で70年2月に自死したロスコの回顧展があった。

日本館カタログ

日本館

コミッショナーは東野芳明。アメリカ在住の荒川修作と新人の関根伸夫が参加。展示は、日本館の内部に荒川の絵画が並び、外部に関根の彫刻が1点設置された。日本館内部が1作家だけの展示でうめられた初のケースとなった。

荒川修作にとって、感覚的なイメージより上位にある言語による観念は、イメージそのもの以上に想像力に富むものである。(略)私はかつて彼の作品を「絵画以前の絵画」と呼んだことがあるが、それは言葉と視覚による認識の交錯する場を絵画化しているということだ。
　関根伸夫はトポロジカルな位相と密度の概念にこだわっている。(略)彼はかつて、今日の作家は何も「創造」しないと言ったことがある。作家は、先入観で事物を見るのでなはなく、単に事物から埃をはらい、それらをありのままに見せるというのである。
►東野芳明 日本館カタログ

関 根 伸 夫

埼玉に生まれる。1968年多摩美術大学大学院油画研究科修了。在学中にシェル美術賞展で佳作賞を受賞し活動を始めた。高松次郎のアシスタントを務め、視覚像のトリッキーな面に触れ、レリーフ風の錯視的な作品を制作する。68年の発表の場は10カ所にのぼった。なかでも神戸須磨離宮公園で開催された第1回現代日本野外彫刻展の《位相―大地》は、深さ3メートルほどの円筒形の穴を掘り、それと同型の土塊となる円柱を立たせた現場制作。本作は「もの派」誕生の役割を果たし、日本現代美術史に残る記念碑的作品とされる。96年、西宮市大谷記念美術館の「『位相―大地』の考古学」展、2019年、埼玉県立近代美術館の「DECODE／出来事と記録」展などで再検証された。69年、油土の塊からなる《空相―油土》を展示した個展（東京・東京画廊）で「もの派」の典型をみせる。同年箱根の彫刻の森美術館で開催の第1回現代国際彫刻展で《空相》を展示、ステンレスの鏡面状の柱の上に岩石を横たえたこの作品は、関根のトレードマークといえよう。70年、《空相》でヴェネチア・ビエンナーレに参加、その後ミラノやベルンの画廊4カ所で個展を行なう。78年にはデュッセルドルフ美術館他3館でヨーロッパ巡回の個展が開催された。73年に環境美術研究所を設立し、パブリックアートの制作活動を中心とする。設置場所は東京と埼玉が圧倒的に多い。生涯にその数、国内外を含め230点余あり、86年には1年間では10件を手がけている。基本的に石と金属、樹脂による黒や金といった対照的な色の組み合わせで、その試行は並行して制作されてきた版画作品の色彩にも反映している。2010年代に入り、拠点を上海やロサンゼルスに移して活動した。多摩美術大学の「もの派アーカイヴ」に資料がある。

空相　1970　作品上は関根　ジャルディーニでの展示

1970

《空相》設置の様子（3点共）

出品作品について

《空相》は、1969年に日本国内で発表以来
2作目となる。15トンの大理石はヴェネチア
から250キロ離れた北イタリアの山中から切
り出し、ステンレス柱は会場から50キロ離れ
たカステロ・フランコの鉄工所でおよそ2カ月
間かけて制作し、プレスオープンの6月22
日に設置された。

冊子『場 相 時』1970
関根が編集制作し、ビエンナーレ会場
で配布した。テキストは李禹煥「即の
世界」、ジョセフ・ラブ「プロセス、相、
場」。作家は関根以外には、本田真
吾、李禹煥、寺田武弘、吉田克朗が
作品図版と略歴で紹介されている

荒川修作

Arakawa Shusaku | 1936-2010

愛知に生まれる。1956年武蔵野美術学校（現・武蔵野美術大学）入学、のちに中退。57年から61年まで読売アンデパンダン展に出品。この頃からダイヤグラム的な作品を試みる。60年、ネオ・ダダイズム・オルガナイザーズ結成に参加、第1回展に数十個のビニール袋に水を入れ、ぶら下げた作品を出品。箱にセメントと綿を詰めた棺のような作品をつくる。この作品での初個展（銀座・村松画廊）がメンバーから美しさを批判され、グループから除名される。61年末、渡米、生涯のパートナーとなる詩人のマドリン・ギンズと出会う。ニューヨークを拠点にデュッセルドルフ、ロサンゼルス、東京（南画廊）などの画廊で発表を行なうなかで、61年にデュシャンと出会う。作品の白っぽい大きな平面には、言葉と記号、簡略化した図像、線、シルエットとグラデーションが絡まり合うダイヤグラム的な謎のような描写が展開されていく。それは「思考する場」を人々に問いかける「視覚像」といえる。ヴェネチア・ビエンナーレには、68年、70年、78年に参加。ギンズと共作で映画《Why Not》（69年）、《For Example》（71年）を制作。また、63年から71年までの作品集である荒川のメッセージ『意味のメカニズム』をドイツ語版で刊行する。77年、ヨーロッパを巡回する大規模な個展を開催。79年には西武美術館など国内を巡回する個展が開催された。90年代以降は、建築的スケールをもつ作品も発表。94年、磯崎新設計の奈義町現代美術館（岡山県）に龍安寺石庭を円筒形に模した恒久的な作品を設置。95年には野球場並みの大きさをもち、凹凸が激しく身体に馴染まないテーマパーク《養老天命反転地》（岐阜県）を完成させた。2005年には先の「反転地」を住宅化し（東京・三鷹市。同所は荒川のアーカイブ機能ももつ）販売するなど、多彩なプロジェクトを進めた。晩年は自身を「芸術、哲学、科学の総合に向かい、その実践を推し進める創造家」として「コーデノロジスト」と位置付けた。

意味のメカニズム（No.2）より
《主観性の中性化》（4点組）
より　1963-83

意味のメカニズム（No.2）より
拡大と縮小—尺度の意味
（5点組）1963-83

展示風景　荒川修作の作品（2点共）

出品作品について

1962年から69年に制作されたミクスト・メディアによる平面作品6点（内2枚組1点、3枚組2点、4枚組2点）と油彩8点、鉛筆画7点が出品された。後に代表作となる《意味のメカニズム》も含まれている。東野芳明によって日本館に展示するプラン（下図）が提案された。

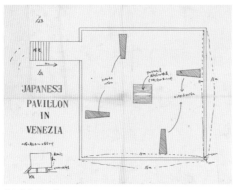

荒川修作展示プラン

報告・展示評

フレデリック・テューテン

ユーゴスラビアのヤゴダ・ブルクと長方形の大理石の塊を頂いた、鋼鉄製の支柱によるモニュメンタルな作品を発表した日本の関根伸夫は、今回の参加作家の中で唯一バランス感覚を持ち合わせた彫刻家である。

より伝統的な美術の領域では、論ずるに値する作家はイギリスのリチャード・スミスと、アメリカを活動の拠点とする荒川修作のみであった。荒川の作品は、画像とテキストからなる13点の絵画の連作である。ここで記されている単語や文章は、観る者に鑑賞上の指示を与える。それらを字義通りに読み取ると、観る者は、作品の意味するところを見失ってしまうこともあれば、作品の理解に訂正を迫られることもある。これらの単語や文章はまた、視覚的な面で作品の一部ともなっている。一見、形式的で冷やかな作品だが、そこには類稀な知性と個性が潜んでいる。

▶『ニューヨーク・タイムズ』1970年7月12日

1970

名 知 富 太 郎

Nachi Tomitaro | 1924-2007

神奈川に生まれる。航空機のエンジニアだった名知は戦後、東京工業大学に勤務の後、1961年にドイツのウルムに移住。それまで美術においては「光と反射と動き」が重視されてこなかったが、プロペラが回る姿などに現代の美を見て、「光と動きの彫刻（リヒト・キネティック）」を提唱する。69年、バーゼル市立美術館で個展。70年の「実験芸術の提案」展には《幾何学的ライトオブジェ》などを出品。72年のヴェネチア・ビエンナーレでは「今日の版画」と「ヴェネチア：昨日、今日、明日」展に出品。同年のミュンヘン・オリンピックではモニュメントを手がけた。74年、アムステルダム市立美術館とハンブルク州立美術館で個展を開催。77年、ドクメンタに参加。83年にはウルム市立美術館など数会場で個展。以後主にドイツで活動を行なう。日本では横浜みなとみらい地区の横浜ランドマークタワーの屋外に《飛翔》（1986年）が設置されている。

出品作品について

アルミニウムの「キネティックビジュアルワーク」を出品。

参考図版　作品

内 間 安 瑆

Uchima Ansei | 1921-2000

アメリカ、カリフォルニア州で生まれる。両親は沖縄出身で、アメリカに移住した。ポロックの出た高校で3年間美術を選択し、クロッキーやドローイングを学んだ。1940年、早稲田大学建築学科に入学するものの、中退し美術家になる。米国籍であったため戦中は監視され、東京から出るためには許可が必要だった。戦後も日本に留まり、45年にアメリカ人作家の通訳として取材に同行し、恩地孝四郎ら当時第一線で活躍していた創作版画家のインタビューを行なうことで版画へと興味が向かう。57年、東京国際版画ビエンナーレ、59年、サンパウロ・ビエンナーレに出品。ニューヨークに移った60年代以降は、様々な変遷の後、浮世絵の手法を用いた多色刷木版による独自の表現を確立する。61年、アメリカで初個展。62年、グッゲンハイム・フェローシップ版画部門にて受賞。70年、グッゲンハイムから二度目の奨学金を得て、家族とともに半年間美術研究のため、ヨーロッパ、アジア、南米を旅する。同年のヴェネチア・ビエンナーレにアメリカ館から出品。77年頃より、水彩絵具を用いた色面刷木版画〈森の屏風〉シリーズの制作を開始する。82年、病に倒れ、死の直前まで制作していた木版画は未完成のまま、2000年に亡くなった。光や風、温度、湿度など五感に触れるものや、それらの経験から生まれる心象を、ぼかしを生かした繊細な色彩のトーンによって表現した。2015年、沖縄県立博物館・美術館で回顧展が開催。

出品作品について

《Flow and Grass》など2点を出品。(U)

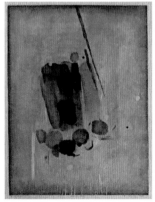

Misty Morn　1964

Flow and Grass　1961

1968

総合カタログ表紙

第 34 回

6 月 22 日──10 月 20 日　34 カ国が参加

総合キュレーターはジョン・アルベルト・デラクア。パリ5月革命の余波を受け、学生たちを中心にブルジョア商業芸術の象徴と化したビエンナーレへの異議申し立てが起こった。ヴェネチアの美術アカデミーを占拠した学生たちの会場への侵入が心配され、当局は警官を会場の内外に待機させたことから、これに抗議をする参加国や、作品に覆いを被せ観覧を拒否する作家もでてきた。中央館で予定された「境界の探究」展、「未来派初期の4人の作家」展は、会期を遅らせて開催され、賞の決定も9月となった。国際大賞絵画部門はブリジット・ライリー（イギリス）、彫刻部門はニコラ・シェフェール（フランス）が受賞した。歴史的にみると、本展の混乱は、次回からの賞制度の廃止につながり、国単位よりは個々の作家の質がより問われていく流れの起点にはなった。一方で、ビエンナーレの祝祭的な拡張は止めどなく続き、国際的な美術市場が形成されていく。

日本館

コミッショナーは針生一郎。出品作家は菅井汲、高松次郎、三木富雄、山口勝弘の4名が選出され、当初予定された荒川修作は辞退した。国内展示は、パリ在住の菅井を除き2月27日から3月6日まで京橋の東京国立近代美術館で行なわれた。ヴェネチアでは学生運動に起因する混乱から、警官に守られて開催することへの抵抗もあったが、日本館は作家との話し合いで公開することが決まった。また賞の審査にあたるはずの富永惣一は出席できなかった。日本館では高松次郎がカルロ・カルダッツォ賞を受賞した。

芸術の国際性は、コミュニケーションの手段と情報技術の発達に伴い、一層高まってきた。しかし時として、たったひとつの国の芸術家グループによって投げかけられた運動が、慣習的な概念を覆し、新たな地平線を切り開くこともある。近年の日本の作家たちの活動は、そのような変革をもたらす力があることを証明してきたと私は確信している。(略)
　今回のビエンナーレに出品する作家たちは、そのような意図に基づいて選出された前衛である。4人の作家たちは、全員が三次元の作品を制作した経験を持つが、彼らは従来の意味でいう彫刻家とは異なっている。彼らを三次元の作品へ導いたのは、素材と概念、または実在と非実在の関係、つまり、可視と不可視の関係の追求なのである。

▶針生一郎　日本館カタログ

コミッショナー

針生一郎 ─────

Hariu Ichiro ｜ 1925–2010

宮城に生まれる。1948年東北大学文学部卒業。54年、東京大学美学美術史科特別研究生（現在の大学院）として6年間在籍。48年頃から、「夜の会」「世紀の会」「アヴァンギャルド芸術研究会」などに参加、敗戦後の芸術状況の現場に身を置き、在野の批評家として活動をはじめる。53年、新日本文学会に入会し、長く活動の基盤とした。同年『美術批評』に寄稿し、現代美術の評論家として活躍していく。50年代の反基地闘争や三井三池争議に参加し、政治と芸術をテーマに、現代美術と生活者をめぐる表現のあり方を問う。その成果は、69–70年に刊行された『針生一郎評論集』（全6巻）にまとめられている。60年代の美術評論の御三家（他は東野芳明、中原佑介）と言われた。77年と79年のサンパウロ・ビエンナーレのコミッショナーも務め、70年代半ばからはヨーゼフ・ボイスの「運動としての芸術」に共鳴する。針生を描いた記録映画『日本心中』（大浦信行監督、2001年）がある。2015年に「わが愛憎の画家たち　針生一郎と戦後美術」展が宮城県美術館で開催された。針生旧蔵資料は、洋書が国立新美術館に、美術関連が和光大学図書・情報館と太田市美術館・図書館に収蔵されている。

展示風景　右側に菅井汲の立体作品

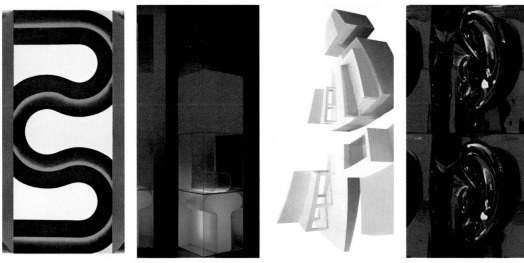

4作家にちなみ4種類のカタログがつくられた

菅 井 汲

神戸に生まれる。子どもの頃は病弱で進学が遅れたこともあり、1933年大阪美術学校に入学するが、あまり通わないで退学。37年より阪急電鉄の宣伝課に勤務し、戦前から戦後にかけてポスターを制作した。45年頃退社し、グラフィック・デザイナーとして活躍する一方、日本画家中村貞以に学ぶ。52年に渡仏。54年にはパリのクラヴェン画廊と契約して、最初の個展を開催。55年よりリトグラフ制作を開始。59年ドクメンタ（カッセル）、62年ヴェネチア・ビエンナーレに参加。それまでは有機的な形態のアンフォルメル風の作品を描くが、この頃より作品の傾向がはっきりと変わり、記号化された独特のスタイルが生まれる。67年、新車のポルシェで事故を起こして重傷を負い、完治まで8年を要したが、その後さらにスピードの出るポルシェに買い換える。その疾走するイメージは《時速280キロ》（65年）などにも反映されている。68年にはヴェネチア・ビエンナーレに再び参加。69年、東京国立近代美術館から依頼された壁画《フェスティバル・ド・トーキョウ》が完成し、設置のため17年ぶりに帰国する。83年に国内で最初の回顧展（西武美術館、大原美術館）が開催される。70年代以降は〈フェスティバル〉シリーズなど道路標識を思わせる円と直線からなる幾何学的な作品を経て、晩年は菅井のイニシャルで、道路の連続カーブのような「S」をモチーフにした連作に取り組んだ。

出品作品について

多くの人が4点の立体作品（現存せず）に注目した。自動車事故のあとに発注された作品であるが、他の3人の日本人作家が立体を展示することを意識していたと思われる。他に9点の油彩を出品した。(U)

1968

10秒前 1967

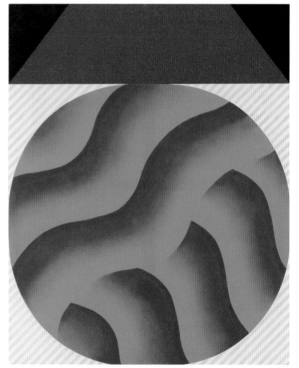

まるい森 1967

高 松 次 郎 ──────── Takamatsu Jiro | 1936-1998

東京に生まれる。本名は新八郎。1958年東京芸術大学卒業。同年から読売アンデパンダン展に抽象的な絵画や、のちに〈点〉シリーズへとつながる針金を丸めた作品などを出品する。62年、「山手線事件」に参加、車内、駅構内でイベントをする。63年、赤瀬川原平、中西夏之とハイレッド・センターを結成。銀座の路上を雑巾掛けするなど、様々なハプニングを行ない、60年代の反芸術の傾向を打ち出す。個人としては、63年、読売アンデパンダン展で、東京都美術館から上野駅まで紐を地面に這わせる《カーテンに関する反実在性について》などがある。66年の個展（東京・東京画廊）では、事物の不在をテーマに壁面に〈影〉を描いた作品を、67年には立体作品で、視覚的な遠近法を立体に造形する錯視的な〈遠近法〉シリーズを発表。同年パリ青年ビエンナーレ、68年ヴェネチア・ビエンナーレ、70年の日本国際美術展に参加。70年代は、木、鉄、布などを組み合わせた〈複合体〉シリーズと絵画を展開。73年頃からの絵画〈平面上の空間〉シリーズでは白を地にコンパスで描いたような弧線と直線が淡い色彩とともに構成された。73年サンパウロ・ビエンナーレ、77年ドクメンタに参加する。版画でも文字や記号をつかったコンセプチュアルな作品を展開する。80年代の〈形〉シリーズにはフリーハンドの曲線が重なり、魚のエイのような形が現われてくる。没後、2014年-15年、東京国立近代美術館と国立国際美術館を巡回した回顧展などがある。

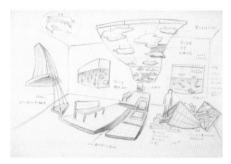

上：遠近法（1968年度ベニス・ビエンナーレのためのプラン）1967
下：Dimension Perspective（公園）、Dimension Perspective（天）、Dimension Perspective（速度）、Dimension Perspective（空間No.1）、Dimension Perspective（空間No.2）各1968

出品作品について

〈遠近法〉シリーズの立体作品を5点出品。絵画における遠近法を立体的に表現した、高松の60年代の代表的なシリーズである。

山 口 勝 弘

東京に生まれる。1948年日本大学法学部法律学科に入学。49年から読売アンデパンダン展に出品する。「アヴァンギャルド芸術研究会」「世紀の会」を経て、51年に実験工房による高島屋のピカソ展前夜祭でのバレエ「生きる悦び」の美術を担当。同年、ガラスを組み合わせたレリーフ《ヴィトリーヌ》を発表する。52年に初個展（東京・松島画廊）。60年代初頭、提灯のような表面だけで成立する布張り彫刻を制作する。66年には現代日本美術展に光を組み込んだ立体作品《Cの関係》を発表、「光の彫刻」と名付けた。同年、銀座松屋で開催の「空間から環境へ展」では、「エンバイラメントの会」を結成し、多様なジャンルの作家とコラボレーションをする。68年ヴェネチア・ビエンナーレをはじめ、「蛍光菊」展（ロンドン）、69年には「アルス'69展」（ヘルシンキ他）に出品する。70年の大阪万博では、三井グループ館をプロデュース。72年からビデオを中心とした芸術活動「ビデオひろば」に参加。74年、日本国際美術展に特設されたビデオ部門に《ラス・メニーナスNo.1》を発表。75年サンパウロ・ビエンナーレで特別賞受賞。90年代にはエレクトロニクスの画像によるイメージの創造およびネットワーク「イマジナリウム」を提唱。94年、淡路島に制作展示の拠点「淡路島山勝工場」を設立。2006年、神奈川県立近代美術館鎌倉館で個展。著作にライフワークともいえる『環境芸術家キースラー』（1978年）などがある。

出品作品について

《サイン・ポール》など3点を出品。常に新しい素材に取り組む山口は、この頃アクリルや光といったキネティックな造形に挑戦していた。特に光は山口の一貫したモチーフであり、この回では、展示スペースのピロティを暗くすることに苦労したが、環境的な作品となっている。

1968

サイン・ポール　1968

三 木 富 雄 ——————————————————

EAR-MIRROR No.1　1967　図版は2点とも国内展示（東京国立近代美術館）より

東京に生まれる。1954年東京公衆衛生技術学校（現・窪田理容美容専門学校）卒業。独学で美術を学び、58年から読売アンデパンダン展に出品をはじめる。タイヤのオブジェを燃やしアスファルトを塗ったり、天井から吊るしたビール瓶を割っていくなど、当時の反芸術的制作を行なう。59年に初個展（東京・櫟画廊）。62年から耳の制作がはじまり、三木の言葉「耳が私を選んだ」を裏付けるごとく、耳を作り続ける。素材はアルミニウムを中心に、石膏、プラスチックなどで、巨大な耳は分割されたり体内につながるような紐状の形態が伸びたり、小ぶりな耳が数十個集合したり、2メートル以上の巨大なものまで、多くは左側の耳だった。その数150点にのぼるという。66年頃に耳のモチーフから離れることも試みられる。同年、勅使河原宏監督の映画『他人の顔』では、病院内にアクリル板に貼り付けた身体部分のオブジェを制作。68年ヴェネチア・ビエンナーレに参加。70年の大阪万博美術展ではコンクリートで作られた10メートル大の耳が地面に横たわっていた。71年、ニューヨークに1年間の滞在中、廃品などを用いたコラージュも手がけた。76年にニューヨークへ再訪した折は、翼が付いた耳の大作《The EAR NO.1001》（現存せず）を制作。最晩年にも2点の耳を制作。78年に心臓麻痺で死去した。81年に福岡市美術館で、92年には渋谷区立松濤美術館で回顧展が開催された。

出品作品について

大型《EAR》の2点は、強化プラスチックにアルミ蒸着メッキを施したもの。前年のパリ青年ビエンナーレ、この年のロンドンICAでの展示など、三木にとって活動の広がりを見せていた時期の作品。

EAR　1967

針生一郎
苦悩のヴェネチア

日本からいった三木富雄、高松次郎、山口勝弘三君のほかに、パリの交通杜絶で困難視されていた菅井汲夫妻が、ブリュッセル経由で八日に到着し、出場作家の顔がそろった。陳列作業にかかってみると、作品がいずれも大きい上に、附帯設備や補修の必要が生じて、全部で一週間以上かかる大仕事になった。

　三木君の耳のオブジェでは色彩の反射効果が重要なので、台座の部分を螢光塗料で塗り直すことになり、わたしの友人のイタリア人画家が住むメストレの町までいって、螢光塗料、溶剤、コンプレッサーのガンをやっとさがしだし、作者が数日がかりで吹きつけた。山口君のプラスチックの光る彫刻は、輸送中にわれたり内部の電気器具がこわれたりしていたので、ミラノにいってプラスチック板を発注した上、かれは修理に没頭しなければならなかった。その間、山口作品をならべる日本には、予定していたローマ日本文化会館の展示用パネルが小さすぎるので、ホモゲンホルツのパネルでかこいをつくり、それを白く塗装させた。高松作品の一部が電源を必要とする上、館内がひどく暗いので電燈で照らすため、階上にも配線工事をさせた。

　日本館の建築じたいにも問題がある。昨秋わたしはヴェネチアにたちよってこの建築を下検分し、今回展のための部分的修築案と見積り書を国際美術協議会に提出した。この案は予算と時間の関係で見送りになったが、数ヵ所の天井雨もり部分だけは完全に修理されたはずだった。ところが、こんどきてみると、雨もりはいっこうに直っていないばかりか、室内がどんよりと暗く、二年前にガラスもコンクリートもとりかえた一画だけ、ヤケに明るいのがチグハグに感じた。

▶『国際文化』1968年9月号

東野芳明
ヴェネチア・混乱の一週間

学生の主張は、いわば、イタリア版「紅衛兵の文化革命」で商業主義と結びついた、世界の美術の大祭典に反対し、その開会を阻止しようというものらしい。そして、それに対抗して、ビエンナーレ当局が数千の警官を会場およびその周辺に配置したのが、一部の出品者や代表の批判の的となり、警官に守られた美術展には反対だ、という意見から、警官と学生と両者の介入に反対して、作品の安全と展覧の自由を主張する意見や、完全に学生に加担する意見や、ぜひ、警官の力で作品を守ってほしいという意見など、様相は複雑らしい。日本からは針生と高松の二君が話合いに参加して、針生君は、警官の導入に反対し、ビエンナーレが正常の形で開かれることを文書で当局に要望したという。しかし、学生はたとえ会場に乱入しても作品を破壊しない、という文書にはサインしなかったといわれる。

　（略）このどさくさのなかでの、日本館の"美術"の大好評は、お世辞半分と見ても、無気味ですらある。自動車事故から奇蹟的に立ち直った菅井の新しい立体の展開は、これがスガイというほどに関心の的となり、ピロティを苦労して暗くした山口勝弘の光るプラスチックの前では、"おお、ソニー・アート!"といった表情で感心している。ユーゴのテレビが三木、高松をインタビューに来る。二人とも英語の質問に日本語で答え、あとでぼくが英語に訳して録音したのを、最後に記者がユーゴ語に直すというややこしい次第となる。高松は、仕事はじつに新しいが、その奥に日本人特有の繊細な手仕事の伝統があるのではないのか、という質問に、自分は伝統なんか考えたこともない、とぼそっと答えたのは愉快。三木は、ポップ・アートとの関係を聞かれて、ポップ・アートはすべての日常を受け入れるが、自分にはひとつの耳しか選ばないという決断が大切だ、といいきり、あとでぼくが「耳が自分を選んだのです」と勝手につけ加えたら相手は喜んでいた。二人とも観念の正確な実現、ということをいったので、相手の記者は、三船敏郎の「宮本武蔵」をひき合いに出して、床の上を動く枯葉を短刀で正確に一ぺんで突き刺すシーンに、伝統的な正確さがあるのではないか、というのには、三人ともポカンとする。

▶『藝術新潮』1968年8月号

小川正隆
ベネチア・ビエンナーレ報告（下）

（略）日本館の前評判は本当になかなか良いものだった。菅井汲、山口勝弘、三木富雄、高松次郎——この4人の出品者は、菅井の作品が絵画を主軸にしているほか、いずれも立体造形にねらいを定め、大変調和のとれた新鮮なパビヨンを構成していたからである。しかし、欲を言えばキリはない。各国の会場と比較してみると、もっとも新しい時期に建てられたはずのこの建物が、作品展示のもっともしにくい不便な会場となり、各作家の特色をたがいに相殺し合ってしまうのだ。また一方、代表的な各国の仕事と比べてみると、（パリ在住の）菅井をのぞく大部分の作品が、日本ではきわめて大胆かつ明確な個性を主張していたはずなのに、この会場に収まってみると、意外にもひよわな情緒的・装飾的なムードに包まれて

1968

しまっていることである。これを日本的と呼んでいいのか、ともかくこの弱点をどうすれば乗りこえることができるか。また日本の作品は、いずれも流行の最先端を一番さっそうと走っているようにも感じられたが、それと同時に、関心が新しい様式化に流れすぎ、作家自身の人間性がともすれば希薄になりがちな欠陥も露呈しているように思われた。しかし、それにもかかわらず、日本館の水準は、こんどのビエンナーレではＡクラスにはいることは間違いない。"延期された国際審査"ではどんな評価を与えられるだろうか。

▶『朝日新聞』1968年7月5日夕刊

企画展
「境界の探究：アンフォルメル以降の新しい構造 1950-1965」

106名の作家による116点が展示された。日本からは阿部展也と荒川修作が各1点ずつ出品。

阿 部 展 也

Abe Nobuya｜1913-1971

新潟に生まれる。本名は芳文（1948年から展也と名乗る）。東京・京北中学校を4年で中退。独学で絵画を学び、1932年、19歳で独立展に出品。37年には瀧口修造と詩画集『妖精の距離』を出版。39年、美術文化協会結成に参加。キュビスムやシュルレアリスム風の絵画を描く一方、写真作品も手がける。41年から陸軍報道部の写真班としてフィリピンへ派遣される。終戦時は収容所に抑留、46年に帰国。49年より読売アンデパンダン展へ出品。51年に瀧口修造によるタケミヤ画廊の第1回企画展。同年サンパウロ・ビエンナーレに出品。53年のインド体験、57年の渡欧によって、海外を行き来することが多くなり、62年からはローマに定住して活動、発表は欧米が主となる。また、東欧圏の中世美術への探究も進めた。作品は蜜蝋を用いた堅固なマチエールのなかに、円を基調とした抽象絵画が中心となる。2018年に広島市現代美術館他2館で回顧展が開催された。

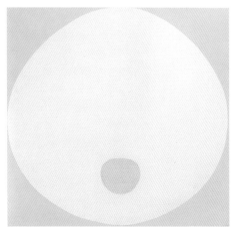

R-14-ROMA 1965

1966

総合キュレーターはジャン・アルベルト・デラクア。会場には270人の作家、約3000点の作品が搬入され、旧来の絵画・彫刻といった領域を超えた作品が目立った。コミックをモチーフにしたポップ・アートからル・パルクのようなオプ・アート、観客を包み込むような巨大な作品など、多様化する現代美術の祝祭的空間となった。中央館の特別展示では、モランディとボッチョーニの回顧展、「ミラノ第一抽象派」展が開催された。国際大賞の絵画部門はジュリオ・ル・パルク（アルゼンチン）、彫刻部門はエティエンヌ・マルタン（フランス）とロベルト・ヤコブセン（デンマーク）、版画部門は池田満寿夫が受賞した。前回展において国家的な攻勢の末、初の大賞を受賞し、物議をかもしたアメリカは受賞から外れた。

日本館カタログ

日本館

コミッショナーにはこれまでの美術館の関係者とは異なり、在野の久保貞次郎が就任した。久保は1951年に結成された「デモクラート美術家協会」を支援しており、その系譜から靉嘔、池田満寿夫を、さらにオノサト・トシノブ、篠田守男を加え4名を出品作家とした。国内展示は3月4日から13日まで京橋の国立近代美術館で行なわれ、ニューヨークから参加の靉嘔を除き、オノサト、池田、篠田の出品予定の全作品が展示された。日本館では靉嘔は一部屋を虹色のインテリアで設えた《虹の環境設定》という観客参加型の作品を出品。池田満寿夫は62年からの版画作品27点、オノサト・トシノブは64年にも出品したため、50年代からの絵画20点、篠田守男は近作の鉄とアルミニウムの3点をそれぞれ出品した。

日本の美術家たちは、一方では、日常の行為にはもはや見られなくなった真の生活がどこにあるのか、また他方では、できる限り充実した生活を送るためには何をしなければならないか、といった問題に直面しているのだ。(略) 表現の違いこそあれ、今回の出品者たちは皆、自分たちの作品を通じて、この世界の精神のあり方を修復しようと最大限の努力をしなければならないという責任を、わが身に課しているのだ。

►久保貞次郎 日本館カタログ

コミッショナー

久保貞次郎

Kubo,Sadajiro | 1909-1996

栃木に生まれる。1933年東京帝国大学文学部教育学科卒業。同大大学院に進学する一方、35年、第2回日米学生会議に参加し渡米の機会をもった。同年すでに入会していた日本エスペラント学会の特派員として九州各地を巡るなかで杉本秀夫（後の瑛九）と知り合い、現代美術へ興味をもつようになる。36年頃から美術評論を手がける。栃木の児童画の審査などを行なう流れから、38年から1年間児童画の国際交流のためアメリカ、ヨーロッパを視察した。戦後、51年「デモクラート美術家協会」が設立されると後援者として評論執筆やコレクションを行なう。52年、子どもの自由な表現を推進する創造美育協会（創美）設立に参加し、美術教育の大きなうねりの中心となる。77年から85年まで跡見学園短期大学学長、86年から93年まで町田市立国際版画美術館館長を務めた。『久保貞次郎 美術の世界』（全12巻 1984-87年）がある。(Y)

展示風景　篠田守男の立体作品　奥にオノサト・トシノブの作品

展示風景　靉嘔の部屋の作品

靉 嘔

茨城に生まれる。本名は飯島孝雄。54年東京教育大学(現・筑波大学)教育学部芸術学科卒業。作家名は、在学中「あいうえお」の音の中から友人たちが選んだ「あいお」をもとに、「靉」は雲がたゆたう様の「靉靆」から、「嘔」はサルトルの『嘔吐』からとられた。53年、デモクラート美術家協会に参加。55年、グループ「実在者」結成に参加。54年から銅版画に取り組み、リトグラフ、シルクスクリーンと手法を広げるが、版画の複数性に現代の表現の特徴をみていた。この頃の画面はフェルナン・レジェに影響されたシンプルな形態と明るい色彩の人物像で、傑作《田園》(1956年)などにみてとれる。読売アンデパンダン展への出品やタケミヤ画廊で個展(1955年)を行なう。58年に渡米、ニューヨークを拠点とする。当初抽象表現主義的な絵画を描くが、視覚的な美しさより、より観者への直接的な体験を試行し、箱の穴に指を入れる触覚的な作品や、人が入れるような部屋による環境的な作品を展開する。60年代にはヨーロッパなどで「フルクサス」グループとハプニングやイベントを行なう。62年より虹のスペクトルの作品を展開する。66年ヴェネチア・ビエンナーレに参加。

71年サンパウロ・ビエンナーレに出品。靉嘔といえば虹といわれるように、物、人物、古今の美術作品などを虹のスペクトルで覆いつくす。さらにスペクトルだけを描いた抽象画をはじめ、87年にはエッフェル塔から300メートルの七色の吹き流しを吊るしたプロジェクトなど、多様な虹をみせる。2006年に日本を拠点とするまで、日米を往還して制作を続け、12年、東京都現代美術館で回顧展が開催された。

出品作品について

日本館の一部に部屋のような空間をつくった。他に油彩3点を展示。評論家ローレンス・アロウェイは「ビエンナーレ出品作として初めて五感すべてに訴える作品であると同時に、今後多く登場するであろう環境芸術の先駆けでもある」と評した。高さ4メートル、横10メートルの部屋状の展示空間には、虹が描かれたキャンバスがひろがる。床と壁面には65個の《フィンガー・ボックス》が取り付けられた。観客が箱に指を入れるとラジオが鳴ったり、冷たい水に驚いたりする仕掛けである。

"虹の環境設定" No.3(ヴェネチアの虹と触覚の部屋) 1966(同右も)

池 田 満 寿 夫

Ikeda Masuo | 1934–1997

旧満洲（現・中国東北部）に生まれる。1945年に帰国後、母の郷里の長野で幼少期を過ごす。高校時代に油彩で風景を描き、全国学生油絵コンクールでたびたび受賞している。52年、東京芸術大学を目指して上京する。浪人生活中は似顔絵などで生計を立てていた。55年、生涯の友となる画家の堀内康司らとグループ「実在者」を結成。56年、池田に銅版画を勧める瑛九やコレクターの久保貞次郎と知り合いデモクラート美術家協会に参加、最初の銅版画を制作、瀧口修造の目にもとまり、タケミヤ画廊の版画展に出品する。60年、東京国際版画ビエンナーレで、審査委員長ヴィル・グローマンの強い推薦により文部大臣賞を受賞。鉄筆で銅板に直接刻みこむドライポイントの即興性と刷りによる偶然性を生かすことに長けていたといえよう。65年にはニューヨーク近代美術館で日本人初の個展を開催、作品も収蔵される。66年のヴェネチア・ビエンナーレでは版画部門の国際大賞を受賞する。70年代からはニューヨークを拠点に活動。美術界での活躍と同時に、77年には小説『エーゲ海に捧ぐ』が芥川賞受賞、79年には自ら監督した同題の映画を完成させる。さらに82年には監督2作目『窓からローマが見える』が公開された。映画にも見られるように池田の版画作品はエロティシズムが強く反映されている。80年代に入ると陶芸によるオブジェを制作、静岡の熱海に「満陽工房」を設けた。晩年の版画では宗達を賛美するなど、日本回帰を見せた。長野市の池田満寿夫美術館は2017年に無期限の休館。熱海市に池田満寿夫記念館がある。

出品作品について

ドライポイント作品26点などを出品。池田は受賞について「これは幸運です。各国が版画に力を入れていなかったからだろう。(略)自分の版画が拒絶的なものよりも楽天的なものだからかも知れない」と述べている。

▶「ベネチア・ビエンナーレ現地座談会」『美術手帖』1966年8月号

化粧する女　1964

夏2　1964

オノサト・トシノブ

長野に生まれる。本名は小野里利信。1922年、群馬の桐生に移住。31年日本大学工学部へ入学するも1学期で中退する。「平凡なサラリーマンより自由にものを考えられる」画家を志し、津田清楓洋画塾に通う。34年、長崎で描いた街並みを真正面から捉えた作品群は、後のスタイルの萌芽があるという。37年より自由美術家協会を中心に活動をし、セザンヌやモンドリアンへ傾倒し、幾何学的抽象の作品も発表している。41年に応召後、旧満洲（現・中国東北部）に出征し、敗戦後シベリア抑留をへて、48年帰国する。戦後しばらくは中学校の美術教師、養鶏業で生計を立てる。53年、初個展（東京・タケミヤ画廊）。52年頃から強い印象を人に与えるため名前をカタカナ表記にする。同時に画面からは再現性が消え、55年には円と幾何学的形象が中心となっていき、特に円は「オノサトの円」として生涯の重要なモチーフとなった。画面は徹底的に様式化され、色彩とフォルムが際立ち、「純潔な眩暈感」（瀧口修造）が表われてくる。56年と57年に生まれた息子にも「六丸」「十丸」と名付けている。61年、グレス画廊（ワ

シントンD.C.）で個展、約30点を出品、これは58年の『毎日デイリーニュース』紙の個展評が縁になっている。63年、日本国際美術展で最優秀賞を受賞。64年、66年のヴェネチア・ビエンナーレに参加。76年には、58年から67年まで制作した版画110点余の個展（東京・和光）を開催。生前は86年のストライプハウス美術館（東京）での個展が最後の発表となった。東京都現代美術館（福原コレクション）、東京国立近代美術館、大川美術館にコレクションがある。

出品作品について

油彩20点を出品。オノサトは66年の2月に南画廊で4年ぶりの個展を開催している。ビエンナーレではその時の発表作を含めた回顧展的な展示となった。会場では「静かな環境のなかでじっくりと見るべき作品であり、ビエンナーレのような瞬間的一撃を与えるには損をしている」ともいわれた。

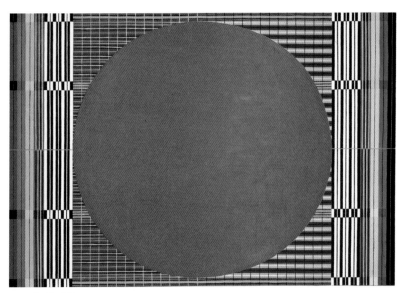

一ツの朱の円　1958

1966

篠田守男

東京に生まれる。1953年青山学院大学文学部英文学科中退。52年から54年まで通産省大臣官房渉外課勤務。54年から67年まで通産省工業技術院産業工芸試験所に勤務し、金属加工技術を身に着ける。55年から65年までモダンアート協会展に出品。63年に渡米、1年間シカゴ美術館美術学校で学ぶなかで学費を補うためにクズ鉄を使った作品を制作、これが売れたという。この頃から〈テンション（張力）とコンプレッション（圧縮）〉シリーズが始まる。鋼鉄線の張力を使って金属を宙吊りにした作品で、おおよそ伝統的な彫刻系から離れており、美術学校で彫刻を学んでいない篠田ならでの発想から生まれたものだった。例えば椅子状の座と背のL字型の空間に、または4本の脚状の基台の中心に金属のハートや人体の一部が鉄線で宙吊りに設置される。スタジオの主役は旋盤となり、手仕事と発注芸術の境界を超えていった。このシリーズは篠田のライフワークとなる。63年には影響を受けていたバックミンスター・フラーをイリノイ州のスタジオに訪ねる。その後、ヒューストンの美術学校やUCLAなどで教員を歴任する。66年、高村光太郎賞を受賞。同年ヴェネチア・ビエンナーレに参加。60年代後半からはよりメカニズムへの関心をたかめていった。また、79年から94年まで筑波大学芸術学系教授を務めた。自伝を兼ねた作品集『快楽宣言』（1972年）がある。2019年、つくば市に常設展示スペース「篠田守男現代アートギャラリー」が開設された。21年に碌山美術館で個展開催。

出品作品について

立体作品《テンションとコンプレッション》を3点出品。「そのなかの「343」は、1つが350キロの重さの、高さ約1メートルの、じょうごを地面に伏せたような形のブロンズの、内部にセメントをつめた物体を6個、長方形に配置しその先端を細いワイアで、2つの幻想的なフォルムをもつメッキされた鉄板を、空中につりあげている」。

▶久保貞次郎「33回ベネチア ビエンナーレ出品作家の横顔」
『みづゑ』1966年4月号

テンションとコンプレッション 343 1966

佐野敬彦
新しい視覚の世界誕生

日本館はどのように人々の目にうつったであろうか。ある批評家によれば、日本館はいつもすばらしいと日本のレベルの高さを認めているにもかかわらず、いつも、もう一つ決定的な力に欠ける。今回では饗嘔がもっとも実験的な作品を構成し、その虹の色彩と共に、特にフィンガー・ボックスが一番の反響を呼んだ。指穴にさしこんだ指の触覚は時にはセクシュアルなものを、時には宇宙の構成物質を、時には空虚を感じさせ（ZNE的だねと語った新聞記者があった）、時には無邪気にブザーがなり、音楽が流れる。虹色に塗られた食卓上の器物も眼でみる触覚であり、造型美術をはみ出したところまで拡大されている。そこに彼のアイディアの前衛性と受賞しなかった限界があったと思われる。彼がワンマン・ショウをしていたら、あるいは大賞をとっていたのではないか。彼の失敗は音楽やブザーをつけたところにあると思われる。それがおどけ者の印象を与えてしまったのだ。

　池田満寿夫は版画大賞を受けたが、特にニューヨークで制作したものがひきしまっていて評判がいい。しかし版画の場合は前衛性があまり前面に出ず、また対抗馬が少なかった（アメリカ、フランス、オランダ、北欧四国など大半は出品なし）という幸運もある。オノサト・トシノブは誰もが認めるところだが、ビエンナーレの前衛性の性格からいって前回に賞に入らなかったものが今回というのはあり得ないことだ。彼を高く評価するある画商が今度もオノサトが出すのか、作家を殺すようなものじゃないかといって彼に同情したという話を聞いたが、その通りではないだろうか。また篠田守男の彫刻はあまりにまともで、ビエンナーレ向きではないといえる。

▶『美術手帖』1966年9月号

井関正昭
絵画はどこへ行くか
——第33回ヴェネチア・ビエンナーレ展をみて

日本館では、饗嘔が一人で人気をさらってしまった。ある新聞評によると、《日本館はポップとオップのとぎすまされた今日の王国である。特に饗嘔の"触覚部屋"（camera tattile）がそうである》（Stampa Sera, 6月18日号）ということになるが、彼の"虹の囲み"（編注・《"虹の環境設定" No.3》のこと）と題する10m近い色彩の壁自体が巨大な作品となり、その壁には沢山の小さいゴムの穴がついた10cm角の小さい小箱がとりつけられ、この穴に人は指を差し入れることになっている。そこで差し入れた指が触れるのはブラシの毛であったり、何か無害な絵具や粉であったり、突如鳴りだすブザーの音や音楽であったりする。《饗嘔の探究はオブジェを加えながら、あるイデアを固めようとする。このイデアは幻想の暗示によって引っぱり出され、この幻想は人間生活に必要ないろいろの対象にすぐ変えられるものである》。日本のコミッショナー、久保貞次郎氏が目録にこう書いているように、饗嘔のこの触覚芸術は、先のル・パルクの視覚芸術と共にこのビエンナーレ展では新しい実験の最尖端と考えられた。彼はニューヨークで8年間過し、その主要な作品は殆ど日本で知られていないようであるが、今年のビエンナーレ展を一層楽しくさせる呼びものとして、新聞は毎日のように彼の作品を紹介していた。私にとって饗嘔の作品は、ヨーロッパの伝統を失ったアメリカで、アメリカの文化を創造している日本人という立場から彼の実験を爽やかな気持で眺めることができたといってよい。皮肉といってよいかどうか、日本館の他の参加者、池田満寿夫も篠田守男も滞在の長短はあるにしてもアメリカからの参加である。池田満寿夫は既にアメリカ、ヨーロッパでも知られており、たまたまビエンナーレ展のはじまる直前にポーランドの国際版画ビエンナーレ展で、パリの菅井汲と共に受賞したことが伝えられ、われわれは大いに喜び合ったものである。彼の作品については今更私がどうこういう必要はないであろう。

▶『みづゑ』1966年8月号

ゲリラ的参加

ビエンナーレが開催されている時期のヴェネチアでは、路上で突然行なわれるパフォーマンスや、広場の片隅にポツンと置かれている作者不詳の作品に出くわすことがある。そのような街中での偶然の出合いは、ヴェネチア・ビエンナーレの醍醐味でもある。ここでは、ビエンナーレ当局の許可を得ないで、いわばゲリラ的参加を試みた3作家を取り上げる。

1966年、工藤哲巳は、ハプニング《脱皮の記念品、郷愁病用》を行なった。サン・マルコ広場に登場した工藤は、緑色の蛍光色の衣装を着て、傘をさし、鳥かごを持ってカフェの一角に陣取り鳥に餌をやり始めた。あまりの人だかりに、駆けつけた警官から許可をとるようにいわれた工藤は、警察を探すという理由をつけ、広場を歩いた。

同年、草間彌生は、ジャルディーニで《ナルシスの庭》のインスタレーションとパフォーマンスを行なった。1月に下見をし、作家のルーチョ・フォンタナの協力を得て、工場にプラスチック製の銀色のミラーボール1500個を発注し、イタリアのナビリオ・ギャラリーが中央館の前庭に場所を確保した。草間は金色の着物姿で、敷き詰めたミラーボールの中に立ち、「あなたのナルシシズムを売ります」と観客に声をかけた。ミラーボールは1個1200リラ（2ドル）で売られた。しかし、ビエンナーレ当局から販売の許可を取得していなかったため、このパフォーマンスは即刻中止された。《ナルシスの庭》はその後、様々なかたちで展開し、2001年の横浜トリエンナーレでは横浜港の海上にミラーボールが浮かべられた。

1995年には、小沢剛が、数年前より構想していたという「リトル・アペルト──なすび画廊・イン・ヴェネチア」なる企画展を実行した。このタイトルは、若手作家を対象にした企画展「アペルト」に由来する。「なすび画廊」とは、牛乳箱の内側を白く塗って展示空間に見立てた世界最小の移動式画廊で、小沢自身が画廊主となって作家たちにその場を提供するプロジェクト。ヴェネチアでは小沢をはじめ、会田誠、大岩オスカール、福田美蘭、舟久保文恵、村上隆、そしてミラノ在住の広瀬智央ら総勢9人が参加し、ヴェネチア市内のあちこちに「なすび画廊」を設置した。運河の手すりなどにチェーンでくくりつけられた牛乳箱は、誰でもその扉を開けて中を見ることができた。展示期間は6月9日から30日までと短かったが、その間ビエンナーレ当局や警察からのおとがめはなく、作品の損傷もほとんど見られず、無事に会期を終えた。(C)

左：ジャルディーニでミラーボールを売る草間彌生 1966年　右：運河の手すりにくくりつけられた「なすび画廊」 1995年

1964

第32回
6月20日──10月18日　34カ国が参加

総合キュレーターはジャン・アルベルト・デラクア。アメリカがポップ・アートと国の力を見せつけた年となった。アメリカ館の運営は、ニューヨーク近代美術館からアメリカ政府に変わり、キュレーターのアラン・ソロモンの新しい動向への目利き、展示の奇抜な発想はビエンナーレの常識を覆した。空軍機で輸送したロバート・ラウシェンバーグとジャスパー・ジョーンズ作品などをアメリカ館の入口に1点ずつ展示するとともに、ジャルディーニ会場外の市中心部に近い旧領事館での展示を認めさせた。さらに賞の審査員にイギリス、フランス、ドイツが不在のうちにサム・ハンターを登用させた強引さも目立った。国際大賞絵画部門はラウシェンバーグが受賞し、アメリカが初の栄冠を獲得。その他彫刻部門はゾルタン・ケメニー（スイス）、版画部門はヨゼフ・ファスベンダー（ドイツ）が受賞した。中央館の特別展示ではフェリーチェ・カゾラーティ、ピオ・セメギーニの回顧展、「美術館における今日の美術」展、ジャルディーニ以外ではジャコモ・マンズー展などが開催された。

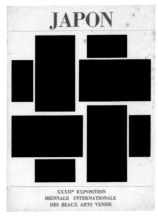

日本館カタログ

日本館

コミッショナーはブリヂストン美術館（現・アーティゾン美術館）の嘉門安雄。オノサト・トシノブ、斎藤義重、堂本尚郎、豊福知徳の4名が選出された。国内展示は、2月21日から3月1日まで京橋の国立近代美術館で行なわれた。堂本はパリから、豊福はミラノから直接作品を搬入するため、国内展示は斎藤とオノサトの2名の展示となった。斎藤と豊福は1960年についで2回目の参加。斎藤はレリーフ状の作品、豊福は楕円の穴が穿たれた柱状の作品で、前回とは大きく作風を変えて

の出品となった。嘉門の作家選出からは、海外で活動し認知されていること、抽象表現に取り組んでいることがポイントとしてみえてくる。現地搬入は一番乗りだったが、突然嵐に見舞われ、公園の樹木が倒れ日本館の屋根を修理する手間も加わった。展示への大方の評判は「すっきりし過ぎる」とのことだった。

近年では、世界の美術の動向に対する深い理解を基盤にしながらも、わが国固有の伝統を見据えた作家たちからある種の再評価が行われている。言い換えれば、単なる模倣から真の制作への移行が見られるのであり、そしてそれは、世界の現代美術という文脈の中での現代の日本美術の力強い独自性を明らかにすることである。(略)今回参加する3人の画家と1人の彫刻家は、日本ならではの活力を示してくれる、エネルギーにあふれた創作家たちである。

▶嘉門安雄　日本館カタログ

展示風景　豊福知徳の作品

嘉門安雄

Kamon Yasuo｜1913-2007

石川に生まれる。1937年東京帝国大学文学部美術史学科卒業。西洋美術史家の児島喜久雄の助手を務める。40年アトリエ社の『西洋美術文庫　リューベンス』が初の単著となる。41年にアルスから『ナチス叢書　ナチスの美術機構』を上梓。47年に東京国立博物館に採用され、戦後まもないこの時期国内所蔵作品で西洋美術名作展を企画、また展覧会史に残るマティス展、ブラック展、ルオー展を担当した。59年には開館した国立西洋美術館の事業課長に就任、56年からはブリヂストン美術館（現・アーティゾン美術館）の運営委員、76年から95年まで同館館長を務めた。94年から2000年まで、東京都現代美術館館長を務め、長きにわたり美術館運営に携わってきた。また嘉門の評論は、西洋美術ではルネサンス以降から近代まで幅広く、レンブラント、リューベンス、ゴッホらに関する著述が多い。さらに日本の近代美術についての論考も多岐にわたり、多くの美術全集の企画にその名があり、関わった企画を見ていけば美術出版史を辿ることにもなる。

展示風景　オノサト・トシノブの作品

展示風景　堂本尚郎の作品

オノサト・トシノブ

236ページ参照

出品作品について

《壁画・A・B・C・D》は、1959年、久保貞次郎の依頼によっ
て壁画として制作が進められ3年後に完成した。他には近作
の4点の油彩を出品。海外からの一部の評ではテクニック
の高さとキネティック・アートとの類似が指摘された。

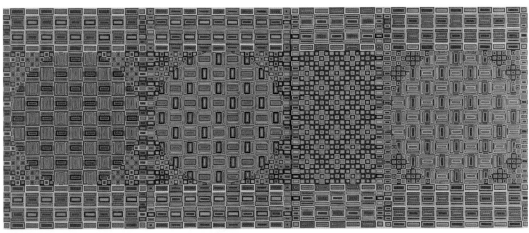

壁画 A・B・C・D 1962

作品 100-B 1963

斎藤義重

青森で生まれるが本籍は東京・四谷だった。1911年、栃木から東京に転居。子どもの頃より父の書斎にあったヨーロッパの画集などに親しみ、独学で油彩画を描き始める。16歳の時、ロシア未来派の展覧会をみて衝撃を受け、村山知義を中心とした前衛的な美術活動に強い関心をもつ。一時は絵画よりも文章による表現に傾倒してゆくが、30年頃ロシア構成主義やダダの影響によって、立体作品を中心とした造形活動を本格的に開始する。33年、古賀春江、東郷青児らが主宰したアヴァンガルド洋画研究所に参加。38年に吉原治良、山口長男らとともに九室会、その翌年には福沢一郎らと美術文化協会を創立。戦時体制下では自由な活動を制限され、終戦直後は健康上の理由で制作を中断するものの、50年代半ばから国内外からの評価が高まる。57年、日本国際美術展でK氏賞受賞。58年、瀧口修造の紹介により東京画廊で初個展。60年ヴェネチア・ビエンナーレに参加し、同展開催に合わせてはじめて渡欧。61年のサンパウロ・ビエンナーレで国際絵画賞を受賞。64年に再びヴェネチア・ビエンナーレに参加。同年多摩美術大学教授となり、教え子からはもの派の美術家が数多く生まれた。60年代は電動ドリルで合板に点や線を刻み絵具を塗りこめる作品に集中的に取り組み、70年代は簡潔な構造をもつ単色の合板レリーフ、80年代は木をボルトで連結した立体作品を制作。晩年は黒のラッカーで塗装した板を組み合わせて床や壁面に設置したインスタレーション作品を発表している。神奈川県立近代美術館に斎藤義重アーカイブがある。

出品作品について

最近作の合板を切り抜いた、レリーフ状の作品7点を出品。象形文字を思わせる赤い形態はシンプルで力強い。海外の画廊から個展開催の声もかかり、5点が売約となった。(u)

作品2 (V-2) 1964

堂本尚郎

京都に生まれる。日本画家の堂本印象は伯父にあたる。京都市立美術工芸学校、京都市立美術専門学校（共に現・京都市立芸術大学）で日本画を学ぶ。在学中の1948年に日展に初入選、受賞作は政府買上げとなるなど評価を得る。この頃、吉原治良と親交をもつ。52年京都美専卒業後、伯父と渡欧し、パリのグラン・ショミエール研究所で油彩を体験する。帰国後も日本画で日展に出品するが、55年渡仏し、本格的に油彩を手がけるようになる。評論家のミシェル・タピエと出会い、アンフォルメル運動に加わる。57年、タピエの助言によりスタドラー画廊で初個展、作品は完売する。58年にパリ在住外国人青年画家展でグランプリを受賞。59年、マーサ・ジャクソン画廊（ニューヨーク）で個展、当地の美術界に強くひかれる。同年第1回パリ青年ビエンナーレに出品。60年に日本での初個展（東京・南画廊）。61年サンパウロ・ビエンナーレに出品。62年にはアンフォルメル運動に疑問を感じグループから離れていく。この頃からほぼ10年間続く、画面に帯状の色面が重ねられていく〈連続の溶解〉シリーズが始まる。63年サンマリノ・ビエンナーレで金賞を受賞。64年ヴェネチア・ビエンナーレでアーサー・レイワ賞（40歳以下の初出品作家への賞）を受賞。65年、帰国し東京を拠点にする。60年代後半から円を主とした画面が現われ、しだいに波形へと移り、画家の特徴的なシリーズを形作るようになる。79年、パリ市立近代美術館で日本人初の回顧展。2000年代に入り、絵具をたらし込む〈蓮池〉シリーズを展開した。2005年に京都国立近代美術館と世田谷美術館で回顧展が開催された。

出品作品について

アルミニウム板による屏風のような《連続の溶解57》が目を引いた。他に油彩11点出品、うち2点がローマ国立近代美術館とトリノ市立近代美術館に買上げられた。

1964

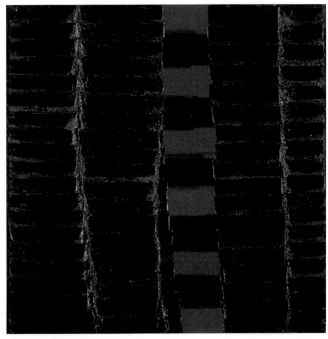

連続の溶解7　1964

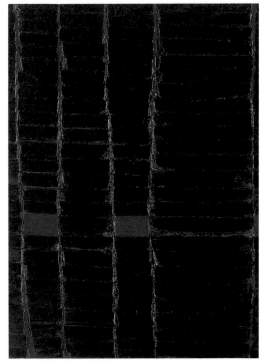

連続の溶解9　1964

豊 福 知 徳

福岡に生まれる。上京後、国学院大学国文
科中退。古典文学の素養と若い頃からの
古美術、骨董の蒐集は、西洋近代彫刻に
東洋の精神を融合させたその後の制作の
背景をなしているといえる。終戦後、郷里・
福岡の木彫家冨永朝堂に師事し、日本の
伝統的な木彫技術を身につけるが、1950
年から新制作協会展に出品、彫刻家として
の関心はヨーロッパの動向に向かってゆく。
59年に《漂流'58》で第2回高村光太郎賞
を受賞し、60年ヴェネチア・ビエンナーレに
参加。これを機にイタリアに渡り、そのままミ
ラノに定住し、木彫による具象から一挙に、
楕円形の穴をくり抜き木の表情を生かした
独自の抽象彫刻の世界を確立する。その後
様々なバリエーションを伴いながらも、基本
的な制作方法は一貫していた。64年カーネ
ギー・インターナショナル、ヴェネチア・ビエ
ンナーレ、欧州在住日本作家展（ローマ日本文
化会館）、65年サンパウロ・ビエンナーレに出
品。ミラノでの生活が20年を越えた頃、豊
福は西欧とは何かについてたえず芸術との
関わりの中で考えるとともに、ますます自分の
国である日本を客観的に観察するようになっ
たと語っている。西洋彫刻と対峙し続けたの
ちに、東洋と日本の伝統に遡り、両者を融合
して新しい地平を切り拓き、具象と抽象の
ジャンルを超えた新しい空間を現出させた。
2003年に帰国し、福岡とイタリアを往復し
て過ごした。22年、福岡県立美術館で寄贈
作品展が開催された。福岡市には豊福知
徳ギャラリーがあり、同市港湾部に博多港
引揚記念碑《那の津往還》（1996年）が設置
されている。

出品作品について

ミラノに定住して4年目、木彫のスタイルを
確立していった時期の作品群である。立体
は5点で、2体の柱状の大きな作品が展示
室中央に、レリーフ状の作品4点が壁面に
展示された。出品作の多くがのちに海外の
美術館に収蔵されている。（u）

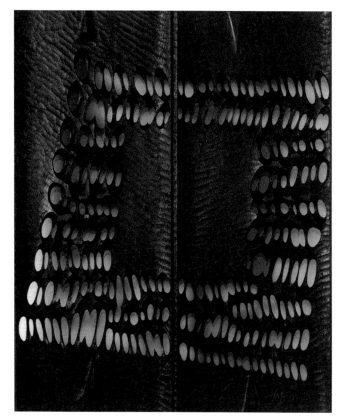

VENTUS（風） 1963

井関正昭

第32回ヴェネチア・ビエンナーレ展

日本館については、誰もが上品で優雅であるという言葉をなげかけた。出品の4名の作家、堂本尚郎、豊福知徳、斎藤義重、オノサト・トシノブの何れに対しても、われわれはいまだかつてこのような言葉で彼らの芸術を語ったことがないので大変意外であった。日本館の会場は、事実、黒と赤と白という最も伝統的な日本の色彩で構成され、まとまりすぎるほどまとまっていて、この意味では他の各国会場に比べ慣習的な言葉でいちばん人気があったといえる。それは会場全体の一般的な喧噪のなかで、むしろ安らぎを与える効果があったからだ、といって決して皮肉ではない。開会式が終ってイタリアの何とか大臣が日本館を見に来た帰りに、表へ出てふと「俺はここがいちばん好きだよ」とつぶやいたのを聞いて私はニヤリとしたのである。いいかえれば、日本の作品が現代美術の新しい世界の傾向をつくりだす程の能力に欠けているといえるし、何かをつき破る激しい生命力に欠けているともいえるのだ。

▶『みづゑ』1964年9月号

シモーヌ・フリジェリオ

いつもながら日本館は、最も魅力あるパビリオンのひとつであり、絵画の選択は質が高い。招待された3名の画家の内、2名は既にヨーロッパで名が知られている。最年長の斎藤義重は、1960年のヴェネチア・ビエンナーレ、そして1963年の第1回ローザンヌ国際前衛画商展で注目されている。彼の最近の、切り抜きが施された立体的な作品は、「絵画」というよりは浮き彫りのようである。斎藤が詩的情緒あふれる伝統的なカリグラフィーを捨てて、彼自身の芸術を没個性化してしまったのは残念でならない。堂本は、ここ数年来パリに在住しているにもかかわらず、すべての日本美術の特徴ともいえる職人的な巧みさを保っている。彼の金色のアルミのレリーフは、時に装飾的過ぎるほど装飾的である。オノサトもまた同様に、技術の完成度が高い。彼の作品の幾何学文様は、キネティックにも似た動きを見せている。これらの完成された、そして純粋に美的な作品群の背後に、現代日本の作家たちは引きこもっている。彼らは、容易に近づくことを許さない抽象画の領域の中で、自らの言語が伝達されることにはなかなか同意しないのである。

▶『オジュルデュイ』1964年10月号

企画展「美術館における今日の美術」

1950年代以降の動向を示す作品を、世界の18の美術館から集めた。イタリアから2館、他に北欧と西欧から13館、東欧から1館、北米から1館、南米から1館が参加し、229点の展示。日本の作家では、ロンドンのテート・ギャラリーから勅使河原蒼風、グッゲンハイム美術館とリオデジャネイロ美術館から菅井汲、リオデジャネイロ美術館から間部マナブ、ローマ国立近代美術館から岡田謙三の作品が出品された。

1964

勅 使 河 原 蒼 風

Teshigawara Sofu | 1900-1979

江戸時代から続く華道の跡取りとして大阪に生まれる。本名は釯一（こういち）。5歳の頃より父の元でいけばなの修行を始め、13歳の頃には父の代理で弟子に教えた。1927年、26歳で創造的で独創的ないけばなを提唱して、草月流を創始。花だけではなく枯れ木や石、ガラス、針金、陶器などを使ったいけばなや絵画や書、彫刻、オブジェの制作も行なう。57年、来日した美術評論家ミシェル・タピエに「具体」とともに彫刻を評価された。60年、ヴェネチア・ビエンナーレに合わせてパラッツォ・グラッシで開催されたタピエ企画の「自然から芸術へ」展で、書の実演を行なった。2001年世田谷美術館で回顧展開催。(U)

テート・ギャラリー部門の勅使河原蒼風作品
（中央）

様々な賞

1895年に第1回展が開催されたヴェネチア・ビエンナーレ。当初ヴェネチア市国際美術展なる名称だったが、1930年（第17回）からビエンナーレ（隔年開催）を正式に呼称するようになる。賞制度は当初からあり、ヴェネチア市長賞は1万リラ。他に5000リラ、2500リラの賞が7つほど設けられていた。大賞（グランプリ）は、ムッソリーニ政権下の38年（第21回）に設定されたが、国際と国内に分けられたのはイタリアの作家を顕彰することが目的でもあった。賞はさらに絵画や彫刻といったジャンル、年齢別などに分かれていく。

　権威の象徴としての賞制度であるが、受賞決定には審査員間の政治的なやりとり、ときに泥仕合とまでいわれる審査過程も見られる。64年（第32回）はラウシェンバーグがグランプリを獲得し、アメリカのその強引な国家的横槍が話題となった。同年を参考に賞の概要をみてみる。国際大賞（内閣総理大臣賞）、つまりグランプリ（賞金200万リラ）は絵画と彫刻に贈られ、さらに大賞として文部大臣賞が版画に贈られている。国内大賞にあたるヴェネチア市賞（絵画部門200万リラ）、ヴェネチア市・県賞（彫刻部門200万リラ）は当然イタリア人に限られる。文部大臣賞は、外国人に200万リラ、イタリア人に50万リラと差がある。大賞以外では45歳以下でビエンナーレの受賞歴がない作家から50万リラのデヴィッド・E・ブライト基金賞、ビエンナーレに初参加のイタリア新人作家へ30万リラのマリオ・カレナ賞、初参加の40歳以下の画家から100万リラのアーサ・レイワ賞。40歳以下の画家を対象に50万リラのカルロ・カルダッツォ賞、40歳以下の彫刻家を対象にゴリン賞などがある。変わったところではブラジル人に限った50万リラのヴェネチア近代美術館賞、1000ドルのユネスコ特別賞などがある。ユネスコの賞は58年岡田謙三が受賞し、岡田は同年アストール・メイエル賞（イタリアの著名な画家に因み、ジャンルが指定されず、20万リラ）も受賞している。

　賞制度は、68年のパリ5月革命の余波を受け、学生や作家たちによる商業主義へ傾倒するビエンナーレへの異議申し立てを受け、70年に廃止される。その後ビエンナーレの在り方を巡る討議を重ねて、祭りには神輿が要るように、金獅子賞をメインとして賞制度が86年に復活する。

　日本関連をみていくと、版画部門では56年に棟方志功、66年に池田満寿夫がそれぞれ大賞を受賞、62年デヴィッド・E・ブライト基金賞を菅井汲、64年アーサー・レイワ賞を堂本尚郎、68年カルロ・カルダッツォ賞を高松次郎、95年の千住博の名誉賞、97年北欧館から出品した森万里子の名誉賞、2009年のオノ・ヨーコの金獅子賞（功労賞）、13年の日本館（田中功起）への特別表彰があげられる。（Y）

金獅子賞トロフィー

1962

総合キュレーターはジャン・アルベルト・デラクア。フィンランド、ノルウェー、スウェーデンの北欧3ヵ国が共通のパビリオンを建設した。中央館の特別展示は、ルドン、ゴーキー、シローニ、マルティーニの回顧展、ジャコメッティの個展、「イタリア象徴派の作家たち」が開催された。ジャルディーニ以外での特別展として、「1948年–1960年の大賞受賞作家展」が開催され、1956年（第28回）の版画部門で大賞を受賞した棟方志功の作品が展示された。国際大賞の絵画部門はアルフレッド・マネシエ（フランス）、彫刻部門はアルベルト・ジャコメッティ（スイス）、版画部門はアントニオ・ベルニー（アルゼンチン）が受賞した。

日本館カタログ

日本館

1962

コミッショナーは国内外の美術状況や美術館について詳しい今泉篤男。選ばれた5名の作家のうち菅井汲はパリから、川端実はニューヨークからの参加、国内からは江見絹子、杉全直、向井良吉が参加した。また滞欧中の富永惣一が審査員に委嘱された。現地でのアシスタント・コミッショナーにパリ在住の評論家江原順があたった。本展に先立ち、3月13日から16日まで、京橋のブリヂストン美術館（現・アーティゾン美術館）で、江見、杉全、向井の絵画16点、彫刻7点が国内展示された。

菅井汲がデヴィッド・E・ブライト基金賞を受賞した。

第二次世界大戦が終焉すると、西洋美術の影響によって日本美術にも変化がもたらされた。

すべての国がそうであるように、伝統的な美術は、日本の現代作家の間にも常に潜んでおり、西洋美術の流れのいくつかを、日本固有の伝統に対するアンチテーゼであると見なすこともしばしばであった。しかし、彼らの多くは、西洋美術の動きに拠ることによって、新たな飛躍を見出していたのである。日本美術の真の伝統が再評価されたことは、伝統主義者の活動は勿論のこと、そのような作家たちにも、おそらく感謝しなければなるまい。（略）

彼ら〔出品作家〕は、伝統的な日本美術に反発を示す時期もあったが、我々は、彼らが再びそれを発見し、自らの作品に反映させていることを確信している。

彼らの作品は、西欧諸国は勿論のこと、アジア諸国の作品とも区別され得る個性を持っている。

▶今泉篤男　日本館カタログ

展示風景　上：向井良吉の作品
下：壁面に菅井汲の作品

展示風景　上：奥の壁面に川端実の作品
下：右壁面に杉全直の作品

コミッショナー

今泉篤男

Imaizumi Atsuo | 1902-1984

山形に生まれる。1927年東京帝国大学文学部美学美術史学科卒業、同大学院に学ぶ。32年に渡欧し、パリ大学、ベルリン大学で美術史を研究。34年に帰国後まもなく『アトリェ』に展覧会評などの執筆を始める。梅原龍三郎や安井曾太郎ら日本の現代美術家を論じ、また西洋美術の紹介を行なう。35年、「美術批評に就ての疑問」を発表。36年、美術批評家協会の創設に参加する。35年から42年まで国際文化振興会に勤務した。51年に国立近代美術館設置準備委員をへて同館次長となり、「現代美術の実験」展（1961年）をはじめ、同館のその後の方向性を示す展覧会の企画に関わった。67年には京都国立近代美術館長に就任し、工芸に係る企画を多数行なった。戦後の美術行政については今泉の存在が大きいといっていい。また資生堂ギャラリーの企画に長く携わった。『今泉篤男著作集』（全6巻　1979年）がある。

江 見 絹 子

兵庫に生まれる。本名は荻野絹子。1940
年兵庫県立加古川高等女学校卒業(現・県立
加古川西高等学校)。伊川寛に個人指導を受け
る。49年、行動展に入選し、以後同展と女
流画家協会展で主に活動。53年には行動
美術協会初の女性会員となる。53年から2
年間にわたり、アメリカとヨーロッパに滞在
し、個展の開催やルーヴル美術館で古典を
研究する。またアルタミラ、ラスコーの洞窟
絵画を体験し、衝撃を受けたことがその後
の制作の糧となる。この時期の作風は流れ
るような形態が地塗りを重ねた厚塗りの画面
を占め、熱い抽象といえよう。帰国後56年
に初個展(東京・村松画廊)。国際展ではピッツ
バーグ国際現代絵画彫刻展(1958年)、グッ
ゲンハイム国際美術賞展と中南米巡回日本
現代絵画展(共に1960年)に出品する。62年、
日本館に女性として初めてヴェネチア・ビエ
ンナーレに参加。60年代になると、画風はし
だいに明るくなり、流動的な形態が何色か
の色彩で描かれるようになった。長女は作
家の荻野アンナ。

出品作品について

《作品》は、厚塗りの重厚な画面をもつ。
1957年の作品を池に浸して、絵具を剝ぎ、
すりつぶし、ふるいにかけ、テレピン油と混
ぜ下地に塗り、その上に絵具を撒きマチ
エールをつくりだした。出品作8点全てが神
奈川県立近代美術館に収蔵されている。

1962

作品 1962

作品2 1962

川 端 実

東京に生まれる。祖父は川端玉章、父は茂章、ともに日本画家である。幼少時は画室でいたずらをするのが楽しみだったという。エリート的な美術環境で育った実は、1934年に東京美術学校卒業。在学中は藤島武二に学び、光風会、帝展に入選している。39年から2年間ニューヨークとヨーロッパに滞在し油彩に取り組む。42年から海軍派遣画家として南方へ3回赴き、戦争記録画を描く。戦後になると、工場や機械をモチーフに抽象画を描き、51年、57年、59年にはサンパウロ・ビエンナーレに参加。52年に会員となった新制作協会から58年に除名通告を受けるが、同年に渡米し、ニューヨークに居をかまえ、ベティー・パーソンズ画廊と契約する(70年代末まで)。抽象表現主義を踏まえたうえで書の筆運びを取り入れた豪快な画面をつくった。書に関しては、書家の森田子龍の先鋭的な仕事に注目していたという。筆運びは身に着けた高度な写実力によってコントロールされており、60年代前半に優れた仕事を残している。70年代になると油彩からアクリル絵画に移行し、明快な色彩と三角形などの幾何形態が特徴的な抽象画を展開する。62年ヴェネチア・ビエンナーレに参加。92年、京都国立近代美術館、大原美術館で回顧展開催。国内外での個展をはじめ、多くの国際展に参加し、94年に帰国した。2011年には横須賀美術館で回顧展が開催された。

出品作品について

ニューヨークで描いた油彩画8点を出品。61年作7点、62年作1点。

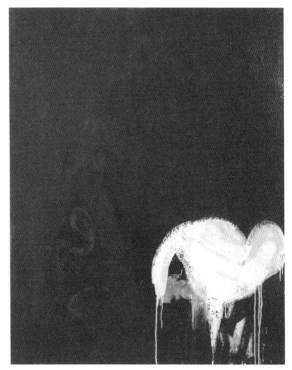

強烈な赤 1961

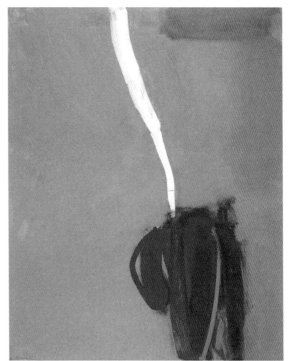

作品 1962

菅 井 汲

226ページ参照

出品作品について

パリで1960年から62年に制作した油彩画
8点を出品。「侍」や「鬼」といった日本的な
タイトルとシンメトリーな構図が特徴的だっ
た。《2本の線》(1960年) がローマ国立近代
美術館に買上げられた。

1962

黒い雲 1961

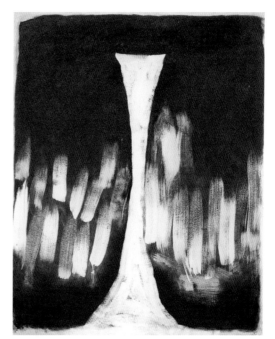

鬼（茶） 1962

杉　全　直

東京に生まれる。幼少の頃、姫路に移住し、
中学在学中に帝展出品者の美術教師飯田
勇と出会う。1932年に上京し小林万吾主
宰の同舟舎に学ぶ。36年、二科展に初入
選。38年東京美術学校卒業。翌年独立展
で独立美術協会賞受賞。同年兵役につき
旧満洲 (現・中国東北部) で測量の任務につく
が病で帰国する。この頃は人体をモチーフ
にしたシュルレアリスムの傾向の作品が多
い。39年、美術文化協会結成に参加 (53年
退会)。44年、兄と弟が戦死する。戦後48
年、モダン・アート・クラブに参加し、抽象の
画面に急速に変化していった。49年から読
売アンデパンダン展に出品する (53年まで)。
51年に初個展 (東京・タケミヤ画廊)。時に砂を
混ぜた赤、黄、黒の絵具の厚塗りの画面は
十分にコントロールされ、53年頃から自ら
「六角形への執着」と呼ぶ〈きっこう〉シリー
ズにいたる。61年サンパウロ・ビエンナー
レ、翌年、ヴェネチア・ビエンナーレに参加。
65年からは石膏による立体やコラージュも
手がけ、70年代の個展では人体をシルエッ
ト状に切り抜いた立体と幾何形態のレリーフ
によるインスタレーションを試みている。77
年からはシルクスクリーンなどにも取り組み、
制作への意欲的な姿勢をみせた。99年に
姫路市立美術館他3館で巡回展が開催さ
れた。

出品作品について

〈きっこう〉シリーズなど8点を出品。油彩の
画面には日本の伝統的な紋様のイメージが
ダイナミックに展開している。

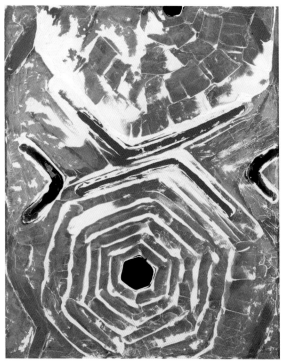

きっこう2　1962

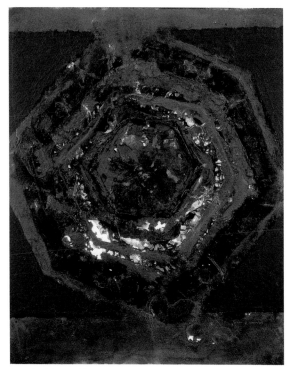

キッコウに憑かれて (A)　1960

向 井 良 吉

京都に生まれる。生家は額縁や屏風の製
造業を営んでいた。長兄は画家の潤吉。
1935年京都市美術工芸学校（現・京都市立芸
術大学）を卒業後、東京美術学校に入学。40
年には新制作派協会展に初入選、41年に
同校を繰り上げ卒業し、翌年陸軍に召集さ
れる。幹部候補生として訓練を受け、南方に
配属される。敗戦を激戦地ラバウルでむか
え、46年に復員し京都に帰る。同年マネキ
ン会社七彩工芸を創業する。51年に行動
美術協会の会員となり行動展を主な発表の
場とする。戦地での過酷な現実をモチーフに
したシリーズを手がけ、なかでも〈蟻の城〉シ
リーズは、ラバウルで敵襲をうけたとき、地面
に伏せると蟻が戦っているのを見た体験がも
とになっている。亜鉛を主とする合金を低温
で溶解しバリを残した多くの作品は、偶然性
を取り入れたユーモアとグロテスクが共存し
ている。57年と59年のサンパウロ・ビエン
ナーレに参加、62年ヴェネチア・ビエンナー
レに参加。宇部の野外彫刻展や神戸須磨
離宮公園の現代彫刻展の創設にも尽力し、
美術界への貢献度も高い。80年に初個展
（東京・現代彫刻センター）。上野・東京文化会館
大ホールのレリーフ（61年）、新宿・紀伊國屋
ホールのレリーフ（64年）、富山空港前のモ
ニュメント（84年）などのパブリックアートや劇
団民藝の舞台美術などでも活躍した。2000
年に世田谷美術館で個展開催。

出品作品について

〈蟻の城〉は、1960年頃から始まった、向
井の代表的シリーズ。会場には高さ最大80
センチの7点が並んだ。1点がヴァネチア市
立近代美術館に買上げられた。

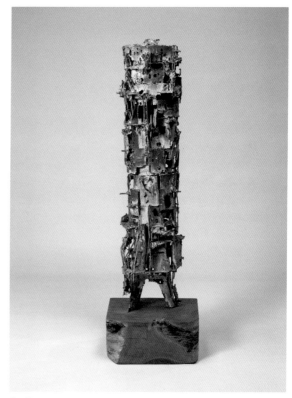

蟻の城 II 1960

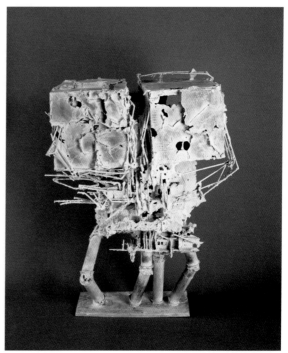

蟻の城 III 1960

1962

今泉篤男
ベネチア・ビエンナーレ展のことなど
——純粋な立ち場にある日本の作品

江見絹子の作品については、少数の人が強くほれこんで絶賛するかと思うと（絶賛者の一人にアポロ誌の編集者があった。）また少しも興味がないといった人たちも少なくなかった。江見の作風は、ビエンナーレのような会場では、いささか単調に見えるのかもしれなかった。(略)初めのうちは川端君の作品が受賞候補になるかもしれないと予想していたが、日がたつにつれて、それはアメリカナイズされているという批評がたかまってきた。私などの見るところでは、それはあくまで川端君らしい仕事で、決してアメリカ的などと思えないのだけれど、アメリカにいるということが、ベネチアではむしろ川端君に不利な条件になった。だが、アメリカ人たちは、直ちに川端君の作品に飛びつき、売約を申しこむ人も何人かあった。(略)国際審査員によって受賞候補として挙げられたのは、日本の出品作のうち、絵では菅井汲、彫刻では向井良吉のものであった。向井良吉の作品は、繊細な神経の切れ味のいいフォルムと、新しい金属の使い方で作家からも批評家からも開会前から注目されていた。過去何回か日本から彫刻を出品して受賞候補として考慮されたのは、こんどの向井良吉の場合が最初である。　►『東京新聞』1962年7月19日夕刊

ピエール・カバンヌ

日本館では、菅井汲の作品が、場を圧倒している。彼の8点の作品は、伝統的なカリグラフィーが生彩あるダイナミズムのリズムと調和し、豊かなものとなっている。

►『アール』1962年6月21日

［対談］
江原　順（美術評論家）＋勝呂　忠（画家）
第31回 ベニス・ビエンナーレ展を見る

勝呂　ところで、日本はどうだろう。

江原　展示が早くおわったね。ほかの国にくらべて、抽象作家でまとめたところが、すっきりした感じだったんで、はじめは大変好評なんだ。日がたつにつれて、話題になる作家が、菅井、向井良吉、まれに、杉全直にかぎられてきて、ほかは問題にならなくなってきた。

　　出品作家の選考のときに、国際的に名の売れた作家を、な

どということがずい分気にされているようだが、今度の川端実をみていると、必ずしも必要な条件だとは思えない。それより、選択をまかされたコミッセールが思いきって大胆に、自分の選択を国際的な場で問うということのほうが大事だな。

勝呂　そうだね。

江原　出品作家の数を減らして、ひとり十点ないし十五点にすることなんかも、これから考えたほうがいいね。

勝呂　そうだ。特に日本館の会場は小さいし、四、五点というのは、ほかの国に比べても弱い。カナダ館のリオペル、アメリカ館のニーヴェルスンみたいに、多すぎるのもイヤ味だけどね。

江原　そうそう。でも両方とも、天井が低くて、会場で損をしてる点もある。

勝呂　日本の会場はいいよ。

江原　向井良吉の彫刻は、一般にはひどく好評だったね。あのナーヴァスな面の処理のしかた、こまかい技巧が、ほかにはあまりないんだよ。日本で、ぼくなんか、むしろその点で、否定的だったんだけど、やっぱりそういうものより、もっとスケールの大きい構成がほしいね。

勝呂　繊細さはいいけどね。だから、ミラーニ（編注・イタリアの彫刻家）なんかのすっとぼけたスケールの大きさに興味をひかれるんだな。

江原　スケールでは、川端は大きくなった感じだけど、なにか、この作家にしかないといったものに欠けている。江見絹子の「雨だれのあと」も、目につかないな。

勝呂　杉全とか菅井だと、程度の差はあってもなにかオリジナルなものが感じられるが。

江原　杉全は技巧的なものにとらわれすぎて、迫力がないね。菅井は、以前の赤なんか使ったもののほうが、ぼくは好きだな。少し渋くなりすぎた。

勝呂　そう。だけど菅井にはなにかあるな。

►『美術手帖』1962年8月号

田 尻 慎 吉

Tajiri Shinkichi | 1923-2009

両親が1906年渡米、ロサンゼルス郊外のワッツで生まれた。36年サンディエゴへ移住、彫刻家ドナルド・ホールドに学ぶ。44年に兵役につきヨーロッパに従軍。47年から50年にかけてイサム・ノグチのアトリエやシカゴ美術館、パリでザッキンやレジェに学び、「コブラ」グループを知る。49年アムステルダム市立美術館のコブラ展に参加。この頃に〈戦士〉〈サムライ〉シリーズを制作。50年から〈ジャンク・スカルプチャー〉シリーズを開始。51年から1年間ヴッパタール美術学校で教鞭をとる。56年、アムステルダムに移住。しだいに原生動物を思わせる有機的なフォルムから空間構成へ移行していく。56年、「世界・今日の美術展」で初めて日本に作品が紹介される。60年、アムステルダム市立美術館で個展。62年ヴェネチア・ビエンナーレに参加。63年サンマリノ・ビエンナーレで金賞を受賞。同年東京で個展（東京画廊）開催。96年には忠臣蔵から想を得た〈ローニン〉シリーズを制作。2008年にオランダに帰化した。

Montagna 1959

出品作品について

金属彫刻14点を出品。

酒 井 和 也

Sakai Kazuya | 1927-2001

日本から移住した両親のもと、ブエノスアイレスに生まれる。スペイン語名はロベルト（Roberto）・サカイ。1938年日本で教育を受けるために来日し、旧制佐賀中学在学中に終戦を迎える。その後単身上京して、早稲田大学文学部に入学するが中退して、50年アルゼンチンに帰国。コルドバ大学芸術学部で再び学び始める。絵画を学ぶと同時に、日本語新聞にロベルトの名でスペイン文学の翻訳連載を始める。大学を中退するとブエノスアイレスに移り、52年初個展を開催。画家としては酒井和也の名称を使う。54年芥川龍之介の『羅生門』をスペイン語に翻訳して以来、翻訳家としても和也を名乗るようになった。50年代後半にはアンフォルメルの絵画作品が高く評価され、58年ブリュッセル万博で金賞を受賞。また在アルゼンチン日本大使館に勤務し、日本文化の普及にも努めた。62年、アルゼンチン代表としてヴェネチア・ビエンナーレに参加。63年個展開催のため、アメリカ滞在後にメキシコに向かい、そのまま移住する。当時ポップ・アートの影響が顕著な作品を描いていたが、その後幾何学的抽象絵画を発表。77年にはテキサス大学に招かれ、定年までラテンアメリカの美術を教え、ダラスで亡くなる。

アルゼンチンの展示：壁面に酒井の作品

出品作品について

1962年の絵画3点、《Sciddarta》《Pontessa》《Detti dell'abisso azzurro》を出品。(U)

国際美術協議会／国際展事業委員会

戦後、国際社会への復帰を進める日本に第1回サンパウロ・ビエンナーレ（1951年）、第26回ヴェネチア・ビエンナーレ（1952年）の参加招請状が相次いで届いた。戦時中は封印されていた日本美術の海外紹介の機会が再来すると、日本は積極的に応じていくが、作家の選考システムはじめ、予算、実施体制など国内体制の未整備は覆うべくもなかった。そこで、国際展への対応を検討する機関として、国際美術懇談会（1953-57年）が国際文化振興会（KBS）（注1）内に設置される。その後、日本美術家連盟と美術評論家連盟の組織的な協力を得て、1957年に国際美術協議会が発足した。

国際美術協議会は、前述の二つの連盟のほか、KBS、外務省、文部省、国立博物館、国立美術館の代表者が加わり、1958年のヴェネチア・ビエンナーレから関与を始める。主に作家選考の承認やコミッショナーの選出を行なったが、予算をもたなかったため、国際展そのものの事務・運営に携わることはなく、実行面はKBSに委ねられた。

1972年、KBSを継承するかたちで特殊法人国際交流基金（以下、「基金」）が設立されると、国際美術協議会は同基金理事長の諮問機関というかたちで存続する。委員の構成は、KBS時代をほぼそのまま踏襲し、日本美術家連盟と美術評論家連盟が推薦する委員各4名のほか、東京と京都の国立近代美術館と東京国立博物館の代表者および学識経験者が加わった。協議会は、「基金が参加する国際展の専門的な事項に関して審議する」とされ、国別参加方式を採るヴェネチア、サンパウロの両ビエンナーレおよびインド・トリエンナーレ（後にバングラデシュ・ビエンナーレも加わる）の日本コミッショナーを選考する役割を担った。基金は、事務局として予算と人員を確保し、国際展への参加を主催事業として推進していく。

2003年、基金が独立行政法人として新たなスタートを切ると同時に国際美術協議会は解散し、国際展事業委員会がこれに代わって設置された。会の位置付けは、協議会と同じく同基金理事長の諮問機関とされたが、委員は最大6名と定められ、任期も最長3期（6年）までとされた。委員の数が絞られたのは、突っ込んだ議論をするためには、少人数の方が望ましいとの考えにより、委員も所属機関を離れ、個人の立場での参画が求められた。特に注目の高いヴェネチアのコミッショナー選定を巡っては、プロセスの透明化をはかるため、指名コンペ方式を一時期採用した（2007年展~19年展）。サンパウロ・ビエンナーレは2004年を最後に国別参加方式を止め、またインド・トリエンナーレは中断、バングラデシュ・ビエンナーレへの参加も停止しており、2014年以降はヴェネチアのみが同委員会の審議対象となっている。これまでに建畠晢、本江邦夫、水沢勉、松本透が同委員長を務めた。(I)

(注1) 1934年に国際文化事業の実施のために設立された財団法人。外務省管轄の下、戦後も活動を継続するが、1972年の国際交流基金設立により解散した。209ページ参照

1960

総合キュレーターは前回に続きジャン・アルベルト・デラクア。第29回までは各参加国の代表ひとりずつが審査員となっていたが、今回からは代表と関係なく、イタリア2名、スペイン、ドイツ、フランス、イギリス、ポーランド各ひとりの7人が審査員となった。中央館の特別展示は、未来派の大回顧展、シュヴィッタース、ブランクーシ、ジャン・フォートリエの個展など。イタリア館はルーチョ・フォンタナなど、フランス館はハンス・アルトゥング、アンリ・ミショー、ザオ・ウー・キーなど、ベルギー館はピエール・アレシンスキーなど、ポーランドはタデウシュ・カントールなど、アメリカ館はハンス・ホフマン、フランツ・クライン、フィリップ・ガストン、テオドール・ロザック。国際大賞（内閣総理大臣賞）は、絵画部門にフランスのフォートリエとアルトゥング、彫刻部門の受賞者はいなかった。

日本館カタログ

日本館

この年より、先にコミッショナーを決めその意向によって作家を選ぶ方式、いわゆるコミッショナー制となった。コミッショナーは富永惣一、アシスタント・コミッショナーは益田義信が就任し、出品作家は今井俊満、小野忠弘、斎藤義重、佐藤敬、豊福知徳、浜口陽三、柳原義達、山口薫が選出された。在仏の佐藤、今井は現地から作品を輸送。日本からの出品作品は、3月15日から20日まで、東京・京橋の国立近代美術館で国内展示が行なわれた。今井、小野、斎藤、佐藤、浜口の作品はローマ国立近代美術館などに買上げられた。

ここ何年もの間、日本の現代美術は抽象絵画の冒険に取り組んできた。中でも若い世代の先鋭たちは激しい情熱によって、そこに新しい表現を求めている。（略）日本美術は長い歴史の伝統の重圧に窒息しかかっていた低迷の時期を過ぎ、生命を取り戻し、現在の国際的な美術とテンポを共にして歩んでいる。（略）今回のヴェネチア・ビエンナーレで我々が展観する作品は、日本の現在の美術のそのような展開を明確に示すものである。（略）

静かで穏和なわが国の土壌に根ざした山口薫の作品は、「優しい抽象」としばしば評価されるように、優美で叙情的であり、西洋の幾何学的な抽象とは対照的である。斎藤義重の作品は、極東の一画家の感性が完成させた、ひとつの奇跡である。西欧の潮流から離れて活動していた斎藤は、抽象画という普遍的言語を用いつつも、驚くほど日本的な作品を創作することに成功した。それとは対照的に、既に長い間パリに滞在している佐藤敬は、ヨーロッパの芸術家との接触の中で、東洋の繊細な叙情性を忍耐強く誠実に追い求めている。また、若い世代を代表する今井俊満は、積極的に20世紀の芸術活動に身を投じている。巨大なキャンバス上に炸裂する目を眩ませんばかりの表現、鈍く荒々しい色、そして迷宮のような豊かさは、今井の研ぎ澄まされた感性を表し、証拠づけるのである。（略）

浜口陽三の作品は、版画の分野におけるわが国の伝統の生命力を証明するものである。浜口のエッチングは、純粋で奥深い、東洋の陶磁器を思わせるような類稀な繊細さを、見る者に感じさせるであろう。（略）

展示会場の今井俊満

展示会場の佐藤敬

柳原義達の世界は、西洋の現代彫刻にたいする深い造詣に基づいており、ややシュルレアリスムに傾いている。小野忠弘は日本の閑寂な地方に退き、独自の作風を追求している。また、豊福知徳は伝統的な木彫りの技術を用いて、穏和で繊細なわが国の特徴を表現する。技術の確かさと繊細な感性を持ち合わせたこの芸術家は、現代の木彫の第一人者でもある。　　　　　　　▶富永惣一 日本館カタログ

コミッショナー

富永惣一 ─────────────

Tominaga Soichi | 1902–1980

1956年と60年のコミッショナーを務めた。東京に生まれる。1926年、東京帝国大学美学美術史学科を卒業後、同大学院に学び、29年には学習院教授となり、30年、帝国美術院附属美術研究所の嘱託を兼務する。31年から2年間、宮内省在外研究員としてフランスをはじめ海外体験をもつ。帰国後、ギリシャ彫刻、セザンヌ、ロダン、ルノワールなど、西洋美術の紹介の著述を発表し啓蒙的な立場をなす。40年、アトリエ社の『西洋美術文庫 セザンヌ』が初の単著となる。戦後は学習院大学の教授をはじめ多くの教育機関で教壇に立ち、54年創立の日本美術評論家連盟の初代会長に就任した。59年、新設された国立西洋美術館の初代館長に就任、ミロのビーナス展などを行なったが、68年、購入作品の真贋問題を機に辞任。70年の大阪万博では万博美術館長を務めた。(Y)

展示会場の斎藤義重

今井俊満

京都に生まれる。1951年、読売アンデパンダン展に出品。52年、最初の個展を開いてから渡仏、以後パリに定住して制作。53年にパリで最初の個展。ピカソから影響を受けたゆがんだ人間像などを出品すると、パリの各新聞は東洋からきた期待される新人として紹介した。55年、具象から抽象への転換点を示す《馬》を描く。同年サム・フランシスの紹介で批評家ミシェル・タピエと出会い、日本人として最初のアンフォルメルの主要メンバーとなる。57年、パリのスタドラー画廊での個展の成功によって国際画家としての地位を得る。同年タピエ、ジョルジュ・マチウ、サム・フランシスを伴い一時帰国をして、アンフォルメル旋風を日本に引き起こす。59年、第1回パリ青年ビエンナーレに出品。60年ヴェネチア・ビエンナーレ参加。ヴェネチアのレストラン・コロンバの国際メニュー・コンクールで受賞。63年サンパウロ・ビエンナーレに出品。60年代には母校の武蔵高校集会所をはじめ多くの壁画を手がけている。また山本寛斎、三宅一生、高田賢三ら若いファッション・デザイナーと交流し、彼らがヨーロッパに進出するための推進力となった。93年、ヴェネチア・ビエンナーレの関連企画として、G・ロリン宮（レヴィ財団）で個展「ヴェネチアに捧ぐ」を開催。97年、フランスより芸術文化勲章コマンドールを受章。

出品作品について
《東方の光》《シメール》《夜の讃歌》など油彩画4点を出品。《開花期》をローマ国立美術館が買上げる。

このホールにかかる巨大な画面にそのままあらわれている、激動の絵画への没頭が自然なので、大きなカンヴァスがひとつのパレットのようにみえ、その上に色彩の爆発する大斑点、陶器のように緻密で堅固な材質の開花と厚み、渦まく記号のなかの攪拌現象、非常に暗い色や明るい色をぶちまけた厚い破片がある。《夜の讃歌》と題された画面の一角には、燃えあがる炎のまわりにしたたる、一種の赤い傷痕がみえる。叫ぶような、少し外面的な、しかし適度の調和をもつ描きかただ。
　　▶マルコ・ヴァルゼッキ「東京からパリへと通ずる、言葉と苦悩」
『イル・ジョルノ紙』1960年6月28日号（『画集 今井俊満』1975年）

シメール 1960

小 野 忠 弘

青森に生まれる。1931年弘前工業学校卒業後、ロシア放浪に挑むも朝鮮半島に留まり、窮民救済事業の工事に携わる。38年、東京美術学校彫刻科卒業。在学中はアカデミックな教程になじめず、東京帝室博物館（現・東京国立博物館）でアルバイトをしながら古物の良さを学び、映画を見まくり、絵画を模索し、鳥海青児の知遇を得た。在学中より厚塗りの風景画などを春陽会に出品していた（42年まで）。42年、福井県三国の中学校に赴任し、以後同地で制作を続ける。戦時中、疎開に来ていた三好達治と親しくなる。戦後は自由美術家協会展に出品（59年まで）、ロウや石膏を混ぜた厚塗りの画面に記号的な人体、樹木が描き込まれるなど、〈虚妄〉シリーズをはじめ物質感が際立つ作品を展開する。立体作品は絵画と

並行して続けられており、53年、《無名政治犯》がロンドンの国際彫刻展で佳作賞を受賞する。戦後の美術表現の素材の拡張は、小野のように常に自由な表現を追究していた者にとって好ましい環境となった。50年代後半、サトウ画廊、タケミヤ画廊、南画廊で個展を開催。59年サンパウロ・ビエンナーレ出品。『ライフ』で、「ジャンクアート世界の7人」として取り上げられる。60年ヴェネチア・ビエンナーレに参加。60年代からは、公共スペースに展示する壁画やモニュメントの仕事も多くなってくる。絵画や彫刻といった枠組みを超えて制作した小野の一貫した思考には、縄文や古代に対する地霊を伴った畏敬の念があったといえよう。福井県坂井市三国町に展示館「ONO MEMORIAL」がある。

出品作品について

立体6点を出品。自転車の車輪や金属の廃品を組み合わせたもの。暗いガレージともいわれた日本館ピロティに展示され、照明などの補助も得られず目立たぬこととなった。うち1点がのちにローマ国立近代美術館の所蔵となる。(Y)

作品1　1960

斎 藤 義 重

243ページ参照

出品作品について

《作品1》《絵画2》ほか1957–60年制作の油彩画7点を出品。うち1点をローマ国立近代美術館が買上げる。

絵画2　1960

佐　藤　　　敬 ──────────────── Sato Kei | 1906-1978

大分に生まれる。1926年、東京美術学校に入学し、藤島武
二に学ぶ。フランス文学を愛読していたこともあり、この頃より
パリの生活に憧れる。30年に渡仏し、ピカソ、マティスなど当
時最先端の美術からギリシャ、ローマの古典絵画にも触れ
る。31年、サロン・ドートンヌに入選、32年、帝展に《レ・ク
ルン（道化者）》を出品し、特選となる。34年に帰国し、36年
には猪熊弦一郎、脇田和とともに、自由な制作活動の発表
の場を求めて新制作派協会を設立。ピカソやマティスのスタ
イルを取り入れた絵画を意欲的に制作する。41年、戦時統
制の強まるなか、藤島のすすめもあり、中支派遣軍報道部の
報道班員として従軍画家となり、厳しい制約を受けながらも、
写実の新しい可能性を模索する。42年にフィリピンへ渡航
し、海軍爆撃機による攻撃の記録画を制作。戦後52年には
朝日新聞特派員として渡欧し、その頃より具象から抽象に転
じている。以降フランスを中心に制作を行なう。60年ヴェネチ
ア・ビエンナーレに参加。60年代は美術評論家ミシェル・ア
ラゴンが「自然とへそでつながっている」自然主義的抽象と評
した独自の画風を確立する。さらに自然現象のみにこだわら
ず、人間の死や性の探究にすすんでゆく。戦後は『美術手
帖』『藝術新潮』『みづゑ』などにピカソ、マティス、ブラックな
どについて頻繁に執筆している。78年、母親の病気見舞い
のため帰国中に急逝。妻の佐藤美子はオペラ歌手として知
られ、神奈川県立音楽堂の設立や創作オペラ協会の設立・
主宰など、日本のオペラの発展に寄与した。

出品作品について
《睡眠化石》《内部の殻》など油彩画7点を出品。うち1点を
ローマ国立近代美術館が買上げる。

───────────────────────

「内部の皮」（1960年）のような、敬さんの最終的に到達した自
己の作品の出発点といっていい祝福すべき作品群が描かれ
はじめている。これは暗褐色に塗り込められた画面に赤、白
の球体が浮かんでいる作品であり、第30回ヴェネチア・ビエ
ンナーレ国際美術展、国内展示（於、東京、国立近代美術館、1960
年）に展示された「凝結土」、「白亜紀」、「睡眠化石」、「始世
紀」、「石起原」、「風化」などの作品名によっても、敬さんがな
にを志向しているかを想像されるにちがいない。
　　　　　　　　►土方定一「佐藤敬さんのこと」『佐藤敬遺作展』1979年

睡眠化石　1959

豊　福　知　徳 ──────────────────────────

245ページ参照

出品作品について
〈漂流〉シリーズの木彫作品3点を出品。

───────────────────────

前年に発表した流民は、アイディアが勝ちすぎていて、形その
ものは不消化であるという反省があった。そしていろいろと試
みた末にこの形が出て来た。これを見て柳原義達先生が、
「君、人物が一人だけでいいとやっと気がついたな。」と言わ
れた。制作生活の中で何度か眼のうろこを落すという想い
の経験があったが、この時もそうであった。この作品で第二
回高村光太郎賞を頂き、ヴェニス・ビエンナーレにも出品させ
てもらった。想い出深い作品である。
　　　　　　　►豊福知徳「《漂流'58》について」『豊福知徳展』1994年

漂流1　1958

浜 口 陽 三 Hamaguchi Yozo | 1909–2000

和歌山に生まれる。ヤマサ醤油の創業家である家業を離れ、1927年東京美術学校彫刻科に入学するも、30年に中退し、21歳で渡仏。以後戦争で帰国するまで約10年間、サロン・ドートンヌに出品したり、個展を開いたりするが、留学の成果を積極的に示すような内容ではなく、パリにいたのは留学というよりも日本脱出のためだったと浜口自身も語っている。35年頃にはしだいに大きな油絵を描くことには興味をなくし、小品や水彩を描くようになる。36年、矢橋六郎、村井正誠らに誘われ、瑛九とともに新時代洋画展に参加。37年、自由美術家協会の結成に参加し、創立会員となる。この頃、銅版画に興味をもち、独学で《猫》などを制作。39年に帰国し、戦時中は主に陸軍渉外部に配属され、通訳としてベトナム各地を転々とする。50年、当時41歳の浜口は、銅版画の技法のひとつであるメゾチントに出会う。版画家として目覚めた浜口は矢継ぎ早に作品を発表した後、銅版画制作の設備が整っている環境で仕事をするために53年再び渡仏。57年、サンパウロ・ビエンナーレで版画大賞を受賞。60年ヴェネチア・ビエンナーレに参加。この間モノクロームのメゾチントに対して、複数の色彩を重ねるカラー・メゾチントの技法を開拓し、その生みの親としても知られる。96年、長い海外生活を終え帰国。98年に持ち帰った多くの作品を展示するミュゼ浜口陽三・ヤマサコレクション（東京）が開館。非具象が全盛だった時代にあって、あくまで具象表現にこだわり、その中で新しい表現を追究していった。

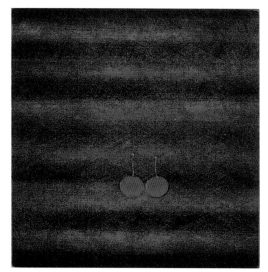

2つのさくらんぼ　1957

出品作品について

《2つのさくらんぼ》《アスパラガス》など、1955–60年制作のカラーとモノクロームのメゾチント作品22点を出品。うち1点をローマ国立近代美術館が買上げる。

柳 原 義 達 Yanagihara Yoshitatsu | 1910–2004

兵庫に生まれる。旧制神戸第三中学卒業前から村上華岳の弟子藤村良知に日本画を学び、卒業後の1928年より京都で福田平八郎について日本画家を志すが、ブールデルの騎馬像を画集で見て衝撃を受け、一転して彫刻家を目指す。31年、上京して東京美術学校彫刻科に入学。朝倉文夫らの指導を受ける一方、国画会に出入りして高村光太郎、清水多嘉示から学ぶ。39年には新制作派協会彫刻部の創設に参加。45年、応召する日に終戦となるが、46年の火災ではとんどすべての作品が焼失し、36歳で一から出直すことになる。同年日本美術会結成に参加。作品が焼失した困難と、占領下の日本人が抱えていた屈折した心情や抵抗の精神が合わさり制作されたのが、50年の新制展に出品した代表作《犬の唄》である。普仏戦争敗戦後にフランスのドイツへの抵抗心を歌って流行したシャンソン「犬の唄」をモチーフに、表向きは従順さを示しながらも内心は屈していないというその抵抗の精神を表現している。53年から4年間パリへ留学し、ブールデルの弟子のエマニュエル・オリコストに師事する。渡欧作品が評価され、第1回高村光太郎賞受賞。留学中の54年、ヴェネチアにおける第1回国際造形芸術家会議にオブザーバーとして参加する。この会議には他にパリ滞在中の佐藤敬らも参加した。60年ヴェネチア・ビエンナーレに参加。60年代後半から、鳩や鴉をモチーフにした〈道標〉のシリーズを発表。2003年には三重県立美術館に柳原義達記念館が開館する。戦後具象彫刻の第一人者として内省を深めながら、人間性豊かで構築性の高い彫刻をつくり続けた。著作に『柳原義達美術論集　孤独なる彫刻』などがある。

出品作品について

《人》《ショックせる女》などブロンズ作品4点を出品。1953年
からの4年間のパリ滞在で、柳原はロダンを見直す機会を得
た。出品作の60年前後の人物像には、何気ないポーズのな
かにもデフォルメを加え、それまでの写実的表現から抜け出
し、より生命感を求めるスタイルがみられる。

人 1959

山 口 薫 — Yamaguchi Kaoru | 1907-1968

群馬に生まれる。1925年東京美術学校西洋画科に入学。
描写力に優れ、帝展にも入選する模範生だった。27年頃川
島理一郎が主宰する「金曜会」に参加。川島をとおしてフォー
ヴの表現などを知り、大きな刺激を受け、大胆な筆致を試み
る。同時に、今まで受けたアカデミックな写実教育に疑問をも
ち、帝展への出品を取りやめる。川島らが結成した国画会に
出品。30年に渡仏し、制作しながら美術館に通い、古典や
同時代の美術に親しみ、あらためて写実の意味を問い直す
ことになる。33年、川島らが結成した国画会に出品し、学友
に推薦される。同年帰国し、34年の新時代洋画展の結成に
参加。同展は36年「新浪漫派」と「実験室」の二つに分か
れ、「抒情性と情緒の豊富なる獲得と深化とを重んじる」新浪
漫派に属する。37年、自由美術家協会の結成に参加し、第
1回展に出品した《古羅馬の旅》(1937年)は単純化、抽象化
が目立っている。抽象的な構成のなかに具象的なイメージが
表われているところに、具象表現の新しい可能性を追求して
いる様子が見られる。50年、自由美術家協会を脱退し、村
井正誠とモダンアート協会を結成。以後日本国際美術展、
現代日本美術展などに出品。60年ヴェネチア・ビエンナーレ
に参加。

1960

出品作品について

《田園詩》《林と動物》など1956-59年の油彩画を7点出品。
56年の現代日本美術展に出品した《田園詩》は代表作のひ
とつ。田園風景がモチーフになっているものの、菱形などの
形態によって構成され、1950年代初頭の作品より、さらに抽
象化が進んでいる。《林と動物》は、湯呑みのひび割れから
発想を得たと作家が語っている。

田園詩 1956

益田義信

第30回ベニス・ビエンナーレ国際展

陳列中にも各国の委員が時々のぞきに来るが、おせじ抜きに、全体として力量のそろった水準の高さに感嘆した。私自身が画家である立場上、各作品評は遠慮するが、来る人来る人が「今年の日本パビヨンは素晴しい」と云う。そして特にこの作家は優れてると云って指摘する。それが山口であり、斎藤、佐藤、今井、浜口なのである。ある英国人は豊福の作はヘンリー・ムーアより、より人間的で好きだと云う。ある米国の婦人は小野の作品の写真が欲しいと云いだす。とにかく、前評判は素晴しかった。

　パリから浜口夫妻が乗りこんで来た。つづいて佐藤敬、今井等が続々と到着。彼等とは実に8年振りの再会である。彼等はそのままパリにいすわって、仕事に打ち込んだ。その結果が今日の日本館の力をもり上げてくれたのである。続いて東京から画商が2名、批評家の瀬木、東野の両君も現れて、一大応援団が出来上った。開会前夜、ローマから、わざわざ来て下さった日本大使鈴木夫妻と金倉参事官の心のこもった魚料理店での晩さんでは、同勢19名の応援団を数えたのには驚いた。（略）

　前評判が良いので、招待会当日は800人近くの客がおしかけて、一時は動きもとれなかった。他の館では2〜300と云うところだった。
▶『みづゑ』1960年8月号

東野芳明

ベニス・ビエンナーレ展を見る

〔今年の日本館は〕代表（富永惣一氏）が、みずから作家を選んだのが幸いして、非常にすっきりした、内容の充実したものとなった。絵画室に斎藤義重、今井俊満、佐藤敬、山口薫の絵と浜口陽三の版画と柳原義達の彫刻をならべ、階下の彫刻室に豊福知徳と小野忠弘をならべた。賞こそとれなかったが、充実した迫力のあるという点ではたいへんな評判になったのはたしかで、パビヨン賞をあたえようという話まで出たという。しかし、よく見るとまだ作家の数が多すぎて、しかもこれを機会均等主義でぴったり四人にわけて絵をならべたので、かえってお互いが相殺しあってしまった面がある。もっと、一人か二人にしぼって、イギリスのコモン・センス式に演出すべきだ。もっともひどいのは日本の彫刻室で、薄暗く、ガレージのようで、とても彫刻を置くべき空間ではない。建築家が彫刻の展示ということをすこしも理解していない証拠で、小野忠弘のオブジェ彫刻にしても、すこしも効果があがらなかった。富永氏も、電気を明るくしたり、白砂をひいたりたいへん苦労されていたが、もっと根本的に改変すべきところである。
▶『美術手帖』1960年8月号

アラン・ジュフロワ

大勢の中で際立っている作家として、私は以下の人々の名前を挙げる。

　今井はポロックの影響から脱して大きな一歩を踏み出し、真の叙情的な高みに達した。浜口の版画による静物は、原初の不思議な光の中で、とりわけ美しさを放っている。又、佐藤敬の作品は、より装飾的ではあるが、デュビュッフェの《土壌と地面》以上に、石や土の素朴なリアリティーを表現している。
▶『アール』1960年6月22日

ミルトン・ゲンデル

注目すべき作家には、日本館に版画を出品している浜口陽三も挙げられる。彼の作品はサイズこそ小さいが、線とフォルムの精巧さ、そして緊密さにおいて見事である。
▶『アートニューズ』1960年9月号

ブラジルの展示（中央館）

ブラジル在住の間部マナブが7人の作家のひとりとして参加。

間 部 マ ナ ブ

Mabe Manabu 1924–1997

熊本に生まれる。本名は学。1934年、10歳のとき家族とともにブラジルに移住。一家はサンパウロから500キロ離れたリンスでコーヒー農園を開拓。家業を手伝いながら絵を描く。50年にサンパウロ作家協会展に入選。57年、コーヒー園を売却し、サンパウロにでる。自ら「非具象構成派」という、色とりどりの絵具が画面を流動する作品をうみだす。59年のサンパウロ・ビエンナーレで国内最高賞、全ブラジル作家を対象としたレイネル賞展でも受賞、さらに第1回パリ青年ビエンナーレで留学賞をとり、画家としての道がひらける。60年のヴェネチア・ビエンナーレではフィアット賞を受賞する。同年ブラジル国籍を得る。ブラジルを代表する画家になった間部は欧米で個展を開催、日本では70年に髙島屋（東京・日本橋）で個展。78年に熊本県立美術館他で回顧展を開催したが、この時の出品作品の多くが航空機事故で太平洋の藻屑となった。川端康成は間部の作品を「形と線と色に、強靭と繊細、烈しさとみやび」が感じられると述べた。

出品作品について

《天国からの声》《情熱》《正午の夢》《地球の軸の音》《メランコニックなカンツォーネ》5点の油彩の抽象画を出品。いずれも1960年作。（Y）

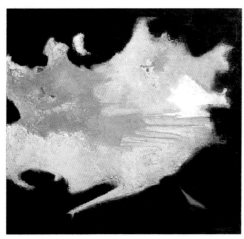

天国からの声 1960

1960

日本的なるもの

「日本的なるもの」とは、日本文化の基層に違いないが捉え方はまちまちであり、確固とした実態を示すことはできない。とはいえ、アイデンティティにつながる重要なものである。とすると、私たちの周りにあって欠かせない、さしずめ空気のようなものであるのかもしれない。

ヴェネチア・ビエンナーレ日本館は、建築家の吉阪隆正が国際様式のスタイルを思う存分追求したように見受けられ、日本的という考えとは一見無縁な世界を感じさせるが、意外なことに「日本的なるもの」には大分苦しめられたようだ。「日本的などということに拘わらず世界を相手として何か一つの提案をなし得れば、結果的には私の血が日本的な方向へ纏わせさせてしまうだろう」と吉阪は設計を前に語っていた(注1)。しかし、いざ設計案が示されると、「もっと〈日本的なものを〉という要求が圧倒的だった」という(注2)。それでも吉阪が皮相的に日本の形を取り入れるだけのプランをよしとせずに改定案をまとめあげ、それが実現したのは幸いであった。

ビエンナーレへの参加を始めた1950年代、国際美術展の性格を十分に把握しないまま、日本は世界に何を提示していくのか試行錯誤を繰り返した。日本画が1952年展と58年展において出品されたのは、日本らしさの追求に沿ったものであるが、結果的には反響を呼ばなかった。その一方で、1956年展において、棟方志功が版画部門で大賞を獲得した際、快挙に沸く国内にあって、針生一郎は「ああいう方向で国際的に認められていくことが、必ずしも日本の美術にプラスになるとおもわない」と警鐘を鳴らした(注3)。海外でイメージされ、評価される日本スタイルを日本がうのみにしていては、日本の現代美術に発展はないということであろう。その後の日本館は、コミッショナー制により、世界の美術動向を見極めながら、アクチュアルな表現を模索する作家を押し出していくことで、国際的評価を確立していく。1990年代には、日本の現代美術に対する世界の関心は飛躍的に高まっていた。

「日本的なるもの」の議論が再びヒートアップしたのは、1995年のビエンナーレ100周年展においてであった。日本館は指名コンペを行ない、日本の伝統的美学を踏まえた伊東順二の企画案を採用した。茶の湯に由来する数寄の概念で、「近代主義的な美術の領域的限定への挑戦」(注4)を図ろうとする伊東の提案に対し、当時サンパウロ・ビエンナーレ日本コミッショナーに就いていた本江邦夫は、「日本的なもの」の強調には限界があるとし、普遍的なモダニズムの実践の重要性を説くことで、これに真っ向から反対の意見を示した。しかし、語られるべきは国際展への参加を巡る方法論ではなく、日本の現代美術そのものではなかっただろうか。日本という名を冠するパヴィリオンで展示を行なう以上は、今後も「日本的なるもの」の議論は蒸し返されるだろう。「日本的ということは、自然と出て来るに違いないと信じられる」(注5)という吉阪の言葉に耳を傾けたい。(I)

(注1)、(注5) 吉阪隆正「ヴェニス日本館の構想」『藝術新潮』1956年1月号
(注2) 大竹十一「ジャポニカの要求」『建築学大系39』1959年
(注3) 座談会「1956年度美術界の問題をめぐって」『美術手帖』1956年12月増刊号
(注4) 伊東順二「SUKI – The Sense of Multi-Vernacular」日本館カタログ 1995年

1958

1958年展 ポスター

総合キュレーターはジャン・アルベルト・デラクア。賞の配分も含めて、若返りを図ろうという意識が随所にみられた回となった。中央館の特別展示はブラックの個展、1951年に38歳の若さで亡くなったドイツ人の画家ヴォルスの回顧展が行なわれた。「40歳以下の作家たち」ではアンソニー・カロ、ジャスパー・ジョーンズなどが出品。イタリア館はルーチョ・フォンタナ、フランス館はアンドレ・マッソンなど。ドイツ館はカンディンスキーの回顧展と現代作家19名が展示される。オーストリア館はクリムトの回顧展など。アメリカ館は彫刻のシーモア・リプトンとデヴィッド・スミス、絵画のマーク・トビーとマーク・ロスコがそれぞれ一室ずつ使い、展示を行なった。カナダとウルグアイがパヴィリオンを新設し、ハンガリーが10年ぶりにパヴィリオンを開館した。

国際大賞は、内閣総理大臣賞の絵画部門はオズヴァルド・リチーニ、彫刻部門はウンベルト・マストロヤンニ、いずれもイタリア人となる。ヴェネチア市賞をアメリカ人の画家マーク・トビー、スペインの彫刻家エドゥアルド・チリーダが受賞。さらに大賞に次ぐ賞金額のデヴィッド・E・ブライト基金賞がアメリカのブライト財団により新設され、アントニ・タピエスなどが受賞。

日本館

代表は瀧口修造で、副代表は福沢一郎、東野芳明が随員となる。出品作家は岡田謙三、川端龍子、木内克、辻晋堂、福沢一郎、前田青邨。本展に先立ち出品作品は3月4日から9日にかけて東京・京橋のブリヂストン美術館（現・アーティゾン美術館）で展示された。岡田謙三はイタリア画家に因んだアストーレ・メイエル賞を受賞。また、ユネスコ賞にも選ばれ、出品作品の1点がローマ国立近代美術館買上げとなった。

2年前に日本館ができ、ヴェネチアというこのすばらしい街で、美術の国際交流にさらに規模を広げて参加できることに、我々は喜びをおぼえている。しかしながら、わずかな言葉で日本美術の状況や傾向を外国の人々に理解してもらうことは、困難なことのように思われる。というのも、我々の文明は、長い独自の生き生きとした伝統を持つと同時に、西洋と極東との交流地点でもあったからだ。西洋の絵画と東洋の絵画が共存することによって、両者の間の技法の相違だけではなく、しばしば理念の違いがあらわになる。しかし、そのことは、双方の絵画が今後もずっと平行線を辿り、決して出会うものではないことを意味するわけではない。そうではなく、対立と同時に、相互の影響が絶えず存するように思われるのである。

日本画の分野では、墨を用いた伝統的な手法によって制作された作品を主に選出した。しかしながら、前田青邨のしなやかで豊かな筆跡と、独特の激しさを持った川端龍子の作品のコントラストには、現在の日本画の世界が持つ複雑さが端的に表われていよう。このような多様性は西洋画の分野にも見受けられる。例えば、荒々しい表現主義の福沢一郎は、人間の限界とでも呼ぶべきものにこだわり続け、多くのモチーフをメキシコや南米への旅行中見出した。また抽象画では岡田謙三が、繊細な感性を日本的な静寂さで表現しようと試みている。彼がニューヨークに住みながらもこのような方向に進んだことは注目に値するであろう。

彫刻の分野では、木内克は特に好んでテラコッタを用い、独創的で繊細な裸婦像を追求している。辻晋堂もまたテラコッタを用いるが、それは西洋のものとは異なり、通常よりもかなり高温で焼き締められた、堅い素材である。そしてこの独自の素材を用いることによって、彫刻の自由な言語を再発見しているのである。

▶瀧口修造 日本館カタログ

展示風景　正面に福沢一郎、その手前に木内克、右に岡田謙三の作品

代表

瀧口修造 ──────────

Takiguchi Shuzo ｜ 1903-1979

富山に生まれる。20歳のとき慶應義塾大学文学部予科に入
学するも、関東大震災で罹災し、姉のいる北海道に渡る。
1926年、慶應へ再入学し、詩誌『山繭』に参加、西脇順三
郎に学ぶ。この頃シュルレアリスムに興味をもち、アラゴンや
ピカビアなどについて論じる。31年に卒業後、映画製作会社
PCLに入社。38年にロングセラーとなる『近代芸術』を上梓
する。41年、特高警察により検挙。戦後、病がちの身をもっ
て、50年から『読売新聞』に美術時評を執筆し、51年に「実
験工房」の創立に携わる。同年画廊史に残るタケミヤ画廊で
201件の新人展を無償で企画する。59年、これまでの日本
の西洋美術史研究を補完する『幻想画家論』を上梓する。
60年代からは評論から遠ざかり、デカルコマニーなどの制作
や『マルセル・デュシャン語録』の刊行を企画する。73年、フィ
ラデルフィア美術館でのデュシャン展のために渡米、58年の
渡欧から2回目の海外体験となった。著作集『コレクション
瀧口修造』（全14巻　1991-98年）がある。(Y)

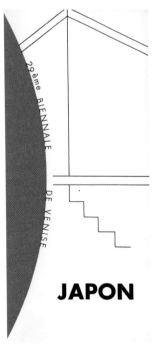

日本館カタログ

岡田謙三

神奈川に生まれる。ジャン=フランソワ・ミレーに感銘を受け、絵画の道を志して、川端画学校に通う。1924年、東京美術学校を中退して渡仏し、アカデミー・グランド・ショミエールでデッサンを学び、サロン・ドートンヌに入選。甘美で叙情的な女性像やフランスの街並みを描いた風景画で人気を得る。27年に帰国後、在仏中に学んだことを生かし、柔らかな色彩による人物像などの制作に取り組み、二科展に出品。戦後は前衛美術の台頭に伴い、写実のなかに次第に抽象的傾向を加えてゆく。50年、48歳の時に芸術上の新たな道を模索するためにニューヨークに移住する。54年頃より次第に抽象的スタイルをつくりあげた。試行錯誤の末に独特の風合いをもつ絵肌を完成し、東洋的な精神と詩情を盛り込んだ表現は、彼の唱えるユーゲニズム（幽玄主義）とともに大きな反響を呼び、シカゴ美術館のアメリカ展をはじめとする各展覧会に出品する。58年ヴェネチア・ビエンナーレに参加。同年日本で個展のために一時帰国した時の京都や伊勢の印象が強く残り、以後画面に日本的な具象モチーフが現れてくる。57年、全米優秀作家8人のうちのひとりに選ばれ、アメリカ画壇での地位を確立、アメリカ政府より永住権を獲得する。82年、日本で主要作品の展覧会が開催された。

出品作品について

《時》《Chochin》など油彩画8点を出品。知名度のある岡田は、グランプリの審査で6票を獲得しており、アストール・メイエル賞の審査では15票、審査委員の多くが拍手をして祝福したという。

時 1954

川 端 龍 子

和歌山に生まれる。本名は昇太郎。1904年、白馬会洋画研究所に入り、13年洋画を学ぶために渡米するが半年で帰国。ボストン美術館の《平治物語絵巻》などに深い感銘を受けたことが日本画を描くきっかけとなり、大作主義への志向を生んだともいわれている。14年、大正博覧会に技法を知らぬまま描き上げた日本画を出品して入選。同年以降、再興院展を活躍の場として、日本画に転向する。21年、院展に出品した《火生》は川端の唱える「会場芸術」の先駆的な作品だったが、当時の批評では大きさへの非難として会場芸術という言葉が使われ、流行語となった。さらに26年に制作した《行者道》で、従来のように床の間に飾るのではなく、展覧会を目的とし、絵画を媒体として民衆と結びつく会場芸術の理念を明確に打ちだした。28年に会場芸術の実践のために院展を脱退。29年、青龍社を立ち上げ、一切を自前で運営して第1回展を開催する。39年、海軍省嘱託画家として日中戦争に従軍。58年ヴェネチア・ビエンナーレに参加。59年文化勲章受章。63年、東京・大森に自作の展示、保管のために龍子記念館を開館する。66年、80歳で池上本門寺の天

1958

吾が持仏堂 十一面観音 1958

井画《龍》に取り組む。未完の絶筆となった本作にも、川端特有の大胆な色彩と豪放な筆致を見ることができる。

出品作品について

《吾が持仏堂 十一面観音》《燈明》など紙本墨書、墨画7点を出品。展示は《十一面観音》を真ん中にしてシンメトリーの構成だったが、壁面の長さで意図通りにできなかった。それでも書とともに観覧者の注意を惹いた。

木 内 克 ──────────── Kinouchi Yoshi | 1892-1977

茨城に生まれる。1912年に上京して海野美盛のもとで彫金を学ぶ。14年、朝倉文夫の彫塑塾に入門。21年に渡欧し、22年からパリのグラン・ショミエール研究所に通う。約1年間ブールデルに学ぶかたわら古代彫刻を研究。特に、テラコッタ（素焼き）のタナグラ（ギリシャ）産小像に魅せられた。彫刻の原点に立ち返り、テラコッタの技術を習得した木内は35年に帰国。36年、二科展にパリ時代につくられたテラコッタ作品《女の顔》などを出品し反響を呼ぶ。古い体質の日本の彫刻界と一線を画すかのように、41年、二科会を脱退。46年頃から松平須美子がモデルとなり、その後約30年、制作上のパートナーとなった。48年、新樹会展に招待され、滞欧中に制作した作品を出品。テラコッタによる自由な表現が鮮烈な印象を与えたことであらためて高い評価を受けた。49年の新樹会展では須美子をモデルにした大胆で躍動感あふれる裸婦像を発表。この頃から手で捏ねて型抜きをしないまま焼く、木内が「ひねり」と呼んだテラコッタ作品が制作されるようになる。58年ヴェネチア・ビエンナーレに参加。80歳に近い70年、第1回中原悌次郎賞受賞。71年、蠟型彫刻を研究するためローマに赴き、50点余の作品を制作。終生新しい技法に挑戦した。

出品作品について

《女》《見つけたポーズ》などブロンズ、テラコッタ6点を出品。柔らかな雰囲気の作品は展示予定のピロティには向かず、1階の壁面を背に2点、あとは会場に点在して展示された。

女 1956

辻 晉 堂 ──────────── Tsuji Shindo | 1910-1981

鳥取に生まれる。本名は為吉。生家は農家で、小学校を卒業すると大工の弟子になった。4歳で母を亡くしたことも関係するのか、仏教に興味をもつようになる。絵や彫刻に才能を発揮し、21歳のときに上京して、働きながら1年洋画を学んだ。やがて独学で彫刻を始める。1933年、院展に辻汎吉（はんきち）の名で石膏を出品し初入選。以後入選を続ける。36年、当時若い芸術家が多く暮らしていた池袋に居を構える。38年、仏門に入り、晉堂と改名する。39年頃より木彫に本格的に取り組み、院展に《婦人像》《村の男》などを出品。41年、故郷の二部村の依頼で二部小学校校門にセメント《拓士の像》を制作。42年、院展で万葉の歌人を現代の裸身の若者で表

現した木彫《詩人大伴家持試作》により第一賞を受け、32歳という若さで同人に推挙される。49年、京都市立美術専門学校教授となる。翌年同校が市立美術大学となり、彫刻科助教授になる。この頃より作風が抽象化して陶彫に取り組むようになり、京都の登り窯でしかできない大型の陶彫を制作。55年、同大学彫刻科教授になる。57年サンパウロ・ビエンナーレに出品。58年ヴェネチア・ビエンナーレに参加。またグッゲンハイム美術館における「七人の彫刻家─彫刻とドローイング展」に出品。61年、ピッツバーグのカーネギー国際美術展に出品。2010年、鳥取県立博物館他で「生誕100年 彫刻家 辻晉堂展」が開催される。

出品作品について

陶彫の新作7点の出品。《遍路》の一部は、日本にある時から破損、現地で修復となった。《馬と人》以外は、ピロティに展示され、暗いスペースを急遽5つの投光器で照らした。

昭和三十三年に辻さんは「ヴェニス国際美術ビエンナーレ展」に招待出品することになったが、選考委員会の意向としては木彫の出品を期待したようであった。しかし辻さんは木彫を出す気持はなく、サン・パウロ国際美術展に引き続いて、陶彫を出品するつもりでいた。そこで私は、このようなチャンスはなかなか来ないのだから、新作をつくって、グラン・プリをねらうべきだと言った。この言をきくや、辻さんは研究室に三カ月ほど閉じこもり、部屋の入口に「制作中につき面会謝絶」という貼り紙をして、制作に没頭した。(略)
大きな彫刻台のうえに林立する、完成または未完の作品の周囲には張りつめた空気がただよっていた。とくに私が「まる

で大砲のようだ」と評した『馬と人』は、圧倒的なヴォリュームをもって迫ってきた。

► 木村重信「辻晉堂の人と作品」『辻晉堂陶彫作品集』講談社 1978年

馬と人　1958

福沢一郎　Fukuzawa Ichiro | 1898-1992

群馬に生まれる。1918年東京帝国大学文学部に入学するものの、朝倉文夫の彫塑塾に通い、24年、彫刻を学ぶために渡仏。27年頃より彫刻をやめて絵画制作に本格的に取り組むようになる。31年、第1回独立美術協会展に滞欧作37点出品。日本における最初の本格的なシュルレアリスム作品として注目され、同年に帰国。30年代はシュルレアリスムを日本に紹介するとともに、社会批評のメッセージを含む機知に富んだ作品と執筆活動によって、次第に前衛絵画運動の中心的存在になる。39年、独立美術協会を脱会し、美術文化協会を結成。前衛画家たちのリーダーとして活躍していたことにより、共産主義との関係を疑われ、41年、治安維持法違反の嫌疑により検挙される。以後終戦まで、前衛的な絵画活動をきびしく制限され、戦争協力画の制作を求められた。戦後は再び社会批評的な視点から人間群像の大作に取り組む。52年には文化自由委員会の日本代表として同委員会主催の国際フェスティバルに参加するため渡仏。同年のヴェネチア・ビエンナーレに参加。53年、フランスからブラジルへ渡り、メキシコなどを旅して54年に帰国。中南米の原初的生命力に刺激を受け、57年、日本国際美術展に、原始的で強烈な熱帯群像を描写した《埋葬》を出品、最優秀賞を受ける。本作をもとに72年、東京駅にステンドグラス《天地創造》が制作される。58年ヴェネチア・ビエンナーレに参加、渡欧しインド経由で帰国。91年、文化勲章受章。

出品作品について

《埋葬》を含む油彩画12点を出品。1956-57年制作の〈メキシコのシリーズ〉が主だった。展示スペースの調整のため1点が外された。

埋葬　1957

前　田　青　邨

岐阜に生まれる。本名は廉造。1901年に16歳で上京し、尾崎紅葉の紹介によって梶田半古の塾に入り、塾頭だった小林古径から指導を受ける。02年頃、半古により青邨の雅号をもらう。03年、国学院の聴講生となり、古典や歴史の知識を吸収してゆく。07年、歴史画の研究を行なう紅児会に入会。14年、古径とともに日本美術院の同人に推挙される。22年に日本美術院から派遣され渡欧。ジョットの壁画などイタリア中世の絵画に日本画との親近感を覚え、自ら進む道への確信を深めた。27年、イタリア中世絵画から啓示を受けて、日本画の伝統的な装飾性と平面性を大胆に導入した《羅馬使節》を発表。29年、武者絵を代表する《洞窟の頼朝》を描く。以後歴史画をはじめとして、表現の幅を広げ、青邨、古径に安田靫彦を加え、院展の三羽烏、新古典派の雄と称された。戦後は、写生の研鑽によって得た自在な線描を駆使して人物像を追求することから始める。51年、東京芸術大学教授となる。55年に文化勲章受章。58年ヴェネチア・ビエンナーレに参加。74年、ローマ教皇庁の依頼により、バチカン美術館に納める《細川ガレシア夫人像》を制作。晩年には、火災で失われた法隆寺金堂壁画復元模写や高松塚古墳壁画模写に携わるなど、文化財保護事業に携わり、その遺志は弟子の平山郁夫にも引き継がれた。

出品作品について

出品作は、川端龍子と同様当初予定していた旧作の借用ができず、全て新作となり、墨画など8点を出品。また、ビエンナーレ当局は二人の作品を素描部門としており、現地で絵画部門への訂正が行なわれた。

紅白梅　1958

東野芳明
モダニズムとの対決

モダニズムの克服という観点から見ると、日本の岡田謙三の受賞も意義深い。一般的に今回の日本館は岡田、福沢ともに大作が並び、小さい絵の多い外国にくらべて、簡素で力強い印象を与えたが、前近代的な日本画が一般の好奇心をそそったにとどまったのは冷酷な事実のようだ。岡田の淡白で深みのある抽象画には、多くのひとがヨーロッパの合理主義からは生まれぬ独特な空間を感じとったようで、この受賞を東洋的な非合理性にひとつの脱出口を求める西欧の期待といえるだろう。　　　　　　▶『毎日新聞』1958年6月21日

福沢一郎
大賞は夜つくられる
——第二十九回ベネチア・ビエンナーレ国際美術展報告

日本側出品の水準は外国に比べて劣っていない。この点、確信をもっていえる。しかし、大賞をねらうことはまた別の問題だ。それはひとつの政治であり、社交であって、この道のベテランが常任委員となり、毎回のビエンナーレに関係しなくてはならない。

　日本館は壁面がせまく、日本画、洋画を同時に列べると、おたがいの効果をそいでしまう。お隣りのドイツ、フランス、イギリスの諸館のように数室があって、ひとり一室を独占して、多数の力作を並べることが望ましい。(略)ビエンナーレは新しいモードの競演のような気味があり、各国ではその選手を隔年ごとに送って、おくれをとるまいとしている。日本からの出品はこの共通の世界感覚から外れぬものであって欲しい。日本ブームなどという怪しいものでなく、ずっと先きを見る独創の眼をもった作品でなくてはどうにもならない。あくまで徹底したものであることだ。　　　　　▶『朝日新聞』1958年6月23日

1958

ミシェル・コニル・ラコステ

日本からは、伝統的絵画の分野から2名、模範的な川端と、優雅なまでに暗示的な前田が出品している。現代絵画からは、福沢と岡田の2名が出品。福沢の作品は区切られ、豊かな色彩で描かれている。岡田の抽象画は、繊細でのびのびとしている。彫刻では、古典的な辻と、より大胆な木内の2名が紹介されている。　　　　　▶『ル・モンド』1958年6月15-16日

中央館・イタリアの展示

小野田ハルノがイタリア在外国人作家20名のひとりとして参加。

小野田ハルノ （小野田宇花）
Onoda Haruno (Uka) | 1929–2019

東京に生まれる。イタリアでは小野田ハル(またはハルノ)として知られる。1954年東京芸術大学彫刻科塑像部専攻科を卒業し、55年、ローマの美術アカデミーで奨学金を獲得して渡伊。ローマ国立美術学校に通いながらペリクレ・ファッツィーニに個人指導を受け始める。58年ヴェネチア・ビエンナーレに参加。59-68年、ローマ市主催ローマ・ビエンナーレに招待出品。61年、バチカン主催イタリア全国学生展で一等賞を受賞(ローマ法王ヨハネ23世に献上)、ローマ国立美術学校卒業。63年と67年にローマで個展。68年に女流展(ローマ)で彫刻部の一等賞外務大臣賞を受賞し、トリノで個展。69年、ギャラリーアッティコ国際コンクールで一等賞を受賞。イタリアとドイツの交流展(ケルン)に招待出品し帰国する。その後も師ファッツィーニに学んだ造形力と東洋の精神性を融合した作品を発表。2000年にはイタリア・ウルビーノのモンテフェルトロ公国芸術祭でブラマンテ大賞、01年、フランス・トゥールーズのフェスティバル・ジャポニーズでロートレック芸術大賞、05年にモナコ国際芸術祭でミシェル・ブキエ賞を受賞。彫刻家というだけではなく、合気道家としてイタリアに合気道を紹介し、広めるために尽力した。

出品作品について
《頭》《体操》《女の胸像》の彫刻3点を出品。

女の胸像 1958

頭 1956

日本画をめぐって

「外国へもってゆくのは日本画の方がいい」という考えが日本初の公式参加当時の関係者には根強かったようだ(注1)。1952年は、出品作家11名のうち7名が日本画家という布陣だった。中央館の一室を間借りした日本展示の記録写真を見ると(295ページ参照)、福田平八郎と徳岡神泉の作品は2段掛けで、すぐ隣には梅原龍三郎の油彩画が並ぶ。日本画と洋画が詰め込まれ、特に日本画にとっては厳しい展示環境である。小林古径の《唐蜀黍》(二曲一双屏風)は、左隻のみが壁に掛けられている。左右に唐蜀黍を動と静により対照的に描き分け、両者を対峙させることで見えてくる関係性や味わい深さとは無縁の展示である。ビエンナーレは、作品本位で強烈な個を見せる場であり、繊細な世界を構築する日本画の様式美には果たしてそぐわない場であった。

これに先立つ1930年、ローマ市展示館において「羅馬開催日本美術展覧会」が開催された。宮大工を派遣し、会場内に展示用の床の間も設けられたこの大規模な展覧会の当事者のひとりだった横山大観は、「非常に評判がよかったように日本に伝わっている。しかし自分が実際ローマに行った経験から言うと、自分の作品を芸術作品としてでなくて、装飾的なものとして見ている、そういうエキゾチックな見方をしていることが感じられたから、自分としては不愉快だった」と語り、ビエンナーレへの出品に難色を示した(注2)。結果的に大観は出展したが、日本の展示は、ほとんど評判を呼ばなかったようだ。アメリカの評論家は「日本は最も無気力」と決めつけ(注3)、国内からも「老大家の日本画を藪から棒に持込むのはやはり問題」との声があがった(注4)。

1958年、日本画は再びヴェネチアで展示された。前田青邨と川端龍子である。「こんどは事情がちがう。前回から立派な日本館が出来上り、展観のふんいきにもなれた。(略)とくに水墨の効果に重点をおいて出品することになったからだ。現代日本画のこのふたりの先達がそうあっさり黙殺されることはあるまい」(注5)という国内関係者の希望的観測にもかかわらず、海外の眼は受賞した岡田謙三の油彩画に注がれ、日本画は批判の俎上にほとんど載らなかった。そのうえ当局によって、二大家の作品は当初絵画でなく、素描のジャンルに入れられていたという。代表委員の瀧口修造は日本画について、概して日本人には新しさとして受け取られる西洋絵画技法の取り込みが、海外では伝統形式とのひ弱な折衷と見なされ、今日の芸術として純正な強みになっていないと感じ取られていると分析した(注6)。

これ以降、日本画は1995年展の千住博を唯一の例外に、ビエンナーレの場で紹介されていない。文化状況が大きく変わる中、本質的問題は省みられることなく、もはや日本画と他の絵画形式とをことさら区別する意味は失われてしまったように思われる。使用されている画材やモチーフ、制度がどのようであろうと、おしなべて日本の現代絵画であるという自明がようやく定着したのかもしれない。(I)

(注1) 梅原龍三郎の発言 座談会「芸術の新しさ」『中央公論』1952年10月号
(注2) 土方定一の発言 座談会「ヴェニス・ビエンナーレ展を中心に美術界の現況をかたる」『美術批評』1952年12月号
(注3) 「海外ニュース」『美術手帖』1952年10月号
(注4) 瀧口修造「世界から見た日本の画」『読売新聞』1952年9月16日夕刊
(注5) 「日本的な感覚と素材」『朝日新聞』1958年3月6日
(注6) 瀧口修造「国際美術展について」『国際文化』1959年2月号

1956

第28回
6月19日――10月21日　34カ国が参加

1956年展 ポスター

総合キュレーターはロドルフォ・パルッキーニ。中央館の特別展示はホアン・グリスとモンドリアンの回顧展。ジャルディーニ以外の会場でドラクロワの特別展が行なわれた。イタリア館はデ・キリコの回顧展、ドイツ館はエミール・ノルデの回顧展など。スペイン館ではアントニ・タピエスなど。アメリカ館は「都市を描く」というテーマのもとに、ジョーゼフ・ステラ、スチュワート・デイヴィス、ジョージア・オキーフ、ジャクソン・ポロック、ヴィレム・デ・クーニング、ベン・シャーン、マーク・トビー、フランツ・クラインなどが出品。

　日本がパヴィリオンを建設。国際大賞は版画部門で日本人として初めて棟方志功が受賞したほか、フランスの画家ジャック・ヴィヨン、イギリスの彫刻家リン・チャドウィック、ブラジルの素描家アルドマー・マルタンが受賞。脇田和も審査委員会で得票し、日本人としては初めて会場で作品2点の売約が成立した。

日本館

出品作家は、植木茂、須田国太郎、棟方志功、山口長男、山本豊市、脇田和。代表は、石橋正二郎、富永惣一、伊原宇三郎。政府の予算300万円と石橋正二郎の寄付による2100万円によって、3カ月前に吉阪隆正設計の日本館建設工事が着工され、開幕直前に完成。日本にとっては棟方の受賞とともに、記念すべき年となった。ヴェネチアでの展示に先立ち、3月13日から18日まで東京・京橋の国立近代美術館で国内展示が行なわれた。

建設にあたって数多くの問題を抱えていた日本館がようやく完成し、今年ビエンナーレに参加できることは非常に喜ばしい。国際的な芸術活動の場において、日本の歴史ある情熱的な現代美術を世界に向けて紹介することは、極めて意義深いことである。今年我々は、3名の画家、1名の版画家、そして2名の彫刻家を、彼らの個性的な作品と共に紹介する。

　日本の現代芸術は、過去の伝統と調和しながら驚くべき発展を遂げ、その活動は限界を知らぬかのようである。伝統芸術を厳格に守る巨匠などの傍ら、シュルレアリスムや抽象芸術も盛んである。

　今回ここに紹介する作品は、形式こそ西洋の画法を取り入れているものの、作家の個性によって全く新たな装いを呈している。それは、芸術の無限な世界において、己の作品を高めようという作家個人のたゆまない努力の結果でもある。

芸術の羽ばたきを抑えることは、何者にも出来ない。そして、このような芸術の国際的な発展の場に参加できることは、我々にとって最大の幸せである。▶石橋正二郎　日本館パンフレット

代表

石橋正二郎
Ishibashi Shojiro｜1889-1976

福岡に生まれる。1906年久留米商業学校卒業。家業の仕立て物屋を兄とともに継ぎ、地下足袋やゴム靴の製造販売によって全国的な企業として発展させた。31年、現在の株式会社ブリヂストンを創業し、自動車タイヤの国産化を成功させ、日本を代表する企業へ発展させた。

　数々の文化事業も手がけ、52年に日本橋の東京本社ビル2階にブリヂストン美術館（現・アーティゾン美術館）を開設。56年、久留米・石橋文化センターに美術館（現・久留米市美術館）を開設。コレクションは内外の美術作品千数百点にのぼる。56年にヴェネチア・ビエンナーレ日本館を建設し寄贈。69年、竹橋に東京国立近代美術館を建設し寄贈。戦後の日本美術界に多大な貢献を果たした。(Y)

伊原宇三郎
Ihara Usaburo｜1894-1976

徳島に生まれる。1921年、東京美術学校を首席で卒業、師は藤島武二。在学中の20年に帝展初入選。24年、戦後に

展示風景

芥川賞作家となる由起しげ子と結婚。25年に渡欧しフランスを中心に4年ほどを過ごし、サロン・ドートンヌに数回入選した。帰国後は1930年協会展や帝展に出品、ドランや新古典主義時代のピカソを彷彿させるボリューム感ある人体像などを描いた。戦中は陸軍嘱託画家として、中国や南方へ従軍、戦争記録画の制作にあたる。戦後、48年から3年間多摩造形芸術専門学校（現・多摩美術大学）教授を務め、49年から日本美術家連盟の設立に関わり、後に代表理事、委員長となる。この頃、ユネスコなど海外と日本をつなぐ機関の委員に携わったことから、54年に始まるヴェネチア・ビエンナーレ日本館建設構想に美術家の立場から関わることになる。60年代以降は、風景画や多くの政財界の人々を描いた。(Y)

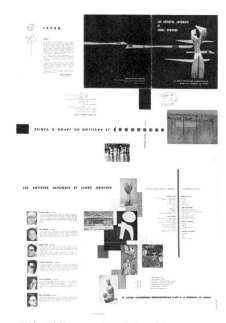

1956年　日本館パンフレット　上：表面　下：裏面

日本館開館記念式典より
右より　摩寿井善郎、今泉篤男、伊原宇三郎、富永惣一、矢代幸雄、
石橋正二郎、石橋夫人・昌子、矢代夫人・文、吉阪夫人・富久子、
吉阪隆正、大竹十一、駐伊日本大使館の金倉参事官

植 木 　 茂

北海道に生まれる。18歳で上京し、同郷の洋画家三岸好太郎に師事、洋画を描くが、1935年、唐招提寺の大日如来の印を結ぶ手の迫力と美しさに感動し、彫刻に転向する。37年、自由美術家協会展に初めて抽象彫刻を発表。元来、村山知義らの造形運動などを通じて近代的な造形観念を啓発されていたところへ仏像の手の形態や材質感に魅力を感じたことがきっかけとなり、日本の伝統的な木彫技法を生かした独自の抽象表現に向かうことになる。以後日本における抽象彫刻の先駆者として戦前から一貫して有機的フォルムを探求し続ける。自由美術家協会の会友として活躍するが、50年に山口薫や村井正誠らと同会を退会。同年モダンアート協会の創立に参加して会員となるが、54年に脱会し、以後無所属となる。同年のニューヨーク、リバーサイド・ミュージアムの日米抽象美術展、55年サンパウロ・ビエンナーレ、56年ヴェネチア・ビエンナーレなど国際展に次々と参加。国内では、現代日本美術展や日本国際美術展を中心に発表を続ける。また、鉄やブロンズなど様々な素材を用いた軽やかでユーモア溢れる彫刻も制作。抽象彫刻家として早くからバウハウス思想に共感していたこともあり、デザインの分野でも活躍。70年、大阪万博でのサントリー館のデザインや洋酒ボトル、店舗、家具、遊具、照明器具、アクセサリーなども手がけている。

作品 1954

出品作品について

《作品》《トルソー》《仏頭》など木彫6点を屋外に展示。

いまヴェニスのビエンナーレ展に出品されている「トルソー」は（略）材質の暖かくて清廉な木の生命観を暖かい行きとどいた感覚で、大まかで簡潔なフォームに包んでいる。これは、木彫の伝統が自然に養ってきた材質感や自然観の強味が、作者の体質やヴィジョンの一部分にとけ込んだ上で、再現してきたことであろう。（略）作者自身が言うように、作る作品、彫る作品から、生れ出る作品の調子を見せてきたのが、植木芸術の近年の進境である、といえるだろう。

▶ 植村鷹千代「現在作家小論 植木茂」『美術手帖』1956年8月号

日本館ピロティに展示された植木茂作品

須 田 国 太 郎 Suda Kunitaro | 1891-1961

京都の裕福な商家に生まれる。1913年京都帝国大学に入学。深田康算のもとで美学美術史を学ぶ。卒業論文のテーマは「写実主義」で、大学院では「絵画の理論と技巧」を研究する。17年、関西美術院で石膏や人体デッサンを学び、19年に渡欧。主としてスペインのマドリードに滞在し、プラド美術館でヴェネチア派の巨匠ティツィアーノ、ティントレットなどの模写を行ないながら西洋の油絵画法を実践的に研究。23年に帰国し、32年に41歳で初個展を行ない、滞欧時の模写や帰国後の作品を出品。翌年独立美術京都研究所が設立され、理論面での指導に当たる。34年に独立美術協会会員となり、47年には日本芸術院会員に推挙される。56年に京都市立美術大学（現・京都市立芸術大学）学長代理となり、多忙を極めるが制作を続ける。同年ヴェネチア・ビエンナーレに参加。57年に肝硬変と診断され、以後亡くなるまでの入院生活のなかでも絵を描き続けた。絵具を擦り取ったように見えるマチエールは須田の絵の特徴となっている。マチエールと色彩という絵画の中心的課題を研究と実践の両面から追求し続けた。一方、能楽にも深い造詣をもち、長年にわたって能や狂言の舞台をデッサンした。その芸術には東洋的な精神性も垣間見られる。西洋の模倣ではない真の意味での日本の油彩画の確立を目指していた稀有な画家であった。

出品作品について

《歩む鷺》《犬》など油彩画13点を出品。《歩む鷺》は1940年に行なわれた紀元二千六百年奉祝美術展への出品作であり、日本の長い歴史を地面に深く根づいた頑強な古木に見立てて描いている。動物を取り入れた風景画は須田が好んだ重要なモチーフであり、その代表作。本作のように、モチーフを暗い色使いで大きくクローズアップし、その背景を明るく描くという手法は須田の絵画の特徴のひとつである。《犬》も代表作で、前景に黒い犬が大きく描かれている。ヴェネチア派の「透明技法」のように、何層にも絵具を塗り重ねることによって、抑えた色調でありながら内奥から輝くような豊かな色彩を生みだしている。

歩む鷺 1940

棟方志功

青森に生まれる。1921年、18歳の時に『白樺』でゴッホの《ひまわり》の原色版を見て感動し、「ゴッホになる」と芸術家になることを決意し、24年に上京する。28年、油彩が帝展に初入選し、33年頃までは油彩の出展も続くが、それ以降は（棟方が自らの版画を称した）「板画」に没頭してゆく。36年、国画展に20枚にもおよぶ木版連作《大和し美し》を出品したことが板画で飛躍するきっかけとなった。棟方は板画に専念するようになった頃から、超越的な力、宗教的な境地に自己を没入してゆき、37年頃より宗教的なモチーフが作品のテーマとなる。第二次大戦中に富山を訪れ、後に疎開して浄土真宗にふれることによって、仏を題材にした作品を制作。45年、空襲のためほとんどすべての板木は焼失してしまう。55年サンパウロ・ビエンナーレに出品し、版画部門最高賞を受賞。56年ヴェネチア・ビエンナーレに参加し、版画部門で国際大賞を受賞。59年、ロックフェラー財団の招きで渡米。各地の大学で板画の講義と個展を開催。棟方は若い頃から極度の近視で板につくほど顔を近づけて板画を彫ったが、60年、眼の病気がすすみ、左眼をほとんど失明する。62年、ヴェネチア・ビエンナーレの特別展「1948年-1960年の大賞受賞作家展」に出品。70年文化勲章を授与される。74年、青森へ帰郷し、ゴッホの墓の形を模した墓をつくり、自身の墓碑銘を書いた。棟方は奔放なエネルギーに満ちた板画を創作の中心に据えながら、自ら倭絵と名付けた肉筆画や陶磁器など旺盛な創造活動を生涯続けた。

展示風景

出品作品について

《湧然する女者達々》《柳緑花紅頌》など木版5点を出品。

昭和三一年六月、ヴェネツィアのビエンナーレ国際美術展の会場にあった。(略) 来る人、見る人のほとんどすべては、棟方の木版画の前に愕然とした。かねて日本は版画の国、浮世絵の国として想像している多くの外国人は、ここに真の日本の実力を見たかのように、感激を新しくしたようだ。棟方芸術の推称の根底は、日本の長く古い芸術の伝統の上に新しい形式感を盛り上げている点である。生気はつらつと動きまわっているこの人間像のエネルギーにたいして、各国人もかぶとを脱いだ。

▶富永惣一「棟方志功の人と芸術」『現代日本美術12 棟方志功』1975年

1956

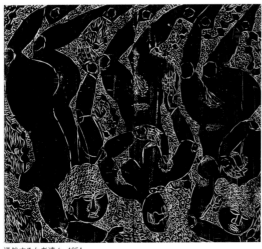

湧然する女者達々 1954

山 口 長 男

京城府（現・韓国ソウル）に生まれる。中学時代から絵画に親しみ、1921年、19歳で上京。本郷洋画研究所で岡田三郎助に学び、22年、東京美術学校西洋画科に入学、3年のときから和田英作の教室に学んだ。27年、同校卒業とともに渡仏。ピカソ、ブラックや当時フランスにいた佐伯祐三からも大きな刺激を受ける。また、彫刻家オシップ・ザッキンのアトリエへ通い、石彫を試みる。31年に帰国し、33年、前衛的な作品が集められた二科展第九室に出品。当時は白地に赤、緑、黄、黒（濃紺）などの有機的な形態がうごめくような抽象画を特徴とした。38年、吉原治良、桂ユキ子らと九室会を結成し翌年第1回展を開催する。45年、二科展の再結成にあたり会員として参加、62年まで出品。53年、村井正誠らと日本アブストラクト・アート・クラブの創立に参加し、翌54年、同クラブ会員としてニューヨークでのアメリカ抽象美術展に出品。同年武蔵野美術大学教授となる。55年サンパウロ・ビエンナーレ、56年ヴェネチア・ビエンナーレに参加。40年代末頃から絵具がより厚塗りになってゆく。地色も茶褐色や黒といった暗い色になり、そこに黄土色や赤茶色といった限定された色で簡潔で力強いかたちが描かれた。その後矩形を組み合わせて構成されたかたちは次第に増殖してゆき、60年代半ばからは、ほとんど画面を覆ってしまうほどの広がりを見せた。山口はつねに実体を求め、堅牢でありながら、のびやかな抽象表現を極めていった。

出品作品について

《作品（かたち）》《二つの組合せ》など油彩画5点を出品。

山口の抽象絵画はすでに南米でも好評を得ていたが、殊にアメリカの代表委員始め、少なからぬ抽象画家達によって推讃された。欧米の抽象画と異って、ここには時間空間の特有の捌きがあり、力強い単純化の中に、形式の純粋性が快く浮き出て、東洋的な内的な感動をふくんでいるというのである。

▶富永惣一「ビエンナーレ国際美術展」『藝術新潮』1956年8月号

作品（かたち）1954

山 本 豊 市

東京に生まれる。本名は豊。父の影響で11歳頃から日本画を習う。彫刻家を目指して1917年より戸張孤雁に師事する。18年より孤雁の勧めで、太平洋画会研究所に入り、3年間素描を習う。23年、日本美術院会友に推挙され、翌年よりフランスへ私費留学する。マイヨールのアトリエを訪ね、ただひとりの弟子として入門を許され、帰国するまでの4年間師事する。28年に帰国し、マイヨールの影響を受けた作風により日本の彫刻界に新風を吹き込んだ。その後、しばしば京都や奈良の古寺を訪れて仏像を研究。徐々に日本古来の乾漆を使った彫刻で独自の道を歩み始める。乾漆は、木よりは緻密だが、金属のような硬さはなく、そのほどよい光沢となめらかな手触りが、山本の彫刻に柔軟性を与えた。彼はこの技法の

もつ日本的な感性を心から愛し、芸術の本領をそこに置くようになっていった。36年、初の乾漆作品《岩戸神楽》を改組帝展に出品し、日本古来の技法を近代彫刻に蘇らせた点で高い評価を得る。39年に『マイヨール』（アトリエ社）を刊行し、マイヨールを日本に紹介。50年、新樹会に参加し、51年サンパウロ・ビエンナーレに出品。53年には第5回毎日美術賞を受賞。56年ヴェネチア・ビエンナーレに参加。53年より東京芸術大学教授となり、67年に停年退官後は愛知県立芸術大学で教授として後進の指導にあたる。一方で61年、彫刻家集団S.A.S.を結成、63年には国画会に合同すると、国画会の彫刻部会員として、75年の退会まで同会に出品。

出品作品について

《粧い》《エチュードA》《女の顔》など乾漆像5点を出品。

粧い 1954

脇　田　和 ──────────────────────── Wakita Kazu｜1908-2005

東京に生まれる。1923年、15歳でドイツに留学し、25年ベルリン国立美術学校に入学。人体デッサン、エッチング、リトグラフ、木口版画、七宝焼など様々な技法を学ぶと共に、ゴーギャン、マティスなどの作品にじかに触れることで、後年天性のカラリストと評されるその色彩感覚を養う。30年に帰国し、36年、猪熊弦一郎、小磯良平ら8人の仲間とともに新制作派協会を結成。当時は大画面による都会的な風物や、装飾的な人物像を描いていた。45年、戦火でアトリエが焼け、それまでの作品のほとんどを失う。51年サンパウロ・ビエンナーレ、56年ヴェネチア・ビエンナーレに参加。審査委員会で票を得て作品が2点、日本人としては初めて会場で売約が成立した。この頃作品の抽象化が始まり、画面は象徴性を帯びてくる。同年、米国務省人物交流部招聘により米国各地を視察旅行、アメリカ在住のアーティストとも交流を深める。その後ニューヨーク、パリに長期滞在。さらに62年、長男を伴いインド、中近東、アフリカ、欧州、米国などを回る。64年より東京芸術大学で後進の指導にあたり、70年退官を機に、吉村順三設計による軽井沢のアトリエ山荘に制作と生活の拠点を移す。彼の地の自然に集う鳥たちが作品のテーマの中心となってゆく。91年、同地に脇田美術館を開設。油彩、水彩、素描、版画などで鳥や子どもといった身近な「小さきもの」をモチーフに、温かみのある色彩と堅固な構成による、詩情溢れる世界を築き上げた。

出品作品について

《放鳥》《貝殻と鳥》など油彩画11点を出品。

貝殻と鳥 1954

1956

瀧口修造

美術の海外進出これでよいのか
——ヴェニス・ビエンナーレ展の場合

ヴェニス・ビエンナーレの今回の出品作家の選考は、美術家連盟の作家側委員と美術評論家連盟の評論家側委員とが、それぞれの案をもちよって話合い、最後に投票によって決定した。(略) ここで問題にしたいのは今後定期的に参加する各種の国際展にどういう態度や方法で作家を選考するかということである。そのたびに構成のちがった委員会が組織され、選考方針がその時の空気や委員の顔ぶれで変ってゆくようでは、責任ある選考ができなくなるのではないか。(略) 問題は世界の視野に日本の芸術をつよく主張してゆく一貫した態度がなければならず、それには美術の国際交流を責任をもって遂行する事務中枢がまず必要である。(略) 日本館が建ったからといって、日本の美術を何もかも紹介するのではない。世界の美術動向に鋭敏な事務の中枢が一日も早く要請される。

▶『読売新聞』1956年4月15日朝刊より抜粋

石橋正二郎

旅行記　イタリー
ヴェニス・ビエンナーレ日本館寄付

一一日。ビエンナーレ光栄の開館日、われわれ一同はモーターボートで公園に行く。日本館は大壁に日の丸の国旗を吊し、異彩を放っていて皆喜び合った。一一時より招待客がぼつぼつ現われる。主に各国新聞記者五〇〇名ぐらいで雑踏中、ビエンナーレ会長アレッシ氏の祝辞演説があり、報道陣には頗る好評で盛典であった。

午前一一時開館式には太田大使夫妻、矢代幸雄氏夫妻や富永惣一氏、今泉篤男氏等日本側委員参列の下に私がテープを切り、ビエンナーレ会長アレッシ氏は、「…この美しい特徴ゆたかな建物は吉阪隆正氏の建設になり、これを実現可能にしたのは石橋正二郎氏の惜しみなき御寄付によるもので、私はこのビエンナーレ美術の小さな町によこそそと歓迎いたします。過去においてつねに日本美術の動向、運動を進んで紹介して参りましたビエンナーレは、今また日伊両国間の友情をいよいよ高め、文化交流を可能にするこの新日本館を得て喜びにたえません」と祝辞をのべられた。

▶『私の歩み』1963年

矢内原伊作

ビエンナーレ展を見る
—— 日本館も作品も失敗ではなかったが…

〔日本館は〕場所としては絶好で、ル・コルビジエ風のいわゆるゲタばきの超モダンな建築も成功と言えよう。無論欲を言えばいろいろ難点もあり、殊に内部の感じが重厚に過ぎ、幾らか重苦しい感じがするのは、日本の美術作品に軽快なものが多いことを考え合わすと問題に思われるが、建築の重みに負けないだけの力強い作品が期待されているのだと見れば建築家を責めるにもあたらない。(略)〔棟方志功の版画が外国人にとって魅力である最大の原因は〕結局それが外国にはない日本独特のものをもっている点にあるらしく、実際、日本で見ると体質的などぎつさによってかなり特殊なものに見える棟方氏の作品が全く日本的なものとして見られるということは興味深い。同じことは須田、脇田、山口三氏の絵に対しても言えるのであって、日本館を訪れる外国人の好みは各様だが、好む理由は日本的なものという点で一致している。と言うと、それならば日本画を出せば成功疑いなしということになりそうだが、絵画としての高さ強さが先ず要求されるのは無論である。賞を得たことは祝すべきことだが、これからも同じようなものを出せば当るなどと思ったら間違いであろう。賞を割引するわけではないが、今年の受賞には日本館の新築ということが大きく作用しているのである。

棟方氏のほか出品の三画家も二彫刻家もいい作品を送ってはいるが、全体として見れば今年の日本出品は失敗ではない程度に成功だったと言えようか。植木茂氏の抽象木彫は地下におかれ荒塗りのコンクリートの間で建築の重量を受けて気の毒だった。

▶『読売新聞』1956年7月3日夕刊より抜粋

ミシェル・タピエ

ヨーロッパにおける日本美術——東西の接触と逆説

今年のヴェニスのビエンナーレにおける新しい日本館とその庭は開会式の数多い披露行事の中では特筆すべき出来事の一つであった。建築家吉阪氏が今日的な力づよさの一特色を堂々と示したことをまずよろこびたい。出品作では (この選択は公式にすぎて、すべてが高度の質を代表しているとはいえないが) 私は節度と強さとをかねそなえた山口長男のこころみに注目した。特に棟方志功の版画の大作には興味をひかれた。

▶『読売新聞』1956年11月20日夕刊より抜粋
ミシェル・タピエ氏のご遺族の同意により掲載させていただきました。

日本館

　ジャルディーニに各国パヴィリオンの建設が進むと、日本も1932年、日本館の建築図案をビエンナーレ当局へ提出した。東京帝室博物館（現・東京国立博物館本館）を彷彿とさせる帝冠様式によるデザインであったが、この提案は戦争の影響で立ち消えとなってしまう。

　日本館の建設は1956年、資金難に苦しむ中、ブリヂストンタイヤ（現・ブリヂストン）の創業者・石橋正二郎の寄付を受けて、ようやく実現に至った。日本美術家連盟が2年半にわたり外務省などに建設を働きかけていたが、政府の反応は鈍かった。ビエンナーレ当局からいったん提案された敷地はベネズエラ館に決まり、別の敷地の提案を受けながら回答を延引していたところ、「強力な申し込み国が多いから至急回答を」と通告を受けた末の薄氷の決着だったという(注1)。その後の状況を考えれば、この機を逸していたならば、ジャルディーニに日本館を建てる機会は永遠に失われていたことだろう。

　設計はル・コルビュジエに師事した吉阪隆正に委ねられた。敷地の高低差を生かし、高さ3メートルのピロティの上に立方体の展示室をのせる日本館の構造は、モダニズム建築を体現しつつも、日本的特徴を発揮するものとなった。展示室の壁が4つの突き出した衝立に区切られ、ガラス・ブロックの天井からはヴェネチアの陽光が降りそそいだ。また天井中央と床面中央にはピロティにつながる開口部が設けられ、光と風が通り抜け、建物の内と外が一体化するユニークなデザインである。建物周辺を取り巻く大樹を生かしつつ、池や植栽が配置され、またピロティから回遊して上層の展示室入口に至る「散歩道」には、飛石が敷かれるなど外構にも配慮が加えられていた。

　待望久しかった日本館ではあるが、建築に対する国際的な高い評価とは裏腹に、作

1956

1956年、竣工時の日本館

家やコミッショナーの一部からは使い勝手の悪さを指摘する声も出た。これに対し、吉阪は、「建築に敗けない作品を出せばいいのではないか」と一蹴したという(注2)。

　展示室の床面積256平方メートルと限定された空間でありながら、国際的に着目されるこの舞台において、毎回日本代表作家の力のこもった展示が披露されている。竣工当時とは美術の表現スタイルも大きく変わっており、近年は展示室とピロティを一体化させてひとつのインスタレーションに組み込む作家も多く、空間をより巧みに生かした展示が顕著だ。

　日本館は、国有財産であり、国際交流基金が管理運用を担っている。2014年、公益財団法人石橋財団の支援をえて、伊東豊雄による改修工事が行なわれた。吉阪の設計意図を回復する方向での改修となり、竣工当時の表情を取り戻すとともに、暗室を必要とする映像インスタレーションへの対応も考慮された。改修後の美術展入場者数は、毎回40万人を超えており、日本の現代美術を海外に定期的に発信する拠点としての日本館の重要性は、ますます高まっている。同基金は、日本館のこれまでの展示記録をアーカイブサイトとして公開している。(I)

https://venezia-biennale-japan.jpf.go.jp/j/

(注1)『日本美術家連盟ニュース』第56号　1955年12月号
(注2) 針生一郎「ヴェネチア・ビエンナーレを通して見る日本の美術　1952–68年」『ヴェネチア・ビエンナーレ—日本参加の40年』1995年

2014年、改修直後の日本館

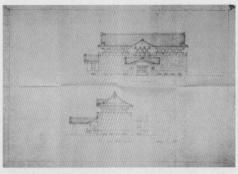

左右：1932年の日本館建築案

吉 阪 隆 正

Yoshizaka Takamasa | 1917-1980

東京に生まれる。少年時代は父親の転勤でスイスで育つ。1941年、早稲田大学理工学部建築学科卒業。今和次郎の考現学、住居学に傾倒する。50年、戦後初のフランス政府給付留学生として渡仏し、2年間ル・コルビュジエのアトリエで学ぶ。54年、吉阪研究室（現・U研究室）を早稲田大学構内に開設。教授職と同時に探検家として57年、赤道直下アフリカ横断1万キロを達成し、またK2をめざした登山家としても知られる。短期間で建設されたヴェネチア・ビエンナーレ日本館は代表作のひとつ。主な設計に浦太郎邸（1956年）、アテネフランセ（1962年）、大学セミナーハウス（1965年）などがある。全17巻の『吉阪隆正集』（1984-86年）が刊行されている。U研究室所蔵の資料は2015年に文化庁国立近現代建築資料館へ寄贈された。(Y)

1956

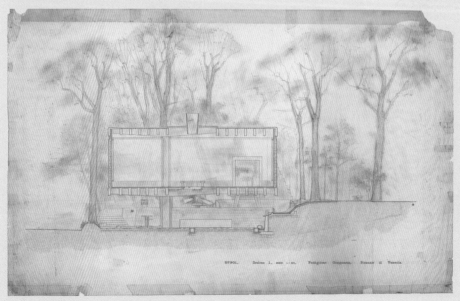

大竹十三 日本館竣工後のドローイング 1956 国（文化庁国立近現代建築資料館）所蔵

5点共：改修直後の日本館内外観 2014

1954

総合キュレーターはロドルフォ・パルッキーニ。中央館の特別展示ではクールベの大回顧展が行われた。また、シュルレアリスムの紹介に焦点があてられ、マックス・エルンスト（絵画）、ホアン・ミロ（版画）、ジャン・アルプ（彫刻）の回顧展が行なわれ、国際大賞も各部門でこの3作家が受賞した。ベルギー館はルネ・マグリットとポール・デルヴォーの回顧展、ドイツ館はパウル・クレーとオスカー・シュレンマーの回顧展が行なわれた。イギリス館はベン・ニコルソン、フランシス・ベーコンが展示された。また、カルロ・スカルパ設計によるベネズエラ館が建設された。ヴェネチア・ビエンナーレ国際演劇祭の招聘により、欧州初の本格的な能公演（団長・喜多実）が市内サンジョルジョで行なわれた。1952年の美術展初参加に続き、ヴェネチアが日本の対外文化発信の扉を開く場となったことは特筆に値する。

日本展パンフレット

日本の参加

1952年に続き54年も日本にビエンナーレ当局からの招待の書面が届き、国際文化振興会が政府補助金の予算を要求。外務省が作品輸送費としてのみ80万円を捻出する。当初代表に予定されていた藤田嗣治が辞退したことにより、土方定一が代表になり、在伊の日本画家、長谷川路可が陳列委員となる。出品作家は岡本太郎と坂本繁二郎。展示されたのは52年と同じ中央館の一室、土方がビエンナーレ当局からの、幻想的で超現実主義的な作家をという要請を聞いたのは、ヴェネチア入りしてからだった。この年の5月にヴェネチア日本館建築準備室が発足する。

初めて前回のヴェネチア・ビエンナーレ展に参加した日本にとって、今回、一度に2人の画家を紹介できることは大いなる喜びである。そのうちのひとりは、坂本繁二郎である。彼は、

今日の日本美術の最も偉大な画家のひとり、大家のひとりで、前回出品した梅原龍三郎、安井曾太郎と並んで高く評価されている。もうひとりは岡本太郎で、激しい情熱を持って戦後の日本で活躍している前衛画家たちの中で、最も期待されている新星である。この2人は明瞭な対照を示しているが故に、我々は両作家を選出した。（略）

▶土方定一　日本展パンフレット

代表

土方定一 ─────────────

Hijikata Teiichi | 1904-1980

岐阜に生まれる。18歳の頃、水戸高等学校在学時に同人詩誌『歩行者』などに参加、詩を制作、また児童劇や人形劇の脚本を手がける。1930年東京帝国大学文学部美学美術史学科を卒業、卒論は「ヘーゲルの美学」。同大学院に籍を置きドイツ留学をするが、胸を病み帰国。38年、内閣興亜院嘱託となる。40年、美術問題研究会結成に参加。41年に『近代日本洋画史』、『岸田劉生』を上梓し、同年中国へおもむき、近代中国思想史を研究、仏教彫刻、抗日版画にもふれる。戦後、最初の美術評論は46年、『美術』誌上での日展評。51年、神奈川県立近代美術館副館長に就任（65年より館長）、各地の野外彫刻展の振興や近代美術館の方向性をリードしてゆく役割をになう。54年、美術評論家連盟会長に就任。著書に『ブリューゲル』、『ドイツ・ルネサンスの画家たち』、入門書として読み継がれている『日本の近代美術』、『土方定一著作集』（全12巻 1976-81年）などがある。（Y）

岡　本　太　郎

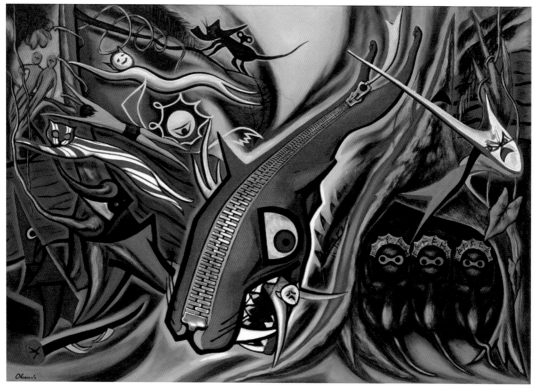

森の掟　1950

神奈川に生まれる。父は漫画家の岡本一
平、母は歌人で小説家の岡本かの子。
1929年東京美術学校に入学するが半年で
中退し、父母の渡欧に同行する。32年、ピ
カソの抽象的な作品を見て衝撃を受け、抽
象画を描き始める。33年、アルプ、カンディ
ンスキー、モンドリアンらが組織するアプスト
ラクシオン・クレアシオン（抽象・創造）協会に最
年少で参加する。しかし抽象だけでは満足
できず、36年にはネオ・コンクレティスム（新
具体主義）を提唱。38年、《傷ましき腕》をアン
ドレ・ブルトンに高く評価され、シュルレアリ
ストとの親交が始まる。この間、絵を描くこと
ができなくなり、パリ大学でマルセル・モース
のもと民族学などを学んだ。39年に母が亡
くなり、40年、ドイツ軍のフランス侵攻により
マルセイユを発って帰国。42年、現役初年
兵として中国戦線に送られ、1年間の収容
所生活を経て46年に復員。48年、花田清
輝らと「夜の会」を結成し、前衛芸術運動を

変身　1953

始める。安部公房、埴谷雄高、野間宏らも参加した同会で対極主義を提唱。抽象絵画とシュルレアリスムを矛盾のまま対置するというのが岡本の対極主義の出発点となった。54年ヴェネチア・ビエンナーレに参加。69年、メキシコのホテルのために大壁画《明日の神話》(現在渋谷駅に展示)を制作。70年、大阪万博で《太陽の塔》が完成。91年、所蔵するほぼ全作品約1800点を川崎市に寄贈し、99年、川崎市岡本太郎美術館が開館する。著書に『日本の伝統』(1956年)など。

出品作品について

1949年以降に制作された油彩画10点を出品。《森の掟》は対極主義を表現した戦後代表作のひとつ。森に侵入した赤い怪物が平穏な世界を切り裂いている様は、相反するものが共生し衝突することによって生まれる、とてつもないエネルギーを示している。岡本は本作が当時の社会状況と結びつけて解釈されたことに対して、社会に対する寓意として描いたのではないと反論した。

坂 本 繁 二 郎 ——— Sakamoto Hanjiro | 1882-1969

久留米に生まれる。貧しいが絵心のある両親や兄に囲まれ、子どもの時から暇さえあれば絵を描き、10歳より洋画を学ぶ。一時は経済的理由から画家になることを諦めたが、1902年、20歳で帰省中の画塾の友、青木繁から刺激を受けて上京し、小山正太郎の不同舎に入る。08年、世相風刺の漫画雑誌を出版していた東京パック社に入社し、11年まで漫画を描いていた。12年、文展に出品した《うすれ日》に描かれた、もの思うような牛の姿を夏目漱石が高く評価。印象派をどのように捉え、どのように乗り越えてゆくかという、坂本の芸術の方向性を示す記念碑的な作品になった。21年に渡仏。すでに40歳近かったこともあり、当時の前衛画家たちの仕事を冷静に、批判的に受け止めたが、渡欧中の研究は、彼の絵に豊かなマチエールと確かな造形力を与えた。24年に帰国した坂本は久留米に帰り、その豊饒な自然を背景に躍動感溢れる馬の絵を多く描いている。また39年頃から柿、栗、馬鈴薯など彼を取り巻く自然の産物を描き、42年頃より砥石、能面、植木鉢など生活の身近にあるものを題材にした。坂本の制作を支えた「物感」という理念は画家の生活感に裏付けられた直感であると本人は考えていた。41年、初めての個展を大阪で開く。九州で求道者のように制作を続けた坂本は戦後脚光を浴びる存在となる。54年、ヴェネチア・ビエンナーレに参加。56年、文化勲章受章。

出品作品について

《放牧三馬》《甘藍》など油彩10点を出品。《放牧三馬》は代表作のひとつ。淡い色調で、柔らかい光に包まれた馬の姿を様々な方向から描いている。坂本は注文されたことをきっかけに、「馬の画家」と呼ばれるほどに馬を描くようになった。時には題材となる馬を求めて放牧場や馬市まで訪れたという。1932年、二科会に出品された本作を同郷であった石橋正二郎が購入。石橋美術館(現・久留米市美術館)に収蔵された後、坂本は何度も足を運んで加筆している。

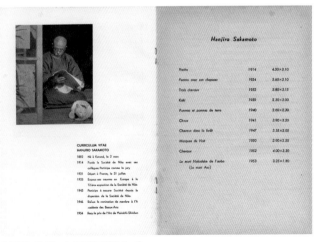

日本展のパンフレット 坂本繁二郎のページ

放牧三馬 1932

甘藍 1941

土方定一
ヴェネツィア・ビエンナーレ展

日本側委員の長谷川路可と僕はあわてて、一昨年の第二十六回ビエンナーレ展の日本室にかけつけて、坂本繁二郎さんと岡本太郎君のそれぞれ十点ずつの作品を四つの壁面に飾りつけた。いろいろ掛け替えてみたが、最後の効果はこの対蹠的な作家を二人だけ持ってきたことにまず成功したようだ。少くとも一昨年のバザー式の陳示よりは遥かに効果を持っていることは確実に思った。(略)坂本繁二郎さんと岡本太郎君については、フランスのレイモン・コニヤをはじめ、多くの作家が、尊敬をもって見てくれたことは、日本側、ぼくとしてうれしいことだった。それにしても、やはり各国のように日本館をもって、それぞれの作家を回顧的に紹介することしか残っていないというのが、今回のビエンナーレの結論のようだ。
　　　　　　　　　　　　►『藝術新潮』1954年8月号

長谷川路可
世界美術の祭典「ビエンナーレ」——欲しい日本館

さて日本館は前回と同じくイタリア館(編注・中央館)の第四十三室を借用しているが、陳列は一昨年の時と全く趣を変えて、坂本繁二郎氏と岡本太郎氏の作を各々十点ずつ陳べ、ちょうど日本室がウルグァイ、グァテマラ、インドネシアの室を経て、アルプの抽象彫刻室に至るカギ型のつきあたりになっている所なので、遠くから見通しのきく正面の壁と、アルプの室に通じる側に坂本氏の諸作を、隣のインドネシア室から日本室に入る側の壁と、右側の広い壁面に岡本氏の大作などを陳列した。これは坂本氏の温雅な色調に対して、岡本氏の躍動的で激しい画面が対照的に引きつけて特色あるニュアンスを持つ室になった。

　この陳列方法は、一昨年よりずっとすっきりして大変よかったという専門家の感想を聞くことが出来た。こんな工合で今年はいささか注目をひいたらしく、(略)当日もその翌日も日本室はなかなかにぎやかであった。持ってきた数百部のパンフレットはたちまち不足を告げ、見本に持ってきた岡本氏の画集海外版もひっぱりだこの好評であった。(略)

　何といっても陳列館を持たない日本はみじめである。日本室を見に来たフランスの批評家レイモン・コニア氏は口をきわめて、日本館建設の必要を説いていたし、イタリアの批評家ペロンチ氏も、早く日本館を建て、代表作家のレトロスペク

チーヴをやるとよいといっていた。またビエンナーレの書記長パルッキーニ氏は、もし日本に建設の意図があれば、最適な敷地を無償で直ちに提供するといった。この次の機会までには日本館を建てるよう、政府も美術界も真剣に考えてほしいと思ったことである。
　　　　　　　►『読売新聞』1954年7月7日より抜粋

吉田遠志
ビエンナーレを観る

今回の出品は、一室に二人の対照的な作家を並べてあるが、これについての直接、間接の批評を聞きたいと思って、ヴェネツィアに行く前から当って見たのであるが、「まあ見て下さい。」と批評をさける日本人もあり、「日本室としての印象が薄くて後に残らない。」というのもあり、「まだまだですね。」というのもあった。開催初めに此の部屋で観察した人の話による と、岡本太郎の画は割合に多くの人がハッと立止るが、すぐ立去るそうで、坂本繁二郎の画は見ないで通り過ぎる人もあるが、立止った人は割に長く見て行ったそうである。(略)日本の画家は日本の中だけで大家であり過ぎる。現在、日本でやるべき事は、これから伸びるべき作家に場所を与えて、此処を日本の美術界の水準を高める一つの研究と競争の場所と考えることである。ビエンナーレのイタリー芸術界に対する目的はこれと同じであって、日本は徐々に確実にこれを見習うべきであると思った。
　　　　　　　　　　►『美術手帖』1954年10月号

スチュワート・プレストン

〔ビエンナーレの大きな楽しみのひとつは、普段ほとんど目にする機会のない、遠くの小国の作品が見られることである。〕日本の岡本太郎は自国の芸術を捨てて、見る者を憂鬱にするような、ピカソとシュルレアリスムとの融合を生み出している。
　　　　　　►『ニューヨーク・タイムズ』1954年7月25日

エリス・グリリイ
ヴィエンナーレ展への日本の参加と
坂本繁二郎・岡本太郎の作品

これが現代日本美術の実態でしょうか? 日本独特の伝統的な様式として他に示すものはないものでしょうか。何よりも重要なことは、現在生まれている様式で東西の緊張を溶解するような、はっきりしたものはないものでしょうか。このような疑問は、若し今度の選定で両極端の2人でなく各自異なった傾向の5人迄増加出来たなら、疑問は薄いだろうと思います。

(税所篤二訳)
　　　　　　　　　►『みづゑ』1954年5月号

1952年以前の参加記録から

第1回展を終えたビエンナーレ当局は1897年（第2回）に日本を招待する。この頃ヨーロッパには日本美術のコレクターも数々おりジャポニスムの流行もあった。さかのぼればヴェネチアは工部美術学校へフォンタネージらイタリア人教師を派遣しヨーロッパで最初に日本語講座が開設された街でもある。

　参加申請には日本美術に理解のある外交官グリエルモ・ベルシェーと7年間のヴェネチア留学の経験がある彫刻家の長沼守敬の尽力に負っている（注1）。日本側は農商務省が窓口になり、日本美術協会が具体的に事を運んだ。展覧会は「当代の純正美術」、絵画、彫刻、版画、素描の展示を主としていた。だが日本美術については「器物（工芸）」も含むとされた。イタリアからは日本美術の「純正美術」は見えていない。例えばカタログには「日本は純正美術と装飾美術の間にはヨーロッパのような区別はなく」とのくだりもあった。最終的に、絵画は竹内棲鳳（栖鳳）、瀧和亭、川端玉章、野口幽谷、岸竹堂らの作品35点、応用美術の「器物」69点が海を渡った。絵画で売却となったのは、雲林院蘇山《遊鯉》、奥原晴翠《梅林月夜》、高橋應眞《芥子花》、望月金鳳《双鷺》、今尾景年《豆花鶏雛》、森川曾文《千鳥》（注2）。器物は42点が売却となった（非売品は10点）。

　次に日本人作家が多く出品するのは、1924年（第14回）であり、カタログからは、絵画にKono T、Koseki I、Kuribara Orie、Sekida S、Sekine T、Tetsuka Matsumoto、版画にKrunoa N、Nagami E、Ymamura Oの9名の作家名、13点の花鳥風月的なタイトルが確認できる。しかし、氏名の漢字表記や選出機関は不明である。

　さらに、1928年（第16回）にはエコール・ド・パリをテーマにした企画展に藤田嗣治の絵画が3点並ぶ。30年（第17回）には、かつてヴェネチアで銅版画を学び、当時ローマでの日本美術展のプロデュースをしていた寺崎武男の《幻想（観音）》が中央館に展示され、イタリア政府買上げとなっている。（Y）

（注1）石井元章『ヴェネツィアと日本』
（注2）『美術評論』1898年1月、時事欄

1897年に出品された
エルネスト・ゼーガー蔵の象牙彫り

1952

第26回
6月14日——10月19日　26カ国が参加

総合カタログ

総合キュレーターはロドルフォ・パルッキーニ。第二次大戦後、3度目のビエンナーレは入場者数が18万人を超え、総展示作品数は3439点、販売作品数も562点となり、いずれも戦前最後の回（1938年第21回）を上回った。

　日本が公式参加を遂げ、前年の第1回サンパウロ・ビエンナーレへの参加と合わせて、国際美術展への復帰を果たした。中央館の特別展示ではコロー、スーチン、ココシュカの回顧展が開催された。フランス館はデュフィ、レジェ、スペイン館はゴヤ、オランダ館はデ・ステイルなど、時代も領域も様々に展開し、またイタリア館はマリーニやモランディら総花的な展示だった。この年、スイスが新館を、イスラエルが新規にパヴィリオンをそれぞれ建設している。国際大賞の絵画部門はラウル・デュフィ（フランス）、彫刻部門はアレクサンダー・コールダー（アメリカ）、版画部門はエミール・ノルデ（西ドイツ）が受賞した。

日本の参加

戦後、初の公式参加である。ビエンナーレ当局からの要請に応える国の機関はなく、読売新聞社が主催者となり、作品の運搬費、代表となった梅原龍三郎の渡航費などを負担した。

　陳列委員には梅原と親しく渡仏経験がある画家の益田義信と評論家で渡欧中の土方定一があたった。参加作家は、梅原龍三郎、鏑木清方、川口軌外、小林古径、徳岡神泉、福沢一郎、福田平八郎、安井曾太郎、山本丘人、横山大観、吉岡堅二。

　作家選考は、委員長に細川護立、硲伊之助、土方定一、小林古径、益田義信、富永惣一、瀧口修造、梅原龍三郎、安井曾太郎、安田靫彦、山本丘人といった画壇の重鎮と美術評論系の人々があたった。このような人選からも、日本的なものの是非、日本画と洋画のどちらを選択するかといった課題が浮上しているのがわかる。作品選定では自選により、制作年代も1920年代から50年代と幅があった。

　現地の展示では、梅原の1点を含め搬入した全点が展示されたわけではない。当時、日本館はなく、中央館に2室が提供されたが1室は展示に向かないとの理由で1室での展示となった。

代表

梅原龍三郎

296ページ参照

今日の日本絵画の流れは、純日本的な伝統技術に基づく絵画と、ヨーロッパ絵画の手法である油彩によって描かれたものとの2つに大別される。（略）

　横山大観と小林古径は、伝統的な日本画を描く現代の巨匠である。（略）福田平八郎と徳岡神泉の2人は京都画壇に属している。京都は伝統絵画の中心地のひとつとして、多くの画家たちを輩出してきた日本の古都であるが、残り3名の画家は現代日本の首都、東京で画才を磨いた。鏑木清方は浮世絵の流れを汲む、この分野随一の実力をもった画家であり、女性美の追求に邁進している。他の画家たちよりかなり若年の山本丘人と吉岡堅二は、伝統絵画を刷新しようという試みに果敢に取り組んでおり、ときには、西洋絵画から発想を取り入れるといった実験も行っている。（略）

　梅原龍三郎と安井曽太郎は現代日本を代表する洋画家であり、その作品は発表されるたびに高い評価を受けている。2人はともにパリで芸術の勉強を始めたが、梅原はオーギュスト・ルノワールから直接的な影響を受け、安井はピサロ、セザンヌといったフランス印象派を通して絵画を学んだ。ヨーロッパの伝統への厚い敬意とフランス文化についての深い理解のなかで自らをはぐくんだ2人は、日本絵画の発展にとってきわめて重要な足跡を残している。福沢一郎、川口軌外は、日本の現代絵画の扉を開いた若き旗手たちである。

▶総合カタログ

展示風景　左から吉岡堅二、福沢一郎、川口軌外、鏑木清方、横山大観の作品

展示風景　左壁面に小林古径、右隅に安井曾太郎の作品

梅　原　龍　三　郎

京都に生まれる。15歳のとき画家を目指し中学を中退し、浅井忠に学ぶ。20歳で渡仏、ルノワールに師事し、アカデミー・ランソンにも通う。1913年帰国し、神田のヴィナス倶楽部で白樺社主催の滞欧作個展を開催、注目を浴びる。25年には国画創作協会に洋画部（後の国画会）を創設、30年代には同じ関西出身の安井曾太郎とともに洋画壇を代表する画家となった。ルノワールから個性的な色感を褒められ、柔らかな色彩感覚、骨太の構図、画面の力強さには定評がある。多くの裸婦像の他に、戦前期の北京、桜島、戦後の富士山や浅間山、カンヌ、ヴェネチアなどの風景画を描いた。左手で筆を走らせ、くわえタバコでキャンバスに向かう。自在なフォルムと不透明水彩と金泥を併用した画面には、時に日本の伝統的な装飾性が加味され、その鮮麗な作品群は「梅原様式」といわれた。52年のヴェネチア・ビエンナーレの日本代表を務める。同年文化勲章受章。

出品作品について

梅原は、1939年に初めて北京に旅行をし、終戦まで6回を数える。本作は40年5月から秋にかけて描かれた北京風景の1点。他に油彩2点出品。

紫禁城　1940

鏑　木　清　方

東京に生まれる。本名は健一。父は『東京日日新聞』や『やまと新聞』の創立者だった。1891年浮世絵系の水野年方に入門し、東京英語学校を中退、93年に清方を号とし画業に専念する。新聞の挿絵で活躍し、尾崎紅葉や島崎藤村、長き親交をもつ泉鏡花の小説の挿絵を描いた。97年に絵画作品を日本絵画協会に出品する。清方の画面には浮世絵の伝統と江戸風俗を懐古する趣があふれ人気が高い。明治期末年からは展覧会への出品が主な活動となり、1909年文展に初入選、大正期には文展の実力画家となり、19年の帝展からは審査委員を務めた。すでに美人画には定評がある清方だったが、明治期中期の庶民の生活を描くことを心がけ、みずからいう「卓上芸術」の画帖や絵巻も制作し、情緒ある風俗画を得意とした。また文章にもすぐれ、『こしかたの記』をはじめとする随筆集も多い。54年に文化勲章受章。2019年、名作《築地明石町》（1927年）が44年ぶりに公開の運びとなり、それを機に東京国立近代美術館に収蔵された。

出品作品について

雪降るなかを帰宅した夫の羽織をたたむ武家の女房が描かれている。終戦直前、御殿場に居を構えた清方が画材も整わないなかで取り組んだ戦後の第1作。

春雪　1946

1952

川 口 軌 外

和歌山に生まれる。生家は裕福な旧家だった。本名は孫太郎。1909年和歌山師範学校に入学。在学中に斎藤与里の水彩画講習会で絵画に興味をもち、12年に上京し、太平洋画会研究所で中村不折に学ぶ。郷里の師範学校を放校処分になり画家を目指す。15年には東京・田端にアトリエを構え、17年の二科展に初入選する。この頃は安井曾太郎に私淑している。19年から、一時帰国をはさんで、10年間フランスに留学。アンドレ・ロートの研究所で学び、シャガールやレジェを知り、対象を幾何学的に捉えるキュビスムの技法に色彩を取り入れた華麗な画面を構成するようになる。帰国後は独立美術協会を軸に活動する。作品の多くに華やかな色彩が施され、群像や象徴的な図像が盛り込まれ、幻想的な趣が見られる。川口にとっては日本的なモチーフを探すことより、西洋の伝統の延長線上にモダニズムをどう画面に昇華するかが終生のテーマだったといえる。

出品作品について

本作は滞仏時代の代表作のひとつ。海を、群青の泡かまたは花の形象が浮遊し、ボッティチェッリ《ヴィーナスの誕生》を思わせる部分もある。画家が取り組んだ神話の現代的な解釈が表わされている。

少女と貝殻 1934

小 林 古 径

新潟に生まれる。本名は茂。号は最初、秋香、1899年から古径とする。地元の画家に学び、99年上京、梶田半古の塾に入門。師譲りの歴史上の人物画を得意とした。文展を主な発表の場としたが、1914年、日本美術院再興に参加、大和絵風の明るい画面、洋画の写実的な質感などを取り入れた作品を描く。22年に渡欧しパリ、シエナ、ロンドンを巡り、大英博物館では伝顧愷之筆《女史箴図》の模写で線描を研鑽する。帰国後、30年、《道成寺縁起絵巻》に取材した《清姫》8面を発表、31年には、無地の背景に髪すきの二人の女性の様を鉄線描で繊細に捉えた《髪》など、代表作とされる作品を描く。41年、旧満洲（現・中国東北部）に赴き、仏教美

術協会設立に参加、顧問となった。戦前、戦後にわたり東京美術学校、東京芸術大学で後進の指導も務め、50年、文化勲章を受章。清冽な作風で院展を代表する画家として、近代日本画史上重要な位置にある。

出品作品について

《唐蜀黍》は、院展出品作。右隻に1本、左隻に2本の穂には実は少なく、晩夏を思わせる。墨のたらしこみによって、右は薄く左は濃い調子をつくり遠近感がでている。風にたゆたう葉ののびやかな曲線が装飾的な効果をもたらしている。他に《鶴と七面鳥》と《清姫》（8画面より2点）を出品。

唐蜀黍 1939

徳 岡 神 泉

Tokuoka Shinsen | 1896-1972

京都に生まれる。本名は時次郎。13歳で竹内栖鳳の竹杖会に入門、1914年京都市立美術工芸学校（現・京都市立芸術大学）卒業。17年京都市立絵画専門学校別科を修了する。20代前半は官展で落選が続き煩悶する。19年、日本画の主題としては特異な《狂女》を描く。20年、生家の近くにある名園神泉苑から名をとり、号を「神泉」とする。25年、帝展に初入選し、29年にはパリの日本美術展に出品。20年代半ばからは官展へは無鑑査出品、特選受賞を重ね、審査委員を務める。40代は京都の中堅画家として様々なグループ展に参加する。43年頃から、それまでの画面全体をリアリズム基調で描くことから、背景を省略し事物を象徴的に扱う傾向をみせるようになる。戦後は日展の審査委員を務め、晩年は東京にも画室を設けたが、やはり京都の空気が制作には合うと述懐している。66年、文化勲章受章。

出品作品について

写生の帰り、畠に捨てられた出来の悪い白い蕪に魅せられ、見ているうちにおきてきた静かな淋しい気分を表現したくなったという。

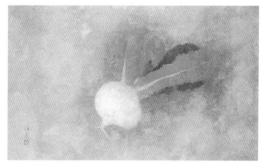

畠 1952

福 沢 一 郎

272ページ参照

出品作品について

本作について画家は、1975年11月の講演「私とシュルレアリスム」で次のように語っている。「富士山麓の青木ヶ原っていう原始林がありますが、そこへ入っていって風景をおもしろがって見てきたりなんかしたことがありますが、それをアトリエでやや幻想的に仕上げたものですね」（『福沢一郎展』2019年）。

樹海 1948

1952

福田平八郎

大分に生まれる。号は素僊。1910年に画家を目指して京都
へ出る。15年京都市立美術工芸学校（現・京都市立芸術大学）を
卒業、その後京都市立絵画専門学校（現・同前）に入学し、18
年に卒業した。この間、竹内栖鳳、西山翠嶂らに学ぶ。文
展には落選を続けたが、19年の帝展に入選。30年、洋画
家も含めた六潮会結成に参加。モダンな感覚をもった会で、
福田は日本画家には当時珍しい洋服を着用していた。32
年、釣りを始めた頃の不漁のおり、ウキを見ているうちに波の
美しい動きに魅せられて描いた代表作《漣》を発表。戦時中
は、パトロンが所蔵していた40点余りがソ連（現・ロシア）に持ち
去られることもあった。戦後は日展を中心に活動。福田は基
本的には四季折々の花鳥風月を描く画家だが、ときにハッと
するような画面を見せた。2階の画室から、雨が降りつつある
瓦屋根を描いた《雨》（1953年）は、瓦の縦横の構図にリズム
感をもった雨跡が時間を感じさせる。微妙な簡略の美を見せ
るモダニズムの精神をもった画家だった。

出品作品について

本作について画家は、「明るく軽い新雪の気分を出すので、
やや明るい紫色をだんだんに三十ぺんほど塗った。この下
塗りが出来上がってから胡粉を置いて刷毛で叩き、これを何
べんも繰り返して、新雪の明るく、軽い実感を出そうと努力し
た」（『福田平八郎』1976年）と語っている。

新雪　1948

安井曾太郎

京都に生まれる。1904年、画家を志し京都の聖護院洋画研
究所（後の関西美術院）に入所し、浅井忠に師事、デッサン力を
磨く。07年に渡仏し、アカデミー・ジュリアンでジャン＝ポール・
ローランスらに学ぶ。14年に胸の病と第一次大戦勃発のた
めに帰国するが、滞欧中はセザンヌの作品から大きな影響を
うける。帰国後、二科会に参加する。20年代後半まで、油
彩技法と日本的なモチーフとの組み合わせに苦労するが、
30年代になると対象の大胆なデフォルメと明るい色彩に白と
黒の対照をなす、いわゆる「安井様式」が完成する。美術史
家・児島喜久雄の評価を得て、パトロンとなる細川護立を紹
介され、その縁から肖像画制作の人脈が広がっていった。
35年には二科会を離れ、翌年一水会創設に参加する。戦中
は大陸での美術展の審査員などを行なうなかで、大陸の風
景画にも取り組む。戦後、眼病を患いながら制作を続け、50
年から雑誌『文藝春秋』表紙絵を没年まで描いた。52年、文
化勲章受章。没後、安井を顕彰する「安井賞」が創設され、
具象絵画の登竜門として、97年まで続いた。

出品作品について

《深井英五氏像》は、安井の肖像画でも高い評価をもつ作
品。日銀総裁退官を記念し、深井の要望で描かれた。記念
の肖像として書斎でくつろぐというポーズも斬新だが、やわら
かな光のなかに佇む姿からは、簡略化されてもなお人物のリ
アリティーを描出する、安井様式の特徴がみられる。他に油
彩2点を出品。

深井英五氏像　1937

山 本 丘 人

東京に生まれる。本名は正義。1919年、東京美術学校日本画科に入学、松岡映丘に学び、24年同科選科を卒業。映丘の大和絵や伝統的な画風の復活とは異なる道を模索する。帝展に出品するも4年続いて落選する。この頃は人物画を多く手がける。25年から本郷絵画研究所で洋画の技法を研究、画面には市中の近代的なモチーフが取り込まれることもあった。28年、帝展に初入選。32年には、当時の日本画家としては珍しい個展を資生堂ギャラリーで開催する。34年、戦前期の日本画の動向で注目される瑠爽画社設立に参加。戦時中は熊谷の陸軍飛行学校で操縦訓練のためのパノラマを描いていた。48年、創造美術を結成し中心的な役割を担う。画風は、骨太の輪郭線が対象を捉え、金泥、金箔も入り、ダイナミックな構図が作品を際立たせるようになってくる。51年、サンパウロ・ビエンナーレに出品。77年、文化勲章受章。

出品作品について
本作について画家は「奥多摩へ行く車中から見た印象を、あらためて山麓の渓流まで下って、山を見上げる。静と動の象徴を意図した」（『山本丘人展』1994年）と語っている。

山麓 1943

横 山 大 観

茨城に生まれる。1888年、母方の縁戚にあたる横山家の養子になるまでは、旧姓で酒井秀松、秀麿と名乗っていた。93年東京美術学校絵画科の第1期生として卒業。京都で古画の模写に従事し、96年には母校の図案科助教授となる。98年、岡倉天心と共に同校を去り、日本美術院に参加。空気を表現するために、輪郭線を廃した没骨描法を示すが、朦朧体と呼ばれ酷評される。しかし、1904年からの渡米において作品は好評を博し自信をもつ。05年、同志の菱田春草と「絵画について」を発表する。06年美術院は経営難になり、大観らは茨城の五浦に制作の拠点を移し、07年には開設されたばかりの文展に参加、在野としての美術院の再興は天心死後の14年となる。画法として大観は濁りを克服する一方、40メートルを超える絵巻《生々流転》（1923年、重文）では墨調の優れた表現を示し、30年にはローマの日本美術展で豊穣な色彩による《夜桜》を発表、日本画壇の代表的存在となる。37年、第1回文化勲章を受章。戦時中は日本美術報国会会長となり、多くの献上画を描いた。大観の画業とは近代日本画の歴史であり、その知名度は図抜けていた。

1952

飛泉 1928

出品作品について

1920年頃、中国の青墨を入手した大観は水墨に積極的に取り組むようになり、古典的な主題でもある滝図を何度か描いた。《飛泉》は、1年余りの構想を経て制作、28年に帝室御物として納められた。1930年作の《瀟湘八景》ともに大観の墨画の佳作とされる。

吉 岡 堅 二 ————————————— Yoshioka Kenji | 1906-1990

水禽図屏風　1951

東京に日本画家吉岡華堂の次男として生まれる。当初は彫刻家を目指すが、父と同じ画家の道を歩むことを決め、1921年寺崎広業門下の野田九浦の伝統的な画塾に入り、日本画の技法に習熟する。他方、油絵で自画像を描くなど洋画も吸収しつつ、26年帝展に初入選。30年の同展では24歳という若さで特選を受賞。31年、独立美術協会展のフォーヴィスム的傾向に影響を受け、一転して日本画の革新へと向かい、34年、福田豊四郎、小松均と山樹社を結成。38年、新日本画研究会員と共に新美術人協会を結成。同年豊四郎とともに従軍画家として中国に派遣される。40年には単身で樺太（サハリン）に向かい、実見した野生のトナカイの群れを、躍動感をもって描いたのが代表作のひとつ《氷原》である。デフォルメされ、単純化された動物の形態は、アルタミラの先史洞窟画への興味やキュビスムからの影響が見られる。戦後の48年、豊四郎らと「世界性に立脚する日本画の創造」を目指し、創造美術を結成する。51年、サンパウロ・ビエンナーレに出品。59年から69年まで東京芸術大学で教え、同大学の遺跡学術調査団としてトルコで洞窟壁画を模写、法隆寺金堂壁画復現模写も行なう。若い頃よりアンリ・ルソーなどヨーロッパの画家たちから刺激を受けながらも、大胆で力強い構図によって日本画だけで成し得る表現を追究し続けた。

出品作品について

本作は購入の話がでたが、30万の高額のため成立しなかったという。土方定一によれば「館の入口で、紙をくれて希望の方は遠慮なく売店の人に値段を聞いてくれ」とのことで、この回の出品作には売値がついていたことがわかる。(U)

益田義信
ヴェニス・ビエンナーレ展に参加して

当時わが国ではビエンナーレ展の性格について全く知識がなかったので、画壇紹介の形式をとり、日本画と洋画の作家を多く網羅し、一人あたりの点数をへらした。これは、代表使節梅原さんと私が当地へ行ってみて、大失敗だったことを発見した。ビエンナーレ展は、いわば美術上の国際オリンピックで各国が現代のチャンピオン作家を送って覇を競うわけだ。あの時もフランスのデュフィ四〇点、英国のサザランド一室全部といった重点主義は各国共通だった。(益田義信は、国際審査会でも梅原の助手を務めた。)　►『現代の眼』1956年3月号

長谷川路可
イタリアにきた日本美術

特に大観氏の作「飛瀑」(編注・《飛泉》)を取り上げて引伸ばし写真のようだと言い滝壺に飛躍する水の動きが無いと結んでいた。更に清方氏の「藝妓」(編注・《春雪》のことか)二作に対しては歌麿の版画の方が遥かに現実的で魅惑があると書いていた。また福田平八郎氏の作にもふれて、日本画の抽象性を持出して装飾的レアリズム Realistica decoratioa だと書いていた。吉岡堅二氏の出品作には新しいセンスを感じると賞して、折柄澎湃として興つた室内装飾の新運動と結び付けて数行を費していた。この年には嘗て好評だった小林古径氏の七面鳥の二曲屏風一双が陳列されたが、日本で激賞されたほどには注目されなかつたように記憶する。(筆者は52年当時の『ガゼット・ヴェネチアーナ』紙掲載の記事をもとに執筆している。)　►『藝術新潮』1957年10月号

土方定一
ビエンナーレ展の報告

今年初めて出品した日本の作品がどのような評価をうけたかを報告しましょう。(略)ビエンナーレの開会されたのが六月で、僕はそのときパリにいましたが、日本の作品がどのように評価されるであろうかを資料的に調査したいと思って、フランスばかりでなく各国の新聞、グラフ雑誌をできる限り買い集めました。(略)フランスの新聞で一番速く特派員を出して最初に大きく報道したのが共産党系の夕刊新聞「ス・ソワル」で、つづいて、やはり共産党系の「レトル・フランセーズ」でした。その少し前の「アール」誌に、今年日本が初めてビエンナーレに

出品する、という記事がでていましたが、その「ス・ソワル」の記事のなかに、ヴェネツィアのサン・マルコ広場で、日本、ブラジル、キューバなどの美術批評家が、休憩している委員たちの間をとびまわって意見を聞いている、ということが書かれていました。そして、僕のせまい資料の範囲で、ビエンナーレに関して、日本、というのがでてきたのはこれが初めてで、これが終りでした。益田義信氏にパリで会ったとき、君のことがでていたよと冗談いいましたが、そのとき益田氏が、いや、そうじゃなかった、といわなかったところをみると、やはり僕の資料を肯定したことになるといっていいでしょう。まして、日本の出品作品の批評などは少なくとも僕は見ませんでした。

僕がいたずらに自国の現代美術を侮辱するために、こんな苦労して資料を集めたなどと思わないでください。こういう冷たい事実を見たことを客観的に報告しているのです。そこで、僕は偶然に、今年のビエンナーレのフランスの委員長をした批評家のレイモン・コニアに会いましたので、日本の作品の印象を聞いたところ、レイモン・コニアはしばらく考えていて、「性格がないので、全然、印象に残っていない」と答えました。それから、しばらくして僕を慰めるように、「少数の作家を選んで効果を出すようにしなければ駄目だ」と付け加えました。(略)〔同じことをマリーノ・マリーニに聞いたら〕少しこまったような顔をして、「遠い国のことだから、責任のある批評ができない」といいました。

結論としていえば、今年のビエンナーレの日本出品は、その最初の選択、展示の方法からしてバザー式で失敗であったといわざるをえません。したがって、そのつぎの重要な問題、われわれの作家が国際的な批評のなかにあって、どういう障害のために理解されなかったかについての比較がひとつも出てこなかったという状態で終ったといっていいでしょう。しかし、これは僕がもっともちいさめにいった結論で、ビエンナーレの会場には世界のすぐれた美術関係者、美術館長、美術批評家、美術愛好家また画商のきびしい眼があること、そんな甘い世界での評価ではないことを忘れないでいただきたいと思います。　►『ヨーロッパの現代美術』毎日新聞社 1953年

瀧口修造
世界から見た日本の画
ビエンナーレ国際展出品をめぐって

それで日本作品のよしあしは別として、こんどの場合、かの地でほとんど反響を呼ばなかったことだけは事実であり、珍客として甘やかされることさえなかった。このことだけは冷厳な現実として銘記しなければならない。というと凄んできこえるかもしれないが、ここから冷静に考えるべき問題がいくつか出てく

ると思う。

　第一われわれの立場としては、かの地のジャーナリズムが無視したとすれば、是が非でも向うの批評家なり作家なりから、真実の感想を個人的にも引出してきてほしかったことである。今泉氏がそれを代弁しているといったところではじまらない。それが極端な悪評であってもかまわない。それなら一層彼らの口から具体的にききたいところなのである。なぜならそれが国際交流の真の目的だからだ。この点は主催者側にもぜひ配慮がほしいところで、大新聞社だから悪評は差控えたいというなら画竜点睛を欠くことになる。

　つぎにこういう国際展の性格をわれわれがまだよく認識していなかったことであろう。というのは、西欧のこの種の国際展はほとんど近代芸術としての一つの方向をもっている。サロン・ド・メェなどは特に前衛を標榜しているのである。それに対してすくなくとも梅原、安井の両氏などの作品を送ることは疑問である。サロン・ド・メェよりも包括的であるビエンナーレにしても大同小異の考慮が必要だと思う。老大家の日本画を藪から棒に持込むのはやはり問題で、そういう作品はふさわしい紹介の場をつくるべきではないか。われわれとしては日本の現状とそれに対する今日の積極的なアクションとを同時に理解させようというのは虫がよすぎる。西欧の近代美術はすべて革新のムーヴマンによって生れている。セザンヌ以後のあらゆる画派や画家はこういう起伏のなかで生れ、仕事をしてきている。だから最も前衛的なものも、好悪はともかく近代美術の方向として認めようとしている。ところが日本の場合はどうであろう。印象派からフォーヴまでの運動はともかくも吸収してきたが、シュルレアリズムやアブストラクションの芸術に対しては、つい昨日までは多くの批評家までが実感的には否定的であった。近代美術の正当な流れとして解釈し認めようとはしなかった。それが戦後には好むと好まぬとにかかわらず西欧の近代美術の決定的なコースとして認めずにはいられなかった。これは客観情勢の変化によるものだろうが、ここからさまざまな焦点のずれが生じている。ビエンナーレ国際展へ日本側審査員として出席した梅原画伯がカルダーの動く彫刻を睥睨されていたであろう光景を想像して、微笑ましく、今昔の感に堪えないのである。この世界的視野の開豁さはまことに賀すべきことにちがいない。(略)／作家にしても日本の作品があまり問題にならなかった事実だけは正視してほしいと思う。もちろん紹介の仕方にも不備があったろうし、作家の矜持としても強い自信があるべきは当然である。が日本の作品が認められなかったからといって、いまさらフランスの現代作家の仕事なんぞつまらんと力みかえるのは大人気ない。絵画の未来性をいつまでもフランス画壇に託する習慣は改めなければならないが、彼らとて西欧絵画の運命に命をかけて

いるであろう。また彼らの眼からみれば、日本の現代作品がまだまだ彼らの追随だと思うかもしれない。それはかまわないのだ。ただここでわれわれに新しく問題になっているのは、日本絵画の世界性ということではないか。何が日本の新しい芸術をつくるかといえば、それは日本の現実以外にはない。これは何万べんでもくりかえさねばならぬ真実なのだが、その現実は決して世界の動きから独立したものではないということである。それに眼をつぶっていかに日本独自の芸術をつくったからといっても土俗的な地方的な芸術として扱われるだけである。世界的な魂のポエジーが異質の造形から感じられるときに彼らを打つのではなかろうか。そしてこの対話をこそわれわれは望んでいるのである。

▶『読売新聞』1952年9月16日夕刊より抜粋

国吉康雄とアレクサンダー・コールダー、エドワード・ホッパー、スチュワート・
デイヴィスが参加。

国 吉 康 雄

Kuniyoshi Yasuo | 1889-1953

力持ちの女と子ども　1925

岡山に生まれる。1906年、高校を中退、漠然とした夢をいだいてアメリカに向
かう。07年、美術の道へ進むことを教師に勧められたのをきっかけに昼は働き、
夜はロサンゼルスの美術学校で3年間デッサンと油絵を学ぶ。16年、ニュー
ヨークのアート・スチューデンツ・リーグに入り、ケネス・ミラーに師事。初めは
幻想的な表現であったが、25年と28年にパリに滞在し、パスキンから影響を
受け、さらに経済恐慌で失業と貧困にあえぐ30年代アメリカの世相も反映して、
画面に憂いを帯びた女性たちが登場するようになる。33年、アート・スチューデ
ンツ・リーグの教授に就任。41年、アメリカが第二次大戦に参戦すると敵性外
国人とみなされるが、アメリカへの忠誠と日本の軍国主義への反対を表明して
収容所行きは免れる。40年代に描いた女性たちや静物画には、絶望感や深い
悲しみ、不安、孤独がいっそう色濃く表われている。30年代からアメリカを代表
する画家として確固たる地位を占めていた国吉は、48年の雑誌投票で現代ア
メリカの最も優れた10人の画家のひとりに選ばれ、ホイットニー美術館で回顧
展開催。52年ヴェネチア・ビエンナーレにアメリカ代表として参加。アメリカの
市民権を得られることになった矢先に亡くなった。国内では福武コレクションに
多くの作品が収蔵されている。

出品作品について

油彩13点を出品した。《力持ちの女と子ども》は、1926年の個展に出品された
〈サーカスの女〉シリーズの1点。この頃特徴的なアメリカのフォークアートから
影響を受けた作風が見て取れる。国吉は、アメリカ館に1934年には1点、40
年にも1点出品している。(u)

1952

『ヴェネチア・ビエンナーレ―日本参加の40年』

国際交流基金と毎日新聞社が1995年に共同出版した大型本。日本が初めて
ヴェネチア・ビエンナーレに公式参加した1952年（第26回展）から1993年（第45回
展）までの参加の軌跡が、260点を超える写真とともにまとめられている。メインテキ
ストのタイトルに「ヴェネチア・ビエンナーレを通して見る日本の美術」とあるとおり
（針生一郎、谷新、建畠晢が年代順にリレー方式で執筆）、この大型本はビエンナーレ参加の
記録にとどまらず、日本の戦後美術史の一端を見つめる優れた歴史的資料とも
なっている。

　国際美術展のありようさえ十分な理解のないまま参加し、結果的に酷評された参
加初期の回から、同時代美術の激しいうねりの中で重ねられた論議や試行錯誤
の数々を経て、草間彌生が日本の代表作家として世界の巨匠たちと肩を並べるま
での40年を辿る。歴代の出品作家とコミッショナーは、国際的な舞台といかに向き
合ったのか。並々ならぬエネルギーを傾注して、新しい表現を探った作家、その
真価を問おうと腐心するコミッショナーの姿が浮かび上がり、決して平坦ではな
かった日本美術の国際化への歩みが示されている。

　参加記録の章では、各回のビエンナーレの全体概要を付したうえで、特記事
項、日本館カタログなどに寄稿されたテキストの要約、展示風景や出品作品の図
版、出品作品リストに加え、当事者のコメント、国内外の評論家や美術記者による
展評の抜粋が盛り込まれている。

　また、アペルトほか企画展へ参加した日本人作家の情報や日本の公式参加以
前のビエンナーレの歴史、矢口國夫と南條史生のテキスト、嘉門安雄、中原佑介、
酒井忠康の3者による座談会も収録。編集は、毎日新聞社の三輪晴美が刊行委
員の中島理壽の協力のもと力を尽くした。ヴェネチア・ビエンナーレ日本参加をまと
めたなかで随一の資料であり、本書もこの本の成果によるところが大きい。A4判
変型、全238ページ、オールカラー、日英バイリンガル。ブックデザインは矢萩喜
従郎による。(1)

主 要 参 考 資 料

文献資料については『ヴェネチア・ビエンナーレ－日本参加の40年』収載の中島理壽編「ヴェネチア・ビエンナーレに関する文献目録」が参考となる。本欄では前掲書刊行後の1995年以降の資料を中心とした。1993年から1952年までは、作家解説などで参照した近年の展覧会図録や書籍を主に取り上げた。各年の「報告・展評」に記載の新聞雑誌は本欄からは除いた。構成にあたり「全体・コラム・日本館」「開催年（作家別に分け）」の項目をたてた。各年の冒頭の欧文書誌（一部和文）は、日本館カタログのタイトルで、発行は国際美術協議会（70年まで）と国際交流基金である。構成上、作家名を冒頭に記した展覧会図録もある。また、ビエンナーレ各年の総合カタログ、『日本美術年鑑』（東京文化財研究所）の物故者記事データベースなどを参照した。

全体・コラム・日本館

- ヴェネツィアと日本 美術を巡る交流｜石井元章 著｜ブリュッケ｜1999年
- 勝手に「ヴェネチア・ビエンナーレ」日記｜小沢剛 筆｜芸術新潮｜1995年8月号
- Pavilions／Architecture at the Venice Biennale｜Federica Martini｜Academia｜2021年7月閲覧
- Guide to the Pavilions of the Venice Biennale since 1887｜Marco Mulazzani｜Electa｜1988年
- The Venice Biennale 1958–1968, from the Salon to goldfish bow｜Lawrence Alloway｜New York Graphic Society Ltd.｜1968年
- 吉阪隆正＋U研究所｜ヴェネチア・ビエンナーレ日本館｜齊藤祐子構成｜建築資料研究室｜2017年
- 石橋正二郎とブリヂストン美術館｜石橋財団ブリヂストン美術館｜2012年
- 吉阪隆正の迷宮｜吉阪隆正展実行委員会 編｜TOTO出版｜2005年
- 私の歩み｜石橋正二郎 著｜私家版｜1963年
- ヴェニス日本館建設資金 石橋正二郎氏が寄附｜日本美術家連盟ニュース56号｜1955年12月号

2022｜第60回

- Playback Dumb Type 1987–2009｜ダムタイプオフィス｜2020年
- Dumb Type 1984 2019｜東京都現代美術館他｜河出書房新社｜2019年
- メモランダム｜古橋悌二 著 ダムタイプ 編｜リトル・モア｜2000年
- Everything she touched: the life of Ruth Asawa｜Marilyn Chase｜Chronicle Books｜2020年頃
- A life made by hand: the story of Ruth Asawa｜Andrea D'Aquino｜Princeton Architectural Press｜2019年
- 池田龍雄：アヴァンギャルドの軌跡｜山梨県立美術館他｜池田龍雄展実行委員会｜2010年
- 池田龍雄画集：1947–2005＝the works of Tatsuo Ikeda｜沖積舎｜2006年
- SculptureCenter: Aki Sasamoto: delicate cycle｜笹本晃 著｜SculptureCenter｜2016年
- タカエズシコ展：両親に捧ぐ｜沖縄県立博物館・美術館｜2010年
- The poetry of clay: the art of Toshiko Takaezu｜Philadelphia Museum of Art｜2000年

2019｜第58回

- Cosmo-Eggs：宇宙の卵｜LIXIL出版｜2019年
- 下道基行：Tokyo Contemporary Art Award 2019–2021 受賞記念展｜東京都現代美術館｜2021年
- 野生めぐり｜田附勝、石倉敏明 著｜淡交社｜2015年
- 野生のエディフィス｜能作文徳 著｜LIXIL出版｜2021年
- 池田亮司：＋／－［the infinite between 0 and 1］｜東京都現代美術館｜エスクァイアマガジンジャパン｜2009年
- 池田亮司 インタビュー｜美術手帖｜2008年5月号
- GIFT｜片山真理 著｜ユナイテッドヴァガボンズ｜2019年
- 久門剛史：らせんの練習｜豊田市美術館｜torch press｜2020年
- 第58回ヴェネチア・ビエンナーレレポート｜鷲田めるろ、服部浩之 筆｜美術手帖｜2019年8月号

2017｜第57回

- Takahiro Iwasaki: Turned Upside Down, It's a Forest｜SKIRA｜2017年
- 岩崎貴宏展：山も積もればチリとなる｜黒部市美術館他｜2015年
- 岩崎貴宏 Trans×form：かたちをこえる

アーティスト・イン・レジデンス（グループ展）｜国際芸術センター青森（ACAC）｜2014年

- THE PLAY since1967：まだ見ぬ流れの彼方へ｜国立国際美術館｜2016年
- 松谷武判展：流動｜神奈川県立近代美術館｜2010年
- 松谷武判展：波動｜西宮市大谷記念美術館｜2000年
- 島袋道浩：能登｜金沢21世紀美術館｜2014年
- 扉を開ける｜島袋道浩 著｜リトルモア｜2010年
- キュレーターズノート 二〇〇七－二〇二〇｜鷲田めるろ 著｜美学出版｜2020年
- 第57回ヴェネチア・ビエンナーレ｜伊東豊子 筆｜美術手帖｜2017年7月号

2015｜第56回

- CHIHARU SHIOTA: The KEY in the HAND｜Distanz｜2015年
- 塩田千春：魂がふるえる｜森美術館 他｜美術出版社｜2019年
- 塩田千春：鍵のかかった部屋｜KAAT神奈川芸術劇場｜2016年
- 石田徹也ノート｜求龍堂｜2013年
- 石田徹也全作品集｜求龍堂｜2010年
- 第56回ヴェネチア・ビエンナーレ 塩田千春インタビュー他｜美術手帖｜2015年8月号

2013｜第55回

- Koki Tanaka: abstract speaking - sharing uncertainty and collective acts｜NERO｜2013年
- リフレクティヴ・ノート（選集）｜田中功起 著｜美術出版社｜2021年
- 必然的にばらばらなものが生まれてくる｜田中功起 著｜武蔵野美術大学出版局｜2014年
- 大竹伸朗：ビル景1978–2019｜熊本市現代美術館他｜HeHe｜2019年

- 大竹伸朗：全景 1995-2006｜東京都現代美術館｜grambooks｜2007年
- 澤田真一：土から生まれた（グループ展）｜滋賀県立近代美術館｜2020年
- 吉行耕平写真集：赤外光線｜北宋社｜1992年
- 吉行耕平写真集：ドキュメント 公園｜せぶん社｜1980年
- 荒川医 インタビュー｜美術手帖｜2021年6月号
- 荒川医：クワイエット・アテンションズ：彼女からの出発（グループ展）｜水戸芸術館現代美術センター｜2011年
- 特集 ヴェネチア・ビエンナーレ マッシミリアーノ・ジオーニ インタビュー他｜美術手帖｜2013年8月号

2011 | 第54回

- TABAIMO: teleco BOX｜2012年
- 束芋：断面の世代｜横浜美術館 他｜青幻舎｜2009年
- ヨロヨロン：束芋｜原美術館｜2006年
- 第54回ヴェネチア・ビエンナーレ 束芋 インタビュー他｜美術手帖｜2011年8月号

2009 | 第53回

- MIWA YANAGI: WINDSWEPT WOMEN THE OLD GIRLS' TROUPE｜青幻舎｜2009年
- やなぎみわ：神話機械｜高松市美術館 他｜羽鳥書店｜2019年
- やなぎみわ：マイ・グランドマザーズ｜東京都写真美術館他｜淡交社｜2009年
- やなぎみわインタビュー｜美術手帖｜2009年9月号
- フェアリーテール：老少女奇譚｜やなぎみわ 著｜青幻舎｜2007年
- 最後の場所 現代美術、真に歓喜に値するもの 南嶌宏 著｜月曜社｜2017年
- WORLD NEWS ヴェネチア・ビエンナーレ｜遠藤水城他 筆｜美術手帖｜2009年8月号

2007 | 第52回

- わたしたちの過去に、未来はあるのか：The Dark Face of the Light｜岡部昌生 著｜東京大学出版会｜2007年
- 岡部昌生：諏訪をめぐり、縄文にふれる｜茅野市美術館｜2011年
- 記憶を汲みあげる：岡部昌生×港千尋｜ローマ日本文化会館 他｜Sakiyama Works+om｜2007年
- 岡部昌生：永遠へのまなざし Art for the Spirit（グループ展）｜北海道立近代美術館

｜2001年
- 加藤泉：like a rolling snowball｜ハラミュージアムアーク、原美術館｜青幻舎｜2019年
- 加藤泉：日々に問う｜彫刻の森美術館｜2010年
- 米田知子：暗なきところで逢えれば｜東京都写真美術館｜平凡社｜2013年
- 米田知子展：終わりは始まり｜原美術館｜2008年
- 森弘治：アート・スコープ2005／2006：インターフェース・コンプレックス（グループ展）｜原美術館、ダイムラー・クライスラー・ファウンデーション・イン・ジャパン｜2006年
- 森弘治：Have We Met?：見知らぬ君へ（グループ展）｜国際交流基金｜2004年
- ヴォイドへの旅｜港千尋 著｜青土社｜2012年
- ヴェネツィア・ビエンナーレ2007｜伊東豊子、藤原えりみ 筆｜美術手帖｜2007年9月号

2005 | 第51回

- マザーズ 2000-2005：未来の刻印｜淡交社｜2005年
- 石内都：肌理と写真｜横浜美術館｜求龍堂｜2017年
- 石内都オーラル・ヒストリー｜日本美術オーラル・ヒストリー・アーカイヴ｜2016年
- 石内都展：ひろしま／ヨコスカ｜目黒区美術館｜2008年
- ジェンダー写真論1991-2017｜笠原美智子 著｜里山社｜2018年
- 特集 ヴェネツィア・ビエンナーレで見る 最新★世界の注目アーティスト122人 ローザ・マルティネス＆マリア・デ・コラール インタビュー他｜美術手帖｜2005年9月号

2003 | 第50回

- Giappone - 50. Biennale di Venezia 2003 Heterotopias｜2003年
- Heterotopias Japanese Pavillion, the 50th Vinice Biennale 2003 Documents｜2010年
- 曽根裕：Perfect Moment｜遠藤水城 著｜東京オペラシティアートギャラリー｜月曜社｜2011年
- 曽根裕展：ダブル・リバー島への旅｜豊田市美術館｜2002年
- 小谷元彦：幽体の知覚｜森美術館他｜美術出版社｜2010年
- 小谷元彦：どろどろ、どろん：異界をめぐるアジアの現代美術（グループ展）｜広島市現代美術館｜2009年
- 土屋信子：日産アートアワード：ファイナリストによる新作展（グループ展）｜ニッサンパビリオン｜日産自動車｜2020年

- 土屋信子：六本木クロッシング2019展：つないでみる（グループ展）｜森美術館｜2019年
- 横溝静：リバーシブルな未来 日本・オーストラリアの現代写真（グループ展）｜東京都写真美術館｜2021年
- 横溝静：オン・ユア・ボディ 日本の新進作家展（グループ展）｜東京都写真美術館｜2008年
- アトリエ・ワン：マイクロ・パブリック・スペース｜広島市現代美術館｜2014年
- アトリエ・ワン ペット・アーキテクチャー・ガイドブック｜東京工業大学建築学科塚本研究室、アトリエ・ワン 著｜ワールドフォトプレス｜2001年
- 小沢剛：不完全：パラレルな美術史｜千葉市美術館｜2018年
- 小沢剛：同時に答えろyesとno!｜森美術館｜2004年
- キュピキュピと石橋義正：Sicke Tel｜丸亀市猪熊弦一郎現代美術館｜2011年
- 高嶺格のクールジャパン｜水戸芸術館現代美術センター｜2013年
- 高嶺格：とおくてよくみえない｜横浜美術館他｜フィルムアート社｜2011年
- Super flat｜村上隆 著｜カイカイキキ｜2019年
- 村上隆完全読本：美術手帖全記事1992-2012｜美術出版社｜2012年
- ジャパノラマ：1970年以降の日本の現代アート｜長谷川祐子 著｜水声社｜2021年
- 特集 第50回ヴェネツィア・ビエンナーレ 完全ドキュメント フランチェスコ・ボナーミ インタビュー他｜美術手帖｜2003年9月号

2001 | 第49回

- ファースト＆スロウ 第49回ヴェニス・ビエンナーレ日本館2001｜2001年
- ファースト＆スロウ 第49回ヴェニス・ビエンナーレ日本館2001｜記録（ビデオ）｜2002年
- 藤本由紀夫展＋/-｜国立国際美術館｜2007年
- 藤本由紀夫展：philosophical toys：［哲学的玩具］｜西宮市大谷記念美術館｜2007年
- 畠山直哉展：ナチュラル・ストーリーズ｜東京都写真美術館｜産経新聞社｜2011年
- 話す写真：見えないものに向かって｜畠山直哉 著｜小学館｜2010年
- 畠山直哉写真展｜岩手県立美術館他｜淡交社｜2002年
- 美術に教育2004｜中村政人 著｜commandN｜2004年
- 中村政人展：QSC＋mV: Quality Service Clean+m Value｜広島市現代美術館｜1998年
- 折元立身 生きるアート｜川崎市市民ミュージアム｜Art-Mama Foundation｜2017年
- 折元立身の仕事｜青幻舎｜2007年

- 特集 第49回ヴェネツィア・ビエンナーレ ハラルド・ゼーマン インタビュー他｜美術手帖｜2001年9月号

1999 | 第48回

- Whither The Arts?｜1999年
- 芸術の行方 第48回ヴェニスビエンナーレ日本館｜参加記録｜2001年
- 宮島達男：クロニクル 1995-2020｜千葉市美術館｜2020年
- 芸術論｜宮島達男 著｜アートダイバー｜2017年
- 宮島達男解体新書：すべては人間の存在のために｜Akio Nagasawa Publishing｜2010年
- イギリス美術の風景｜塩田純一 著｜ブリュッケ｜2007年
- 特集 第48回ヴェネツィア・ビエンナーレ詳報 ハラルド・ゼーマン インタビュー 他｜美術手帖｜1999年9月号

1997 | 第47回

- Rei Naito One Place on the Earth｜1997年
- 内藤礼 1985-2015 祝福（作品集）｜mille graph｜2015年
- 内藤礼〈母型〉｜内藤礼、中村鐵太郎 著｜左右社｜2009年
- 森万里子：ピュアランド｜東京都現代美術館｜2002年
- Mariko Mori：海外新進日本人作家紹介展｜資生堂ギャラリー｜資生堂企業文化部｜1995年
- アートを生きる｜南條史生 著｜角川書店｜2012年
- 特集 第47回ヴェネツィア・ビエンナーレ ジェルマーノ・チェラント インタビュー他｜美術手帖｜1997年9月号

1995 | 第46回

- SUKI-THE SENSE OF MULTI-VERNACULAR｜1995年
- 崔在銀展：アショカの森｜原美術館｜2010年
- 日比野克彦：Higo by Hibino｜熊本市現代美術館｜2008年
- 日比野克彦 HIBINO LINE｜二玄社｜1998年
- 千住博の画業：1980-2016｜富山県美術館他｜NHKプロモーション｜2018年
- 水の音：千住博画集｜小学館｜2002年
- 河口洋一郎のサイバーアート展：原始の宇宙：反応するコンピュータ・グラフィックス｜鹿児島県霧島アートの森｜鹿児島文化振興財団｜2003年
- 河口洋一郎のCG世界：成長・進化する電脳

- 宇宙｜茨城県つくば美術館｜2002年
- アート ランナー 9.79｜伊東順二 著｜東京書籍｜1989年
- 特集 ヴェネツィア・ビエンナーレ ジャン・クレール インタビュー他｜美術手帖｜1995年9月号

1993 | 第45回

- YAYOI KUSAMA GIAPPONE XLV BIENNALE DI VENEZIA, 1995｜1995年
- 草間彌生：all about my love：私の愛のすべて｜松本市美術館｜美術出版社｜2018年
- 草間彌生：わが永遠の魂｜国立新美術館他｜2017年
- 草間彌生 芸術の女王｜別冊太陽｜平凡社｜2015年
- Gutai still alive 2015 vol.1｜軽井沢ニューアートミュージアム｜ギャラリーステーション｜2015年
- 具体 14号（復刻版具体）｜藝華書院｜2013年
- 具体 5号（復刻版具体）｜藝華書院｜2013年
- 具体 4号（復刻版具体）｜藝華書院｜2013年
- 具体 3号（復刻版具体）｜藝華書院｜2013年
- 「具体」ってなんだ？｜平井章一 編 著｜美術出版社｜2004年
- もうひとつの「具体」｜藤野忠利 著｜鉱脈社｜2011年
- 吉原治良展 生誕100年記念｜大阪府立近代美術館建設準備室他｜2005年
- 金山明展｜豊田市美術館｜2007年
- 嶋本昭三オーラル・ヒストリー｜日本美術オーラル・ヒストリー・アーカイヴ｜2015年
- 芸術とは、人を驚かせることである｜嶋本昭三 著｜毎日新聞社｜1994年
- 白髪一雄オーラル・ヒストリー｜日本美術オーラル・ヒストリー・アーカイヴ｜2015年
- 白髪一雄展：格闘から生まれた絵画｜安曇野市豊科近代美術館｜2009年
- Atsuko Tanaka／田中敦子｜東京都現代美術館｜2011年
- 田中敦子展：未知の美の探求 1954-2000｜芦屋市立美術博物館｜2001年
- 村上三郎：限らない世界｜芦屋市立美術博物館｜2022年
- ピーターズ2滴半：村上三郎かく語りき｜坂出達典 著｜せせらぎ出版｜2012年
- やけそ・ふまじめ・ちゃらんぽらん｜鷲見康夫 著｜文芸社｜2000年
- 山崎つる子オーラル・ヒストリー｜日本美術オーラル・ヒストリー・アーカイヴ｜2016年
- Viva video!：久保田成子｜新潟県立近代美術館他｜河出書房新社｜2021年
- 久保田成子オーラル・ヒストリー｜日本美術オーラル・ヒストリー・アーカイヴ｜2016年

- Noboru Tsubaki 2004-2009: Gold／White／Black｜京都国立近代美術館｜2009年
- 中原浩大：1982-2014｜BankART1929｜2014年
- 柳幸典：ワンダリング・ポジション［2］｜BankART1929｜2017年
- 柳幸典：あきつしま｜広島市現代美術館｜2001年
- 森村泰昌：自画像の美術史：「私」と「わたし」が出会うとき｜国立国際美術館｜2016年
- 太郎千恵藏：ダブル・リアリティ 両義的な空間とイリュージョンの7人 記録集 第1回府中ビエンナーレ（グループ展）｜府中市美術館｜2002年
- Genkyo 横尾忠則：a visual story：原郷から幻境へ、そして現況は？１｜東京都現代美術館他｜国書刊行会｜2021年
- 横尾忠則 芸術にゴールはない｜別冊太陽｜平凡社｜2013年
- 横尾忠則森羅万象｜東京都現代美術館他｜2002年
- Nagasawa in Kawajima：夢うつつの庭／photography by Anzaï｜遠山記念館｜2009年頃
- Nagasawa: tra cielo e terra: catalogo ragionato delle opere dal 1968 al 1996｜Caterina Niccolini｜De Luca｜1997年
- 長沢英俊：天使の影｜水戸芸術館現代美術センター｜1994年
- Yoko Ono: from my window｜東京都現代美術館｜2015年
- 特集 オノ・ヨーコ：希望の力｜美術手帖｜2011年9月号
- Yes Yoko Ono｜水戸芸術館現代美術センター｜2003年
- 特集 オノ・ヨーコ：未来に贈るIMAGINEの力｜美術手帖｜2003年11月号
- 建畠晢オーラル・ヒストリー｜日本美術オーラル・ヒストリー・アーカイヴ｜2016年
- 特集 45回ヴェネツィア・ビエンナーレ ボーダレス時代の美術｜美術手帖｜2003年9月号

1990 | 第44回

- Giappone La Biennale di Venezia
- 遠藤利克：聖性の考古学：展示記録集｜埼玉県立近代美術館｜2017年
- エピタフ：墓碑銘：エロスへの衝動、火と水への転生、そして物質と精神｜遠藤利克 著｜五柳書院｜1992年
- 村岡三郎展：熱の彫刻 物質と生命の根源を求めて｜東京国立近代美術館｜1997年
- 村岡三郎作品集｜建畠晢 編｜カサハラ画廊｜1991年
- コンプレッソ・プラスティコ｜Autobahn 編｜

アートラボ｜1991年

- 松井智恵：平成26年春の有隣荘特別公開｜大原美術館｜2014年
- 松井智恵：ザ・サイレント・パッション：日本の女性アーティストたち（グループ展）｜栃木県立美術館｜1991年
- フルクサスとは何か？：日常とアートを結びつけた人々｜塩見允枝子 著｜フィルムアート社｜2005年
- フルクサス展：芸術から日常へ｜うらわ美術館｜2004年
- 小杉武久：音楽のピクニック｜芦屋市立美術博物館｜2017年
- 斉藤陽子：前衛の女性 1950–1975（グループ展）｜栃木県立美術館｜2005年
- 塩見允枝子オーラル・ヒストリー｜日本美術オーラル・ヒストリー・アーカイヴ｜2020年
- 刀根康尚オーラル・ヒストリー｜日本美術オーラル・ヒストリー・アーカイヴ｜2020年
- ハイレッド・センター：「直接行動」の軌跡展｜名古屋市美術館他｜2013年

1988 ｜第43回

- Giappone La Biennale di Venezia 1988
- 植松奎二：みえないものへ、触れる方法—直観｜芦屋市立美術博物館｜2021年
- Keiji UEMATSU 1969–1991｜Nomart Editions, Inc.｜1991年
- 戸谷成雄：現れる彫刻：記録集｜武蔵野美術大学美術館・図書館｜2018年
- 戸谷成雄：彫刻と言葉：1974–2013｜ヴァンジ彫刻庭園美術館｜2014年
- 戸谷成雄：森の襞の行方｜愛知県美術館｜2003年
- 舟越桂：私の中にある泉｜渋谷区立松濤美術館｜2020年
- 舟越桂：1980–2003｜東京都現代美術館｜2003年
- 石原友明オーラル・ヒストリー｜日本美術オーラル・ヒストリー・アーカイヴ｜2015年
- 石原友明展：美術館へのパッサージュ｜栃木県立美術館｜1998年頃
- Katsuhito Nishikawa: Paysage Blanc｜Katsuhito Nishikawa｜Abe Publishing｜2008年頃
- 美術の森の番人たち｜酒井忠康 著｜求龍堂｜2020年

1986 ｜第42回

- GIAPPONE LA BIENNALE DI VENEZIA 1986
- 眞板雅文展：あめつちとの協奏｜横須賀美術館｜2013年
- 真板雅文 1999｜小沢書店｜1999年

- 眞板雅文展｜神奈川県立近代美術館｜1994年
- 若林奮：valleys｜横須賀美術館｜2008年
- 若林奮｜豊田市美術館｜2002年
- Shizuko Yoshikawa｜Lars Muller Publishers; Multilingual｜2018年
- イサム・ノグチ：発見の道｜東京都美術館、朝日新聞社 編｜2021年
- イサム・ノグチ：宿命の越境者（下）｜ドウス昌代 著｜講談社｜2000年

1984 ｜第41回

- GIAPPONE LA BIENNALE DI VENEZIA, 1984
- 伊藤公象：1974–2009｜茨城県陶芸美術館他｜2009年
- 伊藤公象：木の肉・土の刃：僕の陶造形ノート｜学芸通信社｜1994年
- Kosho Itoh｜たにあらた 著｜博進堂美術出版事業部｜1989年
- 田窪恭治展：風景芸術｜東京都現代美術館｜2011年
- 田窪恭治：オブジェから風景へ Takubo 1974–2001: De l'objet au paysage｜愛媛県美術館｜2001年
- 滅びと再生の庭：美術家・堀浩哉の全思考｜現代企画室｜2014年
- 起源：堀浩哉 堀浩哉退職記念展実行委員会｜多摩美術大学｜2014年
- ホワット・ア・うーまんめいど：ある映像作家の自伝｜出光真子 著｜岩波書店｜2003年
- 出光真子作品展：プロジェクト「私がつくる。私をつくる。」｜出光真子作品展プロジェクト実行委員会 編｜2000年
- 中谷芙二子：霧の抵抗｜水戸芸術館現代美術ギャラリー他｜フィルムアート社｜2019年
- 松本俊夫著作集成 1｜阪本裕文 編｜森話社｜2016年
- 松本俊夫の世界：白昼夢｜町立久万美術館｜2012年
- 戦後の日本における芸術とテクノロジー｜東京国立近代美術館｜2007年
- 初期ビデオアート再考｜名古屋市文化振興基金事業｜2006年
- 田中泯｜ユリイカ｜2022年2月号
- 回転する表象：現代美術／脱ポストモダンの視角｜たにあらた 著｜現代企画室｜1992年
- ヴェネツィア・ビエンナーレ｜矢口國夫 筆｜美術手帖｜1984年3月号

1982 ｜第40回

- GIAPPONE La Biennale di Venezia, 1982
- Kawamata｜BankART1929｜2012年
- 川俣正コールマインプロジェクト 1996–2006

｜目黒区美術館｜2009年

- 川俣正「通路」｜東京都現代美術館｜美術出版社｜2008年
- 北山善夫オーラル・ヒストリー｜日本美術オーラル・ヒストリー・アーカイヴ｜2016年
- 図絵画北山善夫｜豊田市美術館｜1999年
- 北山善夫展：現代作家シリーズ '93｜神奈川県立県民ホール・ギャラリー｜1993年
- 彦坂尚嘉のエクリチュール 日本現代美術家の思考｜三和書籍｜2008年
- ヴェネツィア・ビエンナーレ報告｜たにあらた 筆｜1982年10月号

1980 ｜第39回

- GIAPPONE La Biennale di Venezia, 1980
- 予兆：Kōji Enokura photo works 1969–1994｜榎倉康二、大日方欣一、熊谷伊佐子 著｜東京パブリッシングハウス｜2015年
- 榎倉康二｜東京都現代美術館｜2005年
- 小清水漸オーラル・ヒストリー｜日本美術オーラル・ヒストリー・アーカイヴ｜2016年
- 小清水漸：信濃橋画廊インタビュー集｜兵庫県立美術館｜2014年
- 小清水漸：彫刻・現代・風土 今日の造形8｜岐阜県美術館｜1992年
- かたちの発見：時空間を超えて｜岡田隆彦 著｜小沢書店｜1981年

1978 ｜第38回

- La Biennale di Venezia, 1978 Giappone｜1978年
- 菅木志雄：〈もの〉の存在と〈場〉の永遠｜岩手県立美術館｜2021年
- 菅木志雄｜東京都現代美術館｜2015年
- 現代芸術入門｜中原佑介 著｜美術出版社｜1979年
- 美術は語られる：評論家中原佑介の眼｜DIC川村記念美術館｜2016年

1976 ｜第37回

- LA CASA｜1976年
- 家｜篠山紀信 写真 多木浩二 文 鶴本正三 編｜潮出版社｜1976年
- On Kawara｜Phaidon｜2002年
- 河原温：全体と部分 1964–1995｜東京都現代美術館｜1998年
- 工藤哲巳回顧展：あなたの肖像｜国立国際美術館｜2013年
- Tetsumi Kudo: garden of metamorphosis｜Walker Art Center｜2008年頃
- 藤原和通 1970–1974［音響評定］｜藤村克裕 編｜おふね舎｜2021年
- 松澤宥・生誕100年｜長野県立美術館｜

2022年
- 松澤宥と虚空間のコミューン｜オオタファインアーツ｜2017年
- 松澤宥・スピリチュアリズムへ：1954−1997｜斎藤記念川口現代美術館｜1997年

1972 | 第36回

- The 36th VENICE BIENNALE Painting USAMI + Space construction TANAKA｜1972年
- 宇佐美圭司：よみがえる画家｜東京大学駒場博物館｜東京大学出版会｜2021年
- 宇佐美圭司・絵画宇宙展｜福井県立美術館｜2001年
- 宇佐美圭司回顧展｜セゾン美術館｜1992年
- Shintaro TANAKA｜現代企画室＋BankART｜2014年
- 田中信太郎：饒舌と沈黙のカノン展｜国立国際美術館｜2001年
- 関西現代版画史｜木村光佑｜安來正博 筆｜美学出版｜2014年
- 磯辺行久 Landscape-Yoshihara Isobe, artist-ecological plannner｜東京都現代美術館｜2007年
- 野田哲也全作品 1964−2016｜阿部出版｜2016年
- 名知富太郎：リヒト・キネティクト｜みなとみらい21彫刻展（グループ展）｜横浜みなとみらい21｜1986年
- Booklet 14 To and From Shuzo Takiguchi｜美術批評の旅：瀧口修造と東野芳明｜光田由里 筆｜慶應義塾アートセンター｜2006年
- 虚像の時代 東野芳明美術批評選｜河出書房新社｜2013年

1970 | 第35回

- THE XXXV BIENNALE INTERNATIONAL EXHIBITION OF ART VENICE｜1970年
- 荒川修作オーラル・ヒストリー｜日本美術オーラル・ヒストリー・アーカイヴ｜2015年
- 荒川修作の実験展：見る者がつくられる場｜東京国立近代美術館｜1991年
- 意味のメカニズム｜荒川修作、マドリン・ギンズ 著｜西武美術館｜1988年
- 荒川修作展：絵画についての言葉とイメージ｜西武美術館｜1979年
- 関根伸夫：もの派 ―再校（グループ展）｜国立国際美術館｜2005年
- 関根伸夫 1968−78｜ゆりあ・ぺんぺる工房｜1978年
- 内間安瑆の世界：色彩と風のシンフォニー｜沖縄県立博物館・美術館｜2015年
- 版の音律：内間安瑆｜水沢勉 筆｜版画掌誌4号｜2001年

- ヴェネツィア・ビエンナーレの解体と再生｜東野芳明 筆｜美術手帖｜1970年9月号

1968 | 第34回

- 34e EXPOSITION BIENNALE INTERNATIONALE DES BEAUX ARTS VENISE｜1968年
- 菅井汲：没後10年｜兵庫県立美術館｜2006年
- 菅井汲展｜兵庫県立近代美術館他｜2000年
- 高松次郎ミステリーズ｜東京国立近代美術館｜2014年
- 高松次郎：All Drawings｜ユミコチバアソシエイツ 編｜大和プレス｜2009年
- 三木富雄｜渋谷区立松濤美術館｜1992年
- 山口勝弘オーラル・ヒストリー｜日本美術オーラル・ヒストリー・アーカイヴ｜2015年
- 山口勝弘展：「実験工房」からテアトリーヌまで：メディア・アートの先駆者｜神奈川県立近代美術館｜2006年
- 針生一郎オーラル・ヒストリー｜日本美術オーラル・ヒストリー・アーカイヴ｜2015年
- わが愛憎の画家たち：針生一郎と戦後美術｜宮城県美術館｜2015年
- ヴェネチア騒動記｜針生一郎 筆｜美術手帖｜1968年9月号

1966 | 第33回

- JAPON XXXIIIe EXPOSITION BIENNALE INTERNATIONALE DES BEAUX ARTS VENISE｜1966年
- 靉嘔オーラル・ヒストリー｜日本美術オーラル・ヒストリー・アーカイヴ｜2020年
- 靉嘔：ふたたび虹のかなたに｜Epjp/ePublishing JP｜2012年
- 池田満寿夫 知られざる全貌展｜東京オペラシティギャラリー｜2008年
- 池田満寿夫：流転の調書｜宮澤壯佳 著｜冷風書房｜2003年
- オノサト・トシノブ：生誕100年｜大川美術館｜2012年
- オノサト・トシノブ画文集：抽象への道｜新潮社｜1988年
- 彫刻家篠田守男｜碌山美術館｜2021年
- 快楽宣言｜篠田守男 著｜南天子画廊｜1972年
- 美術の世界3 私の出会った芸術家たち｜久保貞次郎 著｜叢文社｜1984年

1964 | 第32回

- JAPON XXXIIe EXPOSITION BIENNALE INTERNATIONALE DES BEAUX ARTS VENISE｜1964年
- 越境と覇権 ロバート・ラウシェンバーグと戦

後アメリカ美術の世界的台頭｜池上裕子 著｜三元社｜2015年
- 斎藤義重｜岩手県立美術館他｜2003年
- 斎藤義重展図録｜神奈川県立近代美術館｜1999年
- 堂本尚郎オーラル・ヒストリー｜日本美術オーラル・ヒストリー・アーカイヴ｜2015年
- 堂本尚郎｜京都国立近代美術館他｜2005年
- 豊福知徳展：具象と抽象の間〈はざま〉で｜三鷹市美術ギャラリー｜1994年
- 勅使河原蒼風：戦後日本を駆け抜けた異色の前衛｜世田谷美術館｜2001年
- 美術を見る眼｜嘉門安雄 著｜日本経済新聞社｜1964年

1962 | 第31回

- xxxle expoaition biennale internationale des beauz arts venise JAPON
- 川端実：生誕100年 東京−ニューヨーク｜横須賀美術館｜2011年
- 向井良吉展｜世田谷美術館｜2000年
- 江見絹子展｜姫路市立美術館｜2010年
- 江見絹子展｜神奈川県立近代美術館｜2004年
- 杉全直自選集 私家版｜1980年
- タジリ・シンキチ｜東京画廊｜1963年
- 酒井和也とラテンアメリカの「新たな芸術」：帰国二世アーティストの移動と表現｜高木佳奈 著｜博士学位論文（東京外国語大学）｜2018年
- 現代美術の作家たち｜今泉篤男 著｜中央公論美術出版｜1972年
- 今泉篤男著作集4 外国絵画論｜今泉篤男 著｜求龍堂｜1979年

1960 | 第30回

- 今井俊満の真実｜藝術出版社｜2003年
- 今井俊満展｜富山県立近代美術館｜1991年
- 小野忠弘展：隕石・縄文・写楽の系譜｜福井県立美術館｜1985年
- 佐藤敬とその周辺展｜大分県立芸術会館｜1999年
- 佐藤敬遺作展｜大分県立芸術会館｜1979年
- 浜口陽三展：20世紀版画の巨匠｜国立国際美術館｜日本経済新聞社｜2002年
- 浜口陽三全版画作品集｜国立国際美術館他｜中央公論美術出版｜2000年
- 柳原義達：ブロンズ彫刻と原型｜三重県立美術館｜2018年
- 柳原義達作品集｜三重県立美術館協力会｜2003年
- 柳原義達展：形に宿る生命｜世田谷美術館｜2000年

- 山口薫全作品集｜東京美術倶楽部｜2011年
- 山口薫の芸術：田園のシンフォニー｜茨城県立近代美術館｜2001年
- マナブ間部｜ライーゼス美術出版｜1986年
- マナブ間部展｜熊本県立美術館｜1978年
- 日本美術大系×現代美術｜富永惣一 編｜講談社｜1960年

1958 ｜第29回

- 29eme BIENNALE DE VENISE JAPON
- 岡田謙三展：生誕100年記念・没後20年｜横浜美術館｜2003年
- 岡田謙三展｜富山県立近代美術館他｜1989年
- 川端龍子：超ド級の日本画：特別展没後50年記念｜山種美術館｜2017年
- 川端龍子：生誕120年｜茨城天心五浦美術館他｜毎日新聞社｜2005年
- 前田青邨｜京都国立近代美術館｜2001年
- 前田青邨：歴史のなかの人々｜学習研究社｜1994年
- 異才辻晋堂の陶彫：生誕一一〇年記念｜イムラアートギャラリー｜2020年
- 彫刻家辻晋堂展：生誕100年｜鳥取県立博物館他｜2010年
- 福沢一郎：このどうしようもない世界を笑いとばせ｜東京国立近代美術館｜2019年
- 福沢一郎展：生誕100年記念｜富岡市立美術博物館他｜1998年
- 木内克のすべて 生命とロマンの交響｜練馬区立美術館他｜1992年
- 瀧口修造 夢の漂流物｜世田谷美術館他｜2005年

1956 ｜第28回

- LES ARTISTES JAPONAIS ET LEURS OEUVRES LA XXVIII EXPOSITION INTERNATIONALE D'ART LA BIENNALE DE VENISE
- 植木茂 生誕100年｜島根県立美術館他｜2014年
- 植木茂展｜下関市立美術館｜1987年
- 須田国太郎展 没後50年に顧みる｜神奈川県立近代美術館｜2012年
- 須田国太郎展｜京都国立近代美術館他｜2005年
- 山口長男展｜練馬区立美術館｜1987年
- 山口長男作品集｜講談社｜1981年
- 山本豊市作品集：彫刻50年｜毎日新聞社｜1970年
- 脇田和展｜世田谷美術館｜2002年
- 脇田和作品集｜美術出版社｜1984年
- 棟方志功とその時代展：オドロイテモ、おどろききれない森羅万象｜青森県立美術館他｜2016年
- 生誕百年記念展棟方志功：わだばゴッホになる｜宮城県美術館｜2003年
- 第28回ヴェニス・ビエンナーレ国際美術展報告記｜長谷川路可 筆｜美術手帖｜1956年9月年

1954 ｜第27回

- LES ARTISTES JAPONAIS HANJIRO SAKAMOTO ET TARO OKAMOTO｜1954年
- 岡本太郎展：生誕100年｜東京国立近代美術館｜2011年
- Taro：川崎市岡本太郎美術館所蔵作品集｜川崎市岡本太郎美術館｜二玄社｜2005年
- 多面体・岡本太郎：哄笑するダイナミズム｜川崎市岡本太郎美術館｜1999年
- 坂本繁二郎展：没後50年｜久留米市美術館他｜2019年
- 坂本繁二郎展｜石橋美術館｜2006年
- 土方定一 美術批評 1946-1980｜匠秀夫、陰里鉄郎、酒井忠康 編｜形文社｜1992年

1952 ｜第26回

- 天衣無縫｜梅原龍三郎 著｜求龍堂｜1984年
- 川口軌外の歩み：生誕120年記念｜和歌山県立近代美術館｜2012年
- 鏑木清方展：没後50年｜東京国立近代美術館｜2022年
- 鏑木清方と江戸の風情｜千葉市美術館｜2014年
- 日本の名画10 鏑木清方｜小林忠 編｜中央公論社｜1975年
- 續こしかたの記｜鏑木清方 著｜中央公論美術出版社｜1967年
- 日本美術院百年史 第七巻｜日本美術院｜1998年
- 小林古径 現代日本美術全集5｜竹田道太郎 解説｜集英社｜1971年
- 徳岡神泉：凝視の眼：生誕110年記念｜笠岡市立竹喬美術館｜2006年
- 福田平八郎展：生誕120年記念｜大分県立芸術会館｜2011年
- 福田平八郎 現代日本美術全集6｜竹田道太郎 解説｜集英社｜1973年
- 安井曾太郎の肖像画｜石橋財団ブリヂストン美術館｜2009年
- 山本丘人展｜平塚市美術館｜2006年
- 横山大観：新たなる伝説へ 没後50年｜国立新美術館｜2008年
- 横山大観 第3巻昭和(I)｜河北倫明 解説｜大日本絵画｜1980年
- 吉岡堅二展：新日本画のパイオニア｜山種美術館｜1988年

- 吉岡堅二画集｜朝日新聞社｜1977年
- 国吉康雄：アメリカと日本、ふたつの世界の間で｜東京国立近代美術館｜2004年
- 国吉康雄展：生誕100年記念：ニューヨークの憂鬱｜京都国立近代美術館｜1989年

掲載図版リスト

本文図版キャプションのページ順に構成した。開催年ごとに、作品については、作家名、作品タイトル、制作年、サイズ（cm）、素材、所蔵、撮影者およびクレジットを記載した。出品時のデータと異なる場合は現在の所蔵機関のデータを採用した。美術館・諸機関の蔵作品の画像については、言及がない限りは、所蔵元から提供を受けた。＊印の画像は、国際交流基金による。オノ・ヨーコ作品データはスタジオ・ワン（ニューヨーク）が作成した。

口絵

- ヴェネチア 衛星写真による 右下がジャルディーニ｜©Benutzer Kirra 2012 本作品はCC-BY-SAライセンスによって許諾されています。ライセンスの内容を知りたい方は https://creativecommons.org/licenses/by-sa/3.0/deed.ja でご確認ください。
- 1 1985年 第1回ヴェネチア・ビエンナーレ展示館外観｜Re Umberto I e la Regina Margherita all'inaugurazione della 1. Esposizione internazionale d'arte 1895, foto Giacomelli. Courtesy Archivio Storico della Biennale di Venezia - ASAC
- 2 1972年 企画展「ヴェネチアのための4つの都市計画展」｜Scultura in granito nero e giallo di Siena, Isamu Noguchi, 36. Esposizione internazionale d'arte 1972, foto Giacomelli.Courtesy Archivio Storico della Biennale di Venezia - ASAC
- 3 1970年 企画展「実験芸術への提案」｜Modello del Monumento per la III Internazionale 1920 (ricostruzione del 1968), Vladimir Tatlin, 35. Esposizione internazionale d'arte 1970, foto ASAC. Courtesy Archivio Storico della Biennale di Venezia - ASAC
- 4 1956年 日本館展示風景｜©Courtesy Archivio Storico della Biennale di Venezia - ASAC
- 5 1968年 警官導入に抗議し、作品を裏返しして展示した作家｜©Courtesy Archivio Storico della Biennale di Venezia - ASAC
- 6 1972年 日本館ピロティでの田中信太郎の展示 ＊
- 7 1986年 日本館前で展示作業中の眞板雅文（左）｜撮影：眞板充江｜©The Estate of Masafumi Maita, Courtesy of Yumiko Chiba Associates
- 8 1988年 日本館の植松奎二《倒置一垂直の場》の展示｜©Keiji Uematsu, Courtesy Yumiko Chiba Associates

- 9 1995年 100周年記念の看板｜撮影・画像提供：池上ちかこ
- 10 2007年 ジャルディーニのメイン通り｜撮影：伊東正伸
- 11 1995年 ジャルディーニ前の運河に国旗が並ぶ｜撮影・画像提供：池上ちかこ
- 12 1993年 オープニング風景｜2015｜撮影：伊東正伸 ＊
- 13 2017年「IE」でアルセナーレを航行するTHE PLAY ＊
- 14 2015年 石田徹也の展示風景｜撮影：伊東正伸 ＊
- 15 1993年 アペルトでの柳幸典（壁面）と椿昇（床）の展示｜撮影：伊東正伸 ＊
- 16 2019年 日本館ピロティに「宇宙の卵」のバルーンが見える｜Photo: ArchiBIMIng ＊

2022 ｜ 第60回

ダムタイプ

- 2022｜2022｜サイズ可変｜レーザー&LEDライトシステム、超指向性スピーカー、ラウドスピーカー、ハーフミラーガラス｜撮影：世利之 ＊

2019 ｜ 第58回

- 展示風景《COMPOSITION FOR COSMO-EGGS "Singing Bird Generator"》のバルーンやリコーダーと《津波石》の映像｜Photo: ArchiBIMIng ＊

安野太郎

- COMPOSITION FOR COSMO-EGGS "Singing Bird Generator"｜2019｜サイズ可変｜ソプラノリコーダー（4本）、アルトリコーダー（3本）、テナーリコーダー（3本）、バスリコーダー（2本）、ワイヤー、ホース、エアベンチ（バルーン）、"zombie music network (ZMN)"（12のオリジナルマイコン基板）、12のアクリル筐体、ソレノイド、LANケーブル、スイッチングハブ

下道基行

- 津波石｜2015–｜サイズ可変｜映像4点 #04

（9分）、#05（7分14秒21）、#09（7分54秒20）、#11（2分26秒08）、海図、ドローイング（地図、津波石の詳細情報一覧）
- 展示風景：Photo: ArchiBIMIng ＊
- 左：リコーダーと壁に刻まれた創作神話《宇宙の卵》｜Photo: ArchiBIMIng ＊

石倉敏明

- 宇宙の卵｜2019｜サイズ可変｜創作神話（壁面に彫り込んだテキスト）
- 右：日本館ピロティ｜Photo: ArchiBIMIng ＊

能作文徳

- Cosmo-Eggs｜宇宙の卵 空間設計｜2019｜サイズ可変｜日本館の建築と各出品作への応答、介入と接続

池田亮司

- アルセナーレの展示風景 data-verse 1｜2019｜オーディオビジュアル・インスタレーションCG｜concept, composition: Ryoji Ikeda computer graphics, programming: Norimichi Hirakawa, Tomonaga Tokuyama, Satoshi Hama, Ryo Shiraki commissioned by Audemars Piguet Contemporary with special thanks to The Vinyl Factory filmed on 7 JUN 2019 at Venice Biennale, Venice, IT ©Ryoji Ikeda Studio, 2020. All Rights Reserved.

片山真理

- Shell｜2016｜120.0×120.0｜Cプリント｜©Mari Katayama. Courtesy Akio Nagasawa Gallery

久門剛史＋アピチャッポン・ウィーラセタクン

- シンクロニシティ｜森美術館での展示風景（2018年）｜2018｜サイズ可変｜映像インスタレーション ビデオ（14分12秒ループ）、サウンド、電球、プロジェクター、マイク、アルミ｜森美術館蔵｜撮影：来田猛｜画像提供：森美術館

都市 ヴェネチア

- 左：水没するサン・マルコ広場｜2019｜撮影・画像提供：中井康之
- 右：ヴェネチアの夕景｜1995｜撮影・画像提

供：池上ちかこ

2017 ｜ 第57回

- 日本館カタログ（表紙）＊

岩崎貴宏
- 展示風景｜2017｜撮影：木奥惠三＊
- アウト・オブ・ディスオーダー（山と海）床下から顔を出して見た風景｜2017｜サイズ可変｜シーツ、タオル、雑巾、墨汁｜画像提供：ANOMALY
- 上：アウト・オブ・ディスオーダー（海洋モデル）｜2017｜88.5×250.0×100.0｜プラスチックシート、使い捨て弁当箱、ストロー、ゴムバンド、プラスチックボトル、テーブル｜撮影：木奥惠三＊
- 中：テクトニック・モデル（フロー）｜2017｜138.0×dia.130.0｜本、テーブル｜撮影：木奥惠三＊
- 下：展示風景　アウト・オブ・ディスオーダー（山と海）｜撮影：木奥惠三＊
- アウト・オブ・ディスオーダー（逆さにすれば、森）｜2017｜10.0×24.0×142.0｜デッキブラシ、雑巾｜撮影：木奥惠三＊

ザ・プレイ
- Arsenale Zig Zag〈IE: THE PLAY HAVE A HOUSE〉｜2017.5.7｜画像提供：池水慶一
- Arsenale Zig Zag〈IE: THE PLAY HAVE A HOUSE〉｜2017｜1971年に行なわれたパフォーマンスなどの航行中に使用された屋形船、ビデオを放映｜画像提供：池水慶一

菅 木志雄
- 状況律｜1971／2017｜インスタレーション｜木、石、水｜撮影・画像提供：佐藤毅｜Courtesy of the artist and Blum & Poe, Los Angeles／New York／Tokyo

松谷武判
- 展示風景　Venice Stream｜2016−2017｜インスタレーション｜アクリル、黒鉛、墨汁、ボンド、キャンバス、水盤、水｜撮影・画像提供：佐藤毅
- 展示風景　A Circle for Venice｜2017｜インスタレーション｜墨汁・キャンバス、コード、石、鉄柱｜撮影・画像提供：佐藤毅

島袋道浩
- 展示風景　テキサスのニホンザル｜2016｜インスタレーション｜テキスト、鉢植えのサボテン、HDビデオ（カラー、ステレオ・サウンド、20分）｜Courtesy the artist; Freedman Fitzpatrick, Los Angeles; Air de Paris, Paris

田中功起
- 展示風景　Of Walking in Unknown｜2017｜ビデオ（20分28秒）、35のオブジェクト、靴、バックパック、ビルボード写真、テキスト｜撮影・画像提供：田中功起｜制作：Vitamin Creative Space（Guangzhou, China）, Aoyama

---

Meguro（Tokyo, Japan）

ヴェネチア・ビエンナーレの歴史（1895−1945）
- 左：1895年（第1回）の展示館外観｜©Courtesy Archivio Storico della Biennale di Venezia - ASAC
- 右：1895年（第1回）の展示風景｜©Courtesy Archivio Storico della Biennale di Venezia - ASAC

2015 ｜ 第56回

塩田千春
- 展示風景｜Photo: Sunhi Mang｜Courtesy the artist ©VG BILD-KUNST, Bonn & JASPAR, Tokyo, 2022 G2814 and Chiharu Shiota＊
- 展示風景　掌の鍵｜2015｜インスタレーション　古い鍵、木船、赤い毛糸｜Photo: Sunhi Mang. Courtesy of the artist ©VG BILD-KUNST, Bonn & JASPAR, Tokyo, 2022 G2814 and Chiharu Shiota＊
- 掌の鍵　細部｜Photo: Sunhi Mang｜Courtesy the artist ©VG BILD-KUNST, Bonn & JASPAR, Tokyo, 2022 G2814 and Chiharu Shiota＊
- どうやってこの世にやってきたの？ ビデオスティル4点｜2012／2015｜ビデオ・インスタレーション｜Photo: Sunhi Mang. Courtesy of the artist ©VG BILD-KUNST, Bonn & JASPAR, Tokyo, 2022 G2814 and Chiharu Shiota

石田徹也
- 兵士｜1996｜206.0（103.0×2）×145.6｜アクリル絵具・板｜静岡県立美術館蔵
- めばえ｜1998頃｜145.6×206.0（103.0×2）｜アクリル絵具・板｜静岡県立美術館蔵
- 上記2点共　画像提供：石田道明

2013 ｜ 第55回

田中功起
- 展示風景｜撮影・画像提供：田中功起
- 上：展示風景｜撮影・画像提供：田中功起
- 下：日本館外観　imaginary distance（or the distance from FUKUSHIMA）｜2013｜ネオン管｜撮影・画像提供：田中功起
- 右：ピロティの展示風景　ペインティング・トゥ・ザ・パブリック（オープン・エアー）｜2012｜写真、テキスト｜撮影：木奥惠三｜Photo: Takashi Fujikawa, created with Aoyama Meguro,Tokyo＊
- 上：振る舞いとしてのステートメント（あるいは無意識のプロテスト）｜2013｜HDビデオ（8分）、本｜撮影：木奥惠三＊
- 下：映像作品《ひとつの陶器を五人の陶芸家が作る（沈黙による試み）》に登場する陶器｜撮影：木奥惠三＊

- 展示風景　左に《ひとつの陶器を五人の陶芸家が作る（沈黙による試み）》が見える｜2013｜HDビデオ（75分）、陶器4点｜東京国立近代美術館蔵｜撮影・画像提供：田中功起｜created with Vitamin Creative Space, Guangzhou and Pavilion, Beijing

大竹伸朗
- 展示風景2点　スクラップ・ブック#1-66｜1977−2012｜ミクストメディア｜撮影：木奥惠三｜©大竹伸朗. Courtesy of Take Ninagawa, Tokyo

澤田真一
- 無題｜制作年不詳｜35.5×28.0×18.3｜陶土

吉行耕平
- Untitled｜1971｜41.0×51.0｜ゼラチン・シルバー・プリント

荒川 医
- バクネリ・アーカイブ　パフォーマンスの様子　荒川医、ゲラ・パタシュリ、サージ・チェレブニン｜2013｜パフォーマンス｜Photo: Levan Maisuradze｜画像提供：荒川医

森 万里子
- オペラ『マダム・バタフライ』の舞台｜2013｜舞台美術、衣装｜画像提供：森万里子｜Michele Crosera／Fondazione Teatro La Fenice di Venezia. ©Mariko Mori, Member ARS, New York／JASPAR, Tokyo, 2022 G2814

2011 ｜ 第54回

束芋
- 展示風景｜2011｜Photo: Ufer! Art Documentary｜©Tabaimo. Courtesy Gallery Koyanagi and James Cohan Gallery＊
- 上・右下：てれこスープ｜映像インスタレーション（5分27秒ループ）｜Photo: Ufer! Art Documentary｜©Tabaimo. Courtesy Gallery Koyanagi and James Cohan Gallery＊
- ピロティの展示風景　てれこスープ｜Photo: Ufer! Art Documentary｜©Tabaimo. Courtesy Gallery Koyanagi and James Cohan Gallery＊

ジャルディーニの各国パヴィリオン
- ジャルディーニ各パヴィリオン配置図＊

2009 ｜ 第53回

- 日本館カタログ（表紙）＊

やなぎみわ
- 展示風景｜画像提供：MIWA YANAGI OFFICE
- 左：Windswept Women III｜2009｜340.0×240.0（フレーム付き400.0×300.0）｜デジタルプリント（アクリル密着加工）｜画像提供：MIWA YANAGI OFFICE
- 右：Windswept Women V｜2009｜340.0×240.0

（フレーム付き400.0×300.0）｜デジタルプリント（アクリル密着加工）｜画像提供：MIWA YANAGI OFFICE
- 展示風景 右手に黒テント｜画像提供：MIWA YANAGI OFFICE
- The Old Girls' Troupe ビデオスティル2点｜2009｜ビデオ・インスタレーション（HDV、10分45秒）｜画像提供：MIWA YANAGI OFFICE
- 日本館を覆い隠す黒テント｜画像提供：MIWA YANAGI OFFICE

具体
- 《砂の中の光》を制作中の吉原道雄（ステデリック美術館、1965年）写真展示｜ヴェネチア・ビエンナーレ総合カタログより

2007 ｜ 第52回

岡部昌生
- ワークショップ ヴェネチア市内 左から3人目が岡部｜撮影・画像提供：港千尋
- 展示風景 壁を埋め尽くすフロッタージュと床に配置された被爆石｜撮影・画像提供：港千尋
- 上：フロッタージュ作品｜2003｜37.5×55.0｜フロッタージュ｜撮影・画像提供：港千尋
- 下：植物標本｜2004｜37.5×55.0｜植物標本｜撮影・画像提供：港千尋
- ワークショップ 展示の被爆石を擦りとる｜撮影・画像提供：港千尋
- ヴェネチアの広場の古井戸の表面を擦りとる岡部｜撮影・画像提供：港千尋

加藤 泉
- 上下：展示風景｜Untitled｜2005-2007｜Photo: Giovanni Pancino. Courtesy La Biennale di Venezia ©2005 Izumi Kato

藤本由紀夫
- 展示風景
  左：EARS WITH CHAIR｜1993｜スタンド、パイプ、椅子｜西宮市大谷記念美術館蔵
  右：DELETE（THE BEATLES）｜2007｜各30.0×30.0｜14枚のレコードディスク
  手前：RECORD｜2001｜30.0×30.0×10.0｜レコードディスク、ブラシ、プラスチック板、合成皮革、モーター｜名古屋市美術館蔵
  上記 撮影：藤本由紀夫｜Courtesy ShugoArts, Tokyo

束芋
- dolefullhouse｜2007｜映像インスタレーション（6分21秒）｜©Tabaimo. Courtesy Gallery Koyanagi

米田知子
- 地雷原—地雷が埋まっている休憩所／非武装地帯・坡州・韓国｜2004｜106.0×125.0｜タイプCプリント｜愛知県美術館蔵｜©Tomoko Yoneda. Courtesy ShugoArts, Tokyo

森 弘治
- 展示風景 A CAMOUFLAGED QUESTION IN THE AIR｜2003/2007｜バルーン、シングルチャンネル・ビデオ、ステレオ・サウンド（9分）｜Photo: hiroharu mori
- ビデオスティル A CAMOUFLAGED QUESTION IN THE AIR｜Photo: hiroharu mori
上記2点共 画像提供：森弘治

2005 ｜ 第51回

石内 都
- 展示風景｜画像提供：石内都
- mother's #49｜2002｜150.0×100.0｜ゼラチン・シルバー・プリント*
- mother's #15｜2001｜150.0×100.0｜ゼラチン・シルバー・プリント*
- 展示風景｜画像提供：石内都
- 左：mother's #54｜2002｜150.0×100.0｜タイプCプリント*
- 中：mother's 25 Mar 1916 #53｜2000｜107.5×74.0｜ゼラチン・シルバー・プリント*
- 右：mother's #52｜2003｜85.0×128.0｜タイプCプリント*

森 万里子
- Wave UFO｜1999-2003｜h493.0×w1134.5×d528.0｜ブレインウェーブ インターフェース、ヴィジョンドーム、プロジェクター、コンピューターシステム、ファイバーグラス｜ed.2+1AP｜Pinchuk Foundation蔵｜撮影・画像提供：村田真｜©Mariko Mori, Member ARS, New York／JASPAR, Tokyo, 2022 G2814

拡張するビエンナーレ
- ヴェネチア市内のビエンナーレ関連の展覧会配置図｜©Courtesy Archivio Storico della Biennale di Venezia - ASAC

2003 ｜ 第50回

- 日本館ドキュメント（表紙）*

曽根 裕
- 展示風景 ダブル・リバー・アイランド（ワークインプログレス）｜2002-2003｜h108.0×w430.0×d390.0｜木、スポンジ、樹皮、絵具、二枚貝の貝殻、砂｜撮影：木奥恵三｜画像提供：Yutaka Sone Studio
- 日本館に再現された曽根のスタジオ｜撮影：木奥恵三｜画像提供・Yutaka Sone Studio

小谷元彦
- 手前：ソランジェ｜2003｜サイズ可変｜エポキシ樹脂、ピアノ線、アルミニウム
- 奥：スケルトン｜2003｜φ45.0×h400.0｜FRP｜撮影：木奥恵三*

- 上：ベレニス｜2003｜φ270.0｜FRP他｜撮影：木奥恵三*
- 下：ロンパース｜2003｜DVD（2分52秒ループ）、モニター｜撮影：木奥恵三*

土屋信子
- Nike of Samothrace｜2003｜180.0×80.0×75.0｜ミクストメディア｜画像提供：土屋信子

横溝 静
- Forever(and again)｜IZU PHOTO MUSEUM（静岡）での展示風景（2018年）｜2003｜2チャンネル・ビデオ・インスタレーション（17分ループ）｜IZU PHOTO MUSEUM蔵｜撮影：木奥恵三｜Courtesy WAKO WORKS OF ART, Tokyo

アトリエ・ワン
- ペット・アーキテクチャー・ガイドブック・ミュージアム 展示風景｜2003｜サイズ可変｜ファブリック（デジタル布プリント）｜画像提供：アトリエ・ワン

小沢 剛
- イワンのバカハウス 展示風景｜2003｜ミクストメディア｜画像提供：MISA SHIN GALLERY

キュピキュピ
- The Wide Show｜2003｜シングルチャンネル・ビデオ（12分26秒）｜画像提供：石橋義正

高嶺 格
- God Bless America｜2002｜HDビデオ（8分47秒）｜画像提供：高嶺格

島袋道浩
- 空が海だったころ（ヴェネチア）ヴェネチアで行なわれた凧揚げパフォーマンスの様子｜2003｜パフォーマンス＋ビデオ・プロジェクション｜画像提供：島袋道浩

曽根 裕
- ハッピートレイル ヘンリー・クランシー、エリック・アラウェイ、デーモン・マッカーシーとのコラボレーション｜2003｜ポスター｜Courtesy Archivio Storico della Biennale di Venezia - ASAC

村上 隆
- スーパーフラット ゼリーフィッシュ アイズ 1｜2003｜200.0×397.0×1.5｜酸性染料・シルク、アルミニウム、木｜©2003 Takashi Murakami／Kaikai Kiki Co., Ltd. All Rights Reserved.
- スーパーフラット ゼリーフィッシュ アイズ 2｜2003｜200.0×397.0×1.5｜酸性染料・シルク、アルミニウム、木｜©2003 Takashi Murakami／Kaikai Kiki Co., Ltd. All Rights Reserved.

2001 ｜ 第49回

- 展示風景｜撮影：畠山直哉*
- 日本館入口｜撮影・画像提供：畠山直哉

藤本由紀夫

- 展示風景 Room（Venice）｜2001｜4点：各 37.0×94.0×15.0｜電子キーボード（既製品）｜撮影：畠山直哉＊
- Sugar I｜1995｜15.0×44.0×15.0｜角砂糖、ガラス、コルク、モーター、鉄｜西宮市大谷記念美術館蔵｜撮影・画像提供：畠山直哉

畠山直哉

- 上：展示風景 Untitled 1989-2001｜2001｜70枚組：各22.5×46.0｜タイプCプリント｜撮影・画像提供：畠山直哉
- 中：Untitled／OsakaUntitled／Osaka 1998-1999｜プリント2001｜2点組：各89.0×180.0｜タイプCプリント＊
- 下：ピロティの展示風景 Underground｜2000｜各70.0×70.0｜タイプCプリント｜撮影・画像提供：畠山直哉

中村政人

- QSC＋mV／V.V｜2001｜m形が5角形状に配置：各440.0×542.0×40.0｜アクリル、蛍光灯、鉄、ステンレス
  クリスタルガラス製のm形が部屋の周囲を囲むように配置：各12.0×12.0×2.5｜クリスタルガラス、蛍光灯｜撮影・画像提供：Masato Nakamura｜©Masato Nakamura｜®McDonald's Corporation

折元立身

- スモール・ママ＋ビッグ・シューズ｜1997｜74.3×60.0｜ラムダプリント
- アルセナーレの展示風景
- 中央館前での〈パン人間〉のパフォーマンス｜2001
  上記3点共 画像提供：アートママ ファンデーション

1999 ｜第48回

宮島達男

- 展示風景｜撮影：安齊重男｜©Estate of Shigeo Anzaï＊
- 上下：展示風景 メガ・デス｜1999｜インスタレーション｜発光ダイオード、IC、電線｜撮影：安齊重男｜©Estate of Shigeo Anzaï＊
- ピロティの展示風景 時の蘇生・柿の木プロジェクト 手前に柿の苗木（鉢植え）が見える｜1995-｜活動記録、柿の苗木など｜撮影・画像提供：池上ちかこ
- 観客が柿の苗木に宛ててメッセージを書くコーナー｜撮影：安齊重男｜©Estate of Shigeo Anzaï＊

中央館

- 1968年の中央館ファサード カルロ・スカルパによるインスタレーション｜©Courtesy Archivio Storico della Biennale di Venezia - ASAC

1997 ｜第47回

内藤 礼

- 展示風景｜Photo ©Attilio Maranzano｜©内藤礼＊
- 地上にひとつの場所を（内部）｜1997｜1500.0×550.0×h260.0｜藤、竹ひご、針金、木、種、葉、実、花びら、貝、石、砂、蝋、毛布、フェルト、木綿、オーガンジー、綿、糸、毛皮、皮、ガラス、レンズ、鏡、ゴム、ネル、光｜Photo ©Attilio Maranzano｜©内藤礼＊
- 展示風景 地上にひとつの場所を｜Photo ©Attilio Maranzano｜©内藤礼＊
- 参考図版 地上にひとつの場所を（細部）｜佐賀町エキジビット・スペース（1991年）｜撮影：畠山直哉｜©内藤礼｜Courtesy of Taka Ishii Gallery

森 万里子

- ニルヴァーナ｜1997｜サイズ可変｜3Dビデオ・インスタレーション｜公益財団法人 福武財団蔵｜画像提供：森万里子｜©Mariko Mori, Member ARS, New York／JASPAR, Tokyo, 2022 G2814
- Empty Dream｜1995｜273.0×732.0｜Cプリント、木製パネル、アルミ｜公益財団法人 福武財団蔵｜撮影：宮脇慎太郎｜画像提供：公益財団法人 福武財団｜©Mariko Mori, Member ARS, New York／JASPAR, Tokyo, 2022 G2814

トランスカルチャー展と未完風景展

- 蔡國強 マルコポーロの忘れ物｜1995｜撮影：山本糾＊

1995 ｜第46回

- 日本館カタログ（表紙）＊
- 日本館入口 崔在銀のインスタレーションによって覆われた日本館｜撮影・画像提供：池上ちかこ

崔 在銀

- Micro-Macro 上：日本館外観｜1995｜1800.0×900.0×4面｜リサイクルプラスチック、足場｜撮影・画像提供：池上ちかこ｜Cooperation：Radici Group
- 下：ピロティの展示風景｜1995｜250㎡（展示スペース）｜微生物のビデオ、フィルム、モニター、ネオンライト｜Photo：Shigeo Muto｜画像提供：MISA SHIN GALLERY｜Cooperation：Bayer AG, Samsung Electronics Co., LTD., Italy, Japan Advanced Institute of Science and Technology

日比野克彦

- 展示風景
  手前から NITO｜1995｜393.0×445.0｜ダンボール、アクリル絵具、色鉛筆｜熊本市現代美術館蔵
  SHITE｜1995｜393.0×445.0｜ダンボール、アクリル絵具、色鉛筆｜熊本市現代美術館蔵
  AURO｜1995｜393.0×445.0｜ダンボール、色鉛筆、凧糸｜熊本市現代美術館蔵
  上記 画像提供：日比野克彦

千住 博

- 展示風景 ザ・フォール｜1995｜340.0×1356.0×4.0｜紙に顔料｜軽井沢千住博美術館蔵｜Photo: Nacasa & Partners Inc.

河口洋一郎

- Growth：Eggy｜1990｜3DハイヴィジョンCG｜画像提供：河口洋一郎
- Artificial Life Metropolis：Cell｜1993｜3DハイヴィジョンCG｜画像提供：河口洋一郎

1993 ｜第45回

- 日本館カタログ（表紙）＊
- 日本館の草間｜©YAYOI KUSAMA

草間彌生

- 展示風景 ミラールーム（かぼちゃ）｜1991｜200.0×200.0×200.0｜ミクストメディア｜ハラミュージアム アーク蔵｜撮影：伊東正伸＊
- 展示風景
  左奥：雄薬の愁い｜1995｜120個：36.5×24.5×13.5｜ミクストメディア
  中央：ピンクボード｜1992｜90.0×350.0×180.0｜ミクストメディア｜名古屋市美術館蔵
  右：ジェネシス｜1992-1993｜60箱：各60.0×40.0×30.0｜ミクストメディア
  上記 撮影：伊東正伸＊
- 左：アキュムレーション No.1｜1962｜94.0×99.1×109.2｜ミクストメディア｜ニューヨーク近代美術館蔵
- 右上：インフィニティ・ネッツ・イエロー｜1960｜240.0×294.6｜油彩・キャンバス｜ワシントン・ナショナル・ギャラリー蔵｜Courtesy National Gallery of Art, Washington
- 右下：展示風景
  中央：幻の青春をあとにして｜1988｜80.0×340.0×160.0｜ミクストメディア
  奥：最後の晩餐｜1981｜115.0×340.0×260.0｜ミクストメディア
  上記全て ©YAYOI KUSAMA

具体

- イスラエル館の前で｜撮影：伊東正伸＊

吉原治良

- イスラエル館での特別展示｜撮影・画像提供：村田真
- 1955年の実験展作品《室》の再制作｜1993（1955）｜h200.0｜塗装木材、ランプ

金山 明

- 1956年の野外美術展作品《足跡》の再制作

│1993（1956）│h0.5×45.0×400.0│ビニールに黒のエナメル│©Kanayama Akira and Tanaka Atsuko Association

嶋本昭三

- 1956年の野外美術展作品《砲による絵画》の再制作│1993（1956）│h1000.0×1000.0│ビニールにエナメル

白髪一雄

- 上：1955年の実験展作品《どうぞお入りください》の再制作│1993（1955）│各400.0×6│赤く塗られた9本の木
- 下：1956年の野外美術展作品《◯》の再制作│1993（1956）│h30.0×240.0×120.0│泥、リネン、セロハン

鷲見康夫

- 1956年の野外美術展作品《表面》の再制作│1993（1956）│h100.0×3000.0│金網、紙、エナメル

田中敦子

- 1956年の野外美術展作品《舞台服》の再制作│1993（1956）│7着 各436.0×364.0│ビニール、木、ネオン│©Kanayama Akira and Tanaka Atsuko Association

村上三郎

- 1956年の野外美術展作品《あらゆる風景》の再制作│1993（1956）│98.0×98.0│額│©MURAKAMI Tomohiko

元永定正

- 1956年の野外美術展作品《水》の再制作│1993（1956）│h50.0×48.5×360.0│透明なビニール容器、様々な色の着色された水

山崎つる子

- 1955年の実験展作品《蚊帳状立体作品》の再制作│1993（1955）│ミクストメディア│©Estate of Tsuruko Yamazaki Courtesy of LADS Gallery, Osaka and Take Ninagawa, Tokyo

吉田稔郎

- 1956年の野外美術展作品《杭》の再制作│1993（1956）│白く塗られた木の棒

吉原通雄

- 1955年の実験展作品の再制作

上記12点共 撮影：伊東正伸＊

久保田成子

- 展示風景 エデンの園│1993│ビデオ・インスタレーション│©Shigeko Kubota/VAGA at ARS, NY/JASPAR, Tokyo 2022, C3783

椿 昇

- ゴールデン・ハーモニー│1993│100ピース：各h23.0×72.0×32.0│ミクストメディア│撮影・画像提供：村田真

中原浩大

- 僕と妻、あるいは将来の子供と一緒にフローティングするためのモジュール│1993│4パーツ 各：270.0×510.0×375.0；120×80（6ピース）；120.0×50.0×30.0；100.0×100.0×

100.0│鉄、ゴム、写真│撮影：伊東正伸＊

柳 幸典

- ワールドフラッグ・アント・ファーム│1990│350.0×1.200.0│アリ、色付きの砂、箱、プラスチックパイプ│撮影・画像提供：村田真
- トランスアクションズ 展示風景│撮影・画像提供：池上ちかこ

太郎千惠藏

- 2点共：O-7003P│1992│225.0×186.0×100.0│FRP、エポキシ塗料、ロボットメカニズム│撮影：安齊重男│©Taro Chiezo all rights reserved.©Estate of Shigeo Anzaï

森村泰昌

- だぶらかし ダンサー1│1988│240.0×120.0│カラー写真│作家蔵│画像提供：モリムラ＠ミュージアム

横尾忠則

- いつか、それは実現するだろう、しかし誰が知っているのだろう│1988│162.0×130.0│油彩・キャンバス、布│©横尾忠則 画像提供：株式会社ヨコオズ・サーカス 協力：横尾忠則現代美術館

カシノ・コンテナ

- 左：カシノ・コンテナの外観│1993
- 右：カシノ・コンテナ・プロジェクトのコミュニケーション図│1993

上記2点共 ヴェネチア・ビエンナーレ総合カタログより

オノ・ヨーコ

1990│企画展「フルクサス・フェスティバル―流れ（フルクサス）のあるところに運動あり」│ジュデッカ島

- THIS IS NOT HERE（これは、ここではない）│1990│手書きのサイン
- Wish Piece（ウィッシュ・ピース）│1973/1990│表と裏に円形の鏡がついた91本の木製の十字架 十字架には様々な言語で「願い」が書かれている
- Look At Me I'm Only Small（ぼくを見て）│1971-1990│彫り込みがあるプレキシガラス板、ブロンズ製望遠鏡
- Sky Piece for Jesus Christ（イエス・キリストのためのスカイ・ピース）│1965/1990│ラリー・ミラーが企画したパフォーマンス

1993│企画展「東方への道」│ジャルディーニ

- Two Rooms（二つの部屋）│1993

ルーム1

- 床：中東とアジアの地図、壁：上から下まで青い空、教会のベンチ2脚、キリスト像（トルソ）、聖書（血が付いたブロンズの聖書をブロンズテーブルの上に設置）、人々が取っていける青い紙片が付いた聖水ボウル（ボウルは空のジグソーパズルピースが付いた洗礼盤）
- Wish Chairs（ウィッシュ・チェア）│1993│アンティークの椅子6脚、壁に手書きのパネル

ルーム2

- Spiritual Fanaticism breeds Physical Terrorism—PRAY for humanity!（空間中の狂信的行為が物質的なテロリズムを繁殖させる―人類のために祈ろう!）│1993│壁に手書きの文字、人型の人形の上に黒い布、白いスニーカー

2003│企画展「ユートピア・ステーション」│アルセナーレ

- DECLARATION OF NUTOPIA（ヌートピアの建国宣言）│1973/2003│ふたつの垂れ幕
- IMAGINE PEACE（イマジン・ピース）│2003│2部屋と庭でのインスタレーション

ルーム1（非公開）

- Gates of Nutopia/NUTOPIAN EMBASSY（ヌートピアの門：ヌートピア大使館）│2003│ドアにメタルプレート
- 地図または空想上の地図│1960/1961/2003│壁に世界地図、地図にスタンプを押すためのゴム製スタンプ、手書きの指示など

ルーム2

- CINE PEACE（シーン・ピース）│持ち帰り用の紙片、ボタン、ポスター、ゴム製スタンプ
- Peace Event for John Lennon（ジョン・レノンに捧げるピースイベント）│2003│チラシなど

庭園

- Mend Piece（メンド・ピース）│1966/2003│4つのカフェテーブル（それぞれ椅子が4脚）、壊れた白い陶器、修復するための材料が入ったバスケット（接着剤、テープ、はさみ、ひも、糸）、手書きのメモ「世界のために壊れたものを直しなさい オノ・ヨーコ」（2003年）
- Wish Tree（ウィッシュ・ツリー）│1996/2003│2本のオリーブの木、二つの植木鉢、テーブルの上に鉛筆と紙のタグ（ひも付き）、手書きのメモ「ウィッシュ・ツリー オノ・ヨーコ」
- Globe Your Own（自分の世界）│アルセナーレ庭園に設置された地球儀、虹色の水性フェルトペン

2009│回顧展「アントンの思い出」│パラツェット・ティト（アルセナーレ）

- 6部屋からなる一軒家でのインスタレーション

入口・廊下

- Outro（アウトロ）│2000│サウンド作品
- Helmets Pieces of Sky（空のヘルメット・ピース）│2001-2009│第二次大戦時のイタリア製ヘルメット12個、空のジグソーパズル、手書きのメモ
- We Are Watching You（私たちはあなたを見ている）│2009│写真、手書きのメモ「私たちはあなたを見ている!」
- PROMISE PIECE（プロミス・ピース）│1966/2009│陶製の花瓶と破片

階段の吹抜け

- COUGH PIECE（コフ（咳）・ピース）│1961、録音は64年頃│サウンド作品

ルーム1

- WATER TALK（ウォーター・トーク）｜1967｜手書きのメモ
- THE YEAR 2002: Painting to be Slept On（2002年 眠るための絵画）｜1964-2008｜金属製のベッド、聖書、リネン、手書きのメモ
- OPEN WINDOW（オープン・ウィンドウ）｜2009｜手書きのメモ
- Memory Paintings（メモリー・ペインティング）ビーレフェルト版｜1997/2008｜写真、スクリーン
- SKY TV（スカイTV）｜1966-2009｜モニター、カメラ、空の中継、手書きのメモ
- SKY TV（live）（スカイTV（中継））｜1966-2009
- The Blue Room Event（青い部屋のイベント）｜1966/2009｜手書きのメモ「空が青くなるまで留まりなさい」

ルーム2

- Outro（アウトロ）｜2000｜サウンド作品
- Franklin Summer（フランクリンの夏）｜1994-現在｜113点のドローイング
- The Suitcase Piece I（スーツケース・ピース I）｜2009｜アンティークのルイヴィトンスーツケース4点
- The Suitcase Piece II（スーツケース・ピース II）｜2009｜ワイヤーメッシュスーツケース2点
- The Suitcase Piece III（スーツケース・ピース III）｜2009｜椅子、アンティークデスク、ワイヤーメッシュのゴミ箱、ペン、文房具、手書きのメモ「行きたいところを書きなさい…」
- OPEN WINDOW（オープン・ウィンドウ）｜2009｜手書きのメモ「窓の外のボート…」

ルーム3

- Touch me III（タッチ・ミー III）大理石バージョン｜大理石、塗装された木材、水、黒いシルク生地、黒いシルクの枕、手書きのメモ「私に触れて…」（2009年）、テーブル、セラミックボウル付き台座、身体のパーツボックス（口1箱、胸2箱、腹1箱、陰部1箱、膝2箱、足2箱 鑑賞されていない時はインスタレーションを布でカバーをするよう指示があった）
- Curtains（カーテン）｜2009｜緩やかに垂れた白い半透明素材、ワイヤー
- The Blue Room Event（青い部屋のイベント）｜1966/2009｜壁に手書きの文字「この部屋は毎日少しずつ蒸発していく」「この部屋は、私たちが眠っている間に暗闇の中で光っています」「たくさんの部屋、たくさんの夢、たくさんの国が同じ空間にある」

ルーム4

- ANTON'S MEMORY / Cosmetics（アントンの思い出 / コスメティックス）｜2009｜コンパクト、手鏡、パウダー、ブラシ、口紅、
- My Mommy Is Beautiful（わたしの母は美しい）｜2009｜引き伸ばされ下塗りされたリネンのキャンバス6枚、紙、ペン、テープ、接着剤、アンティークのテーブル、椅子、手書きのメモ「私の母は美しい…」
- The Blue Room Event（青い部屋のイベント）｜1966/2009｜壁に手書きのメモ「この部屋は雲と同じスピードで動いている」
- Outro（アウトロ）｜2000｜サウンド作品

ルーム5

- FREEDOM（フリーダム）｜1970、インスタレーション版は2009｜3台のモニターによるビデオインスタレーション

ルーム5と6の間

- The Blue Room Event（青い部屋のイベント）｜1966/2009｜壁に手書きのメモ「これは床です」

ルーム6

- SPACE TRANSFORMER（スペース・トランスフォーマー）｜2009/2009｜古いテーブルにクリーム色の厚紙に黒のエンボス加工の文字
- Cut Piece（カット・ピース）｜1964/1965｜1965年、ニューヨーク市カーネギーホールでのパフォーマンスをメイスルズ兄弟が撮った映像 手書きのメモ「1965—N.Y.」
- Cut Piece（カット・ピース）｜1964/2003｜2003年、パリのル・ラネラグ劇場でのパフォーマンスの映像 手書きのメモ「2003—Paris」
- Play It By Trust（信頼して駒を進めよ）バレンシア版｜1966/1997｜2セット
- OPEN WINDOW（オープン・ウィンドウ）｜2009｜手書きのメモ「窓を開けて…」（2009年）
- The Blue Room Event（青い部屋のイベント）｜1966/2009｜壁に手書きのメモ「青い部屋のイヴェント」、「この部屋は明るい青色です」、「この空間に存在しているいろんな部屋を見つけること」、「この部屋は向こう側で海のように広くなる」、「この部屋は反対側の端に行くほど狭くなります」、「この窓は長さ2000フィートだ」「この窓は幅2000フィートだ」、「この線は非常に大きな円の一部です」、「これは天井だ」
- ANTON'S MEMORY（アントンの思い出）｜2009｜バッグ、可塑化された布
- THE OTHER ROOMS（そのほかの部屋）｜2009｜アーティストブック

2009｜
金獅子賞功労賞受賞と関連パフォーマンス

- テアトロ・ピッコロでの講演とパフォーマンス ショーン・レノンとシャーロット・ケンプ・ミュールによるPLAY IT BY TRUST、オノ・ヨーコによるCHAIR PIECE、オノ・ヨーコとデヴィッド・ロスの対話、オノ・ヨーコとデヴィッド・ロスによるMESURMENT PIECE（測定はコナー・モナハンとアンドリュー・カシェルが担当）、オノ・ヨーコとデヴィッド・ロスによるBAG PIECE、オノ・ヨーコによるONOCHORD（観客にはフラッシュライトが配られた）、オノ・ヨーコによる大きな陶の花瓶と花瓶の欠片を使ったPROMISE PIECE

2009｜企画展「世界を制作する」
ジャルディーニ・イタリア館

- Instruction Pieces（インストラクション・ピース）｜1960-2009｜過去の印刷物（『グレープフルーツ』（1964年）やその他（1994年）を含む）から抜粋の指示文 イタリア語訳『グレープフルーツ』から抜粋した指示文の印刷 壁に展示されたものは以下の通り：「SUN PIECE」（1962年冬）、「コピーまたは撮影された時だけ存在する絵」（1964年春、イタリア語）、「FLY PIECE」（1963年春）、「風のための絵」（1961年夏）、「頭の中で構築される絵」（1961年冬、イタリア語）、「BOX PIECE」（1964年）、「CLEANING PIECE III」（1996年）、「コピーまたは撮影された時だけ存在する絵」（1964年春）、「BEAT PIECE」（1963年秋）、「CITY PIECE I」（1996年）、「釘を打つための絵」（1961年冬）、「WISH PIECE」（1996年）、「WALKING PIECE」（1964年春）、「風のための絵」（1961年夏、イタリア語）、「FLY PIECE」（1963年夏、イタリア語）、「握手をする絵」（1961年秋）、「COUGH PIECE」（1961年冬）

オノ・ヨーコについては出品作品リストである。本リストはニューヨークのスタジオ・ワンのスージー・リム、およびマルシア・バセット、ジョン・ヘンドリックス、サリ・ヘンリー、カーラ・メリーフィールド、コナー・モナハン、マイケル・シリアンニの協力のもと作成。

長澤英俊

- COLONNA｜1972｜30.0×700.0×30.0｜大理石
- PORTA｜1975｜h200.0×120.0×20.0｜木
- POZZO｜国内展示｜1980-81｜250.0×155.0×155.0｜ブロンズ、大理石｜国立国際美術館蔵
- EU｜1988｜300.0×960.0×160.0｜大理石、真鍮、木、セメント、石灰｜Photo: Giorgio Colombo
- IRIDE｜1993｜h400.0×800.0×700.0｜大理石、鉄、ガラス

1990｜第44回

- 日本館カタログ（表紙）*
- 展示風景｜左：村岡三郎の作品 右：遠藤利克の作品

遠藤利克

- 泉—9個からなる｜1989｜各φ75.0×w130.0｜木、タール、（火）｜埼玉県立近代美術館蔵
- ヴェネチア市街のポスター
- EPITAPH＋cylindrical｜1990｜φ410.0×h300.0｜木、タール、（火）
上記 撮影・画像提供：西田行江

村岡三郎

- 酸素—ヴェネチア｜1990｜h:150.0×d1000.0｜酸素ボンベ、炭粉、鉄、帆布、スピーカー、アンプ、水中マイク、電線｜撮影・画像提供：池上ちかこ

- アイアンブック：熱の穴｜1986｜68.0×77.0×50.0｜鉄、硫黄、スカラベ、ゴム
- アイアンブック：旋回する熱―右手｜1986｜68.0×77.0×50.0｜鉄、硫黄、ゴム

コンプレッソ・プラスティコ
- 愛と黄金｜1990｜300.0×600.0×600.0｜ミクストメディア インスタレーション｜撮影・画像提供：村田真

松井智惠
- 参考図版 その水は元の位置に戻る（細部）｜1988｜Photo ©Tomoaki Ishihara
- 参考図版 その水は元の位置に戻る｜1988｜Photo ©Tomoaki Ishihara
- 水路―意中の速度｜ミクストメディア・インスタレーション｜1990｜480.0×780.0×h280.0｜鉛、漆喰、石膏、ガラス、パラフィン、鏡、鉄、糸、パステル、鉛筆｜画像提供：松井智惠

フルクサス
- 流れ（フルクサス）あるところに運動あり 表紙
- 会場入口｜撮影・画像提供：塩見允枝子
- 展示風景｜撮影・画像提供：塩見允枝子

靉嘔
- FINGER BOX-Kit｜1963｜30.0×44.0×9.5｜ミクストメディア｜撮影：後藤充｜画像提供：三鷹市美術ギャラリー

久保田成子
- メタ・マルセル：窓（雪）｜1976-77｜76.0×58.5×55.0｜合板、ガラス窓、ブラウン管モニター｜久保田成子ヴィデオ・アート財団蔵｜© Shigeko Kubota/VAGA at ARS, NY/JASPAR, Tokyo 2022, C3838

小杉武久
- 参考図版 Interspersion for 20 Sounds｜1979-84｜Photo: Giacomo Oteri｜画像提供：岡本隆子（HEAR/The estate of Takehisa Kosugi）

斉藤陽子
- Do it Youself pictures｜1982｜Photo: Zucchiatti｜Courtesy Archivio Storico della Biennale di Venezia - ASAC

塩見允枝子
- Game around a Revolving Door｜1967｜70.0×50.0｜紙｜撮影：植松琢麿｜画像提供：塩見允枝子

刀根康尚
- モレキュラー・ミュージック｜1982-85｜Photo: Hiro Ihara *

ハイレッド・センター
- 参考図版 首都圏清掃整理促進運動｜1964｜撮影：平田実｜画像提供：HM Archive｜©HM Archive. Courtesy amana TIGP

1988 ｜ **第43回**
- 日本館カタログ（表紙）*

- 展示風景 手前に戸谷茂雄、奥左に植松奎二、奥右に舟越桂の作品｜撮影：南條史生

植松奎二
- 倒置―浮遊の場｜1988｜380.0×470.0×280.0、420.0×400.0×180.0｜布、板、樹、鉄、ワイヤーロープ｜©Keiji Uematsu. Courtesy Yumiko Chiba Associates
- Project Venezia Biennale｜1987｜42.0×29.7｜紙、鉛筆｜©Keiji Uematsu. Courtesy Yumiko Chiba Associates

戸谷成雄
- 森｜1987｜28本｜各213.0×30.0×30.0｜木、アクリル｜撮影：安齊重男｜©Estate of Shigeo Anzaï
- 手前：連山｜1985｜70.0×250.0×250.0｜木、紙、アクリル、パステル｜撮影：安齊重男｜©Estate of Shigeo Anzaï
- 奥：湿地帯｜1987｜70.0×315.0｜木、紙、アクリル、パステル｜撮影：安齊重男｜©Estate of Shigeo Anzaï

舟越桂
- 妻の肖像｜1979-80｜72.0×40.5×25.5｜楠に彩色｜作家蔵｜撮影：落合高仁｜協力：西村画廊
- 静かな向かい風｜1988｜h84.5｜大理石、彩色楠｜東京都現代美術館蔵｜画像提供：東京都現代美術館/DNPartcom｜協力：西村画廊

石原友明
- 約束IV｜1988｜318.0×2060.0｜紙に油彩、変形キャンバスにゼラチンシルバープリント、油彩｜東京都現代美術館蔵｜撮影・画像提供：石原友明

西川勝人
- 左から右

無題	1987	293.0×12.0×14.5	木、石膏、絵具
無題	1987	256.0×10.0×15.0	木、石膏、絵具
無題	1987	138.0×43.4×43.4	木、石膏、絵具
無題	1987	63.5×32.0×32.0	木、石膏
無題	1987	140.0×45.0×45.0	木、石膏、絵具

- 上記 撮影：南條史生｜協力：横田茂ギャラリー

遠藤利克
- 無題｜1983｜h140.0×d27.0｜木、水、タール（22点）｜東京国立近代美術館蔵｜撮影：南條史生

宮島達男
- SEA OF TIME｜1988｜500.0×700.0｜ミクストメディア｜撮影：安齊重男｜©Estate of Shigeo Anzaï

森村泰昌

- 肖像（赤I）｜1986｜120.0×100.0｜カラー写真｜国立国際美術館蔵｜画像提供：モリムラ@ミュージアム

フジタ・ケンジ
- BITTER SKIN｜1988｜76.0×45.0×45.0｜合板、ゴム、金属板、プラスチック、絵具｜個人蔵｜Courtesy the Jablonka Gallery, Cologne

---

1986 ｜ **第42回**
- 日本館カタログ（表紙）*
- 展示風景 上3点：眞板雅文｜撮影：眞板雅文｜©The Estate of Masafumi Maita, Courtesy of Yumiko Chiba Associates
- 展示風景 右3点：若林奮

眞板雅文
- 樹々の精｜1986｜660.0×450.0×450.0｜鉄（表面に亜鉛メッキ）｜©The Estate of Masafumi Maita, Courtesy of Yumiko Chiba Associates

若林奮
- 大気中の緑色に属するものII｜1985｜480.0×1500.0×1500.0（展示スペース）｜鉄、銅、鉛、ペンキ、鉛筆、紙

イサム・ノグチ
- スライド・マントラ｜1986｜h315.0｜大理石｜撮影：眞板雅文｜©2022 The Isamu Noguchi Foundation and Garden Museum/ARS, New York/JASPAR, Tokyo C3783

吉川静子
- 参考図版 4 x 3 Drehspiegelung m 44, No. 28535｜1978-1982｜125.0×125.0｜アクリル絵具・キャンバス｜Shizuko Yohikawa and Josef Müller Brockmann Foundation, Zürich https://syjmb.foundation

---

国際建築展
- 日本館における展示風景 2012｜撮影：畠山直哉 *

1984 ｜ **第41回**
- 日本館カタログ（表紙）*
- 展示風景 手前：伊藤公象の陶 左：田窪恭治のレリーフ 右：堀浩哉の絵画｜撮影：南條史生

伊藤公象
- 起土：焼凍土による｜1984｜63 F（展示スペース）｜撮影：内田芳孝

田窪恭治
- 巨船アルゴー｜1983｜243.5×63.5×43.0｜木、鉄、石膏、金、蜜蝋｜一般財団法人草月会（東京都現代美術館寄託）蔵
- 黄昏の娘たち（83-5）｜1983｜241.5×69.0×28.0｜木、鉄、金、蜜蝋｜国立国際美術館蔵｜

撮影：福永一夫｜Photo: NMAO／DNPartcom

堀 浩哉
- 風の音へ 83-5｜1983｜221.0×162.0｜岩彩、アクリル絵具、オイルスティック・キャンバス｜富山県美術館蔵｜Courtesy the Artist and Mizuma Art Gallery
- 風の物語へ｜1984｜各240.0×133.0｜岩彩、アクリル絵具、オイルスティック・キャンバス｜千葉市美術館蔵｜Courtesy the Artist and Mizuma Art Gallery

出光真子
- GREAT MOTHER（YUMIKO）｜1983｜ビデオ（22分）

伊奈新祐
- FLOW（2）｜1983｜ビデオ（7分）

斎藤 真
- FRAME BY FRAME（DO-OR）（TO-W-ER）｜1983｜ビデオ（8分）

篠原康雄
- Cubist's Fantasy II｜1983｜ビデオ（20分）｜画像提供：篠原康雄

中谷芙二子
- FOG SCULPTURE #94768 EARTH TALK｜1976｜ビデオ｜Photo: Elizabeth Burns｜画像提供：中谷芙二子

松本俊夫
- SHIFT｜1982｜ビデオ（9分）｜©Postwar Japan Moving Image Archive

山本圭吾
- HUMAN BODY ENERGY No.3｜1984｜ビデオ（4分40秒）

田中 泯
- 参考図版 パリ秋芸術祭「〈間〉―日本の時空間展」｜1978｜画像提供：Madada Inc.｜©Archiving with École des Beaux-Arts, ENSBA

アペルトとアルセナーレ
- アルセナーレの配置図｜©Courtesy Archivio Storico della Biennale di Venezia - ASAC

1982 ｜第40回

- 日本館カタログ＊
- 展示風景 北山善夫の作品
- 展示風景 左：北山善夫の作品 中央：川俣正のパネル 右：彦坂尚嘉のレリーフ

川俣 正
- ヴェネツィア・ビエンナーレ、プラン・ドローイング｜1982｜55.6×76.6｜バルサ材、鉛筆、グワッシュ・紙｜個人蔵（群馬県立近代美術館寄託）蔵｜撮影：齋藤さだむ｜画像提供：水戸芸術館現代美術センター
- '82ヴェネチア｜1982｜1500.0×1000.0×270.0｜シート、木材、金具｜撮影：川俣正

北山善夫

- どこかで｜1982｜136.0×116.0×116.0｜竹、革、紙、鉛、布｜豊田市美術館蔵｜撮影：林達雄｜©Yoshio Kitayama Courtesy of MEM
- 言い尽くせない｜1982｜370.0×325.0×250.0｜木、鉛、革、竹、紙｜草月美術館蔵｜©Yoshio Kitayama Courtesy of MEM

彦坂尚嘉
- P. W. P. 8（森）｜1978｜107.2×66.5×8.6｜アクリル絵具・木｜豊田市美術館蔵｜撮影：林達雄
- P. W. P. 50（ズーニー・ソング）｜1981｜149.0×109.3×10.6｜アクリル絵具・木｜豊田市美術館蔵｜撮影：林達雄

1980 ｜第39回

- 日本館カタログ（表紙）＊
- 展示風景 壁面に榎倉康二の作品 小清水漸のレリーフ｜撮影：榎倉康二
- 展示風景 床に小清水漸の作品 上右から二人目榎倉康二
- 展示風景 床に若林奮の作品｜撮影：榎倉康二

榎倉康二
- 無題 No.1｜1978｜310.0×780.0×10.0｜綿布・油絵具｜撮影：榎倉康二
- 無題 No.5｜1978｜452.0×750.0×95.0｜綿布・油絵具｜撮影：榎倉康二

小清水 漸
- 上：作業台―桐の枝｜1979｜160.0×126.0×93.0｜木｜岐阜県美術館蔵
- 下：作業台―木の帆｜1977｜165.0×160.0×120.0｜桜合板｜撮影：榎倉康二

若林 奮
- 左より

| 振動尺 I｜1979｜20.5×34.7×149.5｜鉄｜DIC川村記念美術館蔵 |
| 振動尺 II｜1979｜34.6×54.6×163.5｜鉄、木、グワッシュ｜DIC川村記念美術館蔵 |
| 振動尺 III｜1979｜19.7×28.8×181.6｜鉄、木、グワッシュ｜DIC川村記念美術館蔵 |
| 振動尺 IV｜1979｜18.8×19.7×186.2｜鉄｜DIC川村記念美術館蔵 |

- 100粒の雨滴 II｜国内展示｜1976-77｜17.1×50.0×50.0｜銅、鉄、真鍮
- 100粒の雨滴 I｜国内展示｜1975-76｜12.6×100.0×100.0｜銅、鉄、真鍮

1978 ｜第38回

- 日本館カタログ（表紙）＊
- 展示風景 床に菅木志雄の《全体としての一側面》壁に榎倉康二の作品

榎倉康二
- 無題 No.12｜1978｜360.0×800.0｜綿布、木、廃油｜撮影：榎倉康二
- 無題 No.13｜1978｜360.0×800.0｜綿布、木、廃油｜撮影：榎倉康二

菅 木志雄
- 全体としての一側面｜1978｜550.0×1500.0×1500.0（展示スペース）｜木、針金
- パフォーマンス《他律》日本館前（4点共）

荒川修作
- For Example（A Critique of Never）｜1971｜16ミリフィルム（モノクロ 90分）

長澤英俊
- No.1｜1971｜8ミリフィルム（カラー 23分）

1976 ｜第37回

- 日本館カタログ（表紙）＊
- 展示風景
- 展示作業

篠山紀信
- 左上から 年記は建築年 農家、1626｜100.0×120.0
- 農家、1856｜100.0×120.0
- 廃屋になった農家｜100.0×120.0
- 右上から 集合住宅、1950｜100.0×120.0
- 荒廃した鉱山｜100.0×120.0
- 武士の家、1725｜100.0×120.0（出品時）
- 以上全て 画像提供：篠山紀信

工藤哲巳
- コンピュータ・ペインティングの制作装置図｜©ADAGP, Paris & JASPAR, Tokyo, 2021 C3724
- 無題（コンピュータ・ペインティング B）｜1971｜293.0×214.0｜フランス国立現代美術基金（パリ）蔵｜Photo: Hélène Peter｜©ADAGP, Paris & JASPAR, Tokyo, 2021 C3724

小清水 漸
- 国内展示（右も）

| 左：作業台―作業台｜1975｜h70.0×120.0×70.0｜木 |
| 右：作業台―裏山の木の枝｜1975｜h85.0×120.0×75.0｜木｜画像提供：小清水漸 |

- 作業台―熊瀬川の石｜1975｜h85.0×57.0×75.0×38.0｜木、石｜画像提供：小清水漸

藤原和通
- 参考図版 作品プランと工場での現場制作

眞板雅文
- 展示ブース入口｜©The Estate of Masafumi Maita, Courtesy of Yumiko Chiba Associates
- 展示風景

| 左：状況16｜1976｜可変｜写真、ゴム、コード、シート、電球、ワイヤー、銅パイプ、真鍮パイプ、オイル、ポリエチレン整水槽、写真パネル（200.0×250.0） |
| 右：状況14｜1976｜可変｜写真、鉄の台座、真鍮棒、写真パネル（200.0×250.0）｜©The Estate of Masafumi Maita, Courtesy of Yumiko Chiba Associates |

松澤 宥

- 2点共パフォーマンス《この一枚の白き和紙の中に》｜撮影：中村洋子｜画像提供：松澤久美子

横尾忠則

- 劇団状況劇場第8回公演「腰巻お仙」ポスター｜1966｜109.1×78.9｜シルクスクリーン・紙｜©横尾忠則 画像提供：株式会社ヨコオズ・サーカス 協力：横尾忠則現代美術館

- 会場のコレール美術館｜Photo: Cameraphoto｜Cinque graphic designers, Ex cantieri navali (Giudecca), La Biennale di Venezia 1976. Courtesy Archivio Storico della Biennale di Venezia - ASAC

ビエンナーレと国際交流基金

- 横浜トリエンナーレ2001 フライヤー＊

1972｜第36回

- 展示風景 ピロティの田中信太郎の作品｜画像提供：田中俊江
- 展示風景 上下共：宇佐美圭司の作品

宇佐美圭司

- 行動の場｜1964｜185.0×270.0｜油彩・キャンバス
- ゴーストプランX No.1｜1969｜240.0×370.0｜油彩・キャンバス｜セゾン現代美術館蔵
- ゴースト・プラン・イン・プロセスⅣ｜国内展示｜1972｜アクリル絵具、木｜目黒区美術館蔵

田中信太郎

- 上中下：Mort＋Coagulation によるインスタレーション｜1972｜可変｜金属粉、アクリル、プラスチック樹脂｜画像提供：田中俊江

磯部行久

- PARACHUTE CANOPY PROJECT PARA-COMMANDER CANOPY #440 STEERABLE MODIFICATION. Wt. 21Lbs.｜1969｜184.0×92.0｜シルクスクリーン｜画像提供：アートフロントギャラリー

岡 君子

- P. 1｜1972｜95.0×46.0｜シルクスクリーン

木村光佑

- 現在位置―フレーミング（A）｜1972
- 1971｜74.0×108.0｜リトグラフ、シルクスクリーン｜高松市美術館蔵

菅井 汲

- 参考図版 フェスティバル B｜1971｜61.0×91.0｜シルクスクリーン

高松次郎

- THESE THREE WORDS｜1970｜78.5×54.4｜オフセット、リトグラフ｜©The Estate of Jiro Takamatsu, Courtesy of Yumiko Chiba Associates

名知富太郎

- コンポジション―無限｜1971｜266.0×266.0｜リトグラフ、コラージュ

野田哲也

- 日記：1972年3月14日(a)｜1972｜65.0×65.0｜オフセット、シルクスクリーン、アルミニウム板｜画像提供：野田哲也
- 日記：1972年3月14日(b)｜1972｜65.0×65.0｜オフセット、シルクスクリーン、アルミニウム板｜画像提供：野田哲也

松谷武判

- 9／20オブジェB｜1972｜63.0×32.0｜リトグラフ

1970｜第35回

- 日本館カタログ（表紙）＊

関根伸夫

- 空相｜1970｜450.0×420.0×130.0｜大理石、ステンレス｜ルイジアナ美術館蔵
- 《空相》の設置の様子（3点共）｜撮影：東野芳明
- 冊子『場相時』｜1970｜個人蔵

荒川修作

- 意味のメカニズム（No.2）より 主体性の中性化 1-3｜1963-83｜各244.0×173.0｜油彩等・キャンバス｜セゾン現代美術館蔵｜©2016 Estate of Madeline Gins. Reproduced with permission of the Estate of Madeline Gins.
- 意味のメカニズム（No.2）より 主体性の中性化 1-4｜1963-83｜各244.0×173.0｜油彩等・キャンバス｜セゾン現代美術館蔵｜©2016 Estate of Madeline Gins. Reproduced with permission of the Estate of Madeline Gins.
- 意味のメカニズム（No.2）より 拡大と縮小―尺度の意味 6-1｜1963-83｜各244.0×173.0｜油彩等・キャンバス｜セゾン現代美術館蔵｜©2016 Estate of Madeline Gins. Reproduced with permission of the Estate of Madeline Gins.
- 意味のメカニズム（No.2）より 拡大と縮小―尺度の意味 6-3｜1963-83｜各244.0×173.0｜油彩等・キャンバス｜セゾン現代美術館蔵｜©2016 Estate of Madeline Gins. Reproduced with permission of the Estate of Madeline Gins.
- 左右共：荒川修作の展示風景（2点共）｜撮影：東野芳明
- 荒川修作展示プラン｜荒川修作＋マドリン・ギンズ東京事務所 [（株）コーデノロジスト] 蔵

名知富太郎

- 参考図版 作品

内間安瑆

- Misty Morn｜1964｜53.4×41.4｜多色木版｜画像提供：内間安樹
- Flow and Grass｜1961｜45.4×61.3｜多色木版｜沖縄県立博物館・美術館蔵

1968｜第34回

- 総合カタログ（表紙）＊
- 展示風景 右側に菅井汲の立体作品
- 4作家の個別カタログ表紙＊

菅井 汲

- 10秒前｜1967｜200.0×160.0｜油彩・キャンバス
- まるい森｜1967｜250.0×200.0｜油彩・キャンバス｜滋賀県立美術館蔵

高松次郎

- 上：遠近法（1968年度ベニス・ビエンナーレのためのプラン）｜1967｜26.6×38.7｜鉛筆、ケント紙｜©The Estate of Jiro Takamatsu, Courtesy of Yumiko Chiba Associates
- 下：
  Dimension Perspective（公園）｜1968｜370.0×525.0×110.0｜木、ラッカー
  Dimension Perspective（天）｜1968｜367.0×398.0×249.0｜木、ラッカー
  Dimension Perspective（速度）｜1968｜72.0×72.0×203.0｜木、ラッカー
  Dimension Perspective（空間 No.1）｜1968｜150.0×250.0｜木、ラッカー
  Dimension Perspective（空間 No.2）｜1968｜150.0×250.0｜木、ラッカー｜©The Estate of Jiro Takamatsu, Courtesy of Yumiko Chiba Associates

山口勝弘

- サイン・ポール｜国内展示｜1968｜260.0×55.0×55.0｜アクリル樹脂、蛍光灯｜高松市美術館蔵｜©Estate of Katsuhiro Yamaguchi

三木富雄

- EAR-MIRROR No.1｜東京国立近代美術館（京橋）での国内展示｜1967｜270.0×250.0×300.0｜強化プラスティック、アルミ蒸着メッキ、ステンレス
- EAR｜東京国立近代美術館（京橋）での国内展示｜1967｜160.0×173.0｜強化プラスティック、アルミ蒸着メッキ

阿部展也

- R-14-ROMA｜1965｜100.0×100.0｜板、エンコースティック｜新潟市美術館蔵

1966｜第33回

- 日本館カタログ（表紙）＊
- 展示風景 上：篠田守男の立体作品 奥にオノサト・トシノブの作品｜Photo: Giacomelli｜Padiglione Giappone, 33. Esposizione

internazionale d'arte 1966, foto Giacomelli. Courtesy Archivio Storico della Biennale di Venezia - ASAC
- 展示風景　下：靉嘔の部屋の作品｜撮影：篠田守男

靉嘔
- 虹の環境設定 No.3（ベニスの虹と触覚の部屋）｜1966｜400.0×950.0×470.0｜油彩・木、キャンバスなど

池田満寿夫
- 化粧する女｜1964｜36.5×34.5｜ドライポイント、ルーレット、エッチング
- 夏2｜1964｜40.0×37.0｜ドライポイント、ルーレット、エッチング｜町田市立国際版画美術館蔵

オノサト・トシノブ
- 一ツの朱の円｜1958｜97.0×130.0｜油彩・キャンバス｜高松市美術館蔵｜©ROKUMARU ONOSATO

篠田守男
- テンションとコンプレッション343｜東京国立近代美術館（京橋）での国内展示｜1966｜200.0×150.0×150.0｜鉄鋳物、硬質クロームメッキ｜撮影：篠田守男

ゲリラ的参加
- ジャルディーニでミラーボールを売る草間彌生｜1966｜©YAYOI KUSAMA
- 運河の手すりにくくりつけられた「なすび画廊」｜1995｜撮影・画像提供：村田真

1964 ｜第32回
- 日本館カタログ（表紙）＊
- 展示風景　上：豊福知徳の作品
- 展示風景　中：オノサト・トシノブの作品
- 展示風景　下：堂本尚郎の作品

オノサト・トシノブ
- 壁画A・B・C・D｜1962｜136.4×334.9｜油彩・キャンバス｜東京都現代美術館蔵｜©ROKUMARU ONOSATO｜画像提供：東京都現代美術館／DNPartcom
- 作品100-B｜1963｜130.8×162.3｜油彩・キャンバス｜©ROKUMARU ONOSATO

斎藤義重
- 作品2（V-2）｜1964｜182.0×121.4｜油彩・合板レリーフ｜福岡市美術館蔵｜画像提供：福岡市美術館／DNPartcom

堂本尚郎
- 連続の溶解7｜1964｜162.0×162.0｜油彩、アクリル絵具・キャンバス｜セゾン現代美術館蔵
- 連続の溶解9｜1964｜195.0×150.0｜油彩、アクリル絵具・キャンバス｜石橋財団アーティゾン美術館蔵

豊福知徳
- VENTUS（風）｜1963｜140.0×120.0×6.0｜木
- テート・ギャラリー部門の勅使河原蒼風作品（中央）

様々な賞
- 金獅子賞トロフィー　撮影：山口幸治＊

1962 ｜第31回
- 日本館カタログ（表紙）＊
- 展示風景　左上：向井良吉の作品｜『現代の眼』1962年7月号より
- 展示風景　左下：壁面に菅井汲の作品｜『現代の眼』1962年7月号より
- 展示風景　右上：壁面に川端実の作品｜撮影：山崎玲子
- 展示風景　右下：壁面に杉全直の作品｜『現代の眼』1962年7月号より

江見絹子
- 作品｜1962｜145.4×97.2｜油彩・キャンバス｜神奈川県立近代美術館蔵
- 作品2｜1962｜145.2×112.8｜油彩・キャンバス｜神奈川県立近代美術館蔵

川端 実
- 強烈な赤｜1961｜161.5×130.5｜油彩・キャンバス｜©Y. KAWABATA & JASPAR, Tokyo, 2022 C3764
- 作品｜1962｜228.5×185.5｜油彩・キャンバス｜©Y. KAWABATA & JASPAR, Tokyo, 2022 C3764

菅井 汲
- 黒い雲｜1961｜195.0×130.0｜油彩・キャンバス｜富山県立美術館蔵
- 鬼（茶）｜1962｜162.0×129.9｜油彩・キャンバス｜兵庫県立美術館（山村コレクション）蔵

杉全 直
- きっこう2（コンポジションE）｜1962｜162.1×130.3｜油彩・キャンバス｜福岡市美術館蔵｜画像提供：福岡市美術館／DNPartcom
- キッコウに憑かれて（A）｜1960｜162.3×130.5｜油彩・キャンバス｜東京国立近代美術館蔵｜Photo: MOMAT/DNPartcom

向井良吉
- 蟻の城II｜1960｜81.0×74.3×24.0｜アルミ合金｜世田谷美術館蔵
- 蟻の城III｜1960｜85.0×50.0×82.0｜アルミ合金｜世田谷美術館蔵

田尻真吉
- Montagna｜1959｜ブロンズ｜Montagna, Shinkichi Tajiri, 31. Esposizione internazionale d'arte 1962, foto Giacomelli. Courtesy Archivio Storico della Biennale di Venezia -ASAC ©PICTORIGHT, Amsterdam & JASPAR, Tokyo, 2022 G2814

酒井和也
- アルゼンチンの展示：壁面に酒井和也の作品｜Photo: Giacomelli｜Mostra personale di Kazuya Sakai, padiglione Argentina, 31. Esposizione internazionale d'arte 1962, foto Giacomelli. Courtesy Archivio Storico della Biennale di Venezia - ASAC

1960 ｜第30回
- 日本館カタログ（表紙）＊
- 左：展示会場の今井俊満
- 右上：展示会場の佐藤敬
- 右下：展示会場の斎藤義重

今井俊満
- シメール｜1960｜200.0×300.0｜油彩・キャンバス｜大阪中之島美術館蔵｜画像提供：大阪中之島美術館／DNPartcom 協力：今井アレクサンドル

小野忠弘
- 作品1｜1960｜100.0×70.0×70.0｜鉄

斎藤義重
- 絵画2｜1960｜170.0×122.0｜油彩、蜜蝋・合板｜兵庫県立美術館蔵

佐藤 敬
- 睡眠化石｜1959｜196.0×260.0｜油彩・キャンバス｜大分県立美術館蔵

豊福知徳
- 漂流1｜1958｜221.0×288.0×71.0｜木｜山口県立美術館蔵

浜口陽三
- 2つのさくらんぼ｜1957｜20.0×20.0｜メゾチント（カラー）｜協力：ミュゼ浜口陽三・ヤマサコレクション

柳原義達
- 人｜1959｜118.0×40.0×70.0｜ブロンズ｜三重県立美術館蔵

山口 薫
- 田園詩｜1956｜130.0×162.0｜油彩・キャンバス｜東京国立近代美術館蔵｜Photo: MOMAT/DNPartcom

間部マナブ
- 天国からの声｜1960｜185.0×200.0｜油彩・キャンバス｜Photo: Manabu Mabe｜©Manabu Mabe Family

---

1958 ｜第29回
- 1958年展ポスター｜Manifesto della 29. Esposizione Internazionale d'Arte 1958, progetto grafico Carlo Scarpa. Courtesy Archivio Storico della Biennale di Venezia - ASAC
- 展示風景　正面に福沢一郎、その手前に木内克、右に岡田謙三の作品

- 日本館カタログ

岡田謙三
- 時｜1954｜222.0×234.0｜油彩・キャンバス｜静岡県立美術館蔵

川端龍子
- 吾が持仏堂 十一面観音｜1958｜181.8×121.2｜紙本墨画淡彩｜大田区立龍子記念館蔵

木内 克
- 女｜1956｜88.0×37.5×54.0｜テラコッタ｜東京国立近代美術館蔵｜撮影：大谷一郎｜Photo: MOMAT/DNPartcom

辻 晋堂
- 馬と人｜1958｜101.5×96.0×41.0｜陶｜京都市美術館蔵

福沢一郎
- 埋葬｜1957｜258.0×130.3｜油彩・キャンバス｜東京国立近代美術館蔵｜Photo: MOMAT/DNPartcom

前田青邨
- 紅白梅｜1958｜61.2×88.6｜紙本着色｜©Y. MAEDA & JASPAR, Tokyo 2022 C3783

小野田ハルノ
- 女の胸像｜1958｜ブロンズ
- 頭｜1956｜テラコッタ｜Photo: Ferruzzi/Testa, Onoda Haruno, 29. Esposizione internazionale d'arte 1958. Courtesy Archivio Storico della Biennale di Venezia - ASAC

1956 ｜第28回

- 1956年展ポスター｜Manifesto della 28. Esposizione Internazionale d'Arte 1956, Luigi Veronesi, progetto grafico Studio Alma. Courtesy Archivio Storico della Biennale di Venezia - ASAC
- 展示風景｜©Courtesy Archivio Storico della Biennale di Venezia - ASAC
- 日本館パンフレット＊ 上：表面 下：裏面
- 日本館開館記念式典より｜画像提供：石橋財団

植木 茂
- 作品｜1954｜53.5×32.0｜木｜東京国立近代美術館蔵｜撮影：大谷一郎｜Photo: MOMAT/DNPartcom
- 日本館ピロティに展示された植木茂作品

須田国太郎
- 歩む鷲｜1940｜131.0×162.5｜油彩・キャンバス｜東京国立近代美術館蔵｜Photo: MOMAT/DNPartcom

棟方志功
- 展示風景
- 湧然する女者達々｜1953｜各95.5×105.5｜木版彩色、紙本 全2冊｜東京国立近代美術館蔵｜Photo: MOMAT/DNPartcom

山口長男
- 作品（かたち）｜1954｜185.5×182.0｜油彩・合板｜東京都現代美術館蔵｜画像提供：東京都現代美術館/DNPartcom

山本豊市
- 粧い｜1954｜h23.0｜乾漆

脇田 和
- 貝殻と鳥｜1954｜145.8×112.2｜油彩・キャンバス｜東京国立近代美術館蔵｜Photo: MOMAT/DNPartcom

日本館
- 1956年、竣工時の日本館｜画像提供：石橋財団
- 2014年、改修直後の日本館｜Photo: Peppe Maisto＊
- 左右：1932年の日本館建築案｜Courtesy Archivio Storico della Biennale di Venezia - ASAC
- 大竹十三 日本館竣工後のドローイング｜国（文化庁国立近現代建築資料館）蔵
- 5点共、本書帯：改修直後の日本館 2014｜Photo: Peppe Maisto＊

1954 ｜第27回

- 日本館パンフレット（表紙）＊

岡本太郎
- 森の掟｜1950｜181.5×259.5｜油彩・キャンバス｜川崎市岡本太郎美術館蔵
- 変身｜1953｜112.5×131.0｜油彩・キャンバス｜川崎市岡本太郎美術館蔵

坂本繁二郎
- 日本館パンフレット 坂本繁二郎のページ＊
- 放牧三馬｜1932｜80.5×100.0｜油彩・キャンバス｜石橋財団アーティゾン美術館蔵
- 甘藍｜1941｜80.4×100.1｜油彩・キャンバス｜大分県立美術館蔵

1952年以前の参加記録から
- 1897年に出品されたエルネスト・ゼーガー蔵の象牙彫り

1952 ｜第26回

- 総合カタログ（表紙）｜Manifesto della 26. Esposizione Internazionale d'Arte 1952, progetto grafico Erberto Carboni. Courtesy Archivio Storico della Biennale di Venezia - ASAC
- 展示風景 左から吉岡堅二、福沢一郎、川口軌外、鏑木清方、横山大観の作品｜Courtesy Archivio Storico della Biennale di Venezia - ASAC
- 展示風景 左壁面に小林古径、右隅に安井

曾太郎の作品｜Courtesy Archivio Storico della Biennale di Venezia - ASAC

梅原龍三郎
- 紫禁城｜1940｜114.5×89.0｜油彩・紙｜永青文庫蔵

鏑木清方
- 春雪｜1946｜167.2×87.3｜絹本彩色｜サントリー美術館蔵｜©Akio Nemoto 2021/JAA2100247

川口軌外
- 少女と貝殻｜1934｜167.3×267.2｜油彩・キャンバス｜和歌山県立近代美術館蔵

小林古径
- 唐蜀黍｜1939｜各167.6×181.0｜二曲一双｜紙本彩色｜東京国立近代美術館蔵｜Photo: MOMAT/DNPartcom

徳岡神泉
- 畠｜1952｜51.3×85.0｜紙本彩色｜個人蔵

福沢一郎
- 樹海｜1948｜194.0×259.0｜油彩・キャンバス｜東京国立近代美術館蔵｜Photo: MOMAT/DNPartcom

福田平八郎
- 新雪｜1948｜112.8×82.0｜絹本彩色｜個人蔵

安井曾太郎
- 深井英五氏像｜1937｜93.0×77.0｜油彩・キャンバス｜東京国立博物館蔵｜出典：ColBase（https://colbase.nich.go.jp）

山本丘人
- 山麓｜1943｜144.4×72.6｜絹本彩色｜東京芸術大学蔵｜画像提供：東京藝術大学/DNPartcom

横山大観
- 飛泉｜1928｜各172.7×71.5｜絹本墨画｜宮内庁蔵

吉岡堅二
- 水禽図屏風｜1951｜171.3×375.0｜紙本彩色

国吉康雄
- 力持ちの女と子ども｜1925｜145.4×114.0｜油彩・キャンバス｜スミソニアン・アメリカ美術館（ワシントンD.C.）蔵

『ヴェネチア・ビエンナーレ―日本参加の40年』
- 『ヴェネチア・ビエンナーレ―日本参加の40年』書影｜撮影：林育正＊

本書の刊行にあたり、写真画像や資料、情報の提供をなどでご協力いただきました、国内外の関係各位および各機関、すべての皆様に、心より御礼申し上げます。